GWEN TOMOS

MERCH Y WERNDDU

DANIEL OWEN

HUGHES

Argraffiad cyntaf: 1894
Argraffiad newydd: Hydref 1992
Ail Argraffiad: Mawrth 1996

ISBN 0 85284 117 5

Dymuna'r cyhoeddwyr gydnabod cymorth
Adrannau'r Cyngor Llyfrau Cymraeg.

Cysodwyd ac argraffwyd gan Argraffwyr Cambrian
Ffordd Llanbadarn, Aberystwyth, Dyfed,
SY23 3TN

Cyhoeddwyd gan Hughes a'i Fab, Parc Tŷ
Glas, Llanisien, Caerdydd CF4 5DU.

AT Y DARLLENYDD

WRTH gyhoeddi fy mhedwaredd chwedl, sef *Gwen Tomos*, dymunwn ddiolch yn gynnes i'm cydwladwyr am y croeso calonnog a roddwyd i'w rhagflaenoriaid. Credaf, ar yr un pryd, fod y clod am y gwerthiant helaeth a fu ac y sydd ar *Rhys Lewis* ac *Enoc Huws* yn fwy dyledus i'r cyhoeddwyr parchus—Meistri Hughes a'i Fab—nag i'r awdur.

Cenfydd y darllenydd mai ystori hynod o syml ydyw *Gwen Tomos*, o leiaf, amcenais iddi fod felly. Nid oes ynddi ddirgeledigaethau na chyd-ddigwyddiadau rhyfedd ac annisgwyliedig fel a geir yn gyffredin mewn nofelau. Gyda'r cymeriadau sydd ynddi, a chydag ychydig o ymdrech, hwyrach y gallesid dwyn pethau felly i mewn iddi. Ond i ba ddiben? Bwriedais i'r hanes fod yn *true to nature*, fel y dywedai fy hen gyfaill Wil Bryan, ac os methais, methiant gallu ac nid amcan ydyw.

Y mae'r cymeriadau y sonnir amdanynt yn *Gwen Tomos* yn gyfryw ag y deuthum i fy hun i gyffyrddiad â hwynt yn ystod fy mywyd, ond fy mod wedi lliwio tipyn arnynt, a thipyn ydyw, nid llawer. Ddeugain mlynedd yn ôl, a llai, yr oedd cymeriadau fel Robert Wynn, Pant-y-buarth, yn gyffredin yng Nghymru. Erbyn hyn, ysywaeth, y maent yn brinion, ac yr oedd yn hen bryd i rywun geisio eu *photographio* cyn iddynt fynd ar ddifancoll. Mae addysg neu rywbeth yn y dyddiau hyn yn llyfnhau conglau cymeriadau fel nad oes fawr wahaniaeth rhyngom. Hyderaf nad oes llinell yn *Gwen Tomos* a wna niwed i'r meddwl puraf, ac na fydd yn hollol amddifad o addysg yn ogystal a difyrrwch i'r hwn a'i darlleno.

YR AWDUR

YR WYDDGRUG,
Hydref 23ain, 1894

RHAGYMADRODD

Nofel gyfres oedd *Gwen Tomos*, fel nofelau eraill Daniel Owen. Ymddangosodd y bennod gyntaf yn rhifyn 22 Rhagfyr, 1892, o'r *Cymro*, newyddiadur wythnosol a olygwyd gan Isaac Foulkes ('Llyfrbryf', 1836-1904), perchennog y papur ac un o gofianwyr y nofelydd. Ni chafwyd yr un bennod arall am rai misoedd wedyn oherwydd dyma gyfnod cyhoeddi 'Nodion Ned Huws', cyfres o ysgrifau gan Daniel Owen (*Y Cymro*, Tachwedd, 1892–Mai, 1894). Disodlwyd y rhain gan *Gwen Tomos* rhwng 20 Ebrill, 1893, pryd yr ailgyhoeddwyd y bennod gyntaf, a 5 Ebrill, 1894. Cyn diwedd 1894 yr oedd Gwasg Hughes a'i Fab yn Wrecsam wedi cyhoeddi'r gwaith yn gyfrol.

Yn 1937, blwyddyn ar ôl canmlwyddiant geni Daniel Owen, cafwyd argraffiad arall o'r llyfr 'wedi ei ddiwygio' gan Thomas Parry (adargraffiad 1962, 1967, 1978), a oedd ar y pryd yn ddarlithydd yn Adran y Gymraeg, Coleg y Brifysgol, Bangor. Y talfyriad hwn a ddarllenwyd gan genedlaethau'r hanner canrif diwethaf ac nid dyma'r nofel fel yr ysgrifennwyd hi gan yr awdur. Gwnaeth y golygydd medrus lawer mwy na diweddaru'r orgraff yn yr argraffiad diwygiedig. Gadawyd allan 'At y darllenydd', y rhagair diddorol a luniodd Daniel Owen i'w nofel. Crynhodd amryw o rannau o'r stori gan ddefnyddio ei iaith ei hun. Ni chynhwysodd gryn nifer o'r darnau disgrifiadol sydd mor nodweddiadol o waith y nofelydd o'r Wyddgrug. Yma a thraw ceir awgrym o sensoriaeth: er enghraifft, hepgor hanes yr ysgwïer gyda merched ym Mhennod XXXII a barnwyd nad priodol oedd cynnwys y disgrifiad o'r modd y bu Twm Nansi a Rheinallt yn trafod fferetau ym Mhennod VI a'r drafodaeth ar brydferthwch Gwen ym Mhennod XXII. Y mae'n bosibl mai'r rheswm am y math hwn o gwtogi oedd darparu argraffiad o'r nofel ar gyfer ysgolion. Nid oes amheuaeth nad yw'r stori'n symud ymlaen yn gyflymach yn nhalfyriad Thomas Parry a diamau fod lle i argraffiad talfyredig ar gyfer dosbarthiadau iau ysgolion Cymru. Ond rhyfedd meddwl fod bron canrif wedi mynd heibio er pan gawsom y nofel gyflawn i'w mwynhau a'i hastudio fel yr ysgrifennwyd hi, yn ei nerth a'i gwendid.

Un o ganlyniadau'r cwtogi yw teneuo cymeriadaeth *Gwen Tomos* a pheri bod y stori yn llai argyhoeddiadol. Cymerer Robert Wynn, un o'r cymeriadau mwyaf cofiadwy. Ni chynhwyswyd y disgrifiad o'i 'ddefnyddioldeb' fel *factotum* eglwys Tan-y-fron; y mae'r wedd hon ar ei gymeriad yn bwysig ac yn rhan yr un mor bwysig o'r darlun o Fethodistiaeth a dynnir gan yr awdur. Yn union wedi hyn, gwanheir dwyster ac arwyddocâd drama diarddeliad Gwen trwy dalfyrru'r hanes, er ei bwysiced i Gwen a Rheinallt. Ar ddiwedd Pennod XLIV hepgorwyd dadl fywiog Robert Wynn â Beti, ei wraig, ynglŷn â'r Arfaeth, gan wanhau'r cymeriad a'r adroddiant fel ei gilydd a cholli'r dychan ysgafn ar gredo Robert. Ni chadwyd ychwaith y disgrifiad o fam Lewis Jones, darpar ŵr Elin, er mai amcan Daniel Owen, mae'n amlwg, yw dangos y gwahaniaeth rhwng gwir grefydd ysbrydol a chrefydd ffurfiol 'yr hen amser gynt', a defnyddio teitl y bennod honno. Tynnwyd allan y rhan helaethaf o hanes 'y gŵr dieithr', Mr. Thomson, cyn iddo ddod i mewn i fyd y nofel. Dyma'r math o ddatguddiad yr oedd y gynulleidfa Victoraidd yn cael blas mawr arno. Dyry'r esboniad ar ei ymyrraeth ddramatig fwy o sylwedd i gymeriad Mr. Thomson a saif yn eglurhad ar un o 'ddirgeledigaethau' *Gwen Tomos*. Mae'r cwtogi diarbed ar sgwrs y meddyg ym Mhennod XXVII a XXVIII yn dirymu pwysigrwydd y cymeriad hwn i raddau helaeth. Fel Rhys Lewis yn nofel gyntaf Daniel Owen, rhaid i Reinallt, y plentyn amddifad, gael *mentor* a chynghorydd yn ei fywyd a'r Doctor Huws yw hwnnw, yn hytrach na Robert Wynn.

Cyfaddefodd Daniel Owen iddo gael trafferth gyda chwlwm y nofel hon a luniodd yn ystod ei afiechyd olaf. Mewn llythyr at Isaac Foulkes yng nghanol mis Mawrth, 1892, dywedodd ei fod 'wedi ysgrifennu amryw o ddisgrifiadau o gymeriadau ac amgylchiadau, ond nid oes gennyf eto *idea* sut i'w clymu â'i gilydd'. Ymhen rhyw flwyddyn yr oedd yn dal yn ansicr beth i'w wneud â'i gymeriadau. Fel y dywed Isaac Foulkes, efallai mai ei wendid yn ei salwch oedd y rheswm am y gofid hwn. Yn sicr, y farn gyffredinol yw mai *Gwen Tomos* oedd ei waith gorau o ran gwneuthuriad nofel. Yn ôl yr awdur ei hun yn ei ragair, 'ystori hynod o syml' yw hanes Gwen Tomos. Yr oedd am ffotograffio'r hen gymeriadau, meddai, 'cyn iddynt fynd ar ddifancoll'. Diddorol sylwi, yn y fan hon, fod hen wraig adnabyddus yn Yr Wyddgrug o'r enw Nancy Cunnah neu Connah wedi marw yno ym mis Mehefin, 1862. 'Yr oedd ei harabedd yn ddihysbydd, a'i gwawdiaith yn ysol', meddai *Baner ac Amserau Cymru*. Nid syndod, felly, fod y nofelydd yn dweud bod ei gymeriadau 'yn gyfryw ag y deuthum i fy hun i gyffyrddiad â hwynt'. Yn y gyfres 'Nodion Ned Huws' yn *Y Cymro* anogodd gyfranwyr eraill i ddal ati 'i adrodd chwedleuon a mân-gofion am hen gonos yr oes o'r blaen'.

Creu oriel o gymeriadau cofiadwy, felly, oedd un o amcanion y nofelydd. Ond rhaid hefyd oedd rhoi'r cymeriadau hynny, ac eraill, mewn cyd-destun arbennig, mewn stori ddifyr. Y stori 'syml' hon yw hanes Methodistiaeth Galfinaidd yn ymsefydlu yn y wlad yng nghyffiniau'r Wyddgrug tua diwedd y ddeunawfed ganrif a blynyddoedd cynnar y bedwaredd ganrif ar bymtheg. Cynrychioli'r gwerthoedd Methodistaidd ar eu gorau y mae Gwen. Gall y grefydd rymus, ddisgybledig hon achub pentewynion o'r tân—pobl fel Gwen ei hun, Wil Pen-y-Groesffordd a Lewis Jones—a gosod y seiliau i'r Gwareiddiad Ymneilltuol newydd. Ar y llaw arall, y mae Mr Jones y person yn cynrychioli'r hen Gymru anghyfrifol, ofergoelus a garw, a'r hen grefydd ffurfiol nad yw'n dda i ddim. Ni all safonau Mr Jones wella pechodau a drygau cymdeithasol y Gymru hon: ymladd ceiliogod, meddwi a rhegi, mercheta, llofruddiaeth, dwyn, herwhela, gornestau ymladd, ofergoeledd a dewiniaeth. Gwen sy'n arwain y gad yn erbyn galluoedd y fall ac fe gaiff hi'r trechaf yn hawdd ar y person wrth ymgiprys ag ef:

'Yn ystod yr amser yr ydach chi wedi bod yn y plwy' yma, dangoswch i mi un dyn neu ddynes sy'n arfer mynd i'r Eglwys i wrando eich gweinidogaeth sydd wedi ei argyhoeddi o'i bechod; enwch i mi un fel ffrwyth eich holl wasanaeth sydd wedi peidio â meddwi, wedi peidio tyngu a rhegi, wedi dysgu dweud y gwir— wedi ei newid, wedi ei wneud yn ddyn newydd, a mi enwa' innau i chi ugain gyda'r Methodistiaid. Dowch, enwch un, dim ond un.'

Nofel hanesyddol, felly, yn y lle cyntaf, yw *Gwen Tomos*. Gellid meddwl y byddai'r hanes hwn, hanes twf yr ymneilltuaeth ddiwygiadol newydd, yn hawlio'r diwedd dedwydd a oedd mor annwyl gan y darllenwyr Victoraidd. Ond prin fod nofel olaf Daniel Owen, mwy na *Rhys Lewis* ac *Enoc Huws*, yn gorffen yn fuddugoliaethus. 'Mae hanes Gwen Tomos yn diweddu yn brudd,' medd Rheinallt ar ddiwedd ei hunangofiant. Hanes Gwen Tomos, sylwer, y proselyt ffyddiog, ysbrydlon. Yn y stori gyntaf, y rheswm am y diwedd prudd hwn yw'r ffaith fod Gwen yn cael ei gorfodi i ymfudo oherwydd ariangarwch ei gŵr. Efallai fod rheswm dyfnach na hyn yn yr ail haen o'r nofel. Yn ymwneud y cymeriadau â'i gilydd, yn eu cymhellion, yn enwedig cymhellion cymysg Gwen, y mae prif ddiddordeb y nofel ac nid oes modd dod i'r afael â'r ail nofel o fewn cloriau *Gwen Tomos* ond yn y fersiwn lawn ohoni. Ni all y stori ddod i ben yn gonfensiynol o hapus am nad yw Gwen yn arwres ddilychwin, gonfensiynol.

Gwen Tomos yw'r ferch fwyaf cymhleth a deniadol a greodd Daniel Owen. Merch hardd o gig a gwaed yw hi, nid cymeriad Victoraidd ystrydebol: 'yr oedd Gwen yn flaenorol yn eneth lawen, nwyfus, yn hynod hoff o ddawnsio, ac o bob rhialtwch a difyrrwch ieuenctid. . .', er ei bod hefyd, wrth gwrs, 'yn ferch ifanc lân ei chymeriad a di-sôn-amdani'. Dywedir wrthym ei bod 'yn meddu ar ewyllys gryfach' na'i brawd Harri. Y peth cyntaf a wna Gwen yn y nofel yw syrthio mewn cariad â'r Parchedig John Phillips, Treffynnon, 'gŵr golygus a hardd', a welir yn mynd heibio ar geffyl du, porthiannus—ond llonydd! 'Elin, dyna'r dyn harddaf a weles erioed yn 'y mywyd', medd Gwen. Atyniad rhywiol yw atyniad cyntaf y gŵr hwn i Gwen. Caiff dröedigaeth grefyddol a bydd yn rhaid aruchelu'r teimladau cryf hyn. Ar ddiwedd ei hoes, medd Rheinallt: 'am bregeth Mr Phillips y diolchai awr cyn i'w hysbryd ehedeg at yr Hwn y syrthiodd mewn cariad ag ef yng nghapel Tan-y-fron'.

Y mae teimladau Gwen tuag at ei brawd yr un mor gryf. Myfyrdod ar natur cariad rhwng mab a merch yw'r ail baragraff ym Mhennod XIV, nid cariad rhwng brawd a chwaer. Ai chwaer sy'n gofyn: 'Harri, wyt ti wedi blino arna' i?' Iaith serch sydd yma. Y mae'r iaith hon yn arbennig o awgrymog wrth weld bod Harri, yntau, yn coleddu 'syniadau rhy uchel am Gwen *ym mhob ystyr*' a dywed y storïwr nad yw Gwen am i Harri briodi. Yn nes ymlaen, cryfheir yr awgrym hwn ynglŷn â'u perthynas trwy ddweud bod Harri 'mor eiddigeddus . . . o'i chwaer, *ac mor wahanol i frodyr yn gyffredin*, fel pwy bynnag a daflai lygaid edmygol ar Gwen. . .' ac yn y blaen. Fi biau'r italeiddio yn y sylwadau hyn. Awgrym sydd yma, bid siŵr. Ond bydd yn rhaid i Harri farw cyn bod y ffordd yn glir o flaen Gwen i briodi Rheinallt. Nid perthynas gyffredin brawd a chwaer a geir rhwng Gwen a Harri. Anodd osgoi'r casgliad fod yr ofn ei bod yn euog o losgach yn y galon yn fwrn ar Gwen. Ni ddylid synnu ychwaith fod Daniel Owen yn mentro ar hyd y ffordd hon. Fe wnaeth beth tebyg yn *Enoc Huws* wrth ddisgrifio perthynas Enoc â Susi Trefor, ei hanner chwaer. Y mae'r trydydd paragraff ym Mhennod XIV, lle disgrifir cariad Harri at Gwen, yr un mor ddiddorol. Mewn drafft o'r nofel, a geir ymhlith llawysgrifau Llyfrgell Genedlaethol Cymru, Aberystwyth, ni welir y geiriau 'Cariad at chwaer oedd yn Harri Tomos' ar ddechrau'r paragraff hwn. Tybed a deimlai'r awdur ei fod yn mentro gormod a bod angen lliniaru'r modd yr oedd yn cyfleu teimladau Harri?

Rhaid deall teimladau Gwen yng nghyd-destun y ffaith nad yw'n siŵr a yw hi'n chwaer, yn hanner chwaer neu'n unrhyw berthynas o gwbl i Harri. Yr ofn sy'n corddi yng nghalon Gwen yw ei bod yn ferch i Nansi'r Nant. Os felly, ac os tad arall heblaw Edward Tomos oedd ei thad, yna mae ei theimladau tuag at Harri'n ddigon naturiol. Wrth iddo geisio cysuro Gwen ym Mhennod XXXVIII ymddengys fod Rheinallt yn anghofio iddo ddweud wrthym yn yr ail bennod fod Nansi'n gweini ar fam Gwen pan aned merch y Wernddu: 'Melltith o eneth eto!' Rhyfedd hefyd na chofiodd Edward Tomos fod Nansi'n fydwraig adeg geni Gwen. Gall yr anghysonderau hyn fod yn wallau yn yr adroddiant. Boed hynny fel y bo, ni ŵyr Gwen beth yw'r gwir ac ni chaiff wybod y gwir gan Nansi. Siarad ar draws ac ar led a wna Nansi ar ei gwely angau wrth ddatgelu, i bob golwg, ei bod wedi twyllo Edward Tomos i gredu bod Gwen yn ferch iddi. Eto i gyd, ni all Gwen lai na gwasgu arni am sicrwydd: 'Ond Nansi,' ebe Gwen, 'mae gen i gwestiwn difrifol i'w ofyn i chi. Faint o wir oedd yn y stori ddaru chi ddeud wrth 'y nhad y bore hwnnw. . . ?' A'r cwbl a gaiff Gwen druan yw bytheiriad mai 'Celwydd ydi'r byd i gyd—celwydd sydd yn ei ddal wrth ei gilydd—celwydd ydi'r bobl, a chelwydd—'.

Ar ddechrau'r bennod nesaf, dywed Rheinallt fod 'meddwl am y posibilrwydd iddi fod yn ferch i Nansi'r Nant, yr hen ddewines felltithgar, yn dryllio teimladau Gwen' a hynny am ei bod yn ofni y byddai Rheinallt yn ymbellhau oddi wrthi ac am ei bod 'yn rhoi mawr bris ar stoc neu linach'. Drannoeth y bore, â Gwen i geisio cael y gwir eto gan yr hen wrach. Ond bu farw Nansi yn oriau mân y bore. Siwrnai seithug gaiff Rheinallt, yn ei dro, ac yntau wedi mynd i chwilio ymhlith llyfrau a phapurau Nansi 'i edrych a oes golau i'w gael ar yr hyn sydd yn dy flino'. Ond llosgwyd y cwbl. O'r herwydd, mae'r ansicrwydd difaol hwn yn dal 'i beri anesmwythder mawr i Gwen'. Ai dyma'r rheswm pam y bodlonodd Gwen i ymfudo gyda Rheinallt, er eu bod yn byw yn ddiddig ac yn gysurus eu byd, diolch i ddarganfod yr arian yn y lle tân ac i garedigrwydd Mr Thomson? Nid 'ystori hynod o syml' yw *Gwen Tomos* ac ni ddylid ar unrhyw gyfrif gredu popeth a ddywed yr awdur yn ei ragair. Y mae Daniel Owen am inni gredu nad oes yn y nofel 'ddirgeledigaethau na chyd-ddigwyddiadau rhyfedd ac annisgwyliedig fel a geir yn gyffredin mewn nofelau'. Ond ceir digonedd o'r dyfeisiau hyn yn y llyfr. Pwy yw mam Gwen Tomos? Pwy yw Mr Thomson? Pwy a laddodd y cipar? Onid yw cael hyd i'r cwdyn o aur yn 'gyd-ddigwyddiad rhyfedd'? Sut mae deall breuddwyd Rheinallt?

Y gwir yw mai dwy nofel yw *Gwen Tomos*. Thema'r nofel gyntaf yw twf a her Methodistiaeth arloesol yn y Gymru wledig. Thema'r ail nofel, thema sy'n gyffredin i dair nofel Daniel Owen, yw'r modd y mae teulu'r Wernddu yn cael ei chwalu a'i fradychu gan ymwneud rhai o'r prif gymeriadau â'i gilydd. Hynny yw:

a. gan deimladau annaturiol Gwen tuag at ei brawd a hithau yn chwaer iddo, neu'n meddwl ei bod yn chwaer iddo. Ynghlwm wrth hyn y mae teimlad Gwen ei bod wedi bradychu llinach y teulu a'i chrefydd os yw hi'n ferch i Nansi'r Nant.
b. gan frad Harri, a goleddai'r un teimladau tuag at Gwen ac a ddug warth ar ei linach yn ogystal trwy feddwi a merchеta ac ofera arian teulu'r Wernddu.
c. gan frad pen y teulu, Edward Tomos, yn dwyn gwarth ar ei linach trwy odinebu gyda'r wrach Nansi'r Nant a chenhedlu Gwen ar Nansi, o bosibl, a sarnu bywyd Gwen.

Yn y stori gyntaf, y rheswm am waeledd a marwolaeth annhymig Gwen yw'r profiad a gaiff gyda'r Almaenwyr, digwyddiad nad yw'n argyhoeddiadol iawn. Yn yr ail nofel, y rheswm ei bod yn heneiddio cyn pryd ac yn marw yn ei siom yw'r ffaith nad yw bywyd mewnol Gwen, ei chymhellion cudd, yn gwbl ddi-fai. 'Ddaw byth ddim rhychau ar wyneb sancteiddrwydd', medd Elin wrthi yn gynnar yn y nofel. Ond ar ddiwedd hanes Gwen Tomos, a hithau 'fawr dros ddeugain oed. . .yr oedd ei gwallt wedi britho a'i chnawd wedi curio'. Os dywedir bod rhyw amwysedd yn perthyn i'r tri brad yn *Gwen Tomos*, fe ddywedwn i fod yr amwysedd yn gwbl fwriadol. Yn wir, y mae'r defnydd hwn o amwysedd yn un o'r ystyriaethau sy'n gwneud Daniel Owen yn gawr ymhlith ei gyfoeswyr. Beth yw'r goleuni a wêl Bob yn *Rhys Lewis*? Ai teg oleuni blaen y wawr Sosialaidd neu oleuni efengyl arallfydol Mari, ei fam? A yw Capten Trefor yn *Enoc Huws* yn marw yn wir edifeiriol? Yr ydym wedi hen arfer â chanmol gallu Daniel Owen i greu cymeriadau byw. Ond gwnaeth fwy na hynny. Yr oedd yn feistr ar amwysedd creadigol.

E. G. Millward

CYNNWYS

I

Cobyn

DYDD Nadolig oedd y diwrnod—y mae yn ddrwg gennyf gyfaddef—pryd y bûm yn ymladd ceiliogod ddiwethaf. Ni allasai dim fod yn fwy anghymwys ar y fath ddydd. Yr oeddwn wedi edrych ymlaen at y Nadolig hwnnw gydag aidd, ac wedi addo i mi fy hun lawer o ddifyrrwch. Ond dechreuodd yn ddrwg, a diweddodd yn waeth.

Ni wn yn iawn, os gwyddent hwy eu hunain, pa berthynas deuluol oedd rhwng fy mam ag Edward Tomos, y Wernddu. Ond yr oedd rhyw berthynas yn bod, ac y mae atgof gennyf glywed Edward yn dweud fod ei daid ef a thaid fy mam yn ddau gyfyrder. Yr oedd y gwaed yn ddigon tew yng nghyfrif Edward, pan soniai am deulu fy mam i'w alw "ein teulu ni", a'r un modd y gwnâi fy mam wrth sôn am ei deulu yntau. Ond hyd yr wyf yn gwybod, nid oedd gan Edward na'm mam fwy i ymffrostio yn eu teulu na hyn, sef na fu yr un ohonynt erioed yn y carchar, ac na chlywyd i un ohonynt erioed gael ei ddal yn dwyn defaid. Nid wyf yn sicr na haeddodd rhai o'r teulu hefyd fod mewn carchar, canys nid oedd pob un ohonynt yn gwbl ddieuog o herwhela. Ond y mae gennyf le i gredu na olygai Edward na'm mam herwhela yn rhyw bechod mawr; a hyd ddiwedd eu hoes, yr wyf yn cofio yn burion, pan ddelid rhai o'r cymdogion ar y gwaith hwnnw, y byddai cydymdeimlad fy mam ac Edward â'r herwheliwr, ac y byddent, heb flew ar eu tafod, yn condemnio llymder y ddedfryd a roddid arnynt. Mae'n ddiau fod rhywbeth yn rhoi cyfrif am hyn, a hwyrach fod tipyn o duedd herwhela yn y teulu. Wrth ddweud hyn, nid wyf yn awgrymu nad oedd fy mam a'm Hewyrth Edward—oblegid felly y dysgwyd imi ei alw—yn bobl onest ac anrhydeddus. Ond y mae hanner can mlynedd yn gwneud gwahaniaeth mawr yn syniadau pobl am yr hyn sydd dda neu ddrwg. Ar ôl pregethu yn ardderchog a chyrraedd ei lety, y peth cyntaf a ddeisyfai ac a gâi'r gŵr *mawr* hwnnw, William Havard, fyddai chwart o gwrw, ac nid amheuai neb ei dduwioldeb. Ond beth pe galwai'r Parch. Morgannwg Jones am chwart o gwrw yn y dyddiau hyn? Byddai ei hanes ledled Cymru—ei enw wedi ei waradwyddo, a'i golledigaeth yn sicr! Y mae ymysgaroedd y Parch. Morgannwg Jones agos leted â'r eiddo yr hen William Havard, ond nid dyna'r pwnc, nid yn yr un wedd yr edrychir ar bethau pan fydd hanner can mlynedd wedi taflu ei oleuni arnynt. Mae yn ddigon posibl, gyfaill, os cei di a minnau fyw hanner can mlynedd eto, y byddwn yn edrych ar bethau sydd yn awr yn rhan o'n bywyd, ac yn anhepgorol i'n dedwyddwch, fel pethau pechadurus, ac i'w gochel fel nadroedd. Nid edrychai fy Ewyrth Edward a'm mam ar herwhela yn drosedd o'r ddeddf foesol, yn gymaint ag nad oedd sôn amdano fel y cyfryw yn y ddeddf, ac nad oedd yn cael ei "fenshon" o gwbl yn yr Ysgrythur Lân.

Wedi i mi dyfu i fyny, bûm yn rhyfeddu lawer gwaith ar ba beth yr oedd fy mam yn byw. Er ei bod wedi marw er hanner can mlynedd, y mae gennyf gof byw amdani. Dynes fechan, lân, dwt, oedd hi, a phe gwelwn hi yn awr yng nghanol mil o bobl, mi a'i hadwaenwn mewn eiliad. Y Penty oedd enw ein tŷ ni, ac nid oedd ond dau gae rhyngddo a'r Wernddu—yn wir, yr oedd yn rhan o'r ffarm oedd yn naliad fy Ewyrth Edward. Pan fûm yn yr ardal ddiwethaf, ac nid oes gennyf awydd i fynd yno byth mwy, yr oedd yr hen dŷ annwyl wedi ei dynnu i lawr, ac nid oedd yno prin ei ôl. Ond ni all neb na dim ddileu'r tŷ hwnnw o'm meddwl i dragwyddoldeb.

Yr wyf yn bur siŵr erbyn hyn mai fy mywyd yn y Penty oedd y cyfnod dedwyddaf ar fy oes, ac nid wyf yn disgwyl gweld ei gyffelyb tu yma i'r bedd! Tŷ a siamber, gyda tho gwellt, ydoedd yr hen Benty, ar fin y ffordd, ac yr oedd degau o adar y to bob blwyddyn yn nythu dan ei fargod. Yn nhymor yr haf byddai ei ffrynt wedi ei guddio yn brydferth efo llaeth y gaseg (*honeysuckles*), ac o boptu'r pennor bychan a oedd o flaen y drws, yr oedd dau bren bocs wedi tyfu i'w gilydd gan ymffurfio yn bont drwchus, lle y magodd ambell ddryw bach ei gywion. Bechan oedd yr ardd oedd tu cefn i'r tŷ, ond yr oedd yn llygad yr haul, ac yn ffrwythlon iawn wrth ystyried nad oedd neb yn ei thrin ond fy mam a minnau, ac na châi well gwrtaith na lludw a thail mochyn. Wrth edrych yn ôl, rhaid i mi gydnabod nad oedd gan fy mam chwaeth uchel at flodau, oblegid nid oedd yn yr ardd ond un pren rhosyns—rhosyns gwynion, a hwnnw yn dechrau gwylltio, tipyn o *Sweet William,* ac ychydig fotymau efo'r llwybr. Mae yn wir fod yn yr ardd ychydig lafant a'r pren a elwir hen ŵr, a thoreth o farigold. Yr oedd fy mam yn bur barchus o'r marigold, nid am eu bod yn brydferth, ond am eu bod yn bethau da mewn potes. Yr oedd tuedd fy mam yn fwy at lysiau, megis y wermod wen a'r lwyd, llysiau Ifan, mint, teim, ac yn enwedig garlleg, y rhai olaf, meddai hi, nad oedd curo arnynt am godi 'sbrydoedd isel. Llawer oedd y rhai a ddeuai at fy mam i fegio tipyn o arlleg i hon a hon, oedd â'i 'sbrydoedd wedi mynd i lawr. Magai fy mam bob blwyddyn ddau fochyn, a gâi hi yn berchyll—nid yn y ffair fel pobl eraill, ond yn y Wernddu, ac ni chlywais mohoni erioed yn sôn faint fyddai pris y perchyll. Er cymaint cybydd oedd fy Ewyrth Edward, yr wyf yn meddwl fy mod yn deall erbyn hyn y rheswm am na soniai fy mam am bris y perchyll. Yr unig dda byw eraill oedd gennym oedd ychydig ieir pur hyfion. Fel y mae yr arferiad yn y wlad, byddai drws y tŷ bob amser yn agored, oddieithr yn y nos neu pan elem oddi cartref, a byddai'r ieir yn gwybod i'r funud adeg pryd bwyd, ac yn dyfod i'r tŷ i hel y briwsion, a phan na byddai briwsion galwent sylw fy mam drwy bigo ei ffedog.

Nid llawer o ddiddordeb a gymerwn i yn yr ieir—yr hen geiliog oedd fy ffefryn i. Ac un braf oedd yr hen gobyn—un o frid "drws y 'sgubor", â'i frest cyn ddued â llusen. Gallwn ei glywed yn canu filltir o ffordd. Yr oedd fy mam yn deall rhywbeth am ieir, a phan fyddent oddeutu tair blwydd oed, ac yn dechrau slacio yn eu dodwy, byddai yn rhoi tro yn eu gwddf, ac yn eu cymryd i'r farchnad. Ond oherwydd mai yr un nifer o wyau a gaem gan cobyn bob blwyddyn, byddai ei einioes ef yn cael ei harbed. Nid wyf yn siŵr nad oedd ar fy mam arswyd lladd cobyn, oblegid dirgel gredwn fod ynddi ymwybyddiaeth y gwyddai cobyn ormod o hanes y teulu ers blynyddoedd, ac y gallai, pe gwnaethid cam ag ef, "ddŵad i drwblo". Edrychai fy mam hefyd, mi wn, ar cobyn fel un oedd yn wasanaethgar iawn i gadw trefn ar y "pethau ifinc", oblegid pan ddechreuai'r ceiliogod ieuainc ymladd, âi cobyn rhyngddynt, edrychai yn awgrymiadol ac awdurdodol arnynt, ac os byddai un ohonynt yn ddiystŷr o'i gyngor, rhoddai'r fath bigiad iddo nad anghofiai am bythefnos. Yn y cyfryw amgylchiadau ni fuasai neb yn dychmygu ei fod ef ei hun y fath ymladdwr. Mi a'i gwelais mewn gornest lawer gwaith, ond ni welais ef erioed yn cael ei gweir.

Yr oedd gan cobyn stympiau cyd â'm bys, ac fel y dywedais gwyddai yn dda sut i'w defnyddio. Un tro, tybiai Harri Tomos, mab y Wernddu, ei fod wedi llwyddo i gael ceiliog a allai roi curfa i cobyn, ac euthum i'w weld. Canfûm ar unwaith fod Harri wedi rhoi pris mawr am ei geiliog, oblegid yr oedd yn *game*, gyda chorff cryf a choesau hirion, ei grib a'i 'gellau wedi eu torri yn glòs, a'i ben yn ymddangos fel pen neidr. Mynnai Harri gael gornest, ond nid oeddwn yn fodlon i'r hen gobyn ymladd dan y fath anfanteision. Nid oedd llonydd i'w gael gan Harri, a chytunais, pan gaffem gefn yr hen bobl, i roddi prawf ar y ddau glochdar. Dradwy oedd Dydd Nadolig, ac âi fy mam a'm Hewyrth Edward ar y Nadolig i'r gwasanaeth boreol. Deliais yr hen gobyn—yr oedd yn bur ddof—a chymerais ef i'r tŷ, a chyda darn o wydr crafu ei stympiau nes oeddynt mor llym â nodwyddau. Daeth Harri Tomos i'r Penty yn bur fuan, â'r *game* dan ei gesail. Ni ddarfu iddo sylwi fy mod wedi paratoi cobyn i'r frwydr, a chanodd yntau yn uchel pan glywodd lais ei wrthwynebydd. Aethom i'r ardd, a gollyngodd Harri ei geiliog. Cerddodd cobyn i'w gyfarfod, ac wedi i'r ddau lygadu ei gilydd am eiliad, gosodasant eu pigau efo'r llawr, a chodasant eu gwrychyn fel ymberelo, a'r foment nesaf yr oeddynt yn ymladd yn ffyrnig. Gwelwn yn fuan fod cobyn yn cael y gwaethaf; yr oedd ei grib a'i 'gellau yn gwaedu yn enbyd.

Tosturiais wrtho, ac achubais ef rhag ei elyn. Cydiodd Harri yntau yn ei ymladdwr rhag iddo 'hedeg i'm hwyneb. Crefai Harri am gael un tyrn arall, ond yr oeddwn yn bur amharod i hynny, gan na allwn anghofio fod cobyn, erbyn hyn, yn dechrau mynd i oed, ac nad oedd yr hyn a fuasai yn ei ddyddiau gorau. Heblaw hynny, yr oedd ceiliog Harri yn ymladdwr wrth natur—yn ei breim ac wedi ei dreinio. Ond nid oedd taw ar Harri am un tyrn arall—dim ond un. Ildiais; ac mewn llai o amser nag y medraf ei adrodd, plannodd cobyn ei stympai trwy wddf y *game*, yr hwn a roddodd un ysgrech, ac a syrthiodd ar ei ochr, ac a drengodd. Nid hwn oedd y cyntaf i cobyn ei anfon i'w "aped", a phan welodd ei fod wedi trengi safodd arno a chanodd, yna cerddodd yn hamddenol at yr ieir a oedd wedi hel at ei gilydd yng nghongl yr ardd i fod yn llygad-dystion o'r ornest—i dderbyn eu llongyfarchiadau. Pan welodd Harri hyn, ebe fe:

"Wyst ti be', 'rydw i'n mawr gredu fod y diafol yn yr hen gobyn yna."

"Mae mwy o ddiafol ynoch chi, yr hogie diffeth gynnoch chi. Ond hoswch chi tan toc," ebe llais dros wrych yr ardd, a gwelem Hugh, hen was y Wernddu, yn edrych yn guchiog arnom. Wedi dweud hyn, ac ysgwyd ei ben yn fygythiol ac awgrymiadol, aeth ymaith.

"Wel," ebe Harri, "mae hi drosodd efo ni 'rŵan, mi wyddom be gawn ni, achos y peth cynta' neiff Hugh fydd clebran wrth 'y nhad—ag yno—glas-onnen."

"Oes dim posib, ddyliet ti, breibio Hugh i gau ei geg?" gofynnais i Harri.

"Dim peryg," ebe Harri. "Yrŵan, er pan mae o yn seiat, chymiff o mo'i freibio, ond mi weles yr amser y base hanner owns o faco yn cau'i geg o am y peth gwaetha."

"Be petaem ni yn ei dreio fo efo dwy owns?" ebe fi.

"O ble mae'r ddwy owns i ddŵad?" ebe Harri. "Dyma fi wedi rhoi pum swllt—pob ceiniog oedd gen i—am y felltith *game* yma sy'n barod i'w gladdu."

"O ble cest ti'r pum swllt, Harri?" gofynnais.

"Mi ddeuda i ti," ebe fe, "cymryd—nid dwyn, wyddost—yr wyau o'r nythod ddaru mi, 'rŵan ac yn y man rhag i neb sylwi, a'u gwerthu nhw, a gynted y ces i bum swllt, mi noles hwn (gan roi cic i'r ceiliog marw) i cobyn chi ei ladd o."

"Mi gei swllt neu ddeunaw amdano eto gan Sam y *fowls*," ebe fi. "Dos â fo yno i gael baco i freibio Hugh, ne' mi fydd yn y pen arnom ni."

"Gad i mi fenthyg cadach i roi amdano rhag i bawb wybod be sy gen i," ebe Harri.

Euthum i'r tŷ i gyrchu'r cadach i roi am y *game*, a phrysurodd Harri i'w werthu. Gobeithiwn yn fawr fod Sam gartref, ac y byddai yn barod i brynu'r *game*. Tra oedd Harri yn masnachu, golchais grib a thagellau cobyn gyda dŵr cynnes, ac wedi rhoddi tipyn o ymenyn ar lwy rhwng bariau'r grat, irais ben yr hen geiliog yn dda rhag i'm mam sylwi ei fod wedi bod yn ymladd. Yr oeddwn ar dân yn disgwyl am Harri, a buan y dychwelodd yn chwys mawr â dwy owns o faco yn un llaw a swllt gwyn yn y llaw arall. Yr oedd wedi cael deunaw ceiniog am gelain y *game*, ac aethom i chwilio am Hugh, a chawsom ef yn cloddio mewn cae cyfagos â lwmp o faco yng nghil ei foch, a chonglau ei safn yn felyn-wlyb. Ebe fe:

"Yr hogie diffeth! Ydi'r ysbryd drwg yn eich corddi chi, deudwch? Mi cewch hi yn braf pan ddaw'ch rhieni o'r Eglwys."

"Dyma chi, Hugh," ebe Harri, "dydw i ddim yn gwadu nad ydan ni'n felltigedig o ddrwg, ond yr ydan ni am ddiwygio. Deud y gwir gonest wrthoch chi, Hugh, yr ydw i wedi blino ar 'y nrygioni, ac yr ydw i am droi dolen os gwnewch chi addo peidio â deud wrth yr hen law *just* am y tro yma. Dyma'r tro ola' yr ydw i am ofyn i chi, achos fydd byth achos gofyn eto—yr ydw i am fod yn fachgen da o hyn allan. Mi wn nad ydi o ddiben yn y byd i mi gynnig rhywbeth i chi am beidio â deud, achos os ydach chi am ddeud, deud a newch chi, ac os ydach chi am fadde i mi, madde newch chi o wir fodd ych calon, fel yr ydach wedi gwneud lawer gwaith o'r blaen. Dydw i'n hidio ddim llawer fy hun am gael cweir—'rydw i wedi arfer â hi—ond petai'r peth yn dod i'r golwg, mi fecsie lawer ar fam Rhein yma, a hwyrach y rhôi o le i'r person erlid pobol y capel, achos mi wyddoch mai i gapel y Methodus mae o a'i fam yn mynd. Ond be ydach chi am neud, Hugh?"

"Deud y cwbl wrth dy dad gynted y daw o o'r Eglwys, a mi wyddost fel y byddi di'n dawnsio cyn mynd i dy wely heno," ebe Hugh.

"Wel," ebe Harri, "os fel yna mae hi i fod, 'does mo'r help. Dene iti dipyn o gloddio," ychwanegai Harri, gan gyfeirio'r sylw ataf fi. " 'Dydw i ddim yn meddwl y gweles i well cloddio yn 'y mywyd. Ond yr oeddwn i wedi meddwl, Hugh, petasech chi'n edrach dros hyn, *just* am y tro, heb sôn wrth 'y nhad, y baswn yn rhoi i chi y ddwy owns baco yma—*real Chester tobacco*," ebe Harri, gan ddarllen yr argraff oedd ar y papur, "ond 'does mo'r help, 'does dim ond ei diodde hi fel arfer. Tyrd oddma, Rhein," a chychwynnodd Harri ymaith a minnau gydag ef.

Wedi i ni fynd rhyw ganllath, gwaeddodd Hugh ar ein holau, ond gwaeddodd Harri yn ôl, "Na hidiwch, Hugh." Gwaedd-odd Hugh drachefn yn gryfach, ac aethom yn ôl.

"Dyma ti, Harri," ebe Hugh, "wyt ti'n addo'n sobr 'rŵan na wnei di ddim y fath beth eto?"

" 'Rydw i'n reit siŵr o hynny," ebe Harri, "p'run bynnag ddeudwch chi wrth 'y nhad ai peidio."

"O'r gore," ebe Hugh, "sonia i 'run gair wrth dy dad, os na soniff rhwfun arall, neu os na soniff o wrtha i."

"Pwy arall fedre sôn wrtho?"ebe Harri, a thaflodd iddo y baco a throi ar ei sawdl yn annibynnol ddigon. Wedi inni fynd o'r clyw, ebe Harri wrthyf;

"Mi wyddwn na fedre yr hen goese ceimion ddim dal yr olwg ar y ddwy owns. Bellach, yr ydan ni'n saff. Pawb i'w le 'rŵan reit ddiniwed, achos y maen nhw ar ben dod o'r Eglwys."

Ni soniodd y cnaf Hugh wrth dderbyn y llwgrwobrwy ei fod eisoes wedi dweud ein hanes yn ymladd ceiliogod wrth yr hen forwyn glapgar, a chyn gynted ag y gwelodd honno fy mam a'm hewyrth yn dod i'r golwg aeth i'w cyfarfod i adrodd yr hanes. Yr oedd fy mam yn rhy wan i roi i mi y cweir a deilyngai fy nrygioni, a gofynnodd i'm hewyrth ddod ar ei union i weinyddu'r gosb arnaf, yr hyn a wnaeth yn barod a seremonïol ddigon gyda'r las-onnen y soniasai Harri amdani. A chweir ydoedd heb ddim lol—nid anghofiaf mohono byth—mae fy esgyrn yn cnoi y funud hon wrth feddwl amdano. Ac nid oedd fy nghweir i, mi a glywais, yn werth sôn amdano wrth yr un a gafodd Harri, druan. Ni feddyliodd Harri na minnau am ymladd ceiliogod byth ond hynny. Am lawer o flynyddoedd teimlwn gymaint o atgasedd at geiliogod ag a fu ym mynwes Simon Pedr erioed, ac o'r braidd yr wyf yn gallu dygymod â hwynt hyd yn oed yn awr.

II

'Nansi'r Nant'

PERTHYN i ystad y Plas Onn yr oedd y Wernddu, ac yr oedd fy hynafiaid wedi bod yn denantiaid yn y ffarm er pedair os nad pum cenhedlaeth. A bodau rhyfedd oeddynt, mi gredaf, anwybodus, ofergoelus a chybyddlyd. Nid oedd priodi a rhoi i briodas yn nodwedd gref yn y teulu, ac ni ddarfu iddo epilio a chynyddu ryw lawer. Prif ofal y teulu, gellid tybio, oedd fod rhywun o'r ach yn cael ei adael i fod yn denant y Wernddu. Yn amser fy Ewyrth Edward ofnai rhai, a gobeithiai eraill, yn ddiau, y byddai i'r llwyth ddarfod o'r tir, yn gymaint ag mai ef oedd yr olaf o'r epil, ac nad oedd sinc na sôn ei fod yn meddwl cymryd gwraig. Ond er iddo adael i'r einioes redeg ymhell, priodi a wnaeth yntau, a phriodi un lawer ieuengach nag ef ei hun. Ac ymhen amser ganwyd iddo fab, sef Harri, y soniais eisoes amdano, ac ymhen amser wedyn, ferch, sef Gwen. Bu farw ei wraig ar enedigaeth Gwen, yr hyn a fu yn ofid nid bychan i'r hen Edward Tomos, ac ni feddyliodd am ailbriodi. Yr oedd y Wernddu fel y dywedais, wedi syrthio o dad i fab am oesoedd, a phob olynydd yn ceisio bod mor debyg i'w ragflaenydd ag y gallai—yn cadw yr un faint o stoc—yn trin y meysydd yr un fath, yn prynu ac yn gwerthu yr un adeg ar y flwyddyn, gan nad beth fyddai ystad y farchnad—yn cadw yr un nifer o wasanaethyddion, ac yn bwyta'r un math o ymborth.

Beth bynnag fyddai cyfnewidiadau'r amseroedd, yr oedd popeth yn mynd ymlaen yn y Wernddu gyda chysondeb deddf. Y rheswm am bob gweithred fyddai "fel hyn y byddai fy nhad yn gwneud". Byddai'r tad yn arfer mynd i'r Eglwys dair gwaith yn y flwyddyn, sef ar y Pasg, y Sulgwyn, a'r Nadolig, ac felly y gwnâi'r mab. Âi'r tad i bob ffair pa un bynnag a fyddai ganddo fusnes yno ai peidio, a deuai adref dipyn yn ei ddiod, ac felly y gwnâi'r mab ar ei ôl. Âi'r tad i'r *Bedol* bob nos Sadwrn am wydriad neu ddau o gwrw, ac ar nos Sul am dri neu bedwar, ac felly y gwnâi ei olynydd yn gymwys. Yr unig wahaniaeth rhwng Sabath a diwrnod arall yn y Wernddu fyddai tipyn mwy o ryddid i'r gwasanaethyddion ar y dydd sanctaidd, ac na ddisgwylid iddynt fynd i'r maes na llwytho tail. Yr oedd y Wernddu wedi cael cymeriad am ymborth gwael, ac nid âi na gwas na morwyn yno nes iddynt fethu cael lle yn unman arall. Ac fel rheol, yr oeddynt o'r dosbarth gwaelaf, ac ymron mor anwybodus â'r anifeiliaid, ac agos mor isel eu moesau. Nid oedd gŵr y Wernddu, sef olynydd y teulu ymhob cenhedlaeth, nemor gwell. Gallai ddarllen ychydig, neu yn hytrach wneud allan gerdd fasweddus debyg i'r eiddo Dic Dywyll a'i ddosbarth—y rhai a fu yn boblogaidd un tro yng Nghymru—a gallai gyfrif pwysau mochyn. Dyna ymron hanes addysg tenant y Wernddu. Ond cyfrifai'r teulu eu hunain ar hyd yr oesau yn aelodau o Eglwys Loegr, ac yr oeddynt, fel y dywedwyd, yn mynd i'r Eglwys dair gwaith y flwyddyn. Ac yr oedd y teulu oll, a oedd wedi ymadael â'r fuchedd hon, wedi mynd i'r nefoedd. Yr oedd ganddynt air sicrach y Person am hynny, oblegid nid oedd un ohonynt wedi marw heb gael hamdden i anfon am y Person i roi ei gymun olaf iddo, ac wedyn teimlai pawb ei fod yn saff, ac yr oedd hynny yn bur gysurus! Yr unig un y teimlid tipyn o amheuaeth yng nghylch ei gyflwr oedd Edward Tomos, tad Harri a Gwen, fel y caf sôn eto pan ddeuaf at hanes ei ymadawiad. Yr oedd yr holl linach yn enbyd o gybyddlyd, ac wedi hel ychydig o arian, a mentrodd Edward, a'i teimlai ei hun erbyn hyn yn lled gefnog, roi ychydig o addysg i Harri a Gwen, yn enwedig Gwen, oherwydd yr oedd efe yn hoff iawn ohoni. Diau fod Gwen yr eneth harddaf yn y gymdogaeth. Yr oedd yn dal, gosgeiddig a phrydweddol, ac ar yr un pryd yn weithgar, glanwedd, a difalch. Gwirionai'r hen ŵr ynddi, ac ni flinai sôn amdani. Yr oedd hen gonos y pentref yn deall hyn yn dda, a phan elai Edward Tomos i'r *Bedol*, ni fyddai raid iddynt ond canmol tipyn ar ei ferch, ac yn y funud talai yr hen ŵr am y *shot*.

"Wyddoch chi be, Edward Tomos," meddai Pitar Preis, y teiliwr, yn y *Bedol*, "mi weles ych merch chi ddoe, a dydw i ddim yn meddwl y gweles i eneth harddach yn 'y mywyd."

"Mae'r eneth yn burion ran hynny,—be gymi di i yfed, Pitar?' fyddai ateb yr hen Edward.

Heb fod ymhell o'r Wernddu, ar ymyl y ffordd, yr oedd caban bychan o ddwy ystafell, lle y trigai gwreigan o'r enw Nansi Rogers, neu fel yr adwaenid hi yn gyffredin, "Nansi'r Nant". Yr oedd geiriau a chynghorion hon yn meddu cryn ddylanwad ar weision a morynion y ffermydd cylchynol am filltiroedd o gwmpas. Nid oedd ar lawer ohonynt lai na'i harswyd, a'r peth olaf a wnaent oedd tynnu gwg yr hen Nansi. Fel gwraig i un o gipars y Plas Onn yr adnabuwyd Nansi gyntaf yn y gymdogaeth, a bu hi a'i gŵr yn byw flynyddoedd ar ystad y Plas Onn mewn tŷ a elwid y Nant. Ystyrid Nansi yn gryn ddoctores, ac ymofynnid ei chyngor pan fyddai dyn neu anifail yn afiach. Tra bu hi yn byw yn y Nant, gwasanaethodd y gymdogaeth fel bydwraig fedrus. Ganwyd iddi amryw o blant—neu lawer ddylaswn ddweud—y rhai oeddynt oll yn enethod, a buont oll farw cyn bod nemor o ddyddiau ar y ddaear. Pa fodd bynnag, bu ei phlentyn olaf, a ddigwyddodd fod yn fachgen, fyw, a ganwyd ef oddeutu wythnos cyn genedigaeth Gwen Tomos. Gelwid am wasanaeth Nansi fel bydwraig i bob man yn y gymdogaeth; a'r unig gŵyn a ddygid yn ei herbyn oedd mai tipyn yn ddibris a dideimlad fyddai hi, ac os geneth fyddai'r newydd-anedig rhoddai Nansi regfa a dywedai "Melltith o eneth eto!" Tybid mai ei thynged anffortunus hi ei hun gyda'i genethod a barai iddi ddweud felly, ac edrychid dros y peth. Yr oedd Nansi yn ddynes gref ryfeddol, ac ni byddai ganddi lawer o amynedd efo rhai merched *nervous* fyddai'n gwneud ystŵr mawr efo "chware plant". Y ffaith oedd, pan fyddai yn y cyfryw amgylchiadau ei hun, y gwelid hi ymhen tridiau neu bedwar yn cerdded o gwmpas y gymdogaeth. Nid oedd ond wyth niwrnod er pan anwyd ei Thwm hi i'r byd pan ddywedodd ar ymddangosiad Gwen y Wernddu,

"Melltith o eneth eto," gan ei chipio ymaith a gadael ei mam oedd yn marw i ofal rhai eraill.

Dywedid mai bywyd ofnadwy a gafodd y cipar gyda Nansi. Ar adeg pryd y tybid ei fod yn ei gyflawn iechyd bu farw y cipar, a lled awgrymid hyd y gymdogaeth fod a wnelai Nansi rywbeth â'i ymadawiad o'r byd hwn. Yr oedd Nansi yn wraig weddw ers rhai wythnosau cyn geni Twm ei mab. Bu Nansi yn byw am rai blynyddoedd yn y Nant ar ôl iddi fynd yn weddw, a chredid yn lled gyffredinol y buasai'r Yswain Griffith, o'r Plas Onn, yn gadael iddi ddiweddu ei hoes yno oni bai am ddrygioni ei mab Twm. Pan dyfodd y bachgen i dipyn o faint aeth yn bla ar y gymdogaeth, ac o'r braidd y gallodd Nansi gael caban i drigo ynddo pan drowyd hi allan o'r Nant. Am amser maith ni wyddai neb pa fodd yr oedd Nansi a'i mab yn cael tamaid, er bod pobl yn dyfalu. Credid bod ystad y Plas Onn, ac ystadau eraill, yn gorfod talu teyrnged at eu cynhaliaeth. Hwyrach fod gwir yn hyn, fel y caf sôn eto. Byddai Nansi yn cwyno wrth bawb am ddrygioni yr hogyn, ond os cwynai rhywun arall yn ei gylch, hi a'i rhegai ac a'i melltithiai mor arswydus nes y rhedai yr achwynwr ymaith megis am ei einioes.

Er na oddefai Nansi i neb ddweud dim drwg am yr hogyn, ni byddai hi yn brin o'i geryddu ei hun. Arferai ei guro mor gyson a thrwm nes bod Twm cyn galeted â'r garreg. Parhaodd i'w guro nes iddo dyfu i fyny'n llanc, a gwelais hi fy hun yn curo Twm—pan ydoedd o ran maint yn ddyn—gyda gwegil bwyall, a Thwm yn chwerthin am ei phen! Cynyddodd drygioni'r hogyn mor enbyd fel y bu raid iddo'i wneud ei hun yn brin fwy nag unwaith er mwyn diogelu ei ryddid, ac yn y man gadawyd yr hen wraig yn unig yn ei bwthyn tlawd.

Yr oedd cymeriad yr hen wraig mor amhoblogaidd fel na feiddiai hi ofyn am elusen plwyf, a bu raid iddi syrthio ar ei hadnoddau, a da iddi hi erbyn hyn fod ganddi adnoddau, oblegid ni ofynnid ei gwasanaeth mwyach fel bydwraig. Meddai enw eisoes fel un oedd yn adnabod pob math o ddail a llysiau, yn arbennig y rhai gwenwynig, ac nid oedd clefyd nac afiechyd ar ddyn ac anifail na chymerai Nansi arni y gallai, os dewisai, ei wellhau. Yn wir, os oedd coel ar ei gair, yr oedd ganddi ddegau o enghreifftiau lle bu ei ffisig yn llwyddiannus wedi i'r meddygon gorau fethu. Nid yn unig proffesai Nansi allu bywhau, ond dywedai y gallai farwhau hefyd. Ni welodd ei melltith erioed yn dod yn ôl, meddai hi, a phan ddigwyddai rhyw anffawd yn y gymdogaeth, ac os byddai'r dioddefwr anffortunus heb fod yn ffafr Nansi, cymerai'r credyd iddi hi ei hun am y digwyddiad. Ac yr oedd llawer yn ei chredu, ac yn eu plith perchennog y bwthyn y trigai hi ynddo, oblegid pan fygythiodd y gŵr hwnnw ei throi allan am nad oedd yn talu'r rhent, dywedodd Nansi wrtho am wneud brys, ac y dygai hithau hynny o felltithion a feddai Gehenna am ei ben ef a'i deulu. Ni ofynnodd y gŵr rent gan Nansi byth ond hynny, a mwy, ni omeddai ef iddi gymwynas pan ddeuai at ei dŷ i'w gofyn. Gyda llanciau a genethod gweini proffesai Nansi allu dweud eu ffortun, yn enwedig eu ffortun carwriaethol. Ac yr oedd ei rhagfynegiadau mewn llawer amgylchiad wedi troi allan mor gywir fel yr oedd ffydd rhai ynddi yn ddiderfyn ymron. Yr oedd gan Nansi ddegau o ffyrdd i ddwyn ymlaen ei chelfyddyd yn llwyddiannus. Ni chollai unrhyw gyfleustra i ychwanegu ei gwybodaeth am ei chymdogion, a phan fyddai ei gwybodaeth yn amherffaith am ryw chwedl, am hwn neu arall, torrai i gyfarfod yr hwn a wyddai'r ystori, a chan gymryd arni y gwyddai'r holl fanylion, nid hir y byddai heb eu gwybod o bant i bentan, a hynny megis heb eu gofyn. Os clywai fod hwn a hon yn dechrau caru cadwai Nansi ei llygaid arnynt, ac weithiau cuddiai ei hun mewn dirgel fannau lle yr arferent gydgyfarfod, ac wedi clywed y peth yma a'r peth arall o'u hymgom, âi atynt drannoeth i gynnig dweud eu ffortun, ac fel sicrwydd y gallai wneud hynny adroddai yn gynnil yr hyn a ddigwyddasai eisoes rhwng y ddau garwr. Wrth gwrs, yr oedd hynny'n warant o'i gallu i ragfynegi, ac enillai Nansi ei swllt neu ei chwecheiniog yn ôl amgylchiadau ei chwsmeriaid.

Rhoddai Nansi ar ddeall mai Sipsiwn oedd hi wrth natur cyn iddi daro ar Rogers y cipar, a'i bod wedi dysgu Cymraeg ym mynych ymweliadau ei thylwyth â Chymru pan oedd hi yn eneth ifanc. Ac nid anodd oedd credu hyn, canys nid annhebyg oedd hi i'r bobl hynny a welid amser yn ôl, yn gosod eu pebyll isel a myglyd ar hyd hen ffyrdd a chomins ein gwlad. Yr oedd Nansi yn dal, denau, a gewynnog, ac yn cerdded fel dyn. Yr oedd ei thrwyn yn fwaog, ei llygaid yn fychain a duon fel dwy lusen a'i chroen yn felyn-fudr. Er ei bod, yr adeg yr wyf yn sôn amdani, mewn tipyn o oedran, yr oedd ei gwallt tonnog cyn ddued â thynged—heb flewyn brith yn agos ato, ac yr oedd pob dant yn ei phen heb yr un bwlch, a chyn wynned â'r ifori. Fel rheol, gwisgai Nansi esgidiau uchel, wedi eu careio yn gadarn, a phais gwta, a begwn o liwiau rhyfedd, a chlog blad fawr Ysgotaidd, a bonet yn bargodi ymhell dros ei thalcen. Pan fyddai Nansi ar daith broffeswrol, gwisgai glog goch a bachau pres mawr arni agos gymaint â bachau crochan. Yr oedd gan Nansi wisg arall hollol wahanol pan gerddai allan y nos, a gwnâi hynny'n fynych yn hollol *incognito*.

Mae gennyf le i gredu y coleddai crefyddwyr y dyddiau hynny syniad fod a wnelai Nansi rywbeth â'r ysbrydion drwg, ac nid oedd ganddi wrthwynebiad iddynt feddwl felly amdani, oblegid cryfâi hynny ei dylanwad gyda'r bobol yr oedd a fynno hi â hwy, ac oblegid hefyd ei bod yn casáu crefyddwyr yn gyffredinol. Ond y ddau ŵr a gasâi hi fwyaf yn y plwyf oedd y Person a'r Yswain Griffith. Dywedasai y blaenaf wrthi, pan aeth hi at y Ficerdy i ofyn ei ewyllys da, am iddi fynd i'r diawl, yr hwn yr oedd hi yn byw arno. Atebodd Nansi ei fod yntau yn byw ar yr un gŵr, a phan fyddai'r diawl farw y byddai'r Person allan o waith, a rhoddodd i Mr. Jones ei melltith. Yr oedd yr Yswain yntau, pan aeth hi at y Plas ar yr un neges, wedi ei bygwth os byth y deuai hi yno drachefn y gosodai ef y cŵn arni. "Purion," ebe Nansi, "mi ofala i bydd cŵn uffern yn ych cnoi chithe i dragwyddoldeb." Ni chafodd y ddau wedi hyn ond melltithion yr hen wrach, ond yn ôl pob golwg nid oeddynt nemor waeth o'r herwydd. Serch hynny, protestiai Nansi nad oeddynt ond yn eu haros. Er gwaethaf y Person a'r Yswain yr oedd Nansi yn cael tamaid yn rhyfedd, a'r unig beth a'i blinai, meddai hi, oedd drygioni Twm ei mab. Meddyliai eraill fod Twm yn ei gadw ei hun, a dweud y lleiaf.

Dywedais fod Nansi yn casáu crefyddwyr; ond yr oedd ganddi ddau eithriad, sef Gwen Tomos ac Elin Wynn, Pant-y-buarth. Siaradai Nansi yn barchus a chanmoliaethus am y ddwy ferch ieuanc, a'r rheswm am hynny oedd, y byddai'r ddwy yn lled garedig ati. Nid oedd Gwen ac Elin yn credu yn ei swyn-gyfaredd, a gwyddai Nansi hynny'n burion, ac ni byddai hi byth yn sôn wrthynt am ei gallu i ragfynegi pethau, nac am ei medr i ddwyn lwc neu anlwc ar hwn ac arall. Ac nid oddi ar ei hofn y byddai'r ddwy yn dangos caredigrwydd ati. Yr oedd eu pleidgarwch tuag at yr hen Nansi yn codi oddi ar ddau beth—tosturient wrth ei chyflwr enbydus, a hefyd hoffent gael ymgom â hi, am y gwyddai Nansi hanes pawb yn y gymdogaeth, ac i'r rhai a fyddai gymwynasgar iddi, adroddai Nansi ei holl chwedleuon. Gan nad pa mor dda a rhinweddol a all merch ieuanc fod, ni fedr byth ymddyrchafu i'r ystad honno o berffeithrwydd i fod yn ddifater am amgylchiadau ei chymdogion, nac yn glustfyddar i'r hyn a ddywedir am garwriaeth hwn a hwn, neu y chwedl a daenir am hon a hon. Y rhai hyn oedd y rhesymau am fod Nansi yn cael caredigrwydd rhyw unwaith yn yr wythnos yn y Wernddu ac ym Mhant-y-Buarth. A pha niwed oedd yn hyn? Ni feddylir am feio neb yn awr am ddarllen papur newydd. Nansi oedd newyddiadur Gwen ac Elin, ac yr oedd ei *reports* lawn mor ddiddorol, os nad mor gyflawn ag a geir ym mhapurau y dyddiau presennol; a chan nad pa mor lleied a gredai Gwen ac Elin yn yr hen ddewines, gwell oedd ganddynt ei bendith na'i melltith, a'i bendith a gaent bob wythnos.

III

Twm Nansi

RHAID i mi yn awr fynd yn ôl lawer o flynyddoedd yn yr hanes hwn. Bu marwolaeth ei wraig ieuanc ar enedigaeth Gwen yn ergyd dost i Edward Tomos, y Wernddu, ac ystyriai waith Nansi'r Nant, y fydwraig, yn cymryd yr eneth fach i'w magu yn garedigrwydd mawr. Diau mai'r amgylchiad prudd ynglŷn â'i genedigaeth a barodd i enaid yr hen Edward lynu mor fawr yn yr eneth fach, ac ymserchu ynddi yn fwy na chyffredin. Ofnai yn fawr iddi beidio â chael chwarae teg gan Nansi, a chanddi hithau blentyn o'i heiddio'i hun i'w fagu, a hwnnw heb fod ond wythnos hŷn na Gwen. Ond dywedai Nansi:

"Twt lol, Edward Tomos, yr un faint o drafferth ydi magu dau â magu un, a mae Gwen fach mor bropor fel na fynnwn i am y byd ymadael â hi. 'Drychwch ffasiwn wallt sy' ganddi: ac mae o cyn ddued â'r glöyn, y gariad fach!"

"Ydi, mae hi'n bropor yn siŵr ddigon," atebai Edward, "ond cofiwch chi edrach ar ei hôl hi yn iawn, a chofiwch hefyd y bydd raid i mi ei chael hi gartre pan ddaw hi i ddechrau cerdded. Mi dalaf yn dda i chi am ei magu, a gyrrwch acw am ddigon o lefrith i'r ddau."

"Mi cewch hi yn ei hôl, Edward Tomos, cyn i Twm a hithe ddechre caru, a mi 'drycha i ar ôl ych plentyn chi yn iawn. Piti na fase hi'n fachgen, ond 'does mo'r help. Dase Rogers yn fyw mi fase'n meddwl mwy ohoni nag o'i blentyn ei hun."

"Wel, wel, Nansi," ebe Edward, "hwyrach y bydd magu'r eneth yn dipyn o help i chi at fyw."

Wedi colli ei gŵr, bu cael Gwen i'w magu yn gaffaeliad nid bychan i Nansi, oblegid er cymaint cybydd oedd Edward Tomos, nid oedd dim yn ormod ganddo i'w roi at anghenion magu Gwen, ac nid oedd Nansi yn brin o ddychymyg i ddyfeisio pob math o anghenion, a fyddai yn gyffredin yn cymryd i mewn eiddo'i mab ei hun, ac i alwadau hwn nid oedd hi byth yn glustfyddar. Mynych yr ymwelai tad Gwen â'r Nant, a byddai gan Nansi bob tro ryw stori fach bert i'w hadrodd iddo am yr hogen. Er garwed ydoedd natur Nansi, pan ddaeth yr amser i Gwen fynd i'r Wernddu at ei thad, rhoes ei hymysgaroedd dro ynddi, ac nid cyn i Edward Tomos addo iddi y câi hi ddyfod mor aml ag y dymunai i weld yr eneth fach y bodlonodd hi ymadael â hi. Nid anniddan ychwaith gan Edward oedd gweld ymlyniad Nansi wrth ei blentyn. Ond yr oedd Nansi yn ymwybodol o rywbeth arall—tra oedd Gwen dan ei gofal yr oedd llaeth ac ymenyn, bara a chaws, a phob peth bwytadwy arall y Wernddu at ei gwasanaeth. O hyn allan ni fyddai ganddi esgus i fynd i'r Wernddu pan fyddai angen arni; ac yn nyfnder ei thrallod pan gymerwyd Gwen oddi wrthi, dywedodd yng nghlyw Edward Tomos, megis wrthi ei hun,—"Ie, ie, ond be ddaw ohono i—gwraig weddw dlawd, a phlentyn eisiau ei fagu?" "Peidiwch â thorri'ch calon, Nansi bach," ebe Edward, "er 'y mod i reit dlawd fy hun (yr hen gono; yr oedd yn werth cannoedd) ac na wn sut y daw hi arna' i efo dau o blant heb yr un fam, chewch chi ddim llwgu o eisiau help. Mi ofaliff Rhagluniaeth amdanoch chi, a rhwng pawb ohonom ni mi gewch fyw—mae pawb yn cael byw. Er na fedra i ddim fforddio rhoi llawer i chi, mi gewch damed 'rŵan ac yn y man acw, Nansi."

Ac felly cafodd Nansi yn y Wernddu a thai eraill lawer o gymorth i fyw am flynyddoedd, a thrwy ei thalent a'i chyfrwystra ni fu ar Nansi nemor angen. Byddai Twm yn ei chanlyn i bob man ac ar bob tywydd, ac ymhen y rhawg yr oedd "Twm Nansi" mor adnabyddus yn y gymdogaeth â Nansi ei hun. Ond fel y dywedwyd eisoes, tyfodd Twm i fyny yn hogyn cryf, caled, a drwg. Byddai beunydd a byth yn ymladd efo hogiau mwy nag ef ei hun, ac fel rheol yn eu cweirio yn dost. Yr oedd Harri Tomos, y Wernddu, ddwy flynedd yn hŷn na Thwm, ac yn fwy a chryfach nag ef, ond ni fu Twm yn llonydd nes gallu rhoi cweir i Harri, ac wedyn bu'r ddau yn ffrindiau mawr cyn belled ag y goddefai tad Harri iddo gymdeithasu ag ef, oblegid erbyn hyn yr oedd rhieni yn dechrau rhoi gorchymyn caeth i'w plant nad oeddynt i gymdeithasu â Thwm Nansi. Yr wyf yn cofio yn dda y byddai y pechod gwreiddiol yn dangos ei hun yn amlwg iawn tua'r adeg honno, canys po fwyaf a waharddai ein rhieni i ni gyfathrach â'r hogyn drwg, mwyaf oedd ein hawydd am gwmi Twm, a thynnodd ni i lawer helbul flin, a gwnaeth ni yn etifeddion llawer o wialenodiau. Ac er cymaint oedd ei ddrygioni a'i ddireidi, ac er cymaint a ddioddefodd llawer ohonom o'i herwydd, ni chollodd nemor o'n ffafr. Tynnai rywrai ohonom i drybini yn feunyddiol. Bu Twm yn fwy trugarog wrthyf fi nag eraill, am mae'n debyg, fy mod yn lled wannaidd fy iechyd, eto ni chefais innau yn hollol fy arbed ganddo. Un noson, yn y pentre, nid oedd neb o'r cwmni chwarae wedi troi i fyny ond ef a minnau, ac i aros eu dyfodiad, ebe Twm:

"Oes gynnat ti gadach poced?"

"Oes," ebe fi.

"Wel, rhwyma fo am fy llygid i, a rhwyma'r ddau linyn yma am fone mreichiau i, a gad i ni chwarae ceffyl dall."

Gwneuthum felly, ac actiai Twm y ceffyl dall, a minnau efo'r ddau linyn, fel *reins,* yn ei dynnu ffordd yma a ffordd acw.

"Cer di yn geffyl dall 'rŵan," ebe fe, a rhwymodd y cadach am fy llygaid a'r llinynnau cryfion am fonau fy mreichiau, ac arweiniodd fi o gwmpas am ennyd, yna ebe fe:

" 'Rwyt ti wedi gweithio reit galed, mi gei fynd i'r stabal 'rŵan," a chyn i mi wybod ym mha le yr oeddwn, rhoddodd Twm gic enbyd i ddrws tŷ y dyn mwyaf gwaedwyllt yn y gymdogaeth—crydd wrth ei alwedigaeth, a rhedodd i ffwrdd. Deellais mewn eiliad fod Twm wedi fy rhwymo wrth gliced y drws, a chyn i mi allu tynnu'r cadach oddi am fy llygaid, agorodd y crydd y drws, gan fy nhynnu i mewn, wrth gwrs. Yr oedd ganddo strap lledr a bwcl arno yn ei law, a dechreuodd fy nghuro yn ddidrugaredd. Gwaeddais a gwingais nes torri'r llinynnau, ond daliodd y crydd i'm strapio nes iddo flino. Wedi codi yr holl gymdogaeth gyda'm ysgrechiadau, dihengais. Cyfarfu Twm fi, yn chwerthin nes oedd efe yn ei ddwbl, a gofynnodd,

"Gest ti hi yn o sownd, dywed?"

Dro arall perswadiodd fi i fynd gydag ef i'r dref i nôl esgidiau ei fam, ac arweiniodd fi i fuarth tywyll a budr, lle yr oedd amryw o gryddion yn byw ac yn ennill eu bywoliaeth. Yn fuan daethom at dŷ â'i ddrws yn agored, lle y gwelwn grydd bychan, penfoel, â sbectols am ei drwyn yn brysur gyda'i orchwyl. Yr oedd esgid ar ei liniau, ac yr oedd efe ar y pryd yn snyffio'r gannwyll. Safodd Twm megis i adfywio ei gof, ac ebe fe:

"Diawst, mae 'ma gymin o gryddion yn y buarth yma fel yr ydw i wedi anghofio'r tŷ. Cer i fewn ene a gofyn ai fo ydi Mr. Cacws, ac a ydi 'sgidie Nansi'r Nant yn barod." Euthum yn ufudd ddigon, a gwneuthum yr ymholiad. Neidiodd y crydd ar ei draed a rhoddodd i mi y fath fonclust nes fy syfrdanu, ac ar hynny clywn Twm yn chwerthin yn uchel, a rhedais innau allan o'r tŷ.

"I be ddaru ti insyltio'r dyn?" gofynnai Twm, bron tagu. Deellais ar ôl hyn mai llysenw oedd Cacws, ac nad oedd dim casach gan ei berchennog. Gwyddai Twm yn burion am y tŷ, lle yr oedd esgidiau ei fam yn cael eu trwsio; ac aeth yn syth yno a thalodd amdanynt, a chafodd geiniog yn ôl am ei siwrnai. Er bod fy nghlust yn llosgi, prin y gallwn beidio â chwerthin am y tro a wnaethai â mi, ond cymerwn arnaf fy mod wedi digio yn dost wrtho.

"Hidia befo, mi wariwn y geiniog yma cyn mynd adre," ebe Twm.

Aethom o gwmpas amryw siopau i edrych am y lle mwyaf manteisiol i suddo'r geiniog. Yr oedd Twm yn anodd iawn ei foddio yn ei siop, ac edrychai yn fanwl iawn i bob ffenestr cyn mentro gwario'r geiniog. Yr oeddwn innau, yr wyf yn gorfod cydnabod, trwy nad oeddwn yn deall gair o Saesneg, yn hynod o ddiniwed.

Wedi sbio i lawer o ffenestri, daethom at siop ddigon annhebyg yn fy mryd i, ac ebe Twm:

"Dyma hi," a chan roddi'r geiniog yn ofalus yn fy llaw, "cer i fewn a gofyn am gnegwarth o *Scotch Tweed*."

"Be ydi hwnnw?" gofynnais.

"Rhywbeth tebyg i gyfleth ond ei fod yn fwy da," ebe Twm yn sobr.

"Wela i ddim byd tebyg i gyfleth yn y ffenest yma, 'does yma ddim byd ond brethynne," ebe fi.

"Tu mewn," ebe Twm, "maen nhw yn i gadw fo, mi sbwyliff yn y ffenest."

Wedi i Twm ddweud yr enw wrthyf lawer gwaith drosodd fel y byddai fy mam yn dysgu adnod i mi, euthum i wneud fy neges. Yr oedd y siopwr—mi gwelaf o y munud hwn—yn glamp o ddyn tal, ac yn sefyll ar ganol llawr y siop fel pe bai'n disgwyl am gwsmer. Teflais fy ngolwg o gwmpas, ond ni welwn ddim ond brethynnau a chalico, ac ebe fi:

"Welwch chi'n dda ga i gnegwarth o *Scotch Tweed*?"

"Cnegwarth o be?" ebe'r siopwr, gan led wenu, a gwelwn ef yr un pryd yn edrych dros fy mhen tua'r drws, lle y gwelai, yn ddiau, Twm yn sefyll ar y palmant ac yn dangos ei ddannedd gwynion, a'r foment nesaf cydiodd y siopwyr yng ngholer fy nghob, troes fi â'm hwyneb tua'r drws, a rhoddodd imi gic yn fy—.

"Wel, weles 'rioed dy sort di," ebe Twm, "fedri di gofio dim byd. Be ddaru ti alw fo, dywed?" Yr oeddwn mewn gwirionedd erbyn hyn wedi anghofio am beth yr oeddwn wedi gofyn.

"Dydi o iws yn y byd dy drystio di, gad i mi'r geiniog ene," ebe Twm. Teimlwn yn un dwl, a bod yn rhaid fy mod wedi methu'r enw. Aeth Twm i ryw siop arall a cheisiodd rhywbeth da i'w fwyta am y geiniog, a lliniarwyd fy nheimladau.

Ychydig cyn ryw Nadolig—nid wyf yn cofio'r flwyddyn—yr oedd Twm yn brysur anghyffredin, ac wedi sôn wrthyf fwy nag unwaith, tybed a gaffai ef ddyfod i'n tŷ ni i "joinio" gwneud cyflaith, ac i aros i fyny hyd adeg y plygain yn yr Eglwys. Yr oedd Twm wedi dyfod â baich ei gefn o goed tân i'm mam ddwywaith neu dair, a chanfyddwn ei fod yn cyflym "gribo i fyny ei llewys", fel y dywedir. Gwyddai Twm sut i ymddwyn pan ddymunai, ac o flaen fy mam ymddygai fel bachgen da; ac er cymaint o feio oedd arno, dywedai hi ei bod yn ofni bod Twm druan yn cael llawer o gam, ac na welodd hi ddim o'i le ar y bachgen druan, hynny ydyw, gwerth sôn amdano, a chysidro sut yr oedd wedi ei fagu. Yr oedd Mr. Jones, y Person, hefyd y pryd hwnnw yn fawr ei ffwdan yn rhannu rhoddion Nadolig i dlodion y gymdogaeth a arferai fynychu'r gwasanaeth yn yr Eglwys, ac yr oedd efe wedi gwrthod rhodd i Nansi'r Nant, mam Twm, ac wedi rhoi cryn dafod drwg iddi am ofyn. Deellais ar Twm ei fod yn benderfynol o ddial ei lid ar y Person y cyfleustra cyntaf a gaffai. Wedi iddo hir ogrdroi o gwmpas ein tŷ, mi synnais braidd pan gydsyniodd fy mam i Twm gael dyfod gyda Harri Tomos i'r Penty i wneud cyflaith, ac i aros adeg y plygain ar y telerau nad oeddem i wneud trwst fel ag i'w rhwystro hi i gysgu, ac ar yr addewid fod inni ymddwyn yn weddus yn y plygain, a cheisio cofio tipyn o'r carolau. Gwnaem y cyflaith ein hunain wedi i'm mam fynd i'r gwely, a chawsom amser pur ddifyr. Tua thri o'r gloch y bore, aeth Twm allan, ac ymhen oddeutu chwarter awr, dychwelodd gyda dysglaid braf o gyflaith, ac wedi ei gosod ar lawr y gegin, gwasgai ei ochrau a'i safn rhag chwerthin allan a deffro fy mam. Deallasom ar unwaith sut y bu. Yr oedd Twm wedi bod yn prowla, ac wedi gweld rhywrai a oedd ar yr un busnes â ninnau y noson honno yn rhoi y ddysglaid cyflaith allan i oeri, ac yntau wedi ei lladrata. Cawsom ysglyfaeth nid bychan.

Yr oedd Twm yn dra awyddus am inni fod yn y plygain mewn pryd, ac felly yr oeddem, pan oedd y wraig a edrychai ar ôl yr eglwys yn agor y drws. Gwnaeth Twm ei hun yn hynod o wasanaethgar i'r wraig drwy ei chynorthwyo i roi pethau yn eu lle a golau y pedair cannwyll oedd i oleuo'r adeilad. Ni wasanaethai, fel y gellid tybio, pedair cannwyll gyffredin ond megis i ddangos tywyllwch yr hen eglwys drymaidd, ac oherwydd hynny dygai'r canwyr carolau eu canhwyllau eu hunain gyda hwy. Yr oedd llwybr o'r ficerdy drwy'r fynwent i'r festri, a rhyw agorfa dywyll wedyn o'r festri at y ddesg yn yr Eglwys. Ar hyd yr agorfa hon y cerddai'r Ficer Jones pan fyddai yn gweinyddu, ac ef yn unig, oddieithr pan fyddai casgliad—yna âi'r clochydd ar hyd-ddi efo'r arian i'r festri.

Wedi blino disgwyl i'r gloch ganu, dechreuodd y bobl yn y man hel i'r Eglwys. Yr achos am na chanwyd y gloch y bore hwnnw oedd ffrae a fu yr wythnos flaenorol rhwng y Clochydd a'r Ficer—yr oedd y blaenaf wedi pwdu. Yr oedd golwg flêr iawn ar y nifer mwyaf o'r bobl, a llawer ohonynt yn hanner meddw ac yn drystiog ryfeddol. Yr oedd Twm, Harri, a minnau wedi'n gosod ein hunain yn y ffrynt, yn lled agos i'r ddesg, lle yr arferai'r canwyr carolau eu dangos eu hunain, ac yr oeddem wedi gyrru wmbreth o gyflaith o'r golwg i aros i'r *performance* ddechrau. Siaradai pawb â'i gydymaith, a rhwng y siarad a'r chwerthin a'r lolian, yr oedd y lle yn debycach i ffair gyflogi nag i wasanaeth crefyddol. Gwelais un neu ddau yn ysmocio, ac amryw lanciau ansbarthol yn cofleidio ac yn cusanu eu cariadau. Toc gwelwyd drws y festri yn agor, a gwnaeth Mr. Jones ei ymddangosiad, gan daflu cysgod ei gorpws mawr ar y pared oer wrth basio'r gannwyll gyntaf. Llonyddodd y dwndwr gryn lawer pan welwyd drws y festri yn agor. Ond nid oedd Mr. Jones prin wedi rhoi dau gam pellach na'r fan lle yr oedd y gannwyll gyntaf wedi ei gosod, nag y syrthiodd ar ei hyd gyhyd ar ei wyneb ar lawr, gan wneud trwst anferth. Chwarddodd amryw—fel y gwna rhai pobl wrth weled dyn yn syrthio, pe torrai gorn ei wddf—gan dybied, mae'n debyg, fod Mr. Jones wedi cymryd dropyn gormod, fel yr oedd llawer ohonynt hwythau wedi gwneud. Wrth ganfod nad oedd yn gwneud un ymdrech i godi, rhuthrodd amryw ato, ac yn eu plith Twm, Harri a minnau. Ond yr oedd y gongl mor dywyll, fel na ellid gweld am beth amser a oedd Mr. Jones wedi ei anafu ei hun ai nad oedd. Yr oedd yn ddigon golau, fodd bynnag, i mi weld Twm yn cario tair neu bedair o *footstools* oedd yn y fan lle y syrthiasai Mr. Jones, gan eu taflu i ryw seti oedd yn ymyl. Nid wyf yn meddwl i neb sylwi ar hynny ond fy hunan, a deellais mai Twm oedd wrth wraidd y drwg. Rhedai'r gwaed o ffroenau Mr. Jones, a chariwyd ef i'r festri. Cafwyd allan yn y man nad oedd ei niweidiau yn ddim gwaeth na thipyn o ysgytiad. Ond ni chanwyd carolau y bore hwnnw, ac aeth pawb adref.

Ar y ffordd tua'n tŷ ni, wedi i Harri Tomos ein gadael, cyhuddais Twm o osod y *footstools* ar lwybr Mr. Jones, a chyfaddefodd yntau'r cyfan. Dywedais wrtho y gallasai'r canlyniadau fod yn dost i Mr. Jones.

"Pam na fase fynte yn rhoi pais wlanen i mam yn lle tafod drwg iddi?" ebe Twm.

"Mae perygl i ti ddod i helynt," ebe fi.

"Dim perygl os caei di dy geg, ac os na nei di, mi dy ladda di," ebe Twm.

Gallodd Mr. Jones gynnal gwasanaeth byr am un ar ddeg o'r gloch fore'r Nadolig hwnnw, ac ar ddiwedd y gwasanaeth, dywedodd wrth y dwsin pobl oedd wedi dyfod ynghyd, fod rhyw ddihiryn wedi ceisio ei anafu y bore hwnnw yn y plygain, drwy osod rhywbeth ar ei lwybr a pheri iddo syrthio, fod ganddo amheuaeth pwy oedd y troseddwr, ac y rhoddai hanner coron i bwy bynnag a allai roddi iddo wybodaeth sicr am yr amgylchiad. Aeth yr hanes fel tân drwy'r pentref, a chyn gynted ag y clywodd Twm aeth rhag ei flaen i'r ficerdy, ac ebe fe wrth Mr. Jones;

" 'Rydw i wedi clywed, Mr. Jones, fod chi'n cynnig hanner coron i rwfun feder ddeud pwy ddaru roi'r pethe ar draws y *passage* a gneud i chi dymblo?"

"Ydw, Twm, wyt ti'n meddwl y medri di ddeud pwy oedd o?" ebe Mr. Jones.

"Medra, ddyliwn wir," ebe Twm.

"Wel, ie," ebe'r Person, "ond fedri di brofi'r peth? Achos yr ydw inne'n ame pwy ydi'r dyn, ond fedra i ddim profi'r peth."

"Mi profa fo mor olau â'r haul," ebe Twm.

"Allan â fo ynte," ebe Mr. Jones.

"Rhaid i mi gael yr hanner coron yn gynta cyn y deuda i," ebe Twm.

"Dyma fo i ti," ebe Mr. Jones, gan estyn i Twm yr hanner coron.

"Dydw i ddim yn meddwl chwaith," ebe Twm, "y deuda i pwy oedd y dyn, os na newch chi addo madde iddo fo."

"Madde i'r *scamp!* Sut y medra i fadde iddo fo?" ebe'r Person.

"Wel," ebe Twm, "rhaid i mi droi'r hanner coron yn ei ôl i chi, os na newch chi addo madde iddo fo, achos leiciwn i ddim dŵad â neb i drwbwl."

"O'r gore," ebe'r Person. "Ond y mae'n anodd ofnadwy madde iddo, ac eto wn i ddim pwy ga i neud i waith o; a ddyliwn, yn y diwedd, mai madde fydd raid imi. Wyt ti'n deud y medri di brofi'r peth tu hwnt i amheuaeth?"

"Mi gwelais o â'm llygid fy hun," ebe Twm.

"Wel," ebe Mr. Jones, "yr ydw i'n addo madde iddo fo, os medri di brofi o'n euog. Allan â fo."

"Deud y gwir gonest wrthoch chi, Mr. Jones," ebe Twm, gan daflu ei olwg tua'r drws agored, "y fi ddaru neud y *job.*"

Neidiodd y Person i'w goler cyn i Twm allu symud, a gwaeddodd, "Y ti, y cnopyn melltigedig! y filen ifanc!" a rhoddodd iddo ysgegfa greulon.

"Hoswch; hoswch!" ebe Twm, "gadewch i mi orffen. Ddaru mi ddim meddwl ych tymblo chi, syr, i lawr; i'r clochydd yr oeddwn i wedi darparu'r codwm, dase'r llech wedi dŵad o'ch blaen chi. Ond felly fu, a mae'n dda gen i na ddaru chi ddim brifo llawer, Mr. Jones."

"Be wna i â thi, dywed, y cnaf drwg?" ebe'r Person.

"Madde ddaru chi ddeud a naech chi, a mae gair Person gystal â Beibl," ebe Twm.

"Wel, be sy gan ddyn ond ei air. Ffwrdd â thi, a phaid byth dŵad yn agos i'r Eglwys," ebe'r gŵr maddeugar.

"Be ddaw o f'ened i?" gofynnai Twm.

"Cer â dy ened at yr Ymneilltuwyr melltigedig," oedd yr ateb.

Cychwynnodd Twm ymaith, ond gwaeddodd y Person ar ei ôl, ac ebe fe,—"Dyna ti y coblyn, galw efo Jack Llwyd, y clochydd, a dywed wrtho am ddod yma i gael ni ddŵad i *understanding.*"

"O'r gore, syr," ebe Twm, ac aeth yn syth y dŷ Jack, ac ebe fe, "John Llwyd, mae Mr. Jones, y Person, wedi ngyrru yma i ddeud wrthoch chi, os byth y rhowch chi'ch troed yn ei dŷ o, ne' yn yr Eglwys, y saethiff o chi!"

"Pwy sy isio mynd i'w hen Eglwys gebyst o?" ebe Jack.

Pan oedd Twm yn mynd allan o dŷ Jack, pwy oedd yn sefyll yn y drws nesaf ond Beti Williams, hen wreigan grefyddol oedd yn perthyn i'r Sentars, ac ebe Twm wrthi:

"Beti Williams, mae Mr. Jones, y Person, yn gofyn welwch chi'n dda fynd yno. 'Rydw i'n meddwl fod gynno fo rwbath i chi."

"Os oes gynno fo rwbath i *mi*," ebe Beti, "mae hynny yn beth digon rhyfedd; ond mi af yno 'rŵan, a diolch i ti, Twm bach."

Ni wybu Twm beth a ddigwyddodd ar ôl hyn rhwng Jack Llwyd a Beti Williams a'r Person; ac wedi sicrhau yr hanner coron, cadwodd o'r golwg nes eu bod ymron wedi anghofio'r amgylchiad.

IV

Dafydd Ifans y Cipar

NID oes llawer o ddiolch i ambell un am beidio bod yn neilltuol o ddrwg. Nid oes ganddo ddigon o dalent i fod yn enwog mewn drygioni. Ynddo ei hun nid ydyw dysg yn gwarantu cymeriad moesol da, ac nid yw talent ac athrylith, ar wahân i ras a syniad uchel am rinwedd a chariad ato, ond cynorthwyon i ffurfio cymeriad satanaidd. Edrychir ar ambell un fel gŵr diniwed a da, pryd mewn gwirionedd nad ydyw ei gymeriad yn ddim amgen nag amddifadrwydd o gryfder. Pe buasai yr un gŵr yn feddiannol ar ewyllys gref, a synhwyrau preiffion, hwyrach y buasai y dihiryn gwaethaf yn y gymdogaeth. Mae gan lawer ohonom le i ddiolch nad oes gennym gorff cadarn, *nerves* cryfion ac athrylith fyw, onid e buasai rhai ohonom wedi torri ffigur yn nheyrnas yr un drwg. Fel yr ydym, y mae llawer ohonom yn bobl neis a diniwed. Ac eto, yn gymaint â bod ein tuedd ar i waered, gellir cynyddu yn gyflym mewn drwg heb nemor ymdrech, ond y mae pinacl rhinwedd a daioni yn gribog fel Basan, ac "ar ein traed ac ar ein dwylaw" y cyrhaeddir ef.

Yr oedd cynnydd Twm Nansi mewn drygioni yn eglur i bawb ohonom ni ei gymdeithion, ac ni wiw celu'r ffaith fod ein hedmygedd ninnau ohono yn cynyddu hefyd, er na feiddiem gydnabod hynny wrth neb arall, nac, yn wir, wrthym ni ein hunain. Yr oeddwn yn adnabod hen flaenor da a garai weld "batel" rhwng dau ddyn *drwy'r ffenestr,* ond ni chymerasai lawer â mynd i'r heol i edrych arnynt. A pha nifer o bobl dda y dyddiau hyn a edy eu cinio i fynd i'r ffenestr i edrych ar orymdaith y *circus* drwy'r heolydd (y peth salaf ynglŷn â'r *circus*) ac a fwynha'r olygfa, ond a arswydai fynd i weld y *circus* yn ei gogoniant? Gymaint y mae dyn yn chwarae mig ag ef ei hun heb deimlo dim euogrwydd!

Tynnodd Twm Nansi fy mam i brofedigaeth lem un tro. Ryw noswaith, daeth i'n tŷ ni, gan geisio ymddangos yn dawel a digyffro, ond sylwais ei fod yn anadlu'n gyflym fel pe buasai wedi bod yn rhedeg. Wedi i Twm ddweud ychydig eiriau, aeth fy mam i'r bwtri ar ryw neges neu'i gilydd, ac ebe Twm wrthyf:

"Oedd ene rwfun yn cnocio'r drws, dywed?"

"Chlywes i neb," ebe fi.

"Rydw i agos yn siŵr fod rhwfun wedi cnocio," ebe Twm.

Euthum i'r drws i edrych, ac nid oedd neb yno, wedyn euthum gam neu ddau allan gan edrych i fyny ac i lawr y ffordd, ond nid oedd neb yn y golwg. Pan oeddwn yn dychwelyd i'r tŷ ac yn cau'r drws, yr oedd Twm yn dyfod i'm cyfarfod, ond nid o gyfeiriad y fan lle'r eisteddai pan euthum allan, ond o'r cyfeiriad lle y safai'r hen gloc wyth niwrnod.

"Oedd ene rwfun?" gofynnodd.

"Neb," ebe fi, a hynny a basiodd.

Daeth fy mam o'r bwtri, ac yn bur ddigyffro ebe Twm:

"Ydi'ch cloc chi'n reit, Sali?"

"Ydi, pam 'rwyt ti'n gofyn?" ebe fy mam.

"Wel, meddwl 'roeddwn i bod hi'n hwyrach," ebe Twm.

Edrychodd fy mam ar y cloc, ac ebe hi,—"Felly yn siŵr yr oeddwn innau'n meddwl, Twm. Dim ond chwarter wedi saith? 'roeddwn yn meddwl ei bod yn nes i wyth. Fu 'rioed i well o am gadw 'i le, ond rhaid i mi dreio cofio'i weindio fo heno, ne mi stopiff cyn y bore."

Arhosodd Twm awr neu ragor. Drannoeth, un o'r pethau cyntaf a glywais oedd fod Twm i gael symans am fod yng nghoed y Plas yn prowla ac yn dwyn wyau *pheasants.* Yr oedd y cipar wedi ei weld o bell, a Thwm wedi ei weld yntau, ac wedi dianc. Yr amser y gwelwyd ef gan y cipar oedd chwarter wedi saith. Cyn gynted ag y dywedais y stori wrth fy mam:

"Dene gelwydd," ebe hi, "yr oedd y bachgen, druan, yma chwarter wedi saith ac ers plwc cyn hynny. Wyt ti ddim yn cofio bod ni'n sôn be oedd y gloch, a finne'n deud y bydde raid i mi gofio weindio'r cloc cyn mynd i ngwely, ond anghofio ddaru mi wedi'r cwbl?"

Wrth gwrs, yr oeddwn yn cofio'n burion, ac yn cofio rhywbeth arall hefyd, ond nid gwiw oedd imi sôn am hynny.

"Mwya' cam yw cam y lleidar," ychwanegai fy mam. "Maen nhw'n deud mai bachgen direidus ydi Twm, ond er na dda gen i mo'i fam o, weles *i* ddim llawer o'i le ar y bachgen, a mae'n arw o beth iddo syffro ar gam."

Dyna oedd unig amddiffyniad Twm—ei fod wedi dod yn syth oddi cartref i'r Penty, a'i fod yno gyda ni saith o'r gloch—ac nad oedd yn bosibl iddo, hyd yn oed pe buasai yn rhedeg, fynd o'r lle y gwelwyd ef gan y cipar i'n tŷ ni mewn llai na chwarter awr. Daeth yr hen Nansi i grefu ar fy mam i roi ei thystiolaeth o blaid Twm, ac addawodd hithau wneud hynny, er nad oedd dim casach ganddi na mynd o flaen ei gwell ac ar ei llw. Methodd na chysgu na bwyta am ddeuddydd, a bu'r amgylchiad yn brofedigaeth fawr iddi. Credodd yr ustusiaid dystiolaeth fy mam, yr hon a roddodd, drwy gyfieithwr, yn bendant a chydwybodol, a daeth Twm yn rhydd. Credai'r gymdogaeth hefyd fod Twm yn cael cam yn yr amgylchiad hwn, oblegid beth a wnâi ef ag wyau *pheasants*? Yr oedd Twm yn llon iawn, a daeth ar ei union i ddiolch i'm mam, ond ni wnaeth hi lawer o siapri ohono, oblegid yr oedd wedi achosi llawer o boen diachos iddi, a chynghorodd fi yn ddilynol i beidio ag ymwneud ond cyn lleied ag a fedrwn â Thwm. Y tro cyntaf y gwelais Twm ar ôl hynny, dywedais wrtho fy mod yn credu ei fod yn euog, a'i fod wedi symud bysedd ein cloc y noson honno. Yr oedd ganddo ymddiried mawr ynof a chyfaddefodd y cyfan, a dyna oedd ei unig amddiffyniad dros ei ymddygiad:

"Dydi o ddim rheswm mynd i'r *jail* mor ifanc, wyddost."

Holais ef ynghylch dwyn wyau *pheasants,* gan nad oeddynt dda i ddim iddo. Chwarddodd Twm ar ben fy niniweidrwydd, ac ebe fe:

"Wyddost ti ddim y medra i gael grot yr wy am bob un fedra i gael? Mae gen i gwsmer gymiff faint fyd fynna i."

Yr oeddwn wedi synnu, oblegid tybiwn fod wyau ieir yn anhraethol fwy gwerthfawr, a gwerthai fy mam y rheini dri ar ddeg am chwech. Goleuodd Twm gryn lawer ar fy meddwl am werth *pheasants* a'u hwyau. Heb feddwl, cydgerddais ag ef nes ein bod yn ymyl y Nant, a gwahoddodd fi i'r tŷ. Er bod fy mam wedi fy nghynghori i beidio ag ymwneud llawer â Thwm, ni allwn wrthod ei wahoddiad, yn enwedig pan ddywedodd efe nad oedd ei fam, Nansi, gartref. Yr oeddwn wedi hiraethu llawer am gael mynd i mewn i'r caban bychan yn ymyl coed y Plas a elwid y Nant, neu, fel y gelwid ef gennym ni, yr hogiau, "Hen dŷ'r cipar". Yr oeddwn wedi cysylltu yn fy meddwl lawer o ddirgelion â'r tŷ hwn, a chymaint oedd fy arswyd i a'm cyfoedion o'r hen Nansi, fel na fu troed un ohonom erioed dros ei drothwy. Nid heb ryw gymaint o ofnadwyaeth yr euthum i'r tŷ y prynhawn hwnnw. Mawr oedd fy siomedigaeth pan euthum i mewn—nid oedd dim yn wahanol ynddo i ryw dŷ tlawd arall—yn wir, o ran swyn a chyfforddusrwydd meddyliwn nad oedd i'w gymharu â'n tŷ ni. Yr unig beth neilltuol ynddo oedd ei amddifadrwydd o ddodrefn, a hefyd cloben o gath ddu anferth a orweddai ar y gadair, ac a agorodd ei llygaid i edrych arnaf, ac a'u caeodd drachefn. Pan oeddwn yn edrych o'm cwmpas, ebe Twm:

"Well i ni gael giâm o saethu?" a neidiodd ar ben y bwrdd, ac estynnodd o dop y gegin wn i lawr, yr hwn nad oeddwn wedi ei weld o'r blaen. "Dyma hen wn 'y nhad," ebe fe, "ac un iawn ydi o hefyd. Cipar oedd 'y nhad mi wyddost, a dyma'i wn o, a mi laddodd yr hen law gantodd o bethe efo hwn."

Yna cymerodd Twm o ryw ddrôr oedd ganddo bowdwr, *shots* a chaps, a gwahoddodd fi i'r ardd. Wedi mynd i'r ardd, gwelais ei fod wedi paratoi *entertainment* imi, oblegid y peth cyntaf a wnaeth, oedd mynd i ryw gwt a dwyn allan gath newynog yr olwg, a chortyn wedi ei rwymo am ei thraed ôl. Oddeutu pymtheg neu ugain llath oedd hyd yr ardd, ac yn ei phen draw yr oedd hen bren crabas. Crogodd Twm y gath yn erbyn ei thraed yn y pren crabas a llwythodd y gwn, a chyda chyfarwyddiadau i anelu a thynnu'r trigar archodd i mi saethu at y gath, a ymgenglai'n enbyd. Yr oeddwn yn anfodlon, a dywedais ei fod yn greulondeb saethu yr hen gath, druan.

"Dim ytôl," ebe Twm, "cath Marged Jones ydi hi, a'r hen wraig ddaru ofyn i mi boddi hi, a waeth i saethu hi na'i boddi hi—*fire away*!"

Tynnais at y trigar, ac nid anghofiaf byth y *fire away* hwnnw. Mewn moment gwelais wreichion a mwg, a theimlais drwst anferth yn fy mhen, a chefais fy hun ar fy nghefn ar lawr wedi dychrynu'n ofnadwy. Yr oeddwn yn sicr yn fy meddwl ar y pryd mai fi a gawsai yr ergyd ac nid y gath. Ac ni chamgymerais lawer, canys pan ddeuthum dros fy syfrdandod, gwelwn Twm yn chwerthin nes bod y dagrau yn byrlymu i lawr ei ruddiau fel pys gerddi. Deuthum ataf fy hun yn gynt na Thwm, a gwelais fy mod wedi lluchio'r gwn ymhell, ac nad oedd y gath fymryn gwaeth, a pharhâi i ymdrechu fel o'r blaen. Bu Twm yn hir cyn dod ato'i hun, a'r gair cyntaf a gefais ganddo oedd:

"Rhaid i mi chael hi allan," a rholiodd hyd lawr, a chwarddodd dros yr holl blwyf. Yn y man neidiodd ar ei draed a dywedodd:

"Gobeithio y gnei di fadde i mi—fy mai i oedd y cwbwl. Mi ddylswn ddeud wrthot ti fod tipyn o natur cicio yn yr hen wn. Ond gwn iawn ydio wedi'r cwbwl. Petaset ti wedi ddal o reit solet yn erbyn dy ysgwydd mi fuaset yn ôl reit, a hwyrach i mi roi gormod o *charge* yno fo."

Llwythodd Twm y gwn drachefn—symudodd ei droed de yn ôl, a'i droed chwith ymlaen—gosododd y gwn ar ei ysgwydd, a thaniodd. Gwelwn fod y gath yn berffaith lonydd, a meddyliais ei bod yn dechrau cynefino â'i sefyllfa.

"Dene nene wedi mynd i'w haped," ebe Twm.

"Wyt ti ddim wedi lladd hi?"

"Cyn farwed â hoel," ebe Twm, "ond mi neiff eitha target eto. Wyt ti am dreio ergyd arall?"

"Chymrwn i mo'r byd," ebe fi, a chwarddodd Twm nes oedd ymron syrthio. Saethodd at y gath deirgwaith nes ei rhidyllu, yna ar ganol llwytho'r bedwaredd waith, tynnodd bapur o'i boced ac archodd i mi:

"Ffasna hwn wrth ddannedd y gath."

Gwneuthum felly; ond cyn i mi orffen, gwaeddodd: "Tendia dy hun!" Trois fy mhen, a gwelwn ef yn anelu ataf, a thaniodd. Syrthiais innau i lawr, a dychmygwn fod dwsin o leiaf o *shots* yn fy nghorff, ac y byddwn fel yr hen gath wedi trengi y funud nesaf. Cafodd Twm fwy o ddifyrrwch efo hyn nag a gawsai o'r blaen. Rhedodd ataf, cododd fi ar fy nhraed, ac ysgydwodd fi yn iawn, ac ebe fe:

"Yr hen iâr, wyt ti'n meddwl y baswn i'n saethu atat ti dase ene gymin ag un shoten yn y gwn? Wst ti be, mi naet sowldiwr iawn!"

Cafodd Twm drafferth fy mherswadio nad oedd shoten yn y gwn, ac nid cyn imi ymwrando llawer a oedd gennyf boen yn rhywle y'm llwyr argyhoeddwyd. Fel iawn am ei ymddygiad, rhoddodd i mi wers ar saethu, ac amryw reolau i fynd wrthynt. Mae llawer o amser er hynny, ac nid wyf yn cofio ond tair o'r rheolau: "Cadw dy hun reit stedi—gwasga'r gwn yn glòs at dy ysgwydd—a chau dy lygad chwith wrth nelu." Yr wyf yn cofio fy mod yn cymryd cymaint o ddiddordeb yn y wers, nes teimlo awydd ei rhoi mewn gweithrediad. Deallodd Twm hyn, a chymerodd ei lw, a phan gymerai ei lw gallwn ei goelio, nad oedd yn rhoi yn y gwn ond hanner *charge*. Saethais; ac nid oeddwn damaid gwaeth. Rhyfeddais yn aruthrol at hyn, a gwae i mi oedd yr hanner *charge* honno. Ni feddyliais am ddim ond am saethu wedyn am wythnosau. Pan oeddwn yn yfed addysg Twm, pwy a welem yn dyfod i lawr y ffordd tuag atom ond cipar y Plas, y dyn a gyhuddasai Twm o fod yn dwyn wyau *pheasants* ychydig ddyddiau cyn hyn. Cymerodd Twm y gwn i'r tŷ, a daeth yn ôl gan gloi'r drws, a rhoddi'r agoriad dan y twb glaw, yn ôl dealltwriaeth rhyngddo ef a'i fam. Yr oeddwn yn awyddus i redeg ymaith, ond dywedodd Twm wrthyf:

"Safa dy dir, a phaid â deud gair mwy na phetait ti'n fyddar, achos fedra i ddim dy drystio di i siarad efo'r cwtrin yma."

Gorffwysai Twm ei benelinoedd ar bennor oedd o flaen y tŷ, gan edrych yn ddigyffro, a safwn innau tu ôl iddo â'm cefn ar y wal, ac yn edrych yn euog ddigon, mi wn, oblegid credwn y pryd hwnnw nad oedd gan neb hawl i ddefnyddio powdwr a *shots* ond cipars a boneddigion, o eudeb yr hyn y'm hargyhoeddwyd wedyn gan Twm, yr hwn a dystiai fod gan bob dyn ar wyneb y ddaear gystal hawl â'i gilydd i saethu. Pan ddaeth y cipar atom, ebe fe:

"Pwy oedd yn saethu?"

"Y fi, Dafydd Ifans, be oedd am hynny?" atebodd Twm yn wyneb galed.

"At be roeddat ti'n saethu?" gofynnai'r cipar.

"At y gath acw," ebe Twm, gan ei dangos drwy bwyntio â'i fys heibio pen y tŷ.

"Pam roeddat ti'n saethu'r gath?" gofynnai Dafydd.

"Am ei bod yn lladd cwningod, a phobl erill yn cael y bai, ac i arbed trafferth i chi," ebe Twm.

"Mae gen i ofn na fedr neb roi gormod o fai arnat ti, 'y machgen i," ebe'r cipar.

"Mi ddaru chi roi tipyn bach gormod yr wythnos diwaetha, a mi rowch eto os medrwch chi," ebe Twm.

"Mi ddoi di i'r trap rw ddiwrnod, 'y ngwas i; lle mae dy wn di?" ebe Dafydd.

"Mae'r gwn yn ddigon saff," ebe Twm.

"Lle mae hogyn fel ti yn cael powdwr a *shots*?" ychwanegodd Dafydd.

"Wrth 'u prynu nhw—dydw i ddim yn 'u cael nhw am ddim 'run fath â rhw bobol," ebe Twm.

"Mae gynnat ti dipyn gormod o dafod, ddyliwn i, a mae isio dy symud di a dy fam oddma, a mi gewch ych symud hefyd," ebe Dafydd Ifans. "A dyma ti," ebe fe wrthyf i, "ydi dy fam yn gwybod fod ti'n canlyn yr hogyn drwg yma?"

Yn ôl cyfarwyddyd Twm ni ddywedais air, ac ebe Twm, "Mae'r bachgen yma a'i fam yn nabod i yn well na chi, Dafydd Ifans, fel y gwelsoch chi yn yr *Hall* yr wythnos o'r blaen. Ac am yn symud ni oddma, rydach chi'n *bound* o neud hynny os medrwch chi, a gnewch hynny i'r d——l," ebe Twm, yn feiddgar.

"O'r gore," ebe Dafydd Ifans yn ffrochlyd, ac ymaith ag ef; a synnwn ei fod heb ruthro arno, a diau mai hynny a wnaethai oni bai fy mod i yno yn dyst; oblegid dyn brwnt oedd y cipar.

Yn fy ffordd fy hun ceryddais Twm am siarad mor hy efo Dafydd Ifans.

"Paid â chyboli," ebe Twm, "un o'r dynion gwaetha ar wyneb y ddaear ydi'r cwtrin ene. 'Does dim posib i neb 'rŵan gael cwningen na *pheasant* na phetrisen, heb iddo *fo* roi'i fys yn y brywes, 'run fath â phetai'r Brenin mawr wedi gneud y pethe ene i gyd i un gŵr bonheddig. Y mwnci! A mwya neith dyn ddangos fod o 'i ofn o, casa yn y byd ydi o. Mae o'n siŵr o berswadio'r *squire* i'n tywlu ni o'r Nant. Ond fydda i ddim wedi darfod efo fo wedyn. Myn cebyst, petawn i yn 'i gyfarfod o yn yr hen goed ene a'r hen wn gen i, mi gyrrwn o ar ôl cath Marged Jones."

Dychrynais wrth glywed Twm yn siarad, ond credwn nad oedd ef yn meddwl yr hyn a ddywedai. Yr oedd Twm wedi gwneud argraff ddofn arnaf y diwrnod hwnnw, a theimlwn fy mod wedi dysgu llawer o rywbeth; ac wrth fynd adref, ni fedrwn yn fy myw beidio ag edmygu ei feiddgarwch, er fy mod, ar yr un pryd, yn arswydo rhag bod yn debyg iddo. Cyn hynny, nid oeddwn wedi sylwi fod ynof ryw ddau berson—un am fynd ffordd yma, a'r llall ffordd arall. Cefais y teimlad hwn lawer gwaith ar ôl hynny.

V

Gadael y Penty

ER na lwyddodd Dafydd Ifans, y cipar, i brofi mai Twm Nansi oedd yr un a welsai yng nghoed y Plas ar neges anghyfreithlon, nid oedd efe yn llai sicr yn ei feddwl mai Twm oedd y gŵr, fel y tystiodd yn y llys. Diamau y gwyddai'r cipar am fwy o weithredoedd Twm na'r un y ceisiodd ei gosbi amdani. Nid oedd gweled llanc ifanc unwaith mewn lle na ddylasai fod, ac yn cael ei ddrwgdybio o ladrata yr hyn nad oedd eiddo iddo, yn ddigon o reswm am yr elyniaeth ffyrnig a deimlai'r cipar at Twm, gelyniaeth na cheisiai efe un amser ei chelu.

Gŵr nid anhywaith oedd yr Yswain Griffith, perchennog y Plas Onn; ac anaml y clywid neb yn rhoi gair drwg iddo. Yn wir, ystyrid ef yn feistr tir caredig, ac os byddai yn rhegi braidd ar y mwyaf, yr oedd ganddo galon dyner, a chafodd llawer tlawd achos i'w fendithio. Gŵr gweddw ydoedd, a chanddo un mab, a hwnnw ar y pryd yr wyf yn sôn amdano, yn yr ysgol yn Lloegr. Oherwydd hynny, bywyd lled ddistaw ac unig a dreuliai'r hen fonheddwr o'r Plas Onn. Dywedai'r rhai a ddylai ei adnabod orau, fod un nodwedd bur amlwg ynddo, sef oedd honno, ei orhoffter o ferched; ac nid oedd efe, meddid, yn ŵr cul ei syniadau, oblegid nid oedd yn cyfyngu'r gorhoffter hwn at ferched o'r un sefyllfa a dosbarth ag ef ei hun. Ond y mae'n rhaid nad oedd efe'n cario'r nodwedd hon, neu'r duedd hon a ddylaswn ddweud, i derfynau anghyfreithlon, canys yr oedd ef a Mr. Jones, y Person, ar y telerau gorau, ac ni chlywodd neb erioed Mr. Jones yn awgrymu fod un bai ar ŵr y Plas Onn, am y rheswm, yn ddiau, na welai un bai ynddo nad oedd ynddo ef ei hun a phechaduriaid eraill. Mae'n rhaid fod Mr. Griffith yn ŵr tra charedig yn ei dŷ ei hun, oherwydd nid un na dwy o'i forynion a welwyd yn gadael y Plas am rai misoedd, ac yn dychwelyd gan ailgymryd eu hen safle yn y tŷ heb ofyn caniatâd neb, fel pe buasent yn mynd adref.

Naturiol i ŵr o dueddiadau a sefyllfa Mr. Griffith oedd bod yn dra eiddigus o'i *game*, ac nid oedd, fel mater o ffaith, ŵr casach yn ei olwg na'r herwheliwr. Yr oedd i rywun ladd un o'i *pheasants*—yn wir, un o'i gwningod—yn gymaint trosedd yn ei olwg, a dweud y lleiaf, a phe buasai yn lladd un o'i gymdogion. Pe buasai un o'i denantiaid yn torri'r deg gorchymyn bob dydd, ac yn talu'r rhent ac yn cadw ei ddwylo yn lân oddi wrth y *game*, buasai Mr. Griffith yn ei ystyried yn ŵr tra pharchus, ond pe buasai un arall, fel y gŵr ifanc hwnnw gynt, wedi cadw y gorchmynion oll o'i ieuenctid, ac yn saethu un o'i gwningod—*scoundrel*, *scamp*, a *vagabond*, fuasai yr enwau gorau oedd ganddo arno. *Poacher* oedd y creadur mwyaf dirmygus yng ngolwg yr Yswain Griffith, ac yr un pryd nid oedd gwaeth *poacher* nag ef ei hun mewn cyfeiriad arall.

Yr oedd cyffes ffydd Dafydd Ifans, y cipar, yn lled debyg i un ei feistr, ac yr oedd y ddau yn cyd-dynnu yn gampus. Yn union deg wedi'r ymgom rhwng Twm Nansi a'r cipar y diwrnod y gollyngais i yr ergyd o wn gyntaf yn fy mywyd, cafodd Nansi rybudd i ymadael o'r Nant, a hynny ar unwaith. Gwnaeth y rhybudd hwn i'r hen wraig fynd i dymer gynddeiriog. Hi a regai ac a felltithiai Twm, y cipar, a'r yswain, mewn iaith na feiddiaf ei chroniclo. Nid oedd ei hamgylchiadau ond cyfyng o'r blaen, ond yn awr, gwelai ei bod yn mynd yn gyfyngach fyth arni. Nid oedd Twm yn gofalu dim am gael ei regi—yr oedd wedi arfer â hi er yn blentyn, ac ebe fe wrth ei fam:

"Hidiwch ddim, mam, mi gymra fy llw na lwgwn ni ddim, a mi fynnaf ddial ar y ddau, a mi dalaf yn ôl iddyn nhw'n iawn."

"Os wyt ti'n meddwl y medri di," ebe Nansi, "gwna ynte, a bendith Duw ar dy ben di."

Fel yr adroddwyd yn nechrau yr hanes hwn, byd mawr fu hi ar Nansi i gael caban i drigo ynddo, ac wedi ei gael, ni thalodd hi byth ffyrling o rent amdano, ac ofnai ei berchennog ei throi allan rhag dyfod dan ei melltith. Ymroddodd Nansi i ddewina ac i arfer ei thalent, a thalent a feddai hi yn ddiau, ac ymroddodd

Twm i ddial ar y cipar a'r yswain. Pan na fyddai ei fam gartref, bûm i a Harri Tomos, y Wernddu, gyda Thwm ddegau o weithiau yn ei gartref newydd wedi iddo ef a'i fam orfod gadael y Nant, a hyd yr wyf yn cofio, ni welais yno erioed arwyddion o ddiffyg ymborth. Bob tro yr aem yno, gwelem drapiau a rhwydi yma ac acw hyd y tŷ—rhai wedi eu cwblhau ac eraill ar ganol eu gwneud. Rhaid i mi gyfaddef fod Harri a minnau wedi ymwneud mwy â Thwm nag a ddylasem, ac wedi dysgu llawer o bethau y buasai yn well i ni fod heb eu gwybod. I'r eglwys yr elai Harri pan elai hefyd, tra mai i gapel y Methodistiaid yr awn i.

Nid oedd y cymdogion yn fyr o siarad efo tad Harri a'm mam innau am ein cyfathrach â Thwm. Wrth dad Harri dywedent fod perygl inni ddigio gŵr y Plas, ac wrth fy mam fod perygl inni ddigio Duw. O'r ddau, digio gŵr y Plas, ar y pryd, oedd y peth mwyaf peryglus yng ngolwg Harri a minnau, am ei fod, fel y ffôl dybiem, yn nes atom a'i ddial i'w ofni yn fwy. Cafodd Harri ambell gweir gan ei dad, a chefais innau lawer gwers ddifrifol gan fy mam. Ar ôl llawer o grefu ac ymbil, addewais wrthi y torrwn bob cysylltiad â Thwm. Ond ni bûm yn ffyddlon i'r addewid—twyllwn hi yn feunyddiol—mor dynn oedd gafael Twm ynof. Pa beth a roddwn heddiw am allu blotio allan y cyfnod hwnnw yn hanes fy mywyd? Ond y mae wedi ei argraffu yn ddyfnach ar fy meddwl, ac yn brathu fy nghalon yn fwy na dim sydd ar fy nghof. Gwyddwn ers amser nad oedd fy anffyddlondeb i'm gair yn anhysbys iddi, ac yr oedd ei gwedd yn dangos i mi yn amlwg fod hynny yn peri poen mawr iddi. Yr oedd yn hynod dawedog, ac edrychai yn siomedig a thrist. Pan weai hosan wrth y pentan, a phan feddyliai nad oeddwn yn sylwi arni, canfyddwn ei gwefusau yn symud yn fynych, fel pe buasai yn gweddïo neu yn ymddiddan efo rhywun oedd yn bresennol o flaen llygaid ei meddwl. Teimlwn ryw fath o euogrwydd arwynebol, canys gwyddwn mai fy muchedd i oedd wedi dwyn arni y prudd-der hwn. Meddyliwn weithiau am adnewyddu fy addewid, ond teimlwn wedyn fy mod wedi syrthio yn ei golwg, ac na allai hi mwyach ymddiried mewn dim a ddywedwn; yn wir, ni allwn i fy hun ymddiried ynof fy hun, ac aeth pethau ymlaen fel arfer am ysbaid.

Un diwrnod—diwrnod hyfryd iawn yn yr haf, yr wyf yn ei gofio yn dda—yr oeddwn heb fod gartref er y bore, ac yr oeddwn i a Harri Tomos wedi treulio'r rhan fwyaf o'r dydd yn cyfranogi o ryw ysbail o eiddo Twm Nansi. Dychwelais adre toc ar ôl amser te; a phan ddeuthum at y Penty gwelwn fod y drws yn agored fel arfer, a gwelwn hefyd yr ieir i gyd ar lawr y gegin, ac yn edrych fel pe baent yn disgwyl am damaid. Ar y bwrdd crwn yr oedd y Beibl mawr yn agored a'r sbectol fawr arno, a'm mam yn eistedd yn ei chadair ddwyfraich wrth y bwrdd, a'i dwy law, fel y tybiwn, yn cydio yn dynn un ymhob braich i'r gadair. Trawyd fi ag arswyd gan yr olwg ddieithr oedd arni. Yr oedd ei llygaid fel pe baent yn hanner sefyll yn ei phen, a'i safn fel wedi troi ychydig ar un ochr, a'i hwynepryd mor annhebyg iddi hi ei hun fel y neidiodd fy nghalon i'm gwddf. Gofynnais iddi a oedd yn sâl, a cheisiodd hithau fy ateb, ond methai yngan gair, yn unig gwnâi sŵn dieithr tebyg i fudan. Gwnaeth gais fwy nag unwaith i siarad, ond yr ofer, a dechreuodd wylo yn hidl. Nid oeddwn yn hynod o gryf, ond yn fy mraw ceriais hi yn fy mreichiau i'r siambar, fel pe buaswn yn cario maban, a gosodais hi i orwedd ar y gwely. Canfûm fod yr ochr chwith iddi wedi ei pharlysu, ac yr oeddwn yn awyddus i redeg ac ymofyn cymorth, ond yr oedd hi wedi cydio mor dynn yn fy llaw chwith gyda'i llaw ddehau, ac ni ollyngai fi—yr oeddwn fel pe bawn mewn feis. Yn ffortunus, daeth cymdoges i mewn, ffrind mawr i'm mam, a gallodd hi beri iddi ollwng fy llaw. Yna rhedais innau fy ngorau i'r Wernddu, a daeth fy Ewyrth Edward a Gwen i lawr ar unwaith.

Yr oedd Gwen a'm mam yn gyfeillgar iawn, a thybiwn innau nad oedd gwell na phrydferthach geneth yn y byd crwn na Gwen, ac nid wyf yn meddwl fy mod yn camgymryd rhyw lawer. Cyfrwyodd fy ewyrth ei gaseg las, ac aeth i ymofyn meddyg, ac arhosodd Gwen ac eraill gyda'm mam i wneud yr hyn a allent iddi. Buom yn disgwyl am oriau am y meddyg. Euthum ddegau o weithiau i'r ffordd y noson honno, gan wrando yn ddyfal a glywn i sŵn traed ceffyl y meddyg, ond yn ofer. Tybiwn o hyd pe dôi y gallai wella fy mam, ond ni ddaeth; yr oedd yn brysur gyda rhywrai eraill, ac ni fu byth yn dda gennyf amdano. Eisteddwn wrth ddrws y siambar, gan ddisgwyl yn awyddus am ryw gyfnewidiad er gwell yn fy mam, ac yr oedd fy Ewyrth Edward, chwarae teg iddo, wedi methu mynd adref y noson honno, ac yn eistedd wrth y tân yn y gegin, gan edrych yn syn i'r twll lludw. Sychai Gwen yn ysgafn y chwys oddi ar wyneb fy mam, gan sisial rhywbeth yn ddistaw wrth rai o'r cymdogesau oedd yn yr ystafell. Pan oedd y wawr yn torri estynnodd fy mam ei llaw dde o'r gwely, ac agorodd ei llygaid. Yn y man ysgydwodd law â Gwen ac â'r cymdogesau, ac ebe hi yn eithaf eglur,—"Lle mae'r bachgen yma?" Euthum at y gwely, a chydiais yn ei llaw annwyl, wedi fy ngorchfygu yn llwyr gan fy nheimladau. Y peth nesaf wyf yn ei gofio ydyw cael fy arwain o'r siambar gan Gwen, a'i dagrau poeth yn syrthio ar fy wyneb. Yr oedd fy mam wedi marw. Ar y pryd yr oedd hyn yn ddigwyddiad mawr iawn i mi, ac yn beth dibwys iawn i bawb arall, ac fe ffola llawer fi am sôn amdano. Felly y digwydd bob dydd o'r flwyddyn—cyll rhyw hogyn neu hogen eu mam, a chyn lleied o'r byd sydd yn sylweddoli teimlad yr amddifad diswcr, sydd fel pe byddai wedi colli ei dumewn.

Er nad oedd rhyw lawer iawn o wahaniaeth oedran rhwng Harri Tomos, Twm Nansi, Gwen, a minnau, myfi oedd yr ieuengaf, ond yr oedd Twm a Harri yn gryfach a brafiach bechgyn lawer na fi. Cymerodd fy Ewyrth Edward fi i'r Wernddu, a threfnodd gogyfer â chladdedigaeth fy mam. Yr wyf yn cofio i mi gael siwt o ddillad duon, a'm bod yn fy ngweled fy hun yn ddieithr iawn ynddynt. Teimlwn yr amser yn llusgo yn enbyd tra oedd fy mam yn yr hen siamber yn aros yr adeg i gael ei chladdu, ac wedi twyllnos dihengais ddwywaith i'r Penty i ysbïo drwy ffenestr y siamber i edrych a oedd hi ddim wedi dod yn fyw yn ei hôl. O'r braidd na ddisgwyliwn weld golau yn y tŷ, a hithau wedi dod ati ei hun. Ni ddywedwn wrth neb lle yr oeddwn wedi bod. Nid oedd llawer o bobl yn y cynhebrwng—o leiaf, nid oedd cynifer ag a ddisgwyliaswn, oblegid yr oeddwn wedi meddwl y buasai pawb wedi dyfod i gladdu fy mam. Nid oedd Twm Nansi yn yr orymdaith—nid oedd ganddo ddillad gweddus. Ond yn y fynwent, wrth y bedd, yr oedd Twm yno yn ei ddiwyg wael, a phan welodd fi yn crio, criodd yntau, a dyna'r unig dro y gwelais ef yn colli dagrau. Ar ddydd Sadwrn yr oedd hyn, yn y flwyddyn 18—; wel, y mae'r flwyddyn ar y garreg ac ar fy nghof. Drannoeth, sef y Saboth, codais o flaen pawb, oblegid nid oeddwn wedi cysgu hunell, ac euthum tua'r hen gartref. Yr oedd yr ieir wrth y drws yn disgwyl am damaid, a chofiais nad oeddynt wedi cael bwyd er y dydd y bu farw fy mam. Yr oedd clo ar y drws, a'r agoriad gan fy ewyrth, ac nid oedd neb wedi codi i mi ofyn iddynt am damaid i'r ieir. Gosodais fy nghlust ar dwll y clo, a chlywn yr hen gloc—y meddyliai fy mam gymaint ohono am gadw ei amser—yn tician yn gryf fel pe na buasai dim wedi digwydd. Wedi sefyllian yn hir gwelwn Marged Jones, y gymdoges nesaf, yn agor ei *shutters*, ac euthum ati am damaid i'r ieir. Torrodd yr hen wreigan dafell o fara i mi, a dywedodd y gofalai hi am roi tamaid iddynt cyn adeg clwydo. Cymerais yn garedig iawn arni, am fy mod yn edrych ar yr ieir erbyn hyn gyda rhyw serchowgrwydd mawr. Hwyliais yn ôl tua'r Wernddu. Cyn imi fynd nepell cyfarfûm Twm Nansi, ac ebe fe:

"Tyrd efo fi i'r fynwent."

Nid oeddwn yn anfodlon i ufuddhau. Arweiniodd fi at fedd fy mam, a synnais pan welais fod Twm wedi ei addurno â'r blodau prydferthaf yn y wlad. Mae'n rhaid ei fod wedi eu lladrata.

"Bewt ti'n feddwl o nene?" ebe fe.

Diolchais iddo orau y gallwn, ac atebodd yntau:

"Mi rôth dy fam lawer o gynghorion da i mi, a daswn i wedi'u gneud nhw hwyrach y baswn i'n well. Ond dydio ddim *use*, wyddost, i ti roi dy galon i lawr. Mae dy fam yn well 'i lle, ne be ddaw o fy sort i?"

Gwerthodd fy Ewyrth Edward ddodrefn yr hen Benty, yr ieir a'r cwbl, i dalu am gost y claddu, ond crefais arno beidio â gwerthu'r hen gadair freichiau. Mae'r hen gadair gennyf heddiw, ac nid oes arian a'i pryn.

VI

Twm Nansi yn y Fagl

YR oeddwn bob amser ers pan wyf yn cofio yn hoff o natur, ac ni fyddwn byth yn fwy yn fy elfen na phan fyddwn yn tramwyo'r caeau a'r coedydd, yn hel cnau a nythod adar, yn dal crethyll a brithylliaid yn afon Alun, neu, yn yr haf, yn torheulo ar fy nghefn yn y borfa, gan wylio'r ehedydd yn esgyn o'r cae clofar i'r wybren las, a gwrando ar ei gerdd swynol. Llawer prynhawn a dreuliais ar ymylon yr hen afon yn edrych ar ei dwfr yn mynd, mynd, ac y mae yn dal i fynd heddiw yr un fath; ac y mae'r gwernau a roddodd lawer gwialen bysgota i mi yn parhau i dderbyn eu nodd ganddi. Am bellter yr oeddwn yn adnabod pob trofa yn yr afon, ac yn gwybod yn dda ym mha fan y nythai yr aderyn du a'r fronfraith yn ei helyg a'i gwernau bob blwyddyn. Yr oedd dal iâr ddŵr neu ladd llygoden ffreng-ig, neu dynnu nyth cacwn, y dyddiau hynny yn amgylchiad anhraethol mwy pwysig yn fy ngolwg nag etholiad cyffredinol. Meddyliwn fy mod yn adnabod pob brych y cae, pob asgell fraith, a phob ysnoden felen yn y gymdogaeth. Mentrais fy mywyd lawer gwaith wrth dynnu nythod brain, ac yr oedd cŵn, ceffylau, gwartheg, ysguthanod, a thylluanod yn meddu swyn mawr i mi.

Pa ryfedd, er teimlo tipyn o chwithdod am amser, i mi gynefino yn fuan yn y Wernddu? Er ei fod yn bur hoff o gwrw, bydolddyn cybyddlyd oedd fy Ewyrth Edward, a rhoddodd ar ddeall i mi yn fuan wedi i mi fynd i'r Wernddu, a hynny mewn iaith eithaf eglur, nad oedd yr arian a gawsai am ddodrefn y Penty yn agos ddigon i dalu'r gost yr aethai efe iddi gyda chladdu fy mam, ac y byddai raid i mi fy ngwneud fy hun yn ddefnyddiol ar y ffarm, a cheisio talu am fy mwyd mewn llafur. Yr oeddwn yn bur fodlon i hynny, ac yn fy ystyried fy hun yn ffortunus. Heblaw hynny cawn fod o hyd bellach yng nghwmni Harri a Gwen Tomos. Yr oedd Harri yn fachgen â'i lond o afiaith, a'i dueddiadau ef a minnau yn rhedeg ar yr un llinellau;

ac yr oedd Gwen yn hogen dal, luniaidd, a phrydweddol, ei llygaid cyn ddued â'r nos, a thoreth o wallt ar ei phen, gyda'r hwn, fel y tybiwn, y cymerai lawer o drafferth. Mi wyddwn mai Gwen oedd wedi arfer bod yn fywyd ac ysbryd y Wernddu, ac yr oedd ei hasbri a'i hoenusrwydd yn ddiarhebol. Ond nid oeddwn wedi bod yn hir yn y Wernddu cyn canfod fod rhyw gyfnewidiad rhyfedd wedi digwydd yn Gwen. Caf sôn am hynny eto. Yr oedd hi wedi arfer bod yn hynod o garedig ataf, ac ni welais mohoni erioed yn ddrwg ei thymer. Meddai ddylanwad anghyffredin ar yr hen rychor ei thad. Tra oedd rhyw fai ganddo ar Harri beunydd beunos, ni welai, neu o leiaf ni soniai, un amser am fai o gwbl yn Gwen. Nid heb lawer o rwgnach am galedi'r amseroedd y câi Harri swllt gan ei dad i fynd i ffair neu wylmabsant, a diflas oedd ganddo ofyn am ddim, gan mai trwy ei drwyn, chwedl yntau, y câi bob ceiniog ganddo. Ond elai Gwen ato a dywedai, "Nhad, mae gen i isio sofren i geisio'r peth a'r peth," a gollyngai'r hen fachgen ochenaid—datodai fotymau ei wasgod, tynnai ei bwrs hir o'i boced frest—trôi ei gefn ati rhag iddi weld faint oedd ganddo, ac estynnai y sofren iddi heb ddweud gair.

Gyda mi a Harri yr oedd arian yn bethau prinion enbyd—anaml y gwelem wyneb y delyn o law fy Ewyrth Edward—a buasent yn brinnach fyth oni bai am garedigrwydd Gwen yn awr a phryd arall. Yr oedd Twm Nansi rywfodd yn gallu gwneud arian, ac ni bu efe yn hir cyn llwyddo i ddangos mor ffôl oeddem yn byw mewn prinder tra yr oedd digon i'w gael heb fynd ddim pellach na choed y Plas i'w geisio. Amser pryderus oedd hwn arnom, ond heliodd Twm ni i'w rwyd yn lled ddidrafferth. Ar y dechrau ni ofynnai Twm oddi wrthym ond bod yn rhyw fath o weision bach diniwed iddo, a chymerai'r holl antur a'r perygl arno ef ei hun, ac fel dyn anrhydeddus rhannai yr ysbail rhyngom bob un ei gyfran gyfiawn. Buom yn bur wasanaethgar i Twm, yn gymaint ag na ddrwgdybiai Dafydd Ifans, y cipar, Harri na minnau tra na byddem yng nghwmni Twm, a cheisiem fod yn ofalus na châi'r cipar ein gweld efo'n gilydd. Yr oedd ffarm fy ewyrth, sef y Wernddu, yn gysylltiol â'r coed, ac ni feddyliai neb ddrwg pan fyddwn i neu Harri yn torri tipyn dros y terfynau. Yn wir, pan drawem ar Dafydd Ifans, ymgomiem yn garedig a diniwed ddigon ag ef, a chydgerddem ag ef yn fynych i ganol y coed, gan geisio dangos cymaint o anwybodaeth ag a fedrem am y *game*. Yr wyf yn meddwl, wel, yr wyf yn sicr, i ni fwy nag unwaith pan soniai y cipar am Twm Nansi ymuno ag ef i'w "redeg i lawr" a'i feio am ei ddrygioni, ac nid wyf yn siŵr na ddarfu i ni hefyd addo ei helpu i'w wylio, yr hyn pan adroddasom wrth Twm a barodd ddirfawr ddifyrrwch iddo.

Pan ddeallodd Sám y Ffowls, cwsmer cyson Twm, ein bod yn y gyfrinach, bu yn helynt dost ar ein cydymaith. Ofnai Sam fod y cwmni yn mynd yn rhy eang, a methai gael ei feddwl yn dawel i ymddiried ynom. Ond protestiodd Twm ein bod yn *true blue*, a llwyddodd o'r diwedd i ddangos iddo y fantais o helaethu'r cwmni. Os da yr wyf yn cofio, y gorchwyl cyntaf yn y busnes a ymddiriedwyd i mi gan Twm oedd cymryd rhyw ronynnau yn fy llogell a hoffid yn fawr gan y *pheasants*, ac wedi bod gyda Dafydd Ifans yn y coed, eu gollwg yma ac acw ar hyd fy llwybr wrth ddychwelyd i fan neilltuol ar ymylon y coed, ac i mi wneud hynny lawer gwaith, nes dysgu i'r *pheasants* ddilyn yr ymborth hoffus. Yna âi Twm i'r terfyn lle y gollyngaswn y rhan olaf o'r ymborth, a chydag ef geiliog ymladdgar mewn basged. Ymguddiai, a phan welai'r aderyn wedi dyfod yn ddigon agos gollyngai ei geiliog, a byddai yn ymladdfa yn y munud. Rhuthrai Twm o'i guddfan, rhoddai dro yng ngwddf y *pheasant* a daliai ei geiliog, rhoddai'r ddau yn y fasged—un yn fyw a'r llall yn farw—ac ymaith ag ef. Hyn a wnaed lawer gwaith, a thybiai pob dalfa hanner coron neu driswllt. Ymgymerai Twm, fel y dywedais, â'r holl berygl; a chwarae teg iddo, ymddangosai yn awyddus i gadw Harri a minnau yn ddigon pell tra byddai ef yn gwneud y gwaith.

Ar y cyntaf, un o'r pethau casaf gennyf fi a Harri oedd ffereta, oblegid pwysai Twm arnom i gadw ac edrych ar ôl y fferetau, am yr ofnai i'r cipar wneud archwiliad a chael allan ei fod yn *poacher*, ac nad oedd berygl iddo feddwl fod neb yn y Wernddu yn gwybod beth oedd fferetau. Ond yn y man deuthum yn hoff ohonynt, a gallwn gario un neu ddwy ohonynt yn fy mhoced, a hyd yn oed rhoi un dan fy ngwasgod, a gallwn hefyd, mewn amser, rwymo eu ceg cyn eu gollwng i dwll cwningen mor ddeheuig a di-ofn â Thwm Nansi ei hun. Ac ymhellach ymlaen collais y pryder enbyd a fyddai ynof rhag cael fy nal fel *poacher*, a'r unig beth a ddisgwyliwn amdano fyddai gwich y gwningen yma ac arall wrth fynd i'r fagl. Rhaid i mi gyfaddef na theimlais erioed yn gartrefol iawn gyda'r gwn—byddai yn gwneud gormod o drwst. Ac felly yn hollol y teimlai Harri Tomos, er bod gennym wn rhagorol yn y Wernddu. Ond y gwn oedd prif ddifyrrwch Twm Nansi, a rhyfeddai at ein ffolineb, oblegid, meddai, yr oedd y gwn heblaw bod yn ddefnyddiol iawn i daro ambell bryf ac aderyn i lawr, yn amddiffyniad gwerthfawr i'r neb a'i cariai.

Tua'r adeg hon ychwanegwyd un arall at y cwmni, sef Wmffre, gwas y Wernddu, llanc mawr, cryf, heb derfyn ar ei feiddgarwch, ond pur ddiffygiol o synnwyr a gochelgarwch. Gwnaed yr ychwanegiad hwn gan Twm ei hun oherwydd fy llwfrdra i a Harri, ond ni dderbyniai Wmffre yr un faint o gyfran o'r ysbail, ac ni ddisgwyliai amdano—carai y busnes er ei fwyn ei hun. Yr oedd coed y Plas yn fawr iawn, ac yn sefyll ar lawer o dir, a'r *covers* yn rhagorol. Nid oedd eisiau hysbysu Twm Nansi ym mha le yr oedd yr ysglyfaeth orau i'w chael; y peth pwysicaf ym meddwl Twm oedd sut i drefnu i gael cymaint o bellter ag oedd bosibl rhyngddo ef a Dafydd Ifans, y cipar, pan fyddai efe wrth ei nosol gampau. Un cynllun ganddo oedd gyrru Harri Tomos neu fi, ac weithiau ein dau, i ysgowta ym mha fan y byddai Dafydd Ifans ar adeg benodol, yr hyn a gaem allan mewn llawer dull a modd. Fel rheol, byddem yn cael allan fod y cipar yng nghymdogaeth y fan lle y clwydai'r nifer luosocaf o'r adar. Wedi cael hyn allan anfonid Wmffre i gyfeiriad hollol wahanol, gyda'r cyfarwyddyd iddo ollwng dwy ergyd neu dair mor agos i'w gilydd ag a fyddai yn bosibl, ac iddo wedyn ddianc. Wrth gwrs, yn nistawrwydd y nos, clywid yr ergydion gan y cipar, a hwyliai yn frysiog a llechwraidd tua'r fan. Yn y cyfamser byddai Twm yn gwneud ei fusnes yn y fan a adawsid gan y cipar. Ni weithiodd y cynllun hwn ond am ychydig amser, a da i mi a Harri oedd hynny yn ddiau.

Gwnâi Twm ei waith mor daclus ac mor ddihap yn ein golwg fel y darfu i ni ohonom ein hunain gynnig mynd gydag ef i'r perygl. Dywedodd Twm wrthym fod inni groeso, ond nad oedd yn ein cymell. Felly y bu. Un noswaith wedi i Wmffre ollwng ei ergydion i dynnu'r cipar oddi ar y trywydd, ac i ni aros digon o hyd, debygem ni, i'r maes fod yn glir, hwyliasom yn ddistaw tua'r fan. Pan oeddem o fewn oddeutu hanner canllath i'r lle amneidiodd Twm arnom i sefyll a gwrando yn ddyfal. Yr oedd pob man cyn ddistawed â'r bedd, oddieithr y sŵn rhyfedd hwnnw sydd mewn coedwig ganol nos na ellir dweud beth sydd yn ei achosi. Curai fy nghalon yn gyflym tra sisialai Twm, "Gwell i chi'ch dau aros yma tra bydda i yn recynoitio, ac os bydd y maes yn glir mi chwislaf yn isel i chi ddŵad ymlaen," ac aeth ymaith yn wyliadwrus, a gwrandawai Harri a minnau â'n geneuau yn agored. Ni chlywem ond y crinddail ac ambell gangen yn torri dan draed Twm. Ym mhen ennyd yr oeddem yn dechrau meddwl fod yn bryd i Twm fod wedi cyrraedd y fan, gan nad oeddem bellach yn clywed dim o sŵn ei gerddediad. Ond, och fi! torrodd gwaedd Dafydd Ifans a rhywrai eraill ar ein clustiau, ac ar yr un foment clywem drwst rhywun neu rywrai yn rhuthro tua'r fan lle yr oeddem ni yn aros. Gwnaethom y gorau o'n traed. Yr oedd yn amlwg fod y cipar wedi cael allan y cynllun, ac wedi cael cynorthwywyr i ddal y troseddwyr. Tybiem mai Twm oedd yn ein dilyn; ac wedi rhedeg ennyd trois fy mhen i edrych yn ôl, ac er fy nychryn, gwelwn, rhwng tywyll a golau, nid Twm, ond dau ddyn hŷn nag ef, gallwn feddwl ar eu dull o redeg. Yr oedd gan Harri a minnau ysgyfaint iach a phurion goesau, a gwnaethom iddynt roi y gwasanaeth gorau a fedrent inni. Ond yn y funud clywem gyfarthiad isel ci ymron yn ein hymyl, a safodd Harri fel polyn, ac ebe fe: "Rhaid inni setlo hwn." Rhuthrodd y ci arno, a thrawodd Harri ef yn ei ben gyda ffon gref oedd ganddo yn ei law nes y chwyrnellodd ac y syrthiodd, yn ôl pob golwg, yn farw gelain. Yr oeddem yn fuan allan o berygl, a chawsom hamdden i gymryd ein gwynt a chyfnewid syniadau. Ofnem fod Twm o'r diwedd yn y fagl. Dywedai Harri fod yn lwc i Dafydd Ifans fod ganddo gynorthwywyr, neu buasai yn sicr o gael y gwaethaf gan Twm. Barnasom mai diogelaf i ni oedd mynd adref mor ddirgel ag y medrem, yr hyn a wnaethom yn ofnus ddigon. Yr oedd Wmffre yn ein disgwyl, a synnodd pan ddeallodd ein helynt. Teimlem yn berffaith sicr os oedd Twm wedi ei ddal na fyddai iddo ein bradychu, ac wedi noswaith ddi-gwsg cytunasom mai gorau i ni drannoeth oedd ymddangos yn hollol rydd, diofn a dieuog, yr hyn a wnaethom.

Yn gynnar drannoeth clywsom y stori fod Twm Nansi wedi ei ddal yn *poachio,* a bod eraill gydag ef, ond i'r rheini lwyddo i ddianc, ac yn ddigon rhagrithiol synnem at ei ffolineb a beiem ei ddrygioni. Dygwyd Twm o flaen yr ustusiaid, a digwyddai fod yn ddiwrnod marchnad, a gwnaeth Harri esgus i anfon Wmffre i'r dref er mwyn inni gael gwybod beth a ddeuai o Twm. Daeth Wmffre adref yn llawn ffwdan, gyda'r newydd fod Twm wedi cael ffein drom, ac yr oedd hon, gyda'r costau, yn rhai punnoedd, ond bod yr ustusiaid wedi caniatáu iddo bedwar diwrnod i ymorol am yr arian, ac os na fedrai eu cael erbyn hynny y byddai raid iddo fynd i'r carchar am rai wythnosau. Ychwanegodd Wmffre ei fod wedi bod wrth ochr Twm pan oeddynt yn ei gymryd o'r rowndws i'r *Hall*, a'i fod yn ymddangos yn ddig am ei fod wedi edrych arno, oblegid ysgyrnygodd Twm arno: "Cer adre a lladd y llygod acw." Deallodd Harri ar unwaith beth oedd meddwl Twm, ac aethom ar ein hunion a lladd y fferetau a'u claddu yn barchus. Yr oedd Twm yn fawr ei ofal amdanom, ac am symud pob arwyddion os digwyddai i ni gael ein drwgdybio.

Gwnaeth yr amgylchiad hwn les mawr i mi a Harri, ac ni wyddem pa le y buasem yn dibennu pe buasai Twm heb ei ddal. Ben bore drannoeth gwelem Nansi'r Nant yn cerdded yn frysiog tua'r Wernddu, ac ebe Harri:

"Dyma Nansi yn dŵad i dreio cael yr arian gan 'y nhad i gael Twm yn rhydd, a mi leiciwn yn fy nghalon iddi cael nhw, ond fydde waeth iddi ofyn am chwech o'i ddannedd, mi gymra fy llw."

Dywedodd Harri hyn pan oeddem yn mynd i'r tŷ i gael brecwast, a'r gair cyntaf a glywsom pan oeddem yn mynd i'r gegin oedd Gwen yn dweud wrth ei thad:

"Nhad, dyma Nansi yn dŵad, a rydw i'n siŵr mai isio arian mae hi i gadw Twm o'r *jail*. Cofiwch chi, 'rŵan, peidiwch â rhoi'r un geiniog iddi, achos y *jail* ydi'r lle gorau i'r sgempyn. Pam na weithiff o fel rhyw lanc arall, yn lle prowla hyd y wlad, a byw na ŵyr neb sut?"

"Paid â bod yn rhy siŵr; gad i Nansi ofyn am yr arian yn gynta'," ebe Harri.

"Gei di weld mod i'n iawn," ebe Gwen.

"Dim peryg y caiff hi ynte," oedd unig ateb fy ewyrth, ac nid amheuai neb ei air.

Ar hyn daeth Nansi i mewn, ac yr oedd golwg gynhyrfus arni. Nid ydyw cynhyrfus yn ddigon disgrifiadol ohoni—yr oedd ei gwedd yn gythreulig.

"Wel, Nansi, gawsoch chi'ch brecwast?" ebe Gwen.

"Cer di mlaen efo dy frecwast," ebe Nansi; "efo dy dad y mae musnes i heddiw. Edward Tomos, dowch efo fi i'r rŵm arall yma."

Gwnaeth fy ewyrth ryw esgus, ond ni fynnai Nansi ei gwrthod. Aeth y ddau ymaith, a chaeodd Nansi y drws yn glòs arnynt. Buont mewn cyngor yn hir, a dywedai Gwen fod gan Nansi fwy o *job* nag y gallai ei gwneud y bore hwnnw. Yr oeddem wedi gorffen brecwest cyn i'r ddau ddod allan, ac ymddangosai'r ddau yn wahanol iawn i'r hyn oeddynt pan adawsant ni. Edrychai Nansi wedi tawelu cryn lawer, ac edrychai fy ewyrth yn welw ac wedi heneiddio o leiaf bum mlynedd. Aeth Nansi ymaith ar ei hunion, a gofynnodd Gwen:

"Ddaru chi ddim rhoi'r arian iddi, ddaru chi, nhad?"

"Y musnes i ydi hynny, a busnes neb arall," ebe fe, yn gwta ddigon.

Synnem at ei ymadrodd, ac yr oedd Gwen wedi ei syfrdanu,—ni chawsai'r fath atebiad ganddo yn ei bywyd. Amlwg ydoedd fod Nansi wedi cael yr arian, a thybiem oll fod yn rhaid ei bod wedi arfer rhyw swyngyfaredd, ac o'r dydd hwnnw allan newidiodd moesau ac ymddygiad fy ewyrth yn hollol, yn enwedig ei ymddygiad tuag at Gwen.

VII

Marwolaethau

PA beth a fu rhwng Nansi'r Nant a'm Hewyrth Edward Tomos yn yr ystafell ar eu pennau eu hunain y bore y soniais amdano yn y bennod ddiwethaf, ni chafodd neb wybod. Eglur ydoedd fod Nansi wedi llwyddo i gael yr arian angenrheidiol i brynu Twm yn rhydd, oblegid yr oedd Twm cyn nos yn rhodio'n ddigon penuchel o gwmpas y pentref. Ac yr oedd yr un mor amlwg fod rhywbeth arall wedi digwydd, canys yr oedd fy ewyrth yn ddyn gwahanol o hynny allan. Yr oedd ef yn fwy blinderog a chybyddlyd nag erioed, ac ar yr un pryd yn ymollwng yn amlach i feddwi. Nid oedd yn bosibl ymron gwneud dim wrth ei fodd, ac erbyn hyn yr oedd rhyw fai yn ddi-baid hyd yn oed ar Gwen. Teimlai Gwen yn dost oddi wrth y gwahaniaeth yn ei ymddygiad tuag ati. Credai Harri o'i galon fod Nansi wedi rheibio'i dad, a rhwng popeth penderfynodd edrych ar ôl y ffarm gyda dwbl ddiwydrwydd. Torrodd ef a minnau bob cysylltiad â Thwm Nansi, er na pheidiasom â siarad ag ef yn gyfeillgar pan ddigwyddem gyfarfod ag ef. Ni feiai Twm ni am dorri'r cwmni i fyny, ac aeth ymlaen yn ei hen ffordd fel o'r blaen.

Yn y cyfamser aeth yr hen Edward Tomos o ddrwg i waeth. Âi i'r dref yn amlach ar gefn ei gaseg las, a oedd bron yn ddall, ond a wyddai'r ffordd adref yn y nos dywyllaf. Arhosai fy ewyrth yn y tafarnau hyd berfeddion y nos, a'r rhan amlaf byddai raid iddo gael help i'w osod ar gefn yr hen gaseg las, ond wedi unwaith fynd i'r cyfrwy teimlai yn ddiogel ddigon,—gafaelai ym mwng yr hen Ddarbi,—caeai ei lygaid, a chan bendwmpian a darngysgu cyrhaeddai'r Wernddu rywbryd tua hanner nos. Yr oedd Darbi, a oedd yn hen iawn, ac yntau yn dallt ei gilydd i'r dim, ac yr oedd ar fy ewyrth y fath arswyd i ddim ddigwydd iddi fel na oddefai iddi gael ei chymryd o'r ystabl i wneud unrhyw swydd ond yn unig i'w gario ef i'r dref ac yn ôl. Gwyddai pawb ohonom y rheswm am hyn,—unwaith y trengai Darbi, pa geffyl a allai fy ewyrth ymddiried ynddo i'w gludo gartref pan fyddai cyn feddwed â berfa? Po hynaf yr elai Darbi, cynyddai caredigrwydd ei pherchennog tuag ati. Yn wahanol i'w grintachrwydd ym mhob cylch arall, gofalai'r hen rychor am roi peint o gwrw i Darbi cyn gynted ag y cyrhaeddai efe y dref, a'r peth olaf a orchmynnai cyn cychwyn adref a fyddai chwart i Darbi. Ond dywedid bod gan yr *ostler* lawer i'w ateb amdano gyda golwg ar y ddogn olaf, yr hwn a gredai yn yr egwyddor ddirwestol ynglŷn ag anifeiliaid. Teimlai fy ewyrth yn fwyfwy rhydd i yslotian a bod yn gartrefol oddi cartref am fod Harri erbyn hyn yn fachgen cryf, gofalus, a gweithgar, ac yn edrych ar ôl y ffarm yn well nag y gallasai efe ei hun wneud. Yr oedd Gwen hefyd yn eneth dan gamp gyda gwaith y tŷ.

Aethai pethau ymlaen fel hyn am ysbaid maith, a'm hewyrth yn mynd yn waeth-waeth ei fuchedd. Byddai mor feddw weithiau yn dychwelyd o'r dref fel yr ofnid y byddai raid yn y man ei rwymo ar gefn yr hen gaseg las. Yr oedd yn ddihareb yn y plwyf am rywun a fyddai wedi meddwi yn iawn, ei fod "cyn feddwed ag Edward y Wernddu". Ond gan nad pa mor feddw a fyddai fy ewyrth yn mynd i'w wely, efe a fyddai y cyntaf yn codi drannoeth, a mawr a fyddai ei glochdar yn galw pawb ohonom at eu gwaith. Yn gymaint â bod y ffarm yn cael edrych ar ei hôl yn gyffelyb i ffermydd eraill, ac na byddai fy ewyrth byth ar ôl efo'i rent, ac na byddai yn methu mynd i'r eglwys deirgwaith yn y flwyddyn, rhoddai berffaith fodlonrwydd i'r meistr tir; a phan soniai rhywun wrth yr Yswain Griffith am feddwdod fy ewyrth chwarddai yn galonnog. Byddai swper i'r tenantiaid yn y *Bedol* ddiwrnod talu rhent, a'r Person bob amser yn cael ei wahodd yno i ofyn bendith ac i garfio wrth un pen i'r bwrdd, a mawr fyddai difyrrwch y Person a'r meistr tir pan fyddai fy ewyrth yn ei afiaith, ac wrth weld yr helynt a fyddai yn gael i fynd ar gefn yr hen Ddarbi. Un tro wedi cael fy ewyrth i'r cyfrwy ceisiai y Person, o fregedd, wneud bargen ag ef am yr hen Ddarbi, ac atebodd yntau na phrynai ystad y Sgwïer mohoni, "er, myn diawst," ychwanegodd, "y bydde yn dda i chi ei chael hi cyn y trowch chi adre o'r Plas heno, mi gymra fy llw."

"Dyna un i chi, Mr. Jones," ebe'r Yswain Griffith.

"Ie, myn gafr, mae rhywbeth ym mhen heblaw ym mol Edward Tomos heno," ebe'r Person.

"Oes," ebe fy ewyrth, "a mi ffeia i y bydd mwy yn ych bol chi nag yn ych pen chi cyn y gwelwch chwi bost y gwely heno—*go on*, Darbi." Chwarddodd yr Yswain yn uchel ar gost y Person.

Er cymaint oedd gofal fy ewyrth am yr hen gaseg, bu tipyn o anhwyldeb arni un tro, a mawr oedd pryder ei pherchennog. Er pob gofal, anwes, a moethau, pallai Darbi fwyta tamaid am ddeuddydd. Brynhawn yr ail ddydd aeth fy ewyrth ar ei draed i'r dref i ymorol â'r bobl gallaf a medrusaf gydag anifeiliaid. Wedi gwneud hyn a chael cyffuriau, troes i'r *Bedol* am wydriad, a phrotestiai wrth yfed pob gwydriad y byddai raid iddo gychwyn adref gan nad oedd Darbi ganddo i'w gario. Wedi aros yn hir yn disgwyl iddo ddychwelyd, dechreuodd Harri a Gwen deimlo yn bryderus yn ei gylch, a chychwynnodd Harri i chwilio amdano. Yr oedd yn noswaith oer, ond lleuad olau. Credai Harri fod ei dad wedi cysgu ar ochr y ffordd yn rhywle, ac felly yr oedd. Rhyw ddau can llath o'r Wernddu yr oedd aber fechan yn rhedeg efo ochr y ffordd, ac yn y fan hon y cafodd Harri ei dad yn cysgu yn drwm â'i draed yn yr aber. Ysgydwodd Harri ef yn ffyrnig, ac yn y man agorodd fy ewyrth hanner un llygad, ac edrychodd ar y lleuad, ac ebe fe:

"Pwy sy'na?"

"Y fi, nhad, deffrowch," ebe Harri.

"O, ti sy'na, Harri? 'Rydw i yn reit gyfforddus, wyddost, petait ti'n rhoi tipyn 'chwaneg o ddillad ar 'y nhraed i, ac yn rhoi'r gannwyll yna allan," ebe'r hen gono.

Cafodd Harri gryn drafferth i'w ddeffro, oblegid yr oedd y creadur truan bron wedi rhewi, a bu raid iddo'i gario i'r tŷ, a helynt fawr a gafwyd i'w roi yn ei wely. Pa fodd bynnag, yr oedd fy ewyrth fel y gog bore drannoeth, ac yn cofio y cwbl a ddigwyddasai, a'r hyn a'i gofidiai ar ei godiad oedd ei fod wedi colli'r cyffuriau i'r hen Ddarbi. Ond fel bu'r lwc, yr oedd Darbi, ar ôl ei hir ddirwest, erbyn hyn yn dechrau gwella, ac wedi bwyta mash cynnes yn bur sionc. Nid oedd mesur ar lawenydd yr hen ŵr y diwrnod y dechreuodd Darbi fwyta, a threuliodd y dydd ar ei hyd yn y stabl yn anwesu'r hen gaseg las. Cafodd yr hen Ddarbi'r hyfrydwch wedi hyn o gario ei meistr i'r dref ac yn ôl ugeiniau o weithiau.

Ond daeth diwedd ar hyn fel ar bopeth arall. Dydd Nadolig ydoedd. Yr oedd y tywydd wedi bod yn rhewllyd ers rhai wythnosau, ac yr oedd plant yn ysglefrian ar lyn mawr y Wernddu cyn i'r wawr dorri bron, ac yr oedd meibion a merched, gweision a morynion y ffermydd cylchynol, a Harri a minnau, yn eu plith,—yr oedd Gwen o duedd wahanol erbyn hyn,—wedi bod ar ein traed drwy'r nos yn gwneud cyfleth, ac yn aros yr amser i fynd i'r Plygain yn eglwys y plwyf bump o'r gloch y bore i glywed hwn ac arall yn canu carol, Yr oedd Mr. Jones, y Person, ar ôl rhoi rhyw fath o anerchiad am bum munud, wedi galw ar oddeutu dwsin i ganu, a'r nifer mwyaf ohonynt wedi crapio yn o sownd, ac yn gwneud yr oernadau mwyaf ansoniarus.

Ac wedi dychwelyd adref yr oeddem ymron marw gan eisiau cysgu, a Gwen yn flin iawn ei hysbryd wrth ein gweld mor swrth. Ond yr oedd dydd Nadolig yn ddydd cysegredig iawn yng ngolwg fy ewyrth, ac yr oedd yn rhaid i bawb ohonom fynd i'r eglwys y bore hwnnw. Ni fu erioed y fath bendwmpian mewn cynulleidfa, ac wedi dod o'r gwasanaeth cysgai y gweision a'r morynion rai yma a rhai acw, ac nid oedd neb yn barod i ginio nac i'w baratoi, yr hyn a roddodd fawr foddhad i fy ewyrth. Yr oedd fy ewyrth wedi tawelu ei gydwybod trwy fynd i'r gwasanaeth boreol, a thoc hwyliodd ar gefn Darbi i'r dref. Cyfarfu â chwmni llawen yn y *Bedol,* ac arhosodd yno hyd berfeddion y nos.

Aethai pawb o deulu'r Wernddu i'w gwelyau ers oriau oddieithr Harri a Gwen, ac eisteddasant hwy wrth y tân i aros fy ewyrth adref. Trawodd y cloc un ar ddeg a deuddeg, ac nid oedd sôn am yr hen Edward. Rhwng un a dau o'r gloch y bore clywent sŵn traed yr hen Ddarbi yn agosáu at y tŷ. "Dyma yr hen gerlyn yn dŵad o'r diwedd," ebe Harri. Arferiad Darbi bob amser wrth ddwyn ei pherchennog meddw adref fyddai mynd yn syth at ddrws yr ystabl, a phan safai yno sylweddolai yr hen begor ei fod wedi cyrraedd pen ei siwrnai. Ond y nos Nadolig honno daeth Darbi at ddrws y tŷ, a gwnâi ei phedolau drwst anferth ar y palmant ar y noson dawel, rewllyd. Rhuthrodd Harri a Gwen i'r drws, ac yno gwelent Darbi ei hunan, ac yn edrych yn syn. Yr oedd yn noson olau, oer, braf. Rhedodd Harri i'r buarth i chwilio am ei dad, ond ni welai efe ef yn unlle. Cymerodd Darbi i'r ystabl, ac wedyn aeth bellter i lawr y ffordd, heb weled dim o hanes yr hen ŵr. Dychwelodd i godi'r gweision, ac aeth pawb ohonom oedd yn y tŷ allan yn gwmni ymchwiliadol. Edrychem yn fanwl i bob twll a chornel o boptu'r ffordd, a chan na allem ddod o hyd i'm hewyrth aethom ymlaen hyd i'r dref, a oedd agos i dair milltir o'r Wernddu. Aethom i fuarth y *Bedol*, y dafarn yr arferai Edward Tomos aros ynddi. Yr oedd y dref a phob man yn hollol ddistaw, a phawb wedi mynd i'w gwelyau ers oriau, ac ni chlywem ddim ond ambell gi yn cyfarth wedi ei aflonyddu gennym ni. Curasom ddrws cefn y *Bedol* yn galed, ond nid oedd neb yn ateb. Yn y man clywem rywun yn rhoi rheg rwgnachlyd rhwng cwsg ac effro yn un o'r ystablau, a chawsom yr *ostler* yn gorwedd dan y preseb, ac wedi ei lwyr ddeffroi rhoddodd ar ddeall i ni fod fy ewyrth wedi cychwyn adref o'r *Bedol* ar gefn ei gaseg las hanner nos union. Dychwelasom gan wneuthur ymchwiliad manylach, ond i ddim pwrpas. Aeth Harri i'r ystabl, lle yr oedd Darbi. Nid oedd yr hen gaseg wedi gorwedd, a gwyddai Harri ar ei golwg bryderus y gallai hi ddweud, pe gallasai siarad, ymha le yr oedd ei dad. Parhasom i chwilio nes i'r lleuad fachludo, ac wedyn arosasom yn ddisgwylgar i'r wawr dorri, pryd yr ail-gychwynasom ar ein taith ymchwiliadol.

Oddeutu hanner milltir o'r Wernddu yr oedd afon Alun yn mynd o dan y ffordd fawr, a'r bont drosti yn gul a'r canllawiau yn isel. Wedi cael goleuni dydd edrychodd Wmffre, un o'r gweision, a gwelai gorff ei feistr yn gorwedd ar y graean sych wrth ochr y dwfr rhedegog. Pan aethom ato gwelsom ar unwaith ei fod yn berffaith farw, ac wedi rhewi yn gorn. Yr oedd y corffyn wedi rhewi mor galed fel yr oedd y gweision yn gallu ei gario—rhai yn ei draed a rhai yn ei ysgwyddau—fel polyn, a'r corff heb blygu yn ei ganol. Bu galar mawr yn y Wernddu y Nadolig hwnnw. Gyrrwyd ar unwaith am Ddafydd, y saer troliau, i wneud yr arch. A chwarae teg i Gymry onest y dyddiau hynny, treuliodd y cymdogion ddiwrnod cyfan i geisio galw i gof a chwilio am y rhinweddau a berthynai i'm Hewyrth Edward. Nid oeddynt yn lluosog, ond cloddiwyd hwy i gyd i fyny y diwrnod hwnnw. Dywedai Dafydd, y saer, mai fy ewyrth oedd y talwr gorau o bawb o'i gwsmeriaid. Dywedai Enoc, Llidiart y Pwll, iddo gael benthyg trol gan fy ewyrth adeg cynhaeaf yn ddiwarafun. Dywedai Edward Ffowc, y crydd, a adnabyddid wrth yr enw "Ned Farus", i fy ewyrth dalu am ddau, os nad tri, gwydriad o gwrw iddo un tro yn y *Bedol*. Dywedai un arall, ffarmwr bychan, ei fod wedi cael benthyg corn ffisig gan Edward Tomos pan oedd ei fuwch yn sâl. Ond tystiolaeth y meistr tir a'r Person a ystyrid yn fwyaf pwysig. Dywedai y blaenaf mai Edward Tomos, y Wernddu, oedd y cyntaf bob hanner blwyddyn yn dyfod i'r *Bedol* i dalu'r rhent, a'i fod wedi magu mwy o gŵn hela iddo na'r un tenant oedd ganddo ar ei ystad. Tystiai'r Person na welodd efe ddim erioed allan o'i le yn Edward Tomos, ac y dylid cadw mewn cof o hyd fod Edward yn yr eglwys fore'r diwrnod y cyfarfu efe â'i farwolaeth. Ar yr un pryd, gofidiai Mr. Jones na fuasai yr hen gymydog wedi cael hamdden cyn ei ymadawiad i dderbyn y Cymun Sanctaidd, yr hyn a roisai dawelwch i'w blant a'i gyfeillion am ei gyflwr yn y byd arall. "Ar yr un pryd," ychwanegai'r Person, "rhaid i ni gofio fod trugaredd Duw yn fawr, a hefyd na byddai Edward Tomos byth yn absennol o'r eglwys ar y

Pasg, y Sulgwyn, a'r Nadolig." Rhwng pawb, lled obeithid nad oedd fy ewyrth wedi newid am waeth byd.

Canmolid Harri yn gyffredinol gan y cymdogion ddydd y cynhebrwng am nad oedd wedi bod yn grintach yn y darpariaethau, oblegid yr oedd yno fara a chaws a chwrw oer a brwd, a baco, yn ddi-brin i bawb, a phawb wedi gwneud defnydd helaeth a chalonnog ohonynt. Digwyddodd tri pheth teilwng o sylw ddydd y gladdedigaeth. Yn un peth, daeth yr Yswain Griffith—yn groes i'w arferiad—i dalu'r gymwynas olaf i'm hewyrth. Ni wybuwyd i'r meistr tir erioed o'r blaen fod yn claddu neb o'i denantiaid. Hefyd, gwnaeth Mr. Jones, y Person, ei hun yn ddefnyddiol drwy gymell pawb a ddeuai i'r tŷ i'w helpio'i hun gyda'r bara a chaws, a thrwy ofyn yn fynych, "At bwy mae'r ddolen?" yr hyn oedd arwydd i'r hwn yr oedd dolen y jwg gwrw ar ei gyfer i lenwi ei wydryn a phasio'r jwg at y nesaf ato. Ond y digwyddiad rhyfeddaf oedd hwn,—pan oedd arch fy ewyrth wedi ei dwyn allan a'i gosod ar ddwy gadair o flaen drws y tŷ, a Mr. Jones, y Person, yn adrodd Gweddi'r Arglwydd, sylwodd rhywrai, a Harri yn eu plith, fod Darbi yn sefyll yn nrws yr ystabl, gan edrych yn brudd ar y seremoni, a thystiai un fod dagrau yn rhedeg i lawr ei hwyneb. Dywedai Wmffre, y gwas, ar ei wir, ac efe a ddylasai wybod, fod Darbi yn rhwym wrth y preseb, a drws yr ystabl yn gaeëdig, bum munud cyn dwyn corff fy ewyrth allan. Pa fodd y gallodd yr hen gaseg ymryddhau ac agor y drws, ni chafwyd goleuni arno byth. Ond ffaith oedd fod Darbi ag un hanner ohoni yn yr ystabl a'r hanner arall allan, ac yn edrych yn syn a phrudd-glwyfus pan oeddynt yn "codi'r corff". Mor fawr yr effeithiodd hyn ar Harri fel mai'r peth cyntaf a wnaeth ar ôl dychwelyd o'r fynwent oedd mynd yn syth i'r ystabl a chusanu Darbi, a thystiai rhywun mai hynny fu dechreuad y ddihareb, "Pawb at ei ffansi, fel y dyn rodd gusan i'r gaseg." Ni phrofodd Darbi damaid byth wedyn, ac yn fuan iawn dilynodd ei meistr.

VIII

Capel Tan-y-fron

YN ddigon naturiol, un o'r pethau cyntaf wedi marw fy ewyrth oedd yr ymofyniad a oedd efe, tybed, wedi gwneud ewyllys. Yn wir, rhyw dri chwestiwn ofynnir wedi marw pob dyn,—beth oedd ei oed, a oedd ef yn werth arian, ac a ddarfu iddo wneud ewyllys; ac wedi cael bodlonrwydd ar y tri pheth yna, anghofir yr ymadawedig yn fuan. Nid oedd gan Harri na Gwen syniad pendant ar y pwnc, ond eu cred oedd na fu eu tad yn ddigon meddylgar i drefnu ei amgylchiadau, yn enwedig gan iddo gael ei gymryd ymaith mor sydyn. Mi wn iddynt chwilio pob man yn y tŷ am ryw ysgrif debyg i ewyllys, a'r cwbl yn ofer. Ond nid hir y cadwyd hwy mewn amheuaeth. Ddeuddydd ar ôl y cynhebrwng daeth Mr. Jones, y Person, i'r Wernddu, ag ewyllys olaf fy ewyrth yn ei logell. Gwelais ar olwg Mr. Jones fod rhywbeth yn ei flino, a chwarae teg i'r hen frawd, natur yr ewyllys ydoedd hynny. Wedi gwneud tipyn o ragymadrodd i'w paratoi am siomedigaeth, darllenodd Mr. Jones destament olaf fy ewyrth. Yr oedd yr hen begor wedi gadael popeth i'w fab Harri, ac nid oedd enw Gwen yn cael sôn amdano o ddechrau'r ysgrif i'w diwedd. Yr oedd y Person yn hanner tagu gan deimlad wrth ei darllen, a thaflai ei lygaid yrŵan ac yn y man ar Gwen, gan ddisgwyl yn ddiau ei gweld yn llesmeirio. Ond hi a gymerodd y cwbl gydag amynedd a thawelwch neilltuol—gwynnodd ychydig o gwmpas ei safn, a lleithiodd ei llygaid, ond ni chafodd un deigryn ddod allan, a meddiannodd ei hun yn hollol ymhen munud neu ddau. Wylai Harri yn hidl o dosturi dros Gwen, ac ni allwn innau beidio â'i helpio.

Wedi i Mr. Jones orffen darllen, croesodd Harri'r llawr, rhoddodd ei freichiau am wddf Gwen, a chusanodd hi, ac ebe efe orau y gallai:

"Na hidia, Gwen; mi gei hanner popeth fydd gen i."

Yr oedd yr ewyllys yn anesboniadwy i bawb. Pe buasai y cwbl wedi ei adael i Gwen, a dim i Harri, ni fuasai yn gymaint syndod. Ond tybiai Gwen, fel y cefais wybod ganddi ar ôl hyn, ei bod yn deall ystyr yr ewyllys ryfedd. Er ys amser cyn marw ei thad yr oedd Gwen wedi dechrau gwrando ar y Methodistiaid, ac nid oedd pobl gasach gan ei thad ar wyneb y ddaear na'r pengryniaid, fel y galwai efe hwynt. A'r un modd yr edrychai Harri arnynt. Amser yn ôl ni phetrusai eu gwawdio, ond oddi ar yr adeg y dechreuasai Gwen fynychu eu cyfarfodydd yr oedd Harri yn bur gynnil yn ei sylwadau arnynt, ac os, heb ystyried, y dywedai air amharchus am y pengryniaid yng nghlyw Gwen hi a drôi lygaid arno a barai iddo ymgreinio, a phryd arall dywedai wrtho am beidio diystyru pobl well nag ef ei hun, a phobl na wyddai efe ond y nesaf peth i ddim amdanynt. Canfu Harri fod unrhyw sylw angharedig am y Methodistiaid yn clwyfo Gwen, ac yr oedd ei chlwyfo hi y peth olaf a ddymunasai. Yr un pryd, nid oedd ei syniadau am y Methodistiaid fymryn yn uwch. Edrychai arnynt fel dosbarth o bobl hirwynebog, ffugsancteiddiol, a diflas — pobl yn ceisio gwneud bywyd yn faich ac yn drueni, pryd y dylasent fod yn canu cerddi. Gwelsai ers tro eu heffeithiau ar Gwen, a oedd wedi colli blas ar bob gwagedd, ac yn ceryddu pawb o'i chwmpas pan aent dros ben llestri. Ac eto, yr oedd Gwen yn eneth ddigymar yn ei olwg. Meddyliai Gwen mai ei chysylltiad â'r Methodistiaid oedd y rheswm gan ei thad dros ei difeddiannu, a rhaid i minnau yn awr fynd yn ôl yn yr hanes rai blynyddoedd, i adrodd am y modd y dechreuodd hi fynd i'r capel.

Fel y crybwyllwyd, yr oedd Gwen yn flaenorol yn eneth lawen, nwyfus, yn hynod hoff o ddawnsio, ac o bob rhialtwch a difyrrwch ieuenctid y dyddiau hynny mewn ardaloedd gwledig. Hyhi oedd ysbryd a bywyd ei chyfeillesau, ond ystyrid hi hyd yn oed gan y rhai nad oeddynt yn troi yn yr un cylch â hi yn ferch ifanc lân ei chymeriad a di-sôn-amdani. Oherwydd ei glendid a'i thwtrwydd yr oedd i Gwen amryw gyfeillesau a ystyrid yn *stansh* a chrefyddol, rhai a arferai fynd i'r capel. Un o'r rhai hyn oedd Elin, merch Robert Wynn, o Bant-y-buarth, ffarmwr cyfrifol, ac un o flaenoriaid Capel Tan-y-fron.

Byddai yn amhosibl adrodd hanes bywyd gwledig Cymru y ganrif hon heb i'r capel a'r eglwys ffurfio rhan bwysig ohono, ac ni lwyddai yr un a anturiai ar y fath orchwyl ond i ddangos ei fod cyn ddalled â'r post; neu ynteu na wyddai efe ddim am wlad y gân. Y ganrif hon a ddywedais, cofier. Oblegid i ba gwmwd o Gymru, lle bydd ychydig bobl yn byw ynddo—serch iddynt fod yn wasgaredig—y gallwn droi ein llygaid, na welir yno, yn un o'r pethau cyntaf ac amlycaf, gapel yn perthyn i ryw enwad neu'i gilydd? Digon diaddurn a fydd yn fynych—pedair wal a tho, ychydig ffenestri, a drws. Ac os bydd yr ardal a'i phoblogaeth dipyn yn hen, ond odid na welir yno hefyd eglwys lwydaidd a mynwent gyda'i choed yw prudd, cysgodfawr, i'r hon y cludwyd cenhedlaeth ar ôl cenhedlaeth, fel y dengys y beddau, y rhai, gan mwyaf, sydd wedi gwyro ar un ochr fel pe byddent wedi cael ergyd o'r parlys, ac ar y rhai y mae ambell englyn da ac ambell un sâl, er y teimlwn ryw fath o barch i'r salaf, am fod yr englynwr, druan, a'r neb a dorrodd yr englyn ar y garreg, erbyn hyn, hwythau wedi mynd i'w hateb, a'u beddau hwy eu hunain, hwyrach, heb garreg nac englyn arnynt. Ni wn sut y mae yn bod, ond teimlaf rywfodd wrth ymweld â'r mynwentydd hyn mai'r fynwent sydd yn rhoi cysegredigrwydd ar yr eglwys, ac nid yr eglwys ar y fynwent. A chan nad pa faint y rhagfarn sydd ynof at y Sefydliad, a chan nad pa mor ddaearol a chnawdol oedd hwn ac arall a fu yn bennoeth ac yn ei ŵn gwyn yn darllen yn garbwl y wers gladdu ardderchog uwchben y cannoedd sydd yn awr yn huno yn dawel a distaw dan y dywarchen las, ac wedi eu llwyr anghofio—bydd fy nghalon yn meddalhau, a phe buasai o fewn fy ngallu buaswn yn maddau eu holl ddiffygion ac yn eu seintio bod ag un. Dyweder a fynner, y mae rhyw ysbryd yn yr hen fynwentydd tawel hyn sydd yn cynhyrchu brawdoliaeth gyffredinol, a chydymostyngiad catholigaidd gerbron ein Gwneuthurwr.

Os bydd y gymdogaeth dipyn yn dew, ac yn enwedig os bydd ynddi waith mŵn neu waith glo, ceir yn ddieithriad ddau, tri ac weithiau bedwar o gapeli bychain. Mewn rhai lleoedd gwelir dau gapel o fewn ergyd carreg i'w gilydd, ac yn edrych ar ei gilydd gydag eiddigedd dau geiliog. Nid anfynych y gwelir dau gymydog cyfeillgar, ac yn gallu cydweld ar bopeth ymron ond y capel, yn pasio ei gilydd ar fore Sul, y naill a'r llall wedi gadael capel filltir o'i ôl, a phob un yn mynd i'w le ei hun. Paham? Am fod un yn credu fod gormod o ddŵr yn un capel, a'r llall yn credu fod rhy fychan yn y capel arall. Ond hwyrach fod yn hyn ddigon o reswm dros yr holl gerdded yn ôl a blaen ar hyd y blynyddoedd—mwy o reswm, efallai, nag sydd gan y ddau gymydog cyfeillgar arall, y rhai nad oes dim mwy o wahaniaeth rhyngddynt na bod un yn credu y gall golli ei dipyn crefydd, a'r llall yn credu ei fod yn ddigon saff os cafodd grefydd o gwbl. Mewn rhai ardaloedd ni allwn beidio rhyfeddu gynifer o gapeli a welir yn perthyn i'r un enwad. Yr wyf yn meddwl ei bod yn ffaith am un gymdogaeth yng Ngogledd Cymru y gall un osod ei hun mewn canolbwynt a chymryd ei ddewis o bedwar capel yn perthyn i'r un enwad, ac na chymer iddo hanner awr i fynd i'r pellaf ohonynt. Cysylltir dau o'r rhai hyn yn daith Sabothol er mwyn galluogi y boblach druain dlodion i dalu am y weinidogaeth; a phan, wedi pregethu y bore mewn un capel, y mae y pregethwr yn cymryd mygyn ar ôl cinio, gall weld drwy y ffenestr "y capel arall" y mae i bregethu ynddo am ddau o'r gloch, a bydd yn ddigon buan iddo gychwyn yno pan fydd bys y cloc o fewn deng munud i'r amser penodedig. Gall hyn fod yn drefniant rhagorol yng ngolwg rhywrai, ond edrycha eraill arno, nad ydynt yn hollol amddifad o synnwyr cyffredin, fel y cynllun gorau a ellid ei ddychmygu i wneud pastaibetheuach o'r achos crefyddol. Ond y mae hyn i'w ddweud yn ffafr lluosogiad mân gapelau yn yr un ardal—er iddynt oll, oherwydd eu lluosogiad, fod mewn ystad ddirywiedig—eu bod yn hynod fanteisiol i greu swyddogion eglwysig. Oblegid nid peth anhysbys mewn hanesiaeth eglwysig ydyw hyn,—wedi i'r brodyr yn yr hen gapel fod wrthi yn dewis blaenoriaid, ac i John Jones, Blaen-y-cwm, gael ei adael allan—er ei fod ef a'i deulu wedi arfer, ar hyd y blynyddoedd, ddyfod i'r moddion o gryn bellter yn ffyddlon a di-fwlch—nid peth anhysbys, meddaf, ydyw i John Jones gael agor ei lygaid i'r dymunoldeb a'r gwir angenrheidrwydd am le i gynnal moddion gras yn agos i'w breswylfod ef ei hun, canys, erbyn meddwl, y mae yno amryw esgeuluswyr eisiau eu deffroi a'u dysgu! Ac yn fuan adnewydda John Jones ei sêl a'i hoender. Dechreua ar y gwaith clodfawr, a dilynir ei ymdrechion â llwyddiant mawr—mae'r tŷ yn rhy fychan i gynnal y bobl a ddaw ynghyd, a chodir capel, a gwneir John Jones, Blaen-y-cwm, yn flaenor—swydd na chyraeddasai byth yn yr "hen gapel"! Sôn wna'r Gwyddelod am *home rule*, a'r Saeson am *three acres and a cow* a *district council*. Mae Ymneilltuwyr Cymru wedi darganfod yr egwyddor oes gyfan o'u blaenau!

Ond fel yr ydwyf yn crwydro! Sôn yr oeddwn fod yn amhosibl adrodd hanes gwerin Cymru yn y ganrif hon heb i'r capel a'r eglwys gael rhan ynddo. Ac yr wyf yn teimlo yn falch o'r ffaith. Yr oedd capel Tan-y-fron yn ddelw o'r hen gapeli a welid yn ein gwlad hanner can mlynedd yn ôl. Nid oedd eiliw o arddull na chwaeth archadeiladaeth yn perthyn iddo, ac o ran cynllun ni fuasai yn gredyd i'r saer maen mwyaf cyffredin. Yn wir, wrth ei adeiladu ni ddaeth y drychfeddwl o gynllun unwaith i galon y brodyr ffyddlon a'i cododd. Yr unig beth a gafodd dipyn o sylw yn ei ddechrau oedd "ei faint"—pa sawl llath hwy a lletach oedd i fod nag ysgubor Tŷ'n-llan. Ac wedi penderfynu hynny, y drychfeddwl llywodraethol nesaf oedd lle y gellid addoli Duw ynddo a'r ddrycin wedi ei chau allan. Pedwar mur plaen, pedair ffenestr uchel, drws yn yr ochr, a tho o lechi Eurnant, dyna yn allanol oedd Capel Tan-y-fron. Tu mewn, ar y talcen, yr oedd pulpud a grisiau serth i fynd iddo, a sêt fawr fechan— gan faint y gwrthddywediad—lle na allai y rhai a eisteddai ynddi edrych ar y pregethwr heb gael *stiff neck*, ac felly aethant i'r arferiad o wrando yn eu crwmach, ac aeth rhai ohonynt yn naturiol gefngrwn. Nid oedd ond meinciau rhyddion a di-gefn ar y llawr, ac ar y rhain yr eisteddai lliaws o hen bobl—rhai dros eu pedwar ugain oed—ac ni chlywid neb yn cwyno ar anghyfforddusrwydd eu sefyllfa—ystyrient eu bod wedi cael darparu yn dda ar eu cyfer. Ac ymhen amser pan gynhyrfodd rhywrai am gael ychydig seti â chefnau iddynt o boptu'r pulpud, edrychid arnynt gan lawer fel rhai yn chwenychu moethusrwydd, ac nid cyn iddynt ymgymryd â dwyn y gost eu hunain ac addo talu am gael eistedd ynddynt, y caniatawyd iddynt wneud y cyfnewidiad hwn yn y capel. I'r capel hwn yr âi Gwen Tomos. Pa fodd y dechreuodd fynd yno a adroddaf yn awr.

IX

Gwen Tomos ac Elin Wynn

FEL y crybwyllais, un o gyfeillesau pennaf Gwen Tomos oedd Elin Wynn Pant-y-buarth, merch ieuanc hynod am ei chrefyddolder a gweddusrwydd ei buchedd. Geneth blaen oedd Elin, heb ddim prydferthwch yn perthyn iddi ond prydferthwch ei chymeriad uchel. Un prynhawn, wrth edrych drwy ffenestr cegin y Wernddu, gwelai Gwen Elin Wynn yn dyfod ar hyd y ffordd fawr wrth ddychwelyd o'r dref, wedi bod yn gwerthu ymenyn ac wyau, ac aeth at y llidiard i'w chyfarfod i gael ymgom â hi. Buont yn ymddiddan yn hir, fel y gwna merched yn gyffredin, pryd yr aeth heibio iddynt ŵr golygus a hardd ar gefn ceffyl du, porthiannus, ond llonydd. Trafaeliai y gŵr yn araf, hamddenol, a myfyrgar yr olwg arno. Yr oedd wedi ymwisgo mewn dillad duon, a chanddo glos pen-glin du a botasau hirion a thopiau cochion iddynt, het silc â chantel llydan am ei ben, a chadach gwyn am ei wddf. Yr oedd ei wallt yn ddu a chrych, ac yr oedd ganddo ddwy locsen dew a brwsiog ar ei gernau, a'i ên a'i wefus uchaf wedi eu heillio yn lân. Pan oedd y bonheddwr yn mynd heibio iddynt, moesgrymodd yn barchus i'r genethod, ac ebe fe, "Prynhawn da, lodesi bach." Cwrteisiodd Elin Wynn iddo, ac atebodd, "Prynhawn da, syr." Ond yr oedd Gwen wedi ei swyno gymaint gan ei ymddangosiad parchus fel na ddywedodd air ac na symudodd fodfedd. Teimlai yn sicr mai rhyw esgob ydoedd, ac wedi iddi ystyried cywilyddiodd am na ddangosai un arwydd o barch i'r bonheddwr. Wedi iddo fynd heibio, ebe hi yn fyr ei gwynt:

"Elin, dyna'r dyn harddaf a weles erioed yn 'y mywyd. Pwy all o fod, tybed, i ddŵad ffordd yma? Ond oedd o yn foneddigaidd? Oes gynnat ti r'w feddwl pwy ydi o, dywed"

"Oes, neno dyn, yr ydw i yn ei 'nabod yn dda," ebe Elin.

"Be'? y ti yn 'i 'nabod o'n dda? Pwy ydi o, Elin?" ebe Gwen yn awyddus.

"Mr. John Phillips, Treffynnon,—pregethwr Methodus ydi o," ebe Elin.

"Hwn ene yn bregethwr Methodus, Elin? Oes gynnoch chi ddyn mor hardd a boneddigaidd â nene yn bregethwr Methodus?" gofynnai Gwen.

"Oes, neno'r annwyl, mae gynnon ni lawer o ddynion hardd a boneddigaidd heblaw Mr. Phillips yn bregethwyr," ebe Elin.

"Wel, 'dawn i byth! feddylies i 'rioed!" ebe Gwen.

"Mae Mr. Phillips yn pregethu efo ni heno yng nghapel Tan-y-fron," ychwanegai Elin. "Ddoi di i'w wrando, Gwen? Mi gei drêt na chest di 'rioed 'i sort hi yn dy fywyd?"

"Y fi ddŵad i'r capel, Elin? Be' ddeude Harri? Mi feddylie 'y mod i wedi gwirioni," ebe Gwen.

"Na hidia be feddyliff neb, Gwen; tyrd di yno, a 'rydw i'n siŵr na 'nei di byth ddifaru. Ddoi di?" ebe Elin.

"Na ddof," ebe Gwen, "achos mae gen i ofn petawn i yn dŵad mai syrthio mewn cariad â Mr. Phillips 'nawn i, achos, fel y deudes i o'r blaen, weles i ddyn harddach yn 'y mywyd."

"Pan ddechreuiff Mr. Phillips bregethu," ebe Elin, "feddyli di ddim amdano fo, ond am y pethe fydd o'n ddeud. Na wir, Gwen, tyrd am unweth i'r capel. 'Rydw *i* wedi bod yn 'r eglwys lawer gwaith, a pham na ddoi dithe i'r capel am unweth. Mi fydd yn dda gan bawb dy weld di yno. Tyrd dipyn yn gynnar, a galw ym Mhant-y-buarth gael i ni fynd efo'n gilydd. Ddoi di?"

"Gwarchod pawb, na ddof. Ac eto mi f'aswn yn leicio clywed y dyn ene. Ond ddof i ddim," ebe Gwen.

"Wyt ti ddim cymin o slâf, tybed, ag i fod ormod o ofn dy frawd a dy dad i ddŵad i'r capel? Mae'n haws i ti neud hebddyn' nhw nag iddyn' nhw neud hebot ti," ebe Elin.

"Does gen i ofn neb," ebe Gwen; "ond y mae 'nhad a Harri yn filain yn erbyn y Methodistiaid. Ond petawn i'n meddwl am fynd, châi neb fy rhwystro i. Ond 'dydw i ddim yn leicio dechre codlo rywsut."

"Gwen," ebe Elin, "mi wn o'r gore y dymunet ti ddŵad i'r capel heno i wrando Mr. Phillips. Ddaru ti ddim teimlo pan oedd o yn ein pasio ni fel petai o yn codi ei law i ti fynd ar ei ôl? Hwyrach mai llais Duw atat ti a minne oedd hynny. Mae Duw yn siarad efo ni mewn llawer dull a modd, ac mae perygl i ni droi clust fyddar ato. Mi hoffwn dy weld yn y capel heno. Tyrd er fy mwyn i am y tro. Mi wyddost 'y mod i yn dy garu di'n fawr, a wnawn i ddim dy gynghori di i neud dim sydd o'i le. Ddoi di, Gwen?"

"Mi wn dy fod yn eneth dda er mai i'r capel yr wyt ti'n mynd," ebe Gwen, "ond yr ydych chi y Methodus yn siarad iaith nad ydw i ddim yn 'i dallt hi. Na, ddof fi ddim;" a chan gusanu Elin, "Prynhawn da," ebe Gwen, ac ymaith â hi.

Teimlai Elin Wynn yn siomedig iawn, oherwydd yr oedd wedi meddwl yn sicr y buasai o'r diwedd yn gallu perswadio Gwen i ddyfod i'r capel, ac yr oedd ei lles ysbrydol yn agos at ei chalon. Wedi gwneud ei gorau i'w denu i ddyfod i wrando Mr. Phillips, a methu, teimlai yn ofidus dros ben. Ond yr oedd crefyddwyr yr oes honno, yn feibion ac yn ferched, yn wedd-ïwyr mawr—o leiaf, lawer ohonynt. Yn y troad cyntaf yn y ffordd, mewn llannerch neilltuedig, gosododd Elin Wynn ei basged i lawr, a phenliniodd ar lecyn o dir glas i ymbil â Duw ar ran Gwen Tomos.

Nid oedd yr ymddiddan a fu rhwng Gwen ac Elin yn hollol ddieffaith ar y flaenaf, ac yr oedd yr olwg a gawsai ar Mr. Phillips yn ei dilyn, ac yn llenwi ei myfyrdodau. Yr oedd ei thad eisoes oddi cartref, ac ar ôl te ymdrwsiodd Harri a dywedodd wrthi ei fod yn mynd i'r dref, ac na ddeuai yn ôl hyd naw neu ddeg o'r gloch. Wedi ei gadael ei hun, Mr. Phillips a chymelliad-au Elin Wynn oedd yn llenwi meddwl Gwen. Teimlai awydd angerddol am fynd i'r capel am unwaith yn ei bywyd, ac eto yr oedd rhywbeth yn ei chadw yn ôl. Teimlai i'r byw mor ang-haredig yr ymddangosai i gymelliadau Elin Wynn—geneth yr oedd yn meddwl yn uchel iawn amdani. Yna swniai yn hyfryd ar ei chlust eiriau Mr. Phillips, "Prynhawn da, lodesi bach," a hiraethai am ei glywed yn dweud yr un geiriau. Ni fedrai Gwen rywfodd lynu wrth ei gwaith. Weithiau penderfynai fynd i'r capel er mwyn boddhau Elin Wynn, ac wedyn ymgroesai rhag gwneud y fath beth. Yr oedd yr ymdrech yn ei meddwl yn un galed. Yn y man penderfynodd fyned i'r oedfa deued a ddeuai, ac ymwisgodd yn ei dillad gorau.

Cymerai iddi hanner awr i fynd i gapel Tan-y-fron. Dechreuai'r oedfa am saith o'r gloch. Yr oedd eisoes yn hanner awr wedi chwech. Petrusodd am bum munud wedyn. Meddyliai y byddai Elin Wynn wedi cychwyn i'r capel cyn iddi gyrraedd Pant-y-buarth. Ar unwaith, fel ergyd o wn, gadawodd Gwen y tŷ, a cherddodd yn gyflym tua'r capel, gan feddwl y gallai droi yn ei hôl os teimlai yn rhy swil i fynd i mewn heb gwmni. Cerddodd yn frysiog. Ni feddyliodd am alw ym Mhant-y-buarth, gan y credai fod y teulu oll wedi cychwyn ers meitin; ac felly yr oeddynt oll oddieithr un. Yr oedd Elin wedi aros yn olaf heb gychwyn, gan led ddisgwyl i'w gweddi gael ei hateb. A phan welodd hi Gwen yn dyfod yn gyflym ar hyd y ffordd, rhoes ei chalon dro ynddi, ac aeth i'w chyfarfod gyda dagrau yn ei llygaid. Pa fodd yr ymdrawodd Gwen yn y capel, fe geir gweld eto.

X

Gwen Tomos

ER nad oedd Eglwys St. Mair, lle yr arferai Gwen Tomos fynychu yn achlysurol ar nos Sabothau, ond adeilad pur gyffredin o'i gymharu ag eglwysi a welir y dyddiau hyn, hyd yn oed mewn lleoedd gwledig, eto trawyd Gwen â syndod, cyn gynted ag yr aeth i mewn i gapel Tan-y-fron, at lymdra a llwydedd yr adeilad, ac at yr amddifadrwydd hollol o bopeth bron a dueddai at gysur y gwrandawyr a arferai ymgynnull yn y lle. Yr oedd y capel yn llawn o bobl, ac ugeiniau yn sefyll heb le i eistedd. Parodd ymddangosiad Gwen Tomos, y Wernddu, yn y capel syndod i bawb, ac yr oedd dwsin neu ychwaneg o'r addolwyr oedd wedi sicrhau lle i eistedd iddynt eu hunain ar eu traed yn ebrwydd yn barod i roi eu lle i Gwen ac Elin, a daeth pawb i'r casgliad ar unwaith mai Elin Wynn oedd wedi llwyddo i gael Gwen i'r oedfa. Canfu Gwen, er dirfawr boen iddi, fod llygaid pawb arni. Ac erbyn iddi ystyried, nid oedd hynny yn beth i ryfeddu ato, oblegid, heblaw ei bod yn ddieithr yno, gwelodd nad oedd neb yn eu dillad gorau ond hyhi. Yr oedd y nifer mwyaf, yn enwedig y dynion, yn eu dillad gwaith, ac nid oedd hyd yn oed Elin Wynn, a oedd mewn gwell amgylchiadau na'r cyffredin, wedi newid dim ar y wisg yr oedd hi ynddi pan oedd yn siarad â Gwen wrth y llidiart wrth ddychwelyd o'r farchnad. Arferiad Gwen pan elai i'r eglwys fyddai dwyn allan y wisg orau, a theimlai yn falch nad oedd gan hyd yn oed ferch y Person well gwisg na hi. Ac felly y gwnaeth wrth fynd i gapel Tan-y-fron. Ond y noswaith honno teimlai gywilydd ei bod wedi ymwisgo mor wych, a theimlasai fwy felly pe gwybuasai fod Robert Wynn, y blaenor, a thad Elin, yn gweddïo yn daer am i'r Arglwydd gyffwrdd â chalon yr "hoeden falch". Yn ffodus i Gwen, ni wyddai fod Robert Wynn yn meddwl dim amdani.

Ond yn y funud tynnodd pawb eu llygaid oddi ar Gwen ac edrychent tua'r drws, pryd y daeth gŵr Tŷ'n-llan a Mr. Phillips i mewn. Munud hapus ydyw hwnnw—mae pob un o fy narllenwyr wedi ei brofi—pan fydd cynulleidfa fawr, awyddus, wedi bod yn aros am chwarter awr dros yr amser penodedig am ymddangosiad gŵr enwog i'w hannerch, a naw o bob deg ohonynt yn dechrau ofni y cânt eu siomi, a phan ddaw wyneb y gŵr a ddisgwylir i'r golwg. Mewn rhai amgylchiadau gall y gynulleidfa roi rhaff i'w theimlad drwy guro traed a dwylo. Ond yn yr addoldy rhaid cadw'r teimlad o fewn terfynau—yn unig y mae wyneb pawb yn gloywi, a rhyw awel ysgafn hyfryd sydd yn angau i bob pryder yn ymdonni yn ddistaw dros yr holl dorf. Anghofiodd pawb Wen Tomos, a syllent ar feistr y gynulleidfa, ac felly y gwnaeth Gwen hefyd, oblegid credai yn fwyfwy mai efe oedd y dyn mwyaf golygus a welodd erioed. Ni feddyliodd mwy am olwg lwydaidd a thlodaidd y capel,—yr oedd diwyg, ystum, ac ymddangosiad cyffredinol Mr. Phillips yn goreuro popeth yn ei golwg. Gyda llais swynol, ac acen feinach nag a glywid yn gyffredin gan Ogleddwr—acen oedd yn brydferth ac yn gweddu yn dda iddo—adroddodd Mr. Phillips yr emyn sydd yn dechrau:

N'ad fi fodloni ar ryw rith
O grefydd heb ei grym, etc.

a chanodd y gynulleidfa yr emyn—heb yr un llyfr emynau—yn effeithiol a dwys. Teimlai Gwen ar unwaith ei bod mewn awyrgylch newydd. Darllenodd y pregethwr ddameg y deg morwyn, a gweddïodd yn afaelgar a gwresog. Ni chlywsai Gwen erioed o'r blaen neb yn "gweddïo o'r frest", ac ni thybiasai fod yn bosibl i un dyn weddïo felly heb lyfr. Yr oedd hi wedi ei gwefreiddio, ac ar y pryd teimlai yn anghyfforddus, a'i bod mewn lle na ddylasai fod o gwbl. Y ffigysbren ddiffrwyth oedd testun y pregethwr, a phan ddarluniai winllannoedd a gwinllanwyr y dwyrain—y gwinwydd, a'r ffigysbrennau, etc., teimlai ei bod yn deall pob gair a ddywedai, a'i bod yn cael ei chludo gan ei eiriau i rywle; a hanner ddychrynodd, ac ofnai, rhwng popeth, y câi ei gwneud yn Fethodist, a phenderfynodd beidio â gwrando ar y pregethwr a throi ei meddwl at rywbeth arall. Edrychodd o'i chwmpas, a gwelodd fod pawb yn craffu ar y pregethwr, ac yn ceisio ei ddilyn. Yr oedd arni gywilydd bod yn od i bobl eraill, a dychwelodd ei meddwl a'i sylw at y llefarwr er ei gwaethaf. Ceisiodd feddwl am y pregethwr ei hun, a pheidio â meddwl dim am yr hyn a ddywedai, ond buan y teimlodd wirionedd yr hyn a ddywedasai Elin Wynn wrthi, y byddai iddi anghofio Mr. Phillips yn ei bregeth. Wedi gwneud pob dyfais, a hynny yn ofer, ymollyngodd Gwen o ddifrif calon i wrando ar y pregethwr, a chariwyd hi ymaith yn hyfryd gan fwyneidd-dra a chyfaredd ei huodledd. Disgrifiai Mr. Phillips nodweddion gwahanol bechaduriaid, ac yn awr a phryd arall gofynnai, "Beth ddywed y Gwinllannydd am hwn? Tor ef i lawr." Yna symudai ymlaen at ryw ddosbarth arall, ac wedi ei bortreadu o flaen ei wrandawyr, gofynnai eilwaith, "Beth ddywed y Gwinllannydd am hwn eto? Tor ef i lawr!"

Hawdd ydyw i'r neb a fu yn gwrando ar Mr. Phillips yn anterth ei nerth a'i boblogrwydd, gyda'i lais treiddgar, peroraidd, yn ymdonni ac yn ymdonni, ac yn acennu pob gair mor hysain a hyfryd i'r glust,—hawdd ydyw iddo ddychmygu am yr effaith a gaffai ar eneth synhwyrgall fel Gwen Tomos, na chlywsai yn ei bywyd huodledd uwch na rhigl hirllaes, undonog, hen Berson y plwyf. Ac yr oedd ei chydwybod yn tystiolaethu fod y pregethwr yn dweud y gwir, a da oedd ganddi glywed pechodau dynion yn cael eu dinoethi mor ddidderbynwyneb. Adwaenai Gwen agos bawb oedd yn y gynulleidfa, a meddyliai am hwn ac arall mor anhapus y rhaid eu bod yn teimlo pan oedd y pregethwr yn eu darlunio o flaen pawb, ac yn adrodd eu hanes fel pe buasai wedi bod yn byw am flynyddoedd yn eu plith. Ni allai yn ei byw beidio â meddwl fod gŵr Tŷ'n-llan wedi rhoi braslinelliad o gymeriad mwy nag un o'r cymdogion i Mr. Phillips cyn dod i'r capel, gan mor gywir y disgrifiai efe eu llwybrau. Gyda golwg arni hi ei hun, teimlai Gwen yn bur hapus, oblegid, hyd y gallai gofio, ni wnaethai niwed i neb erioed, ac yr oedd wedi cadw ei chymeriad yn difrycheulyd, ac felly ni allai y pregethwr ddweud dim y gellid ei gymhwyso ati hi yn bersonol.

Ond nid hir y bu hi yn mwynhau'r pregethwr "yn ei rhoi hi" i hwn ac arall cyn teimlo ei fod yn taenu rhwyd i'w dal hithau. Yr oedd y ffigysbren ddiffrwyth, yn ddiau, meddai'r pregethwr, yn hardd a deiliog—hwyrach yn brydferthach nag un yn y winllan o ran ymddangosiad; ond yr oedd yn ddiffygiol o'r prif beth—nid oedd yn dwyn ffrwyth, ac yr oedd yn ysbeilio adnoddau'r winllan, a heb fod o un llesâd i'r Gwinllannydd. Cymhwysodd y pregethwr hyn at rywrai a allai fod yn y gynulleidfa—rhywrai nad oeddynt hwyrach yn euog o bechodau cyhoeddus, ac na allai neb bwyntio bys atynt. Yr oedd eu dail yn wyrddion a phrydferth; yr oeddynt yn ymheulo mewn hunan-foddhad; ac at y dosbarth hwn, ebe'r pregethwr, yr oedd pwynt y ddameg. Nid beio yr oedd y Gwinllannydd fod y ffigysbren yn dwyn ffrwyth drwg, ond beio am nad oedd yn dwyn ffrwyth o gwbl, tra yr oedd yn cael pob manteision i ddwyn ffrwyth da.

Daliwyd Gwen yn y rhwyd. Darluniai Mr. Phillips ei bywyd a'i hamgylchiadau, ystad ei meddwl a'i chyflwr ysbrydol, mor fanwl a chywir fel y meddyliodd Gwen fod Elin Wynn wedi bod yn adrodd ei hanes hithau i'r pregethwr, fel y gwnaethai gŵr Tŷ'n-llan ag eraill. Ni chafodd Gwen erioed y fath olwg arni hi ei hun. Teimlai yn euog ac aflan. Llewyrchodd goleuni i'w meddwl na phrofasai belydryn ohono o'r blaen—goleuni a'i gwnaeth ar unwaith yn annedwydd ac yn ofnadwy o druenus. Ac er i'r pregethwr, yn ystod y chwarter awr olaf o'i bregeth—yng nghysgod y "gad ef y flwyddyn hon"—ddisgrifio gyda medr a huodledd anghyffredin raslonrwydd Duw yn nhrefn yr iachawdwriaeth, a'i barodrwydd i faddau i bechadur; ac er i'r hen Susan Elis dorri allan i weiddi "Diolch", nid oedd dychryn ac anesmwythder cydwybod Gwen Tomos ronyn yn llai. Heb siarad gair â neb, rhuthrodd Gwen adref cyn gynted ag y terfynodd y bregeth. Ni soniodd wrth Harri, ei brawd, nac wrth ei thad, ei bod wedi bod yn y capel, a cheisiodd gelu ei hanesmwythdra orau y gallai. Ni chysgodd hunell y noson honno. Yr oedd Gwen wedi arfer dweud ei phader bob nos wrth fynd i'w gwely, ond ni feddyliai fod angen gweddïo yn y bore—gallai edrych ar ei hôl ei hun yn y dydd. Y noswaith honno teimlai awydd gweddïo, ond gan na wyddai sut na pha fodd, adroddodd ei phader lawer gwaith drosodd. Ni ddug hynny ollyngdod iddi. Tybiodd y gallai orchfygu ei hanesmwythder ymhen ychydig ddyddiau, ond er ceisio ei gorau ymysgwyd oddi wrth effeithiau pregeth Mr. Phillips, ni ddeuai heddwch o unman.

Er mai prin yr oedd yn gallu peidio ag amau Elin Wynn o ddweud ei hanes wrth Mr. Phillips, llawen oedd ganddi weld Elin yn dyfod i edrych amdani ymhen ychydig ddyddiau ar ôl hyn. Ac er mor rhyfedd ydyw dweud felly, nid llai llawen oedd Elin ei gweld mor druenus. Wylodd Elin o eigion ei chalon gan lawenydd. Cymerodd hi dan ei gofal, a gweithredodd fel ei mamaeth ysbrydol. Nid oedd angen mwyach perswadio Gwen i ddyfod i'r capel—ni allai feddwl am fynd i un lle arall o addoliad. Amherffaith iawn y gallai Gwen ddarllen Cymraeg, ond cymerodd Elin hi i'r Ysgol Sul, ac ymhen ychydig wythnosau, gan faint ei hawydd, gallai ddarllen cystal ag undyn. Ond er dilyn y moddion yn gyson, bu Gwen am amser maith yn hynod o brudd a thruenus ei chyflwr. "Nid oedd hynny yn ddim yn y byd," mi glywaf rai o bobl ddoeth a gwyddonol y dyddiau hyn yn dweud, "ond math o wallgofrwydd crefyddol." Nid wyf fi yn cymryd arnaf ddweud beth ydoedd—adrodd ffaith yr ydwyf. Mi wn hyn, na fu Gwen Tomos byth yr un un wedi bod yn gwrando Mr. Phillips yng nghapel Tan-y-fron. Mewn llai nag un awr cyfnewidiwyd ei holl syniadau, trawsffurfiwyd ei holl ddibenion, ac yr oedd ei bywyd o hynny allan yn newydd sbon. A daliodd ato hyd ddiwedd ei hoes,—oblegid yr oeddwn wrth ei gwely pan fu farw, pan oedd ei gwallt yn llwydlas, a'i hwyneb yn rhychau, ac am bregeth Mr. Phillips y diolchai awr cyn i'w hysbryd ehedeg at yr Hwn y syrthiodd mewn cariad ag ef yn nghapel Tan-y-fron. Fel y dywedais, nid wyf yn ceisio esbonio hyn. Ond a ellwch chwi, wyddonwyr, roddi i mi enghraifft pryd y bu gwrando darlith ar un o'ch hoff bynciau yn foddion i newid syniadau, teimladau, a chymeriad—mewn gair, i greu un o'r newydd, a'r greadigaeth honno yn parhau hyd angau? A fedrwch chwi roddi enghraifft pryd y bu gwrando un ddarlith yn foddion i gynhyrchu bywyd newydd, dibenion newydd, ac a fu yn ffynhonnell nerth dan demtasiynau cryfion, a chysur yn yr amgylchiadau mwyaf adfydus?

Cymerodd peth felly le yng nghyflwr meddyliol Gwen Tomos yn nghapel Tan-y-fron. Digwyddodd hyn beth amser cyn marw ei thad, a chredai Gwen mai ei hymlyniad wrth y Methodistiaid oedd y rheswm am i'w thad ei hamddifadu o'i chyfran o'r eiddo.

XI

Hela Llwynog

YN wahanol i fechgyn yn gyffredin yn yr un sefyllfa, bu afradlonedd a meddwdod ei dad yng nghyfnod olaf ei fywyd yn foddion i beri i Harri Tomos ymroi gydag egni mawr i ofalu am amgylchiadau y Wernddu. Po fwyaf gwastraffus a diofal yr elai ei dad, mwyaf ymdrechgar a gweithgar yr elai Harri i gadw pethau mewn trefn. Yr oedd rhyw dynged neu dduwies neu rywbeth yn goruwch-lywodraethu teulu rhyfedd y Wernddu fel ag i'w cadw rhag dyfod i'r terfyn ar hyd yr oesau. Os byddai un a ddigwyddai fod yn denant yn ofer ac afradlon, byddai yr hwn oedd i'w ddilyn naill ai yn ŵr gofalus iawn neu yn gybydd erchyll, ac felly cadwodd y teulu feddiant o'r ffarm am genedlaethau. Ofer fai dweud mai gofal y Brenin Mawr oedd hyn, oblegid ni fu pobl fwy annuwiol a difeddwl am grefydd yn yr holl wlad na theulu y Wernddu. Pan oedd Edward Tomos yn gweithio yn galed ac yn cribina ddydd a nos, yr oedd Harri ei fab yn fachgen dioglyd a diofal; ond cyn gynted ag y gwelodd efe yr hen ŵr yn troi yn ofer a gwastraffus, dechreuodd yntau egnïo, fel y dywedais, gyda holl waith y ffarm. Tra oedd Harri yn cael ei hoffi gan y gweision a'r morynion yn anhraethol fwy nag y carwyd ei dad erioed, nid oedd efe yn esgeuluso dim nac yn caniatáu segurdod nac anufudd-dod yn un o'r gwasanaethyddion. Ond, er cystal mab oedd Harri, ac er cystal merch oedd Gwen, ni wyddent ddim am sefyllfa fydol eu tad,—gallai fod yn gyfoethog a gallai fod fel arall am ddim a wyddent hwy i sicrwydd.

Cafodd yr hen ŵr y sbri olaf, fel yr adroddais; claddwyd ef a Darbi yn lled agos i'w gilydd—o ran amser; a phan sylweddolodd Harri, wedi i Mr. Jones, y Person, ddarllen yr ewyllys, mai efe bellach oedd y meistr, daeth cyfnewidiad rhyfedd dros ei ysbryd. Efe o hyn allan oedd tenant cydnabyddedig y Wernddu, oblegid yr oedd yr Yswain wedi dweud wrtho ddiwrnod y gladdedigaeth, er nad oedd efe (Harri) ond llanc, y câi aros yn y ffarm, a gobeithiai Mr. Griffith y byddai cystal dyn â'i dad. A'r adeg honno y deallodd Harri i sicrwydd fod ei ddiweddar dad yn weddol gyfoethog. Ni fuasai Harri erioed o duedd gybyddlyd fel ei dad, a'r peth cyntaf a wnaeth, wedi iddo gyfrif ei eiddo, oedd mynd i ffair Gaer a phrynu ceffyl newydd bywiog a gwerthfawr. Daeth meibion y ffermydd cyfagos—cyfoedion Harri—i weld y ceffyl newydd, a chanmolai pob un ohonynt yr anifail, a lled awgrymai rhai ohonynt fod Harri yn bwriadu mynd ar ôl y llwynog gyda phac yr Yswain, a thorri ei gysylltiad gyda'i hen gyfeillion. Cenfigennent ato. Ond nid oedd dim pellach o feddwl Harri na thorri ei gysylltiad â'i hen gymdeithion. Ar yr un pryd, yr oedd y meddwl am fynd ar ôl y llwynog ar gefn ei geffyl ardderchog yn foddhaus ganddo. A rhyw ddiwrnod, pan nad oedd neb yn y golwg, gwnaeth brawf ar ei geffyl, a allai efe glirio gwrych. Gwelodd y gallai wneud hynny yn ddidraferth, a theimlai Harri yn sicr yn ei feddwl, pe bai ganddo ef ei hun ddigon o hyder, y gallai'r ceffyl neidio llidiard yn hwylus. Y ffaith oedd fod Harri wedi rhoi pris uchel am ei geffyl—pris na fynasai i neb ei wybod. Yr oedd

> Ei flew o sidan newydd,
> A'i rawn o liw gwawn y gwŷdd;
> Llygaid mal dwy ellygen,
> Llymion, byw, 'n llamu 'n ei ben!

Am ei geffyl y meddyliai Harri ddydd a nos, ac aeth sôn amdano drwy'r gymdogaeth. Daeth Mr. Jones, y Person, yno i'w weld, a thystiai nad oedd gan yr Yswain Griffith well ceffyl yn ei ystablau, ac aeth yn syth i'r Plas i ganmol anifail Harri. Yn ddiatreg daeth yr Yswain a'i fab i'r Wernddu i weld y rhyfeddod. *Jolly fellow* oedd yr Yswain, ac ni theimlai yn wrthwynebol i un o'i denantiaid feddu ceffyl tan gamp tra na fyddai ar ôl efo'i rent. Yn wir, yr oedd efe braidd yn falch weld mab y Wernddu yn dechrau byw yn wahanol i'w ddiweddar dad cybyddlyd. Carasai weld ei holl denantiaid yn troi allan yn dda a pharchus os medrent wneud hynny a thalu'r rhent yn brydlon. Yr oedd mab yr Yswain, Mr. Ernest Griffith, a oedd wedi cael gwell addysg na'i dad, ac wedi llyncu syniadau am y dull y dylai pawb adnabod eu lle mewn cymdeithas, dipyn yn wahanol i'w dad yn ei opiniynau a'i dueddiadau. Dotiai yr hen Yswain at y ceffyl, a gofynnodd i Harri faint o arian a roddodd efe amdano.

"Mwy nag y leiciwn i ddweud wrth neb, syr."

Sisialodd Ernest air yng nghlust ei dad, ac ebe'r olaf:

"Faint gymeri di amdani, Harri?"

"Yr un geiniog lai na chanpunt," ebe Harri.

"Hoho!" ebe'r Yswain, "ydi bedole fo'n arian?"

"Ddaru mi ddim edrach wir, syr," ebe Harri.

Dywedodd y mab rywbeth wedyn yng nghlust ei dad, ac ebe'r Yswain:

"Dyma ti, Harri, 'rydan ni'n mynd i dreio codi llwynog ddydd Llun; roi di fenthyg dy geffyl i Ernest am y diwrnod?"

"Gyda phleser," ebe Harri, "ond i chwi fod yn gyfrifol i mi am ganpunt os digwyddiff rhwbeth iddo."

"Dim peryg," ebe'r Yswain, ac ychwanegodd, "ond tyrd dy hun efo ni, mi fydd yn dda gen i dy weld yn y cwmni."

Diolchodd Harri iddo, a theimlai yn hynod o hapus fod ei feistr tir wedi ei wahodd i ymuno â'r boneddigion oedd yn myned ar ôl y cŵn ddydd Llun, ac ni wnaeth efe ddim arall bron hyd y dydd penodedig ond ei daclu ei hun a'i geffyl ar gyfer yr amgylchiad. Rywbryd yn ystod y Saboth digwyddodd daro ar y ffordd fawr â Mr. Jones y Person, a ddywedodd wrtho:

"Cofia di, Harri, ddod hefo ni fory i godi llwynog, a gobeithio'r nefoedd y cawn ni ddiwrnod braf."

"Trystiwch chi fi y byddaf yno," ebe Harri.

Pan aeth efe i'r tŷ ni fedrai ymatal heb ddweud wrth Gwen am y gwahoddiad, oblegid yr oedd yn llawen iawn ei ysbryd. Yr oedd Gwen eisoes wedi yfed yn helaeth o ysbryd y Methodistiaid, ac anogodd ef yn daer i roi heibio'r meddwl am fynd ar ôl y cŵn, ond dadleuai Harri y buasai felly yn amharchu ei feistr tir a Mr. Jones y Person, a hwythau wedi ei wahodd. Dydd Llun a ddaeth, ac yr oedd gweddi'r Person wedi ei hateb—yr oedd y tywydd yn hyfryd a dymunol, ac yr oedd Harri wedi bod yn ei baratoi ei hun i'r ymgyrch er toriad y wawr.

Cyfarfyddai'r teulu ysbardunog wrth y Plas, ac ymddangosai pawb mewn ysbryd uchel a rhagorol, a hynod chwannog i'r helfa. Harri oedd yr unig un o'r bobl gyffredin ymhlith y cwmni, ac yn ôl pob golwg ganddo ef yr oedd yr anifail gorau, a llongyfarchwyd ef gan amryw o'r crachfoneddigion. Yr oedd yr helgwn, a gadwyd heb damaid o fwyd ar hyd y Saboth, yn anesmwyth am gael cychwyn i'r helfa, a theimlai Harri yn bryderus pa ffigur a dorrai efe yn ystod y dydd. Yr oedd y gwaith yn newydd iddo, a theimlai yn ofnus a swil yng nghanol y fath gwmni. Ond, yn groes i'w ddisgwyliad, daeth mab yr Yswain ato, gyda gwên ar ei enau, gan ddymuno bore da iddo, a chan ei annog i deimlo yn hyderus, ac ychwanegodd:

"C'lynwch chi fi, Harri, pan ddaw hi'n adeg cychwyn, a mi fyddwch yn *all right*. Mae gwaith fel hyn dipyn yn newydd i chi, ond yr ydw i wedi hen arfer â fo."

Wedi dweud hyn, symudodd Ernest i siarad â rhyw sbrigyn o fonheddwr, a dywedodd yn rhy isel i Harri allu ei glywed:

"Mi wna i i'r d—l ene dorri corn ei wddw neu gorn gwddw ei geffyl cyn canol dydd."

Canodd y corn, ac ymaith â'r cŵn, a'r marchogion yn eu dilyn. Dilynai Ernest gwt yr helsmon, a glynai Harri orau y gallai wrth ei arweinydd. Tramwyai yr Yswain a'r Person, a'r hen bobol pan allent, hyd y ffyrdd, ond teithiai'r gwŷr ieuainc rhyfygus bron fel yr ehed y frân—yn syth ar ôl y cŵn. Ysbardunai Harri ei geffyl i ddilyn Ernest, a chyn pen yr awr yr oedd wedi blino yn enbyd, a da fuasai ganddo gael gorwedd i lawr yn rhywle, a chafodd gyfleustra yn bur fuan. Anogai Ernest ef i ddal ymlaen. Toc oernadodd y cŵn, a deallwyd bod llwynog wedi ei godi. Yr oedd Ernest, Harri, ac un o'r boneddigion ieuainc ar y blaen. Digwyddodd pan oernadodd y cŵn fod ffos lydan a lleidiog i'w chroesi, ac ebe Ernest wrth Harri, oblegid hwy oedd y ddau flaenaf:

"Yrŵan amdani, Harri, rhaid i chi gymryd y lêd; neidiwch cyn belled ag y medrwch, achos y mae'r ffos yn llydan."

Plannodd Harri ei ysbardunau yn ei geffyl bywiog, a neidiodd ddwylath pellach nag oedd eisiau iddo, a chwympodd i'r llawr gan daflu Harri i'r ffos. Neidiodd Ernest, gan ddisgyn yn daclus i'r man lle dylasai, ac yn y funud yr oedd ei gydymaith wedi gwneud yr un peth, a disgynnodd y ddau o'u cyfrwyau i helpu Harri, druan, a oedd wedi ei syfrdanu, ac yn gweld pob man yn troi o'i gwmpas. Cynorthwywyd ef i ddod allan o'r ffos gan Ernest a'r bonheddwr ieuanc, ac wedi iddo ddod ato'i hun cafodd fod ei geffyl gwerthfawr wedi torri ei goes, ac ebe Ernest:

"Wel, wel, mae'r cwbl drosodd efo fo; gadewch i ni ei roi allan o'i boen," a chan dynnu ei gyllell allan, torrodd y brif wythïen yn ei wddf, a gwaedodd yr anifail yn fuan i farwolaeth.

"Mae yn reit ddrwg gen i drosoch chi, Harri," ebe Ernest; "brysiwch adre i newid eich dillad," a neidiodd ef a'i gydymaith i'w cyfrwyau ac ymaith â hwy, gan adael Harri i droi tua'r Wernddu.

Gyda chalon drom yr ymlwybrodd Harri tua chartref. Yr oedd ei hynt gyntaf gyda bonheddwyr wedi troi allan yn hynod o anffortunus. Gorweddai ei farch ardderchog yn gelain farw, ac yr oedd y pris mawr a roesai amdano wedi mynd gyda'r gwynt. Poenai hyn ef yn fawr, ond nid hynny a'i poenai fwyaf. Tywynnodd ar ei feddwl ei fod wedi syrthio i bwll a gloddiwyd iddo gan Ernest,—fod mab yr Yswain, gyda gwên deg a gwenwyn dani, wedi ei hud-ddenu gyda'r bwriad iddo anafu ei geffyl. Canfu ddial Ernest am iddo wrthod rhoi benthyg ei farch iddo.

Pan ddaeth hyn i'w feddwl—ac nid amheuodd am funud gywirdeb ei ddyfaliad—rhinciodd ei ddannedd mewn cynddaredd, a melltithiodd fab y Plas o eigion ei galon. Gobeithiai a gweddïai y torrai ei wddf cyn machlud haul. Aeth cant o feddyliau drwy ei galon. Y fath sbort a gâi y mân ysbigod bonheddig wrth wrando ar Ernest yn adrodd hanes anffawd Harri y Wernddu a'i geffyl di-ail! Fel y byddent yn chwerthin!

Ni allai Harri ychwaith beidio â meddwl am ei gyfoedion a'i gyfeillion,—fel y byddent yn cymryd arnynt gydymdeimlo ag ef yn ei golled, ac ar yr un pryd yn llechwraidd chwerthin yn eu llewys ei fod wedi bod mor anffortunus yn ei ymdrech gyntaf i droi ei gefn arnynt hwy! Nid oedd y golled ariannol yn ddim yn ei olwg o'i chymharu â'r gwawd y gwyddai a fynwesid, yn y man, nid yn unig gan ei uchafiaid, ond ei isafiaid hefyd. Ac yr oedd wynebu ei chwaer Gwen, wedi iddo ddiystyru ei chyngor, yn beth poenus iawn iddo. Rhwng popeth, ni fu neb erioed yn fwy truenus ei feddwl ac yn fwy llawn o ddial, pe gwybuasai pa fodd i'w ddangos, na Harri Tomos y bore hwnnw. Yr oedd ei esgyrn, er nad oedd un ohonynt wedi torri, yn cnoi; ond ni ofalai ef lawer am hynny—y cnofeydd a oedd yn ei galon a'i blinai fwyaf. Wedi cyrraedd y Wernddu taflodd ei hun i gadair freichiau, ac adroddodd, mewn cyn lleied o eiriau ag a allai, hanes yr ymgyrch wrth ei chwaer Gwen. Gwelodd Gwen ei ddirfawr helbul, ac nid edliwiodd air iddo.

Anfonodd Harri ddau o'r gweision i gladdu'r ceffyl—nid oedd yn werth ganddo ofyn iddynt ei flingo. Yr unig rai o'r helwyr a deimlai dros Harri oedd yr Yswain a'r Person. Pan glywodd yr Yswain yr hanes, teimlai yn dost dros Harri, a diflasodd gryn lawer ar bleser y dydd iddo. Buasai ei ofid yn fwy pe gwybuasai mai ei fab Ernest a gynllwynasai i ddwyn oddi amgylch y ddamwain.

XII

Y Swper

AR ddiwedd y dydd yr oedd swper i'r helwyr yn y *Bedol,* ac anfonodd yr Yswain un o'i weision i'r Wernddu gyda chenadwri at Harri am iddo ddyfod i'r swper yn ddi-ffael. Ni theimlai Harri awydd o gwbl am fynd, ac anogai Gwen ef i beidio â mynd ar un cyfrif. Ond ni allai Harri ddygymod â'r meddwl o wrthod gwahoddiad ei feistr tir. Efe a aeth, er y buasai yn rhoi llawer am esgus digonol dros beidio â mynd. O ran hynny, yr oedd ganddo esgus da, ond yr oedd yn rhy falch i'w ddefnyddio,—yr oedd y codwm a gawsai wedi ei ysigo yn dost, ac anafu, neu o leiaf amharu, pob migwrn ac asgwrn ohono. Teimlai yn rhy uchel ei stumog i gydnabod hynny wrth neb o'r helwyr. Cyrhaeddodd Harri y *Bedol* pan oedd y boneddigion ar fedr eistedd wrth y bwrdd. Ar ei fynediad i'r ystafell gafaelodd yr Yswain yn ei law, ac ysgydwodd hi yn galonnog a chroesawgar, a datganodd ei ofid am ei golled, a'i lawenydd am nad oedd Harri wedi derbyn niwed, a dywedodd yn ddistaw yn ei glust:

"Oni bai mod i'n gwybod fod ti wedi cael llawer o arian ar ôl dy dad, mi f'aswn i yn dy helpio di i neud y golled i fyny. Ond diolch i Dduw, 'does dim eisie, a mi allase pethe fod yn waeth. Cod dy galon, Harri; mi ddaw haul ar fryn eto."

Gwyddai Harri fod yr Yswain yn siarad ei galon, ac nad oedd yn rhagrithio. Yr oedd Mr. Jones y Person, hefyd yr un mor ddiragrith yn ei gydymdeimlad, ac wrth weled yr Yswain a'r Person mor hynaws tuag at Harri, dilynodd eraill—rhai na theimlent yn dda nac yn ddrwg ato—eu hesiampl. Yr oedd y cwmni yn lled fawr, a'r ystafell heb fod yn helaeth iawn. Mewn boneddigeiddrwydd gadawyd i'r rhai hynaf gymryd eu heisteddle wrth y bwrdd yn gyntaf, a chafodd pedwar o'r rhai ieuengaf eu hunain heb le i eistedd, sef Harri, Ernest Griffith, a dau arall. Ond gwnaed lle iddynt wrth fwrdd bychan yng nghongl yr ystafell. Gwell gan Harri a fuasai bod yn y pilori nag eistedd gyda'r cymdeithion hyn, ond nid oedd ganddo ddewisiad. Yr oedd ei ysbryd yn anhapus a dreng—cwbl anaddas i fod mewn swper. Ymddangosai fod y cwmni helwriaethus wedi eu mwynhau eu hunain yn fawr yn ystod y dydd—y llwynog, wedi ei godi ac wedi ei ymlid am filltiroedd lawer, wedi ei ddal. Am y llwynog a'r sbort o'i ddal y siaradai'r cwmni wrth y bwrdd mawr, ac felly y gwnâi cymdeithion Harri wrth y bwrdd bach. Siaradai Ernest yn ddi-baid am ddifyrrwch y diwrnod, a disgrifiai yr hynt gyda blas. Ni ddywedai Harri air o'i ben. Yn y man ebe Ernest:

"Harri, 'rydach chi'n bur ddistaw, ond, wrth gwrs, hwyrach y b'aswn i 'run fath fy hun. 'Roedd o'n dro anffortunus iawn, a mae'r golled yn fawr, heblaw fod chi wedi colli llawer o sbort."

"Wmbreth," ebe un o gymdeithion Ernest.

"Ie, wmbreth," ebe Ernest, " 'dydw i ddim yn cofio cael mwy o sbort erioed wrth hela, a phiti garw, Harri, i chi fod mor anlwcus. Yr oedd yn geffyl mor ardderchog, a chithe yn dŵad am y tro cynta' hefyd. Weles i 'rioed mor anlwcus fuoch chi. Ond peidiwch â rhoi'ch calon i lawr. Hwyrach y cewch chi well lwc y tro nesa'."

"Hwyrach hynny," ebe Harri, "a mi wn pwy i'w ddilyn y tro nesa'. Ond mi ddywedaf hyn, Mr. Ernest, mai y sbort mwya' gawsoch chi heddiw oedd gweld fy ngheffyl yn torri ei goes, a minnau yn cael fy nhywlu i'r ffos."

"Be' ydach chi'n feddwl, Harri?" ebe Ernest.

"Y peth wyf yn ddeud. Mi gymera fy llw na chawsoch chi erioed y fath ddifyrrwch yn eich bywyd," ebe Harri.

"Petasech chi'n siarad fel yna efo fi yn rhywle heblaw yng nghwmni boneddigion fel hyn, Harri, mi faswn yn eich taro yn eich ceg," ebe Ernest.

"Hynny ydi, petaswn i yn gadael i chi 'neud hynny," ebe Harri.

"Ydach chi ddim yn meddwl y medrwch chi sefyll o mlaen i, Harri? 'Rydw i wedi cymryd lesyns mewn bocsio," ebe Ernest.

“ ’Dydw i’n meddwl dim am y mater—mi wn y medraf, lesyns ne’ beidio,” ebe Harri.

“O’r gore; pryd y cawn ni dreio?” ebe Ernest.

“Pryd y mynnoch,” ebe Harri, a’i wyneb fel y galchen.

“Saith o’r gloch bore ’fory ynte,” atebai Ernest.

“Purion, ymhle?” gofynnai Harri.

“Yn y Lawnt yng nghoed y Plas; mi wyddoch am y fan?” ebe Ernest, braidd yn llawen.

“Gwn o’r gore; dyna fargen,” ebe Harri.

Gwnaed y fargen hon wrth y bwrdd bach, heb i Harri nac Ernest godi eu llais, a heb i neb a oedd wrth y bwrdd mawr glywed. Yr oedd y swper drosodd yn fuan. Hulid y bwrdd â diodydd yn ddibrin, ac yr oedd pawb yn gwneud defnydd helaeth ohonynt oddieithr Harri—meddyliai ef am y fargen a wnaethai ag Ernest. Llenwid yr ystafell â dwndwr a sŵn pawb yn siarad â’i gydymaith. Yn y man curodd yr Yswain y bwrdd a galwodd am ddistawrwydd, a dywedodd:

“Annwyl gymdogion, yr ydan ni i gyd yn llawen yma heno oddieithr un, ac y mae gan yr un hwnnw reswm da dros beidio â bod yn llawen. Ynghanol holl ddifyrrwch y dydd heddiw digwyddodd un peth anffortunus iawn i’n cymydog Harri Tomos, ac yr wyf yn dweud o eigion fy nghalon fod yn ddrwg iawn gennyf am yr anffawd. Yn wir, fe ddarfu i anffawd Harri Tomos gyda’i geffyl ardderchog andwyo llawer ar bleser y dydd i mi ac i eraill. (Clywch, clywch, ebe’r Person.) Ond mi wn fod ein cyfaill Harri yn rhy gall, ac yn ormod o ddyn, i gael ei daro i lawr gan y golled a gafodd heddiw. Mae ynddo ormod o ddewrder ac ysbryd yr hen Gymry i hynny. (Clywch, ebe amryw.) Mi wyddon y medr Harri ganu, a chanu yn dda, ac yr ydw i’n galw arno i roi cân Gymraeg inni; mi neiff hynny les iddo fo’i hun ac i ninnau. Yrŵan amdani, Harri; tyrd, ’y machgen i.”

Yr oedd Harri ymhell o fod mewn hwyl canu, ac ymhellach o adael i neb wybod hynny. Ni fynasai er dim i neb feddwl ei fod yn rhy drist i ufuddhau i'r Yswain, ac mewn llais soniarus canodd ryw hen gerdd gyffredin a ddechreuai gyda'r geiriau:

Cerdd i ffwrdd oddi wrth y ffenest,
Ŵr gonest ar y gân, etc.

Canodd Harri yr hen gerdd mor ddoniol fel pan orffennodd y curodd pawb y bwrdd yn egnïol yn arwydd o'u cymeradwyaeth, oddieithr Ernest. Yna bu cryn yfed iechyd da i Harri, a dadwrdd, a'i ganmol fel cantwr. Wedi i'r dwndwr fynd drosodd, cododd yr Yswain drachefn, a galwodd am ddistawrwydd, ac ebe fe:

"Yrŵan, Harri, gynnat ti mae'r hawl i alw ar y neb a fynni i roi cân i'r cwmni."

"Yr wyf yn galw," ebe Harri, "ar Mr. Ernest Griffith i roi i ni gân Gymraeg," a churodd y cwmni y bwrdd, a gwaeddai hwn a'r llall, "Ernest Griffith, Ernest Griffith."

Gwnaeth Ernest Griffith esgusawd na allai ganu cân Gymraeg (yr hyn a wyddai Harri yn burion), ond y rhoddai efe i'r cwmni gân Saesneg, a dechreuodd yn dila ddigon:

Lord Bateman was a noble Lord,
A noble Lord of high degree, etc.,

ac wedi canu dau bennill, a dechrau ar y trydydd, aeth yn dwll yn y faled arno, a dechreuodd besychu, ac ebe'r Yswain, ei dad:

"Dyma ti, Ernest, os dyna'r sort o ganu a ddysgest ti yn Oxford, gwell i ti gau dy geg."

Chwarddodd amryw yn uchel, yn enwedig Mr. Jones y Person, a galwodd yr Yswain ar "Isaac y Delyn" am Ben Rhaw, a chanodd ef ei hun ac eraill o'r hen gonos oedd yn y cwmni amryw benillion ar yr hen alaw. Ac mewn canu, siarad, a chwerthin y treuliwyd y noson nes ydoedd yn bryd mynd adref. Sylwodd amryw o'r cwmni fod Harri, er ei fod wedi canu yn dda, yn edrych yn brudd ac absennol ei feddwl, a phriodolent hynny i'r golled a gawsai yn ystod y dydd, a chymhellwyd ef gan fwy nag un o'r boneddigion i gadw ei ysbryd i fyny. Bu cryn lawer o ysgwyd dwylo o flaen y *Bedol* cyn i'r cwmni ymadael. Cerddai Harri tua'r Wernddu yn araf a myfyrgar, pryd y goddiweddwyd ef gan y Person, ac ebe hwnnw wrtho:

"Harri, machgen i, rhaid i ti beidio â rhoi dy galon i lawr am y golled a ge'st ti. Mae pawb yn colli weithie, wyddost. Mi synnet petawn i'n deud wrthot ti faint o ddegwm yr ydw i wedi golli er pan yr ydw i yn y plwy' 'ma. Mae pawb yn ei chael hi yn ei dro, ond y mae Rhagluniaeth fawr y ne' yn gofalu yn rhyfedd dros ben amdanom ni."

"Nid y golled sy'n ' y mlino 'rŵan, Mr. Jones. Yr ydw i wedi gwneud tro ffŵl," ebe Harri.

"Bewt ti wedi neud, dywed?" ebe'r Person.

"Mi ddeuda i chi, Mr. Jones," ebe Harri, "a mi wn y rhowch chi y cyngor gore i mi. Yr ydw i'n credu fod Ernest Griffith wedi planio i mi ladd fy hun neu ladd fy ngheffyl heddiw am i mi wrthod rhoi ei fenthyg iddo——."

"Mi gwela' hi'r munud yma; 'rwyt ti'n *right*, Harri, mi gymera fy llw, y cacimwci gynno fo," ebe Mr. Jones.

"Y fo," ebe Harri, "swcrodd fi i roi y naid a dorrodd goes fy ngheffyl, ac a fu agos â thorri corn fy ngwddw inne. Mi ddeudes hynny wrtho heno, a mi slensiodd fi i ymladd â fo, a mi dderbyniais ei gynigiad. Yr ydan ni yn mynd i'w chael hi allan bore fory."

"Duw cato pawb! Wyt ti ddim yn deud y gwir?" gofynnai Mr. Jones.

"Bob gair," ebe Harri.

"Wel, gobeithio'r nefoedd y rhoi di gweir iddo fo; a mi wnei hefyd, ne' mae'n od arw gen' i. Lle mae hi i fod, Harri?" ebe Mr. Jones.

"Yn y Lawnt am saith yn y bore," ebe Harri. "Ond beth ydach chi'n feddwl, Mr. Jones, pan ddaw y *Squire* i w'bod, neiff o roi notis i mi fadel o'r ffarm?"

"Dim peryg'!" ebe Mr. Jones. "Lle medr o gael tenant tebyg i ti? Ond oedd o'n deud wrtho i heno mai ti oedd y tenant gore oedd ganddo. Ond *mi* leiciwn dy weld di yn rhoi cweir i'r sgogyn yna. Wyddost ti, Harri—mae hyn rhyngot ti a fi, a 'does dim isio i neb arall w'bod, ar dy ened 'rŵan!—wyddost di, mae'r sgogyn yna, ar ôl dŵad adre' o Oxford, wedi deud yn 'y ngwyneb i nad ydw i ddim yn sgolor, ac na wn i ddim mwy am Roeg na Thwm Tynllidiard! Glywest di ffasiwn beth yn dy fywyd? Oni bai mod i mewn urddau sanctaidd mi f'aswn yn rhoi tro yng nghorn ei wddw fo, a mi f'aswn myn cebyst! 'Roedd o wedi meddwi, mae'n wir, pan ddeudodd hynny, ond y mae dyn yn deud wedi meddwi y pethe mae o'n feddwl pan mae o'n sobor. Mi wn hynny fy hun oddi ar brofiad. A mi ddeudodd beth arall hefyd—na fedrwn i bregethu mwy na gast Wil Preis! Mi ŵyr pawb yn y plwy' yma y medra i bregethu cystal ag undyn pan fydd isio, megis ar y Pasg a'r Nadolig. Ond i be' yr aiff dyn i wastraffu ei ddoniau pan na fydd neb yn 'i wrando? Fe fydde raid i ddyn fod yn fyr o gomon sens i neud hynny. Ond wyt ti'n meddwl, Harri, y medri di roi cweir i'r cewt 'rŵan y cofiff o amdano?"

"Nag ydw', Mr. Jones," ebe Harri, "a dyna lle'r ydw' i wedi gneud ffŵl ohono fy hun. Ar ôl y codwm a ges i heddiw yr ydw i cyn stiffed â pholyn, a fedra i brin godi 'mraich dde at 'y mhen. Oni bai am hynny, Mr. Jones, mi f'aswn yn ei thympio na fase fo'n gweld nac wybyr nac awyr, mi gymera fy llw. Ond, fel y mae pethe, mi wn y caf fy nghweir, achos mi fydd fy mraich yn waeth yn y bore, a mae hi'n poeni yn sobor 'rŵan."

"Piti ofnadwy!" ebe Mr. Jones. "Wyt ti yn un go dda am ddiodde'? Fedri di flino fo wrth ddiodde'? a sut mae dy fraich chwith di?"

"Mi ddiodda' fy lladd bore fory, a mae mraich chwith i yn burion, Mr. Jones," ebe Harri.

"Bendith Duw ar dy ben di! a gwna i'r chwith neud gwaith dwy fraich. Mi fydde cystal gen i â phetai rhwfun yn rhoi baril o gwrw i mi petait ti yn 'i hanner ladd o. Dyn iawn, fel y gwyddost di, ydi'r *Squire*, ond am y cacimwci Ernest yna, fase dim yn rhoi mwy o bleser i mi, oni bai mod i mewn urddau sanctaidd, na rhoi iddo gweir nes y base fo yn gwingo, wel, hynny ydi, mi f'aswn yn leicio ei nyddu o, a mi fedrwn hefyd, wyddost. Pryd daru ti ddeud mae'r fatel i fod?"

"Saith o'r gloch, Mr. Jones," ebe Harri.

"O'r gore'; gofala am beidio â bod ar ôl yr amser, a mi ofala i na chei di mo dy gweir. Dywed i mi, Harri, pwy ddaw efo ti i edrach am chware teg i ti? Mi fase'n dda gen i ddŵad fy hun—byth na smudo i! ond dydio ddim yn gweddu i'r efengyl wyddost, i mi neud hynny," ebe Mr. Jones.

"Mi ddaw Wmffre, y gwas, efo fi, a 'does gen i isio neb gwell," ebe Harri.

"Gwir," ebe Mr. Jones. "Mi gnocie Wmffre hanner dwsin ohonyn nhw yn bwnsh maip cyn y caet ti dy gamdrin. A 'rŵan, gofala amdanat dy hun; gofala am fwyta brecwast da chwech o'r gloch y bore, mi fyddi'n gryfach. Nos dawch, Harri bach, a Duw fyddo gyda thi."

"Nos dawch syr," ebe Harri.

Aeth Harri adref yn gynhyrfus ei feddwl ac yn brudd ei ysbryd. Llawen iawn gan Gwen oedd ei weld yn dyfod adref yn sobr, canys pryderai ers oriau yn ei gylch ac ofnai y buasai'r boneddigion yn y swper yn stwffio diod iddo, ac y buasai yntau am y tro cyntaf yn dyfod adref yn feddw. Holodd Gwen gryn lawer arno am y swper, ac adroddodd Harri wrthi gymaint ag a ystyriai yn dda iddi ei wybod, ond ni soniodd air am y ffrwgwd rhyngddo ef a mab y Plas. Ni allai Gwen beidio sylwi fod Harri yn anesmwyth ac yn brudd ei ysbryd, a chredai mai ei golled o'i geffyl a'i blinai, a gwnaeth ei gorau i ysgafnhau ei galon drwy fod yn llawen ei hun, a'i annog yntau i beidio ymofidio. Yn wir, nid drwg digymysg yng ngolwg Gwen oedd y ddamwain a ddigwyddasai, oblegid ceisiai gredu y byddai, dan fendith Rhagluniaeth, yn wers i Harri a'i diddyfnai yn hollol oddi wrth y blys y gwyddai fod ei brawd wedi ei feddiannu ganddo o geisio byw tipyn yn ffastiach a hoywach na'i hynafiaid. Yr oedd Gwen yn rhy gall, ac yn adnabod Harri yn rhy dda i edliw iddo ei ffolineb, ac i ddysgu iddo'r wers mewn geiriau plaen—ni fuasai hynny ond yn ei ystyfnigo. Gwnaeth yn ysgafn o ddigwyddiadau y dydd, gan gwbl gredu y byddai i Harri, gyda'i synnwyr cyffredin cryf, gymryd y wers heb i neb ei dangos iddo. A phan welodd hi nad oedd Harri mewn tymer siarad, dywedodd nos dawch wrtho, ac am iddo beidio aros yn hir i bendwmpian wrth y tân, ond mynd i'w wely i gysgu fel dyn, "achos," ebe hi, "mae Rheinallt yn ei wely ers awr." Ond bychan a wyddai hi beth oedd yn pwyso fwyaf a thrymaf ar feddwl Harri.

XIII

Yr Ornest

ARHOSODD Harri am agos i awr i synfyfyrio wrth dân y gegin, a chredai oddi wrth y distawrwydd a deyrnasai fod pob perchen anadl yn y Wernddu erbyn hyn mewn trwmgwsg. Tynnodd ei esgidiau a goleuodd y gannwyll, ac aeth, cyn ddistawed ag y medrai, i fyny i lofft y llanciau lle yr oedd côr o chwyrnwyr. Aeth at wely Wmffre â'r gannwyll yn ei law, ac ysgydwodd y cysgadur. Deffrôdd Wmffre mewn braw wrth weld ei feistr a'r gannwyll yn ymyl ei wyneb. Caeodd Harri ei ddwrn arno fel arwydd iddo beidio â siarad na gwneud sŵn, a dywedodd wrtho mewn sibrwd:

"Cod, gwisga amdanat, a thyrd i lawr i'r gegin reit ddistaw," a chan adael y gannwyll ar y bwrdd, palfalodd Harri ei ffordd yn ôl i'r gegin. Dilynwyd ef gan Wmffre yn ddiatreg. Yr oedd Wmffre yn llanc oddeutu pump ar hugain oed, tal, ysgwyddog, cryf, a llathraidd—esiampl ragorol o'r hil ddynol yn gorfforol. Yr oedd ei wyneb yn grwn a gwritgoch heb ddangos llawer o ddealltwriaeth yr un pryd heb ronyn o frad ynddo, ond yn argyhoeddi pawb a edrychai arno fod ei berchennog yn onest a ffyddlon. Wedi ei ddeffro ar gam amser edrychai Wmffre yn wyllt a phryderus, a'r foment y caeodd efe y drws gofynnodd:

"Be' ydi'r mater, mistar?"

"Dim llawer; eistedd i lawr a mi ddeudaf i ti," ebe Harri. "Rydw i wedi cael tipyn o eiriau efo Ernest, y Plas, ynghylch y ceffyl, achos fo fu'r achos o'r ansiawns, mi gymera fy llw. Wel, yn y *Bedol* heno, mi âth yn eiriau rhyngom, a mi slensiodd fi i ymladd â fo, a mi dderbyniais ei gynigiad."

"——fo'n gwarchod!" ebe Wmffre.

"Fedrwn i ddim peidio, wyddost, heb ddangos y bluen wen. Mae'r fatel i fod am saith o'r gloch bore fory yn y Lawnt, a mae gen i eisio i ti ddŵad efo fi i edrach am chware teg i mi, a hynny heb i neb o'r tŷ yma wybod. Mi fydd gan Ernest, 'ddyliwn, ddau neu dri efo fo, ac os doi di efo fi mi fydda i'n ddiolchgar i ti."

"Ddof fi, tybed? dof 'ddyliwn wir, a mi fynnaf chware teg i chi, mistar, petai yno lond cae efo Ernest. Mae o'n straffgi go gry', mae'n wir, ond fyddwch chi fawr o dro yn setlo'r gŵr ene, mi wna lw," ebe Wmffre.

"Wn i ddim," ebe Harri, "mae gen' i ofn y caf gweir ofnadwy, achos ar ôl y codwm ge's i heddiw, dydi mraich dde i dda i ddim; fedra i mo'i chodi at 'y mhen."

"Whiw!" chwibanodd Wmffre, "dene felltith o beth. Ond 'hoswch, 'nâi hi mo'r tro i mi ymladd yn ych lle chi fory, ac i chitha ymladd â fo ar ôl i'ch braich chi fendio?"

"Na," ebe Harri, "thale hynny ddim; mi ddeude mai llwfrgi ydw i."

"Wel," ebe Wmffre, "be' petaech chi'n meddwl fel hyn,—mi ŵyr ych bod chi wedi brifo'ch braich, a be' petawn i yn sefyll yn ych lle chi yfory, ac iddyn' nhw rwymo mraich dde ar 'y nghefn; mi fodlonen i hynny, tybed, ac i chi'ch dau ei chael hi allan eto wedi i chi fendio?"

Gwenodd Harri at ddiniweidrwydd a ffyddlondeb Wmffre, ac ebe fe: "Na, Wmffre, rhaid i mi ymladd fy hun, a'i chymryd fel y daw hi."

"Wel, 'hoswch eto," ebe Wmffre, "gadewch inni roi tipyn o goed ar y tân yma. Mae yna dipyn o 'naw-math-o-oel' yn y stabl, a mi ffeia i y ca i'ch braich chi i hwyl cyn y bore," ac ymaith ag ef i gyrchu y coed a'r olew, a llonnodd Harri yn fawr, canys gwyddai fod rhinwedd neilltuol yn y "naw-math-o-oel" i wella dyn ac anifail pan fyddai rhyw amhariad arnynt. Wedi i Wmffre wneud tân braf, tynnodd ei gôb a thorchodd lewys ei grys, ac archodd i'w feistr *stripio.* Cyn dechrau cymhwyso'r feddyginiaeth, gofynnodd Wmffre i'w feistr godi ei fraich cyn uched ag y medrai, a chafodd na allai ei chodi uwch na'i enau. Yna dechreuodd rwbio'r fraich a'r ysgwydd gyda'r olew o flaen y tân. Daliodd ati am hanner awr, a gofynnodd i'w feistr godi ei fraich. Gallai ei chodi erbyn hyn cyn uched â'i dalcen, ac ailddechreuodd Wmffre rwbio am ysbaid awr arall, a phrotestiai Harri fod ei fraich cystal ag y bu erioed; gallai ei throi o gwmpas ei ben, ond nid oedd Wmffre yn fodlon ar hynny, ac ebe fe:

"Yrŵan, mistar, trawch fi'ch gore' glas â hi—ych gore' glas 'rŵan."

Nid oedd gan Harri galon i daro Wmffre ei "orau glas" ond crefai Wmffre arno i wneud hynny er mwyn gweld beth allai'r fraich wneud ag Ernest. Wedi hir grefu, ac i Wmffre ei osod ei hun mor gadarn ag y gallai ar lawr y gegin, trawodd Harri ef â holl nerth y fraich glwyfedig, a syrthiodd y llanc ar wastad ei gefn. Tuchanodd a chwarddodd ar ei gefn ar lawr, a chyn codi ebe fe:

"Mi ellwch drystio'r hen fraich myn ——, mistar; che's i 'rioed ffasiwn ddyrnod, mi gymera fy llw. Diolch i'r nefoedd am y 'naw-math-o-oel'. Os rhowch chi un neu ddau fel yna i Ernest mi neiff y tro."

"Ond y mae hi'n brifo'n enbyd," ebe Harri.

"Felly mae mrest inne," ebe Wmffre, gan godi yn ddioglyd, "ond mi rown *dwtch* arall o rwbio iddi."

Yr oedd ystafell wely Gwen uwchben y gegin, ac yr oedd hi ers meitin yn effro, ac yn methu deall beth allai fod y rheswm am yr holl sŵn a'r siarad. Wedi gwrando yn hir, a'r siarad yn parhau, cododd ac ymwisgodd, ac aeth i lawr pan oedd Harri newydd orffen rhoi ei ddillad amdano wedi i Wmffre fod yn ei rwbio. Holodd beth oedd yr achos eu bod ar eu traed yr adeg honno o'r nos, ac ebe Harri:

"Dim yn y byd, Gwen, ond 'y mod i'n methu cysgu gan boen yn fy mraich ar ôl y codwm, ac Wmffre wedi bod yn ei rhwbio. Cer i dy wely."

Er nad oedd yr esboniad yn foddhaol gan Gwen, ni allai ddweud dim yn ei erbyn. Gwen a baratoai bob pryd o ymborth yn y Wernddu, a brecwestai'r teulu am saith yn y bore. Gwnaeth Harri ac Wmffre frecwast iddynt eu hunain toc ar ôl pump, ac yr oeddynt wedi cychwyn tua'r Lawnt cyn hanner awr wedi chwech, a phan ddisgwyliai Gwen am Harri i'w frecwast, nid oedd sôn amdano ef nac Wmffre. Rhoddodd eu borebryd i'r gweision a'r morynion, ond ni phrofodd hi damaid ei hun; teimlai yn sicr fod ei brawd mewn rhyw drybini, ond nid ynganodd air wrth neb. Yr oedd Harri ac Wmffre yn y Lawnt chwarter awr cyn yr amser penodedig, a gorchwyl anodd a fuasai dweud pa un o'r ddau oedd fwyaf pryderus. Yr hyn a flinai Harri oedd ei fod yn mynd i ymladd dan anfanteision, ac y câi gweir yn ddi-os. Yr hyn a flinai Wmffre oedd na allai sefyll yn esgidiau ei feistr. Cafodd y ddau hamdden i siarad cyn i Ernest a'i gyfeillion ymddangos.

"Sut 'rydach chi'n teimlo, mistar?" gofynnai Wmffre.

"Teimlo y caf fy nghweir yn sicr," ebe Harri.

"Dim peryg," ebe Wmffre; "mae o wedi cael lesyns mewn bocsio yn Oxford mi glywes, a mae o'n ddyn cryf, heini, ond feder y sort ene, mistar, ddim diodde' llawer. Os cewch chi un dyrnod ato fel roesoch chi i mi, mi fydd yng ngorffwysfa'r saint yn syth."

"Paid â siarad fel yna, Wmffre, mae o wedi'i drenio i ymladd, a finne ddim, a hwyrach y lladdiff o fi," ebe Harri.

"Os felly bydd hi, mi fydd ene fwy nag un wedi'i ladd cyn yr awn ni o'r Lawnt yma bore heddiw," ebe Wmffre.

Yr oedd y lle a elwid y Lawnt yn fangre ddymunol. Darn o dir glas gwastad ydoedd yng nghanol coed y Plas, rhyw ddeugain llath o hyd ac ugain o led, a'r coed mawr fel muriau o'i gwmpas ac yn ei gysgodi yn brydferth dros ben. Ym mhoethder eithaf yr haf byddai'r Lawnt yn hyfryd oer. Credid y byddai y tylwyth teg yn dawnsio yno wrth olau'r lloer, ac yr oedd yn ffaith fod Twm o'r Nant wedi bod yno yn cynnal interliwd unwaith os nad dwywaith. Pan fyddai ysbleddach fwy na chyffredin yn y Plas, odid fawr na ddiweddai mewn dawns ar y Lawnt. Dywedai rhywrai hefyd y byddai Nansi'r Nant yn ymwelydd cyson â'r Lawnt, ac mai yno y byddai hi yn cael datguddiedigaethau gan ysbrydion, a chyfrinach gyda'r tylwyth teg.

Saith o'r gloch i'r funud dyna Ernest a'i dri chyfaill yn dod. Gwelwodd wyneb Harri pan welodd hwynt. Daeth Ernest yn syth ato, a chyda gwên deg ar ei enau, dywedodd:

"Wel, Harri, yr ydan ni'n mynd i ddangos pwy ydi'r dyn gorau heddiw."

"Mae gynnoch chi fantais arna' i heddiw, Mr. Ernest, yn y gwaith gwirion yr ydan ni'n mynd ato. Fydd y codwm ges i ddoe ddim yn fantais i mi ddangos y fath ddyn ydwyf," ebe Harri.

"O!" ebe Ernest, "ydech chi'n dechrau gneud esgusion?"

"Dim o gwbl; os rhowch chi gweir i mi, mi cymeraf o fel cweir, ond nid cyn hynny," ebe Harri.

"Raid i chi ddim aros yn hir am hynny," ebe Ernest, gan dynnu ei ddillad oddi amdano, ac felly y gwnaeth Harri.

Mewn dau funud yr oedd y ddau yn noethlymun o'u gwasg i fyny. O ran maint, gewynnau, a chnawd, yr oedd y ddau mor debyg i'w gilydd â dwy geiniog,—y ddau yn agos i ddwy lath o daldra; y ddau wedi eu datblygu i'r perffeithrwydd mwyaf—un drwy ymarferiad, a'r llall drwy orfod gweithio yn galed fel ffarmwr. Oni buasai fod y gorchwyl yr oeddynt yn mynd ato mor ynfyd a direswm, gallasai yr olwg nerthol oedd arnynt—y ffurf brydferth yr oedd natur wedi datblygu ei hun yn y ddau fel ei gilydd—fforddio pleser i'r edrychydd. Nid oedd ymladd yn waith hollol ddieithr hyd yn oed i Harri—yr oedd efe wedi ymddinoethi amryw weithiau o'r blaen, fynychaf i achub cam eraill, ac ym mhob amgylchiad wedi rhoi cyfrif da ohono ei hun. Ond yr oedd ymladd yn waith y cymerasai Ernest lawer o ddifyrrwch ynddo, yn enwedig pan wyddai fod ei wrthwynebydd yn wannach ac yn salach dyn nag ef ei hun. Ei bleser pennaf oedd cael ymladd â rhywun na wyddai ddim am y gorchwyl ac ymorchestu wedyn wrth ei gyfeillion fel y byddai wedi rhoi curfa iddo. Gwyddai yn burion nad oedd Harri, ar ôl y codwm tost a gawsai y dydd blaenorol, yn y cywair gorau i sefyll o'i flaen y bore hwnnw, a theimlai ef a'i gyfeillion y gwnâi ddirmyg dychrynllyd ar Harri cyn yr elent allan o'r Lawnt.

Wynebodd y ddau ei gilydd ar ganol y Lawnt. Edrychent yn llygaid ei gilydd fel dau ddieflyn, ac yn ddiau yr oedd teimladau cythreulig yng nghalon y naill at y llall. Crynai Harri drwyddo, ac yr oedd yn amlwg i Wmffre fod arno ofn ei wrthwynebydd, ac argyhoeddwyd y gwas y caffai ei feistr y gwaethaf yn yr ornest. Ni ddangosai Ernest yr arwydd lleiaf o ofn, ond yr ofn, hwyrach, na fedrai Harri sefyll o'i flaen am ddigon o hyd iddo allu rhoddi iddo'r gurfa a ddymunai. Closiai Wmffre a chyfeillion Ernest at yr ymladdwyr ffôl pan oeddynt ar fin taro. Wedi gwneud ychydig ystumiau, a throi a symud, a symud wedyn, trawodd Ernest Harri yn ei dalcen, wrth geisio am ei lygaid, gyda'r fath rym nes peri iddo droi o gwmpas fel top a syrthio ar ei gefn. Crochwaeddodd cyfeillion Ernest, a chododd Wmffre ei feistr gan ei osod i eistedd ar ei lin, a sibrydodd yn ei glust:

"Hidiwch befo, dydan ni ddim ond dechre eto," a rhinciodd ei ddannedd.

Ni ddywedodd Harri air, ond cnôi ei wefusau yn enbyd. Aeth ei syfrdandod drosodd yn y funud, a wynebodd y ddau ei gilydd drachefn. Yr oedd Ernest mewn ysbryd rhagorol, a gwnâi ystumiau gorchestol, ac edrychai Harri fel merthyr, ond yn hollol fodlon i'r ystanc. Wedi mynd trwy'r cylchdroadau arferol, a cheisio taro a methu, a cheisio drachefn o bob ochr a methu, a hynny lawer gwaith drosodd, diweddodd y tyrn, a barhaodd gryn lawer yn hwy na'r tro cyntaf, drwy i Ernest daro Harri yng nghanol ei wyneb gyda'r un grym ag o'r blaen, a chyda'r un canlyniad, sef peri iddo syrthio, a'i waed erbyn hyn yn llifo. Yn yr ysgarmes pan syrthiodd, rhoddodd un o gymdeithion Ernest—glaslanc eiddil—gic i Harri yn ei asennau, a'r un foment trawodd Wmffre yr ysbrigyn yn ei ystumog nes ei ddyblu, fel un yn cau llyfr wedi bod yn darllen tua'i ganol, ac ebe fe:

"Cymerwch nene, ŵr ifanc, i aros nes cewch chwaneg am ych tro sâl."

Nid atebodd y gŵr ifanc air, na'i gymdeithion. Nid oedd arno eisiau ychwaneg, a heliodd ei hun i ymyl y Lawnt, lle y dechreuodd ymadael â'r hyn a fwytasai y bore hwnnw. Yr un adeg, gan ddyfod allan o'r coed, daeth Mr. Jones y Person i'r golwg, wedi bod yn gwylio'r ymladdfa, a chan gredu bod Harri yn cael y gwaethaf, ebe ef:

"Beth ydyw hyn mewn gwlad Gristnogol? Cymdogion yn ymladd fel paganiaid? Mr. Ernest, rhaid imi roi terfyn ar hyn; nid yw peth fel hyn yn deilwng o wlad efengyl."

"Ewch i'r d——, neu i neud pregeth; beth ydach chi'n ymyrraeth?" ebe Ernest, a chwarddodd ei gymdeithion, oddieithr yr un oedd yn gorwedd ar ei wyneb yn ochr y Lawnt, ac yn sâl iawn.

Heb ateb Ernest, aeth Mr. Jones at Harri, ac ebe fe yn ddistaw: "Harri, 'rydw i wedi gweddïo drosot ti, ond y mae gen i ofn y cei di dy gweir. Sut yr wyt ti'n teimlo, dywed?"

"Yn iawn, Mr. Jones," ebe Harri; " 'dydw i ddim wedi dechrau o ddifri' eto, ond y mae'r fraich dde yma yn cau actio."

"Treiwch y beilen (y chwith), mistar, ac os na fedr honno neud rhwbeth, rhaid i mi gymryd ych lle chi," ebe Wmffre.

"Ie," ebe'r Person, "rho'r beilen iddo, a gobeithio'r nefoedd y darn laddi di o."

"Hoswch chi funud, Mr. Jones, a mi gewch weld 'y mod i'n mynd ati o ddifri' 'rŵan," ebe Harri, a neidiodd i fyny â'i lygaid yn melltennu.

Daeth Ernest i'w gyfarfod â gwên ar ei enau, cystal â dweud, "Yrŵan yr ydw innau am dy orffen di." Ond gwelodd fod asbri newydd yn ymddangosiad Harri, ac arferodd fwy o wyliadwriaeth. Ac uniawn y barnodd, oblegid edrychai Harri ar y tro hwn fel yr un oedd i benderfynu'r ornest. Cymerodd awgrym Wmffre i wneud defnydd o'r "beilen". Nid oedd Ernest yn disgwyl am hyn, a chyn ei fod wedi sefyll o flaen ei wrthwynebydd hanner munud, trawodd Harri ef gyda'i ddwrn chwith rhwng ei ddau lygad, nes oedd mellt yn neidio ohonynt, a chyn iddo adfeddiannu llewyrch ei lygaid, trawodd ef wedyn yn yr un man, nes oedd yn troi fel pellen.

"*Well done* y beilen!" gwaeddai Wmffre, a "Bendith Duw ar dy ben di," ebe'r Person yn ddistaw, a chiliodd o'r neilltu i fod yn edrychydd amhleidgar, gan roddi gwedd ar ei wynepryd fel pe bai yn ymgroesi rhag y fath anfadwaith, pryd, mewn gwirionedd, yr oedd yn ymwynfydu yn yr olygfa, yn enwedig ar ôl y tro olaf. Bu Ernest am dipyn yn ei adfeddiannu ei hun, ac nid cyn i Wmffre weiddi *time's up* y daeth ymlaen, yn llawer llai hyderus yr olwg arno na'r troeon blaenorol. Cadwai lygaid gwyliadwrus ar ddwrn chwith Harri, y dwrn a'i lloriodd y tro o'r blaen. Canfu Harri ei fod yn gwylio ei "beilen", a chyrhaeddodd iddo ergyd gyda'i ddwrn de yn ei wddf, a syrthiodd Ernest gan wneud sŵn fel pe bai yn tagu, a gwaeddodd Wmffre:

"*Well done* y naw-math-o-oel!"

Ni wyddai neb ystyr y geiriau hyn ond ei feistr ac yntau. Cododd y Person ei freichiau i'r nefoedd, fel pe bai yn arswydo at yr olygfa fwystfilaidd, ond diolch yr oedd efe am fod ffawd wedi troi o ochr Harri. Edrychai Ernest i gyfeiriad y Person, yn ymofyngar ac ymbilgar ar iddo roddi terfyn ar yr ymladd, ac er bod Mr. Jones yn deall yn burion ei ewyllys, ni chymerai arno hynny—yn hytrach tynnai wynebau ac ystumiau a ddynodai, "O na chymerech eich perswadio gan weinidog Duw i roddi terfyn ar eich erchyllwaith!" Yn ofer y disgwyliai Ernest i'r Person ymyrryd, a chymhellai ei gyfoedion ef i godi ei galon a mynd ymlaen drachefn, yr hyn a wnaeth fel pe bai yn mynd i'w grogi. Tro Ernest erbyn hyn oedd dirgrynu tra edrychai Harri yn hoyw a heb fod ddim gwaeth.

Pan oedd yn mynd i gyfarfod Ernest, sibrydodd Wmffre yng nghlust ei feistr, "Setlwch y mater y tro yma," ac felly y gwnaeth, oblegid nid oedd Ernest druan prin yn gallu sefyll ar ei draed. Canfu Harri hyn, ac nid oedd yn dymuno ei anurddo, fel y gallasai yn hawdd, a thrawodd ef rhwng ei ddwyfron nes oedd y coed yn atsain. Nid oedd angen taro mwy. Am ennyd ymdrechai Ernest am ei anadl, ac yn y man llewygodd. Troes ei wyneb cyn wynned â'r calch oddieithr y rhannau a orchuddid â gwaed. Tybiodd ei gymdeithion ei fod yn marw, a chododd y Person ei ddwylo mewn dychryn, ond gwyddai ef, oedd wedi cael ychydig o addysg feddygol, nad oedd berygl iddo farw, ac aeth at Harri, yr hwn gyda chynorthwy Wmffre oedd wedi rhoi ei ddillad amdano, ac ebe'r Person yn ddistaw, gan ysgwyd ei ben yn dosturiol:

"*Well done,* Harri! Mae o wedi cael llond ei fol, a mae cystal gen i â mil o bunnau. Mi ddaw ato'i hun yn y man; paid â dychrynu."

Ond bu Ernest yn hir iawn yn dyfod ato'i hun, ac yr oedd Harri wedi dychrynu yn enbyd, ac yn ofni iddo farw. Pa fodd bynnag, yn y man ato'i hun y daeth, a thorrodd Harri i wylo o eigion ei galon mewn edifeirwch a diolchgarwch. Ceisiodd Harri ganddo ysgwyd llaw, ond gwrthododd Ernest yn ddirmygus. Cychwynnodd Harri ac Wmffre am gartre', ac wrth basio'r gŵr ifanc a roesai gic i Harri pan oedd ar lawr, ac a oedd o hyd yn eistedd ar y borfa ac yn edrych yn dila ddigon, ebe Wmffre wrtho:

"Wel, blewyn, sut 'rwyt ti'n teimlo? F'aset ti'n leicio cael un arall? Cymer di ofal y tro nesa' i actio'r gŵr bonheddig, rhag i ti gael dy yrru cyn dy amser i orffwysfa'r saint."

XIV

Gwen a Harri

AETH Ernest adref rhwng dau o'i gyfeillion, a throes Harri i'r tŷ cyntaf y daeth ato i ymolchi, ac i geisio dileu olion yr ymladdfa orau y gallai cyn wynebu ei chwaer Gwen. Er bod Gwen, yn ôl ewyllys ryfedd ei thad, yn hollol ddibynnol ar ei brawd, yr oedd ar Harri fwy o'i hofn na neb arall yn y byd, ac yr oedd ei ffafr yn anhraethol fwy gwerthfawr yn ei olwg na ffafr y meistr tir. Wrth gydchwarae yn blant yr oeddynt wedi cweryla gannoedd o weithiau, a phob amser Harri a fyddai yn gorfod gofyn amodau heddwch—yn gorfod syrthio ar ei fai a chydnabod mai Gwen oedd yn ei lle. Er nad arno ef yr oedd y bai bob amser, ni allai Harri er yn hogyn fyw am hanner diwrnod ar delerau drwg â Gwen, a chanwaith gwell oedd ganddo gydnabod mai efe oedd i'w feio na byw ar wahân i ffafr ei chwaer. Cawsai ddegau o resymau dros gredu bod Gwen yn alluocach ei meddwl nag ef, ac yn sicr ddigon cydnabyddai yn rhwydd ei bod yn ddiogelach ei barn, ac yn meddu ar ewyllys gryfach na'r eiddo ef. Meddyliai Harri nad oedd prydferthach Gwen yn y byd, ac yr oedd y syniad hwn o'i eiddo yn ddiamau yn rhoi cyfrif am yr wrogaeth a dalai efe i bob rhinwedd arall a dybiai a berthynai iddi.

Unwaith y ffurfia dyn syniad pendant am brydferthwch gwrthrych, nid oes nemor anhawster ar ei ffordd i gredu fod pob rhinwedd arall yn gyfatebol; a hwyrach mai hwn ydyw'r rheswm fod cynifer o ddynion wedi eu siomi yn eu gwragedd. Nid am yr un peth yr edrych merch mewn dyn. Mae hi mor fodlon ar ei phrydferthwch ei hun fel nad ydyw yn ei geisio yn ei gŵr, drwy drugaredd. Yn hytrach ceisia hi rywbeth arall, megys sefyllfa fydol, cyfoeth, anrhydedd, enwogrwydd, gwroldeb neu *ddynoldeb*. Ac nid anfynych y gwelir merch hynod o brydferth wedi ieuo ei hun â chlimach di-lun, coesgam, cefngrwn, ag wyneb fel lantern gorn ganddo, ac eto rhyw rinweddau neilltuol yn perthyn iddo yng ngolwg y wraig—

cwbl guddiedig oddi wrth bawb arall! A hwn yn ddiau ydyw'r rheswm hefyd mai'r gwryw ac nid y fenyw sydd yn "syrthio mewn cariad". Nid oes gan ferch hawl i syrthio mewn cariad—blwyddyn naid neu beidio. Gyda'r prydferth y syrthir mewn cariad—nid gyda'r da, y mawr, yr enwog, neu'r galluog; a hyn a roddodd yr hawlfraint i'r gwryw i ddatgan ei gariad, ac na roddwyd ef i'r fenyw!

Cariad at chwaer oedd yn Harri Tomos, ac yr oedd efe mor eiddigus fel mai prin y meiddiai neb edrych arni gyda llygad edmygol. Pa un a oedd efe yn gywir yn ei syniad amdani ai peidio, nid fy lle i ydyw barnu, am na fyddwn yn farnwr diduedd, fel y ceir gweld eto. Hwyrach y coleddai Harri syniadau rhy uchel am Gwen ymhob ystyr, ond, pa fodd bynnag, yr oedd arno arswyd ei hwynebu ar ôl bod yn ymladd â mab y Plas, ac eto ei hwynebu oedd raid. Yr oedd Gwen, fel y dywedwyd, ers amser yn gwrando ar y Methodistiaid, ac effeithiau hynny i'w canfod arni yn amlwg fel y tybiai Harri, ac nid difyr oedd hynny ganddo, oblegid casâi y pengryniaid â'i holl galon. Ar yr un pryd, nid oedd geneth gyffelyb i Gwen yn yr holl wlad yng ngolwg Harri, a theimlai y byddai raid iddo adrodd yr holl wir iddi, a gwyddai, mewn rhan, yr effaith a gâi hynny arni. Aeth Harri ac Wmffre i'r tŷ, a chanfu Gwen ar amrantiad fod rhywbeth wedi digwydd, ac ebe hi:

"Harri, lle w't ti wedi bod? a be' ydi'r olwg yna sy'n arnat ti? Mae un llygad i ti bron â chau."

"Diolch, Gwen fach, nad ydi'r *ddau* lygad ddim bron â chau. F'ase hynny ryfedd yn y byd," ebe Harri.

"Be w't ti wedi bod yn neud? Dywed imi ar unweth," ebe Gwen.

"Mi 'na os g'nei di beidio ffeintio," ebe Harri. "Yr ydw'i wedi bod yn ymladd efo Ernest, mab y Plas, ac wedi rhoi cweir iddo."

"Do, myn ——," ebe Wmffre, "a fydd o eisio'r un arall am flwyddyn beth bynnag."

Edrychodd Gwen fel pe bai wedi ei syfrdanu, ac ymliwiodd, ac ebe Harri:

"Paid â dweud dim 'rŵan, Gwen, mi gawn siarad am hyn eto. Gad i Wmffre a minnau gael tamaid o rywbeth i'w fwyta," ac ni ddywedodd Gwen air nes i Wmffre ddechrau sôn mor agos a fu i Ernest gael ei anfon i orffwysfa'r saint, pryd y dywedodd Gwen wrtho yn llym:

"Taw, Wmffre; wna i ddim diodde' i ti siarad fel ene o 'mlaen i. Cadw dy siarad i ti dy hun a dy sort."

Suddodd Wmffre i'w gragen, a gwnaeth y gorau o'i frecwest, ac yna aeth at ei orchwyl. Wedi'r gwas fynd ymaith torrodd Gwen i wylo yn hidl. Gadawodd Harri i boethder ei theimlad fynd drosodd cyn dweud dim; yna ebe fe:

"Be sy' arnat ti, Gwen? Pam 'rwyt ti'n crio? Ai am na f'ase Ernest wedi rhoi cweir i mi, yn lle i mi roi cweir iddo fo?"

"Nage, Harri," ebe Gwen; "mi wyddost o'r gorau nad hynny sy'n gneud i mi grio, ond dy weld di yn gneud dy hun mor fên â mynd i ymladd—gneud dy hun mor isel. Mae ymladd yn bechod mawr, ac yr wyt wedi digio Duw wrth 'neud hynny."

"Paid â bod yn wirion," ebe Harri; "wyddost ti pwy oedd yn edrach ar y fatel? Mr. Jones y Person, a 'roedd o'n deud wedi i bopeth fynd drosodd fod cystal gynno fo â mil o bunnau 'y mod i wedi rhoi cweir i'r cewt."

"Mwya' cywilydd iddo," ebe Gwen; "gweinidog yr efengyl yn cymeradwyo pobl i ymladd? Mae o yn warthus o beth! Fedra' i ddim meddwl fod gan ddyn fel yna grefydd, a f'aswn i ddim yn sefyll yn 'i 'sgidiau o flaen Duw am y byd yn grwn."

"Paid â gwirioni, Gwen," ebe Harri; "pwy sydd yn grefyddol os nad ydi'r Person? Mae o'n llawer mwy dysgedig na thi a minnau, ac na neb yn yr ardal yma, a weles i 'rioed ddim o'i le yn Mr. Jones."

"Dydi o ddim yn ddyn duwiol, Harri, ne' wnâi o ddim cefnogi pechod," ebe Gwen.

"Y gwir amdanat ti, Gwen," ebe Harri, "er pan wyt ti'n gwrando ar y Methodistiaid yna, mae popeth agos yn bechod yn dy olwg di—'dwyt ti ddim yr un un o gwbl—ddim yr un olwg. Cyn i ti ddechrau codlo efo nhw mi fyddet bob amser yn siriol a llawen, ond 'rŵan 'rwyt ti fel petait ti'n gwylio pawb ohonom ni, ac yn gneud dy hun yn annedwydd a thruenus wrth gredu fod pawb yn pechu. Mi fyddai cystal gen' i â llawer daset ti 'rioed wedi boddro efo'r bobol yna."

Edrychodd Gwen arno yn llym, ac ebe hi:

"Harri, wyt ti wedi blino arna' i? Os wyt ti, dywed yn blaen. Mi fedra' gael lle i ennill 'y nhamed cyn pen yr wythnos. A phaid di â siarad am y Methodistiaid wrtho i fel yna. 'Doeddwn i'n gw'bod dim nes i mi ddechre gwrando arnyn' nhw."

"Wedi blino arnat ti, Gwen? Be' ydi dy feddwl di?" ebe Harri. "Mi wyddost o'r gore' y bydde'n well gen' i golli fy stoc a phopeth na dy golli di, a phetait yn fy ngadael, fydde gen' i bleser yn y byd o 'mywyd. Ond yn wir, 'dwyt ti ddim fel y byddet ti'n arfer â bod. Ddymunwn i ddeud dim am y Methodistiaid i dy frifo di, ond yr ydw' i yn anghydweled â nhw'n hollol ar grefydd. Yn ôl 'y meddwl i a phobol galla'r ardal yma, dydi crefydd ddim yn gofyn i ddyn ymwadu â phleserau bywyd a byw fel petai o ar fedd ei nain o hyd. Os taliff dyn ei ffordd, a byw yn onest a chymdogol, a mynd i'r eglwys pan fedar o, a phan deimliff o ar ei galon, fydd o ddim ar ôl yn siŵr i ti, Gwen."

" 'Dwyt ti ddim wedi dysgu dy A B C eto mewn crefydd Harri, mwy nag yr oeddwn innau cyn i mi ddechrau gwrando ar y Methodistiaid," ebe Gwen. "Mae Iesu Grist yn deud wrtho ni am ymwadu â ni ein hunain a chyfodi'r groes, ac mai ychydig ydyw y rhai sydd yn mynd i mewn i'r bywyd. Rhaid i ni gael ffydd, ein haileni, ein cyfiawnhau, a'n sancteiddio; rhaid i ni beidio â rhoi gormod o'n serch ar bethau y byd hwn, a rhaid i ni osod ein serch ar bethau sydd uchod cyn y cawn ni fynd i'r bywyd a bod yn gadwedig."

"Lol i gyd, Gwen bach. Mor rhyfedd fod rhywun wedi bod yn pwnio cymin i dy ben di mewn cyn lleied o amser," ebe Harri.

"Wyt ti yn deud mai lol ydi geiriau yr Arglwydd Iesu, Harri?" gofynnai Gwen.

"Duw fo'n gwarchod! nag ydyw i ddim o'r fath beth," ebe Harri. "Ond 'dwyt ti a minnau ddim yn ddigon o sgleigion i ddeall geiriau y Beibl, wyddost, a rhaid inni adael hynny i bobol sydd wedi bod yn y *college* yn dysgu Groeg fel Mr. Jones y Person, a rhai tebyg iddo. Chymerwn i byth mo fy arwain gan ryw boblach dlodion ddi-ddysg am eiriau y Beibl ac am grefydd. Gwell gen i ymddiried i'r rhai sydd yn dallt pethau felly, ac yn gwybod be' maen nhw'n ddeud. A mi wyddost na feder neb ddeud dim yn erbyn ein teulu ni—'rydan ni bob amser wedi talu'n ffordd."

"Harri," ebe Gwen, gan edrych yn ddifrifol arno, " 'dwyt ti erioed wedi dy oleuo am dy gyflwr—'rwyt ti hyd yn hyn yn y twllwch, ond yr ydw i'n gweddïo bob dydd am i ti gael dy symud o'r twllwch i'r goleuni—o feddiant Satan at Dduw."

"Meddiant Satan?" ebe Harri, wedi ei glwyfo a'i gynhyrfu nid ychydig. "Pa fusnes sy gynnat ti i ddeud 'y mod i ym meddiant Satan? Be' sy' a 'nelo i â Satan? Mae'n gased gen i Satan â thithe, myn d——, a phetai o'n dŵad ato i mi rown y sgilbren ar ei gefn. Be' sy' gan neb i ddeud am 'y ngharitor i? Oes ene rwfun wedi bod yn hel straes celwyddog i ti? Dywed i mi ar unweth, Gwen, a mi gnocia 'i ddannedd o lawr corn ei wddw."

"Paid â cholli dy bwyll, Harri," ebe Gwen. " 'Does neb wedi bod yn hel straes amdanat ti, a phetai, chawsen nhw ddim derbyniad gen i, a 'does neb yn gwybod mwy amdanat ti nac yn meddwl mwy ohonot ti na fi. Sôn yr ydw i am bethau'r ysbryd, a bod arnat ti eisie dy oleuo."

"Pethe'r ysbryd!" ebe Harri, gyda diystyrrwch, "mi wyddost o'r gore na chredes 'rioed stori'r ysbryd. Os oedd 'y nhaid a nhad yn ddigon o ffyliaid i gredu'r stori, chredes *i* 'rioed moni, mi wyddost o'r gore, a mi clywest fi'n deud hynny gantodd o weithie. Ac yr ydw i'n siŵr ohono mai'r felltith Begws, y forwyn honno, oedd yr ysbryd fu'n trwblo yn y Wernddu. Wyt ti'n meddwl 'y mod i'n gimin ffŵl â chredu fod y pregethwr hwnnw o Landegla yn gallu rhoi ysbryd yn ei flwch baco? Y peth 'naeth y pregethwr cyfrwys oedd deud wrth 'y nhaid am droi Begws i ffwrdd, a hynny roth yr ysbryd i lawr, a 'doedd y blwch baco ddim ond lol."

"Nid at 'ysbryd y Wernddu' 'roeddwn i'n cyfeirio, Harri," ebe Gwen, "ond at bethau Ysbryd Duw—pethau crefydd. Ond mi adawn hynny 'rŵan. Beth 'naeth i ti fod mor ffôl ag ymladd ag Ernest y Plas?"

Harri, wedi tawelu cryn lawer, a adroddodd iddi yr holl hanes, ac ebe Gwen:

"Mor ynfyd fuoch chi'ch dau! a phan ddaw yr helynt i glustiau y Sgweiar, deg i un na chei di notis i 'madael o'r ffarm."

"Hwyrach hynny, ond 'dydw i ddim yn meddwl mai felly y bydd hi," ebe Harri. "A dweud y gwir gonest wrthot ti, Gwen, mi 'naf addef mai tro gwirion wnes i wrth fynd i ymladd efo mab y meistr tir, ac eto fedrwn i ddim helpio hynny. Mi wyddost nad oes yr un bluen wen yn 'y nghynffon i, a fedrwn i ddim diodde' cael fy slensio. A mi faswn yn medryd g'neud dirmyg ofnadwy ar ei wyneb petaswn i'n dymuno, ond ddaru mi ddim. Pan gofiff o 'mod i wedi fy ysigo mor dost efo'r codwm ddoe, dydw i ddim yn meddwl y bydd o isio ymladd efo fi eto, mwy nag y bydda' innau isio ymladd efo fynte. 'Does gen i ddim isio ymladd efo neb os ca' i lonydd, ond chymera i ddim rhoi arna' gan yr un dyn petai o gymin â chawr. A phetai'r Sgweiar yn rhoi notis i mi—wel, gnaed, mi wyddost fod gen i dipyn o bres a stoc dda, a 'does arna i ddim dyled i neb. Mi gawn ffarm yn rhywle, tybed?"

" 'Does gen i ond gobeithio'r gore'," ebe Gwen, "ond y mae o yn 'y mlino i dy fod di wedi diwyno dy hun efo dyn drwg,—achos dyn drwg ydi Ernest Griffith."

"Sut y gwyddost *di* mai dyn drwg ydi o, Gwen?" gofynnai Harri.

"Mi wn mai dyn drwg ydi o, ond sut y gwn i, dydi o ddim ods i ti gael gwybod yrŵan," ebe Gwen.

Yr oedd rhywbeth rhy awgrymiadol yng ngeiriau Gwen i Harri eu camgymryd, ac aeth ias oer drwy ei gorff. Aeth Gwen at ei gorchwyl, ac wrth ystyried yr hyn yr oedd hi wedi ei awgrymu, nid anniddan gan Harri erbyn hyn oedd meddwl ei fod wedi rhoi cweir i Ernest mab y Plas.

XV

Yr Yswain a'r Person

AR ôl yr ymddiddan rhyngddo ef a'i chwaer, aeth Harri i'r buarth i edrych a oedd pawb efo'u gwaith, a chyda'r bwriad, os câi bopeth yn mynd ymlaen yn iawn, o ddychwelyd i'r tŷ a mynd i'w wely i ddadluddedu. Clywai grechwen uchel yn dod o'r hofel, a chyfeiriodd tuag yno. A dyna lle y gwelai'r llanciau yn eu mwynhau eu hunain yn ddirfawr wrth wrando yn eiddgar ar Wmffre yn rhoi disgrifiad o'r fatel. Safai yn eu canol gan ddynwared y frwydr, a gwneud ystumiau rhyfedd ar ei gorff a dyrnu'r awyr. O ddiffyg gallu i roi disgrifiad geiriol o'r ymladdfa, rhoddai Wmffre *illustrations* breichiol fel yr oedd ei feistr wedi "nocylatio mab y Plas". Yr oedd sylw y gweision oll wedi ei gymryd i fyny mor llwyr gan ddisgrifiadau Wmffre fel na ddarfu iddynt sylwi ar ddynesiad eu meistr nes ei fod yn eu plith, pryd yr edrychasant oll yn yswil ac euog. Cymerodd Harri arno eu dwrdio yn dost am nad oeddent gyda'u gorchwyl, ond y gwir oedd na theimlai efe ddig o gwbl wrthynt, canys gwyddai ei fod yn ddwfn yn eu serch, a'u bod oll yn llawenhau o'u calon am ei fod wedi dod allan o'r frwydr yn fuddugoliaethus. Prysurodd pob un at ei waith, a dywedodd Harri wrth Wmffre:

"Dyma ti, Wmffre, paid di â chlebran am yr helynt,—'does dim eisiau i'r hanes fynd hyd y wlad."

" 'Doeddwn i ddim ond *just* sôn am y peth wrth yr hogiau," ebe Wmffre; "fedrwn i yn 'y myw beidio, achos yr ydw i'n teimlo mor falch fod chi wedi setlo'r *chap* ene. Ond sonia i byth air wrth neb eto, os dene ydi'ch 'wyllys chi, syr."

Ond ni soniodd Wmffre air am ddim arall y diwrnod hwnnw. Ar ôl i Harri ddychwelyd i'r tŷ, llerciai un o'r llanciau i gael gair efo Wmffre, ac ebe fe:

"Wmffre, ydi Gwen wedi clywed am y fatel?"

"Ydi; be' oedd am hynny?" ebe Wmffre.

"Sut ddaru hi gymryd y peth?" gofynnai'r llanc.

"Yn symol; pam 'rwyt ti'n gofyn?" ebe Wmffre.

"Achos," ebe'r llanc, "mod i'n meddwl bod hi a mab y Plas yn ffrindie. Mi gweles hi'n siarad â fo pan oedd hi'n dŵad o'r cyfarfod gweddi yr wythnos dwaetha, a mi ddaru ysgwyd llaw â fo."

"Cau dy hopran, a phaid â chyboli," ebe Wmffre, a gadawodd ef.

Ond meddyliodd Wmffre am y peth, a thybiodd mai doeth a fuasai hysbysu ei feistr am hyn. Ac felly y gwnaeth. Aeth ar ei ôl i'r tŷ, a galwodd ef allan, ac aeth y ddau i'r ystabl. Bu Harri ac Wmffre yn ymddiddan am amser.

Yr oedd dau arall yn ymddiddan yr un pryd. Prin yr oedd Mr. Jones y Person wedi gorffen ei frecwest, pryd, wrth edrych drwy y ffenestr, y gwelai yr Yswain Griffith yn dynesu yn brysur at y ficerdy â golwg gyffrous iawn arno. Aeth Mr. Jones i'w gyfarfod cyn i'r Yswain gael cyrraedd y drws a churo, ac ebe fe:

"Bore da, Mr. Griffith."

Heb ei ateb aeth yr Yswain heibio iddo i'r tŷ, ac eisteddodd i lawr fel pe bai wedi colli ei wynt, ac yn union deg ebe fe:

"Mr. Jones, beth ydi'r helynt y mae'r bachgen acw wedi bod ynddo bore heddiw? Mae golwg mawr arno, a ddeude fo ddim wrtho i ond deud ych bod chi yn gwybod y cwbl. Wn i ddim be' —— i feddwl ohono; mae bron torri 'nghalon i. Beth oedd yr helynt?"

"Helynt ddigon hyll, Mr. Griffith," ebe'r Person. "Mi ddigwyddais godi dipyn yn fore heddiw, ac yr oedd yn fore mor hyfryd fel yr eis am dro i gyfeiriad coed y Plas i glywed yr adar yn canu, a mi glywn ryw sŵn tua'r Lawnt, a mi gyfeiriais at y fan, ac er fy syndod a fy arswyd beth welwn ond Mr. Ernest a Harri Tomos yn ymladd eu gorau glas."

"Ernest yn ymladd efo un o'r tenantiaid?" gofynnai yr Yswain mewn syndod.

"Dyna'r ffaith, syr," ebe Mr. Jones, "ac am funud yr oeddwn wedi fy syfrdanu gan y fath erchyllwaith. Ond yn ddiymdroi mi eis at Mr. Ernest yn gyntaf, gan grefu arno i roi terfyn ar y fath ffolineb, a dywedais wrtho nad oedd yn waith teilwng o gymdogion nac o wlad efengyl. A'r ffordd y daru o fy ateb i, Mr. Griffith,—achos mi ddywedaf y gwir i chi,—oedd am i mi fynd i'r gŵr drwg neu i 'neud pregeth."

"Ddeudodd o eiriau fel yna wrthoch chi, Mr. Jones?" gofynnai yr Yswain.

"Mi deudodd nhw yn ddigon siŵr i chi, Mr. Griffith," ebe'r Person, "er fy mod yn ficer y plwy'. Ond dydi hynny nac yma nac acw, a pheidiwch â rhoi hynny yn ei erbyn o. Yr oeddwn yn ystyried mai fy nyletswydd fel gweinidog Duw oedd gwneud fy ngorau i roi terfyn ar y fath farbareiddiwch. Wedi methu gyda Mr. Ernest, mi eis at Harri; ar ôl y codwm tost a gafodd ddoe, nid oedd mewn 'stad ffit i ymladd, pe bai ymladd yn beth i'w oddef o gwbl. Yn wir, yr oeddwn yn canfod fod Mr. Ernest, cyn i mi ddyfod i'r lle, wedi ei faeddu yn dost, ac oherwydd hynny yr oeddwn yn gobeithio y byddai'n dda ganddo gymryd ei berswadio i roi heibio'r ymladd. Ond na, yr oedd yn benderfynol o fynd ymlaen pe câi ei ladd, ac yn wir yr oeddwn yn ofni mai ei ladd a gaffai. Erbyn hyn doedd gen i ddim i'w 'neud ond edrych yn fud a diallu ar y ddau gymydog annwyl—aelodau o fy eglwys—yn maeddu ei gilydd. Yr oedd fy nghalon yn gwaedu drostynt, ac yr oeddwn yn gweddïo,—er nad oedd gen' i un gobaith i'r weddi gael ei hateb,—yr oeddwn yn gweddïo, meddaf, am i chi ddyfod i'r golwg o rywle, oblegid gwyddwn y gallasech chi roi terfyn ar yr ysgelerder. Ni wn sut y bu, ond cafodd Harri nerth o rywle, ac yn ystod y tri thyrn y bûm i yn llygad-dyst ohonynt, yr oedd Harri yn ei ddyrnu nes oedd Mr. Ernest, druan, yn nyddu fel pry' genwair, a 'roedd 'y nghalon i yn brifo drosto, a mi fu raid iddo roi fyny. Ond mi ddywedaf hyn yn ffafr Harri,—pan welodd o mai fo oedd y meistar, ddaru o ddim ceisio anurddo ei wyneb, peth y base fo'n medru yn hawdd, ond cyfeiriai ei ddyrnodau at ei frest a'i ystlysau nes oedd y lle yn clecian, fel y dywedes i o'r blaen."

"Stopiwch, Mr. Jones," ebe'r Yswain, "fedra i ddim diodde' gwrando ar eich disgrifiad. Ond deudwch i mi, os gwyddoch chi beth oedd achos yr helynt?"

Adroddodd Mr. Jones hanes y cweryl fel y cawsai ef gan Harri, gan geisio dal y ddysgl mor wastad ag y gallai heb ymddangos ei fod yn ochri at Harri ond megis o angenrheidrwydd. Wedi clywed am ddichell Ernest i anafu ceffyl Harri, neidiodd yr Yswain ar ei draed yn wyllt, ac ebe fe:

"Syrfio'r sgempyn yn reit; 'roedd o'n haeddu cael cweir, a mi af at Harri yrŵan i ddiolch iddo. Wyddoch chi beth, Mr. Jones, mae Ernest yn sicr o fy andwyo. Ar ôl imi wario cantodd ar gantodd o bunnau arno, ddysgodd o ddim yn Oxford ond pob drygioni."

"Na, na, Mr. Griffith, 'rydach chi'n mynd yn rhy bell yrŵan, achos y mae Mr. Ernest yn deall Groeg yn gampus," ebe Mr. Jones.

"Sut y gwyddoch chi hynny?" gofynnai'r Yswain.

"Fel hyn," ebe'r Person—canys gwelodd gyfleustra i hysbysu'r Yswain am y ddifrïaeth a roesai Ernest ar ei ysgolheictod ef ei hun—"fel hyn, Mr. Griffith, fe ddywedodd na wyddwn i—hynny ydyw mewn cymhariaeth â fo, mae'n debyg—fwy am Roeg na Thwm Tynllidiard, ac na fedrwn i fwy bregethu na gast Wil Preis, a mi fûm *i* yn darllen Plato ac Aristotle, fel y gwyddoch."

"Ydach chi'n deud fod Ernest wedi siarad fel yna efo chi, Mr. Jones?" gofynnai'r Yswain.

"Yn ddigon siŵr i chi, Mr. Griffith," ebe'r Person, "ond yr oedd o ar y pryd dipyn yn ei ddiod, a ddaru mi feddwl dim am y peth ar ôl hynny. Cymerwch amynedd, syr, hau ei geirch gwylltion y mae Mr. Ernest yrŵan; mi ddaw yn well yn y man. Os caiff o ras Duw—ac yr ydw i yn ceisio gweddïo trosto—mi ddaw Mr. Ernest yn ddyn clyfar eto, teilwng o'i dad, ac yn fawr ei barch yn y gymdogaeth, pan fyddwch chi a minnau yn isel ein pennau."

"Byth!" ebe'r Yswain; "sgempyn ydi o. Wyddoch chi mo hanner ei ddrygioni, Mr. Jones. A 'rydw i 'rŵan yn mynd i'r Wernddu i ddiolch i Harri Tomos am roi cweir iddo. Dowch efo fi."

Yr oedd y Person wedi chwarae ei gardiau wrth fodd ei galon, a chyda'r parodrwydd mwyaf aeth gyda'r Yswain i ymweld â Harri. Pan oeddynt yn agosáu at y Wernddu yr oedd Harri newydd ddychwelyd i'r tŷ ar ôl bod yn siarad ag Wmffre. Canfu Gwen yr Yswain a'r Person yn dyfod i'r buarth, ac ebe hi, mewn braw mawr:

"O Harri! dyma'r Sgweiar a'r Person yn dŵad! Ddaru mi ddim dweud wrthot ti y byddet ti'n siŵr o gael notis?"

"Hidia befo! hidia befo!" ebe Harri, ac aeth i'w cyfarfod, gan ddisgwyl am gerydd llym a rhybudd i ymadael.

"Wel, Harri," ebe'r Yswain, "rydw i'n dallt dy fod wedi gweithio chwarter cyn i mi godi bore heddiw."

"Do, syr," ebe Harri, gan edrych yn swil ac euog, "ond gwaith sâl iawn wnes i."

"Wn i ddim, myn gafr, mi welaf fod ti wedi gneud gwell gwaith nag Ernest; 'dwyt ti fawr gwaeth," ebe'r Yswain.

"Beth bynnag fydda i'n 'neud, syr," ebe Harri, "mi fydda'n ceisio'i 'neud fy ngore'. Ond y mae'n ddrwg gen i am yr hyn fuo bore heddiw, syr, a gobeithio y gnewch chi edrach drosto. Mi anghofies fy hun; nid fy lle i oedd ymladd efo mab fy meistr tir. Yr wyf yn gofyn eich maddeuant, syr, ond rhaid i mi ddeud na fedra i ddim diodde' cael fy slensio gan un dyn byw,—mae o'n wendid yno' i."

"Paid â gwirioni, fachgen," ebe'r Yswain; "dod yma i ddiolch i ti yr ydw i am y gwaith da a wnest di. Mi doriff y cweir yr wyt ti wedi roi iddo dipyn ar ei grib o, ac os cei di gyfleustra i roi gwell cweir iddo mi ddropia yn dy rent di, gwna myn d——. Mae lleng yn y bachgen a 'rwyt ti wedi gwneud y gymwynas ore' fedret ti i mi. Dyma ti, Harri, rhaid i ti gael llidiard newydd ar y buarth yma; mae hon wedi mynd yn garpiau. Mi yrraf y saer yma heddiw. Bore da, Harri; bore da, Mr. Jones," ac aeth yr Yswain ymaith.

Wedi iddo fynd o'r golwg a'r clyw, curodd y Person ei glun gyda chledr ei law i ddangos ei lawenydd, ac fel arwydd i Harri mor fedrus yr oedd efe wedi chwarae ei gardiau gyda'r Yswain, a dwyn pethau i derfyniad mor foddhaol. Gwahoddodd Harri Mr. Jones i'r tŷ. Deallodd Gwen ar olwg y ddau nad oedd Harri wedi cael "notis i ymadael", ac er bod hyn yn llawenydd mawr iddi, ni ddangosai ddim ohono yn ei hwyneb. Syniai am Mr. Jones, y Person, mai un o blant y byd hwn ydoedd, ac nid oedd hi am ragrithio drwy ymddangos yn groesawgar a gor-barchus ohono.

Da odiaeth oedd gan Harri i'r Person ddod i'r tŷ y bore hwnnw, gan y llwyr gredai y gallai Mr. Jones argyhoeddi Gwen nad oedd efe, Harri, wedi gwneud dim o'i le wrth ymladd â mab y Plas Onn, a gadawodd i'r ymgom fywiog, a adroddir yn y bennod nesaf, redeg rhwng y ddau heb iddo ef ymyrraeth ond ychydig.

XVI

Gwen a'r Person

"WEL, Gwen, yr hen bengron, sut yr wyt ti?" ebe Mr. Jones y Ficer, ar ei fynediad i'r Wernddu.

"Yr ydw i'n iach, diolch i chi, Mr. Jones," ebe Gwen, yn ddigon cwta, canys gwyddai ystyr "y bengron".

"Wyt ti ddim yn meddwl, Gwen, fod dy frawd, Harri, yn edrach yn hardd iawn bore heddiw efo un llygad bron â chau?" ebe Mr. Jones.

"Hwyrach ei fod yn hardd yng ngolwg rhywrai, ond mi gweles i o yn edrach yn harddach nag ydi o heddiw," ebe Gwen.

"Be' petait ti'n gweld mab y Plas, Gwen? Mae hwnnw'n harddach o'r hanner! Mi gymra fy llw y bydd o isio sbectol heddiw, ac na feiddiff o ddim dangos ei wyneb am wythnos," ebe'r Person.

"Fe ddylai fod gan y ddau gywilydd dangos eu hwynebau am flwyddyn ar ôl y gwaith y maent wedi bod wrtho heddiw, a phwy bynnag sydd yn cefnogi'r fath waith ynfyd, ac yn cael pleser ynddo, mae o'n dangos yn amlwg nad oes ganddo fo ddim parch i orchmynion Duw," ebe Gwen.

"Mae hynny yn bod i ryw raddau," ebe'r Person, "ond y mae eithriad i bob rheol, fel y dywed yr Ysgrythur Lân."

"Ymhle y mae'r Ysgrythur yna, Mr. Jones?" gofynnai Gwen.

"Beth," ebe Mr. Jones, "wyt ti yn fy amau i? 'Dydw i ddim yn cofio'r bennod a'r adnod yrŵan, ond mi drycha i'r *concordans* pan â i'r tŷ. Ond dyna oeddwn yn mynd i'w ddeud, petait ti heb dorri ar fy nhraws i,—fydda' i byth yn cefnogi ymladd, a mi fydda'n deud fy ngore' yn erbyn y peth. Ac eto, ar yr un pryd, mewn rhai amgylchiadau go brofoclyd, fydd dim yn well gen i na gweled ambell un yn cael cweir nes bydd o yn nyddu,—mae o cystal â phregeth."

"Yn well nag ambell bregeth a glywir mewn rhai lleoedd, yn ddiamau," ebe Gwen, "ond 'dydi hynny ddim yn profi ei fod yn beth yn ei le. Y mae yn groes i ysbryd yr efengyl ac athrawiaeth ein Harglwydd."

"Cato pawb! be' wyddost di am ysbryd yr efengyl ac athrawiaeth ein Harglwydd? Wyt ti ddim yn mynd i ddysgu pader i Berson, wyt ti?" ebe Mr. Jones.

"Os bydd y Person heb fedru ei bader, rhaid i rywun ei ddysgu iddo," ebe Gwen.

"Gwen!" ebe Harri, wedi cywilyddio at ei hyfdra.

"Be' sydd, Harri?" ebe Gwen, yn berffaith dawel.

"Gad di lonydd i Gwen a fi, Harri," ebe Mr. Jones. "Mae Gwen yn eneth iawn, ond fod yr hen Fethodistiaid cebyst yna wedi rhoi chwilen yn ei phen hi. Dywed y gwir 'rŵan, Gwen, oeddat ti ddim yn fil mwy hapus pan oeddat ti'n arfer dod i'r Eglwys, a chyn i ti ddechrau gwrando ar y pengryniaid yna? Mi gymera fy llw fod ti'n gan mil mwy hapus, achos weles i byth olwg siriol ar dy wyneb di ers pan wyt ti wedi dechre' codlo efo nhw."

"Mr. Jones," ebe Gwen, wedi cynhyrfu ychydig, "mae gen i bob parch i chi fel gŵr bonheddig a chymydog ond yn ystod y blynyddoedd y bûm i yn mynd i'r eglwys, ddaru chi na'r Ficer oedd yma o'ch blaen chi roi na chwilen na dim arall yn 'y mhen na nghalon i, a phetaswn i wedi dal i fynd i'r eglwys mi f'aswn yn gymwys yn yr un fan heddiw. Yr oeddwn yn fwy llawen, mi wnaf addef, am nad oeddwn y pryd hwnnw yn meddwl dim am fater fy enaid a byd arall, ond 'doeddwn i ddim yn fwy dedwydd. Mi wn yn dda am lawenydd y byd; mi wn am y llawenydd o ddawnsio yn llofft y *Bedol* hyd un a dau o'r gloch y bore, ond petawn yn rhoi y cwbl efo'i gilydd, 'nawn i ddim newid am ambell bum munud o wir ddedwyddwch yr ydw i wedi gael yn y capel, Mr. Jones. Hwyrach ych chi'n meddwl—mi wn fod Harri yn meddwl—'y mod i yn brudd ac anhapus. Dim o'r fath beth; fûm i erioed mor ddedwydd. Yr ydw i wedi cael can mil mwy o ddedwyddwch mewn dagrau yn y capel nag a ges i yn yr holl sbort a'r llawenydd cyn dechre' mynd yno."

"Wel, wel, Gwen bach, mae'n ddrwg gen i dy weld di yn twyllo dy hun mor enbydus," ebe Mr. Jones. " 'Dydi o ond penboethni gwirion, a mi ddoi i weld hynny ryw ddiwrnod. Yr *idea*! fod ti'n deud fod ti'n cael mwy o bleser wrth wrando rhyw benbyliaid di-ddysg o fol y clawdd yn clebar ac yn bwrw drwyddi rywbeth na wyddan nhw'u hunain be' maen nhw'n ddeud, nag wrth wrando gweinidogion Duw mewn urddau sanctaidd! Mae'r peth, wyddost, petait ti'n meddwl chwarter munud uwch ei ben, yn afresymol. Wyddost di! 'does gan y lot yna ddim hawl i bregethu,—*poachers* ydyn nhw ar stad y Brenin Mawr, fel y cân' nhw weld ryw ddiwrnod."

"Fuoch chi yn gwrando un o honyn' nhw, Mr. Jones?" gofynnai Gwen, mewn ymdrech yn cadw ei thymer.

"Y fi yn gwrando ar un o honyn' nhw? Dim peryg!" ebe Mr. Jones.

"Sut y gwyddoch chi mai clebar a bwrw drwyddi maen nhw, ynte?" gofynnai Gwen.

"Am y mod i yn gwybod na fedran nhw 'neud dim arall, ac am y mod i wedi clywed dynion call yn sôn amdanyn' nhw," ebe'r Person.

"Mi f'aswn yn leicio gwybod pwy ydi'r dynion call," ebe Gwen. "Yr ydach chi'n deud eich meddwl yn blaen, Mr. Jones, ac hwyrach y goddefwch i minnau wneud yr un peth, gyda phob parch i chi. Mi fûm, fel y gwyddoch, yn arfer mynd i'r eglwys am flynyddoedd, ac yr ydw i wedi gwrando llawer ohonoch chi, y personiaid, ac erbyn hyn yr ydw i wedi gwrando llawer ar y Methodistiaid, yr Annibynwyr, y Wesleaid, a'r Bedyddwyr, a rhaid i mi ddeud yn onest yn eich wyneb, o ba le bynnag y maen nhw'n dŵad, ai o fol y clawdd ai o rywle arall, eu bod yn pregethu yr efengyl yn anfeidrol well na'r un Person a glywes er——."

"Paid â chyboli," ebe'r Person, gan dorri ar ei thraws.

"Arhoswch i mi orffen, Mr. Jones; mi wrandewes i arnoch chi hyd i'r diwedd; gwrandewch chithau arna' innau," ebe Gwen.

"Powdra 'mlaen, ynte," ebe Mr. Jones.

"Erbyn hyn," ebe Gwen, "yr ydw i'n gwybod beth ydyw'r eglwys a'r capel—dydw i ddim yn siarad mewn anwybodaeth—mi wn beth ydw i'n ddeud, ac mi safaf ato. Hwyrach y b'asech chi, Mr. Jones, a llawer eraill, yn deud ddydd y Pentecost pan oedd Pedr yn pregethu,—'Ho, hen werthwr pysgod Môr Galilea sydd yn clebar ac yn bwrw drwyddi; ŵyr o ddim be' mae o'n ddeud!' Ac, wrth gofio, rhywbeth tebyg oedd rhywrai yn ddeud yr adeg honno i'r hyn y mae eu brodyr yn ddeud yrŵan: 'Wedi meddwi mae o; llawn o win melys ydi o!' Ond pa ods beth oeddan nhw'n ddeud! Pan oedd Pedr yn clebar yr oedd Satan yn colli tair mil o'i ddeiliaid! Ac felly y mae hi yrŵan! tra mae'r gelynion yn cablu y mae Ysbryd Duw yn achub pechaduriaid. Mae'r ffaith yna yn unig, Mr. Jones, yn ddigon o brawf i mi fod Ysbryd Duw gyda'r Methodistiaid a chyda'r Enwadau eraill."

"Ysbryd y cythraul, dywed," ebe Mr. Jones.

"Ysbryd y cythraul?" ebe Gwen yn gynhyrfus, ac yr oedd hyn yn fwy nag a allai hi ei oddef, ac atebodd yn chwerw, a'i llygaid yn fflachio: "Ysbryd pwy sydd efo chi yn yr Eglwys? Yn ystod yr amser yr ydach chi wedi bod yn y plwy' yma, dangoswch i mi un dyn neu ddynes sy'n arfer mynd i'r Eglwys i wrando eich gweinidogaeth sydd wedi ei argyhoeddi o'i bechod; enwch i mi un fel ffrwyth eich holl wasanaeth sydd wedi peidio â meddwi, wedi peidio â thyngu a rhegi, wedi dysgu dweud y gwir—wedi ei newid, wedi ei wneud yn ddyn newydd, a mi enwa' innau i chi ugain gyda'r Methodistiaid. Dowch, enwch un, dim ond un."

"Wyt ti'n gwirioni, dywed?" ebe Mr. Jones. "Wyt ti'n meddwl mai ti a finnau sydd i farnu pobl? Gwaith Duw ydyw hynny. A ddyliwn petait ti yn dechrau enwi'r rhai sydd wedi eu hachub yr enwet ti rwfun fel Wil Pen-y-Groesffordd, oedd yn agor ei geg wrth weddïo y noson o'r blaen yn y capel nes oeddwn i yn ei glywed o'r ffordd dyrpeg?"

"Gwnawn, Mr. Jones," ebe Gwen, "mi enwn Wil; tra oedd o'n mynd i'r Eglwys, yr oedd yn dal i feddwi, i regi, i *boachio*, i faeddu ei wraig, ac i lwgu ei blant bach. Ond y mae Wil erbyn hyn yn sant, ac os ydach chi'n amau gofynnwch i'w wraig o. Gofynnwch iddi oes yno fwyd yn y cwpwrdd, oes gan y plant ddillad am eu cefnau, a gofynnwch iddi pa un orau ganddi ai ambell gweir, a llwon a rhegfeydd, ai ynte cartre' cysurus, gŵr ffeind, a mawl a gweddi yn esgyn oddi ar yr aelwyd i'r nefoedd bob dydd? Gwnawn, mi enwn Wil. A dyna beth yr ydw i yn ei alw yn fawrion weithredoedd Duw, a lle bynnag y maent, yno hefyd y mae Ysbryd Duw, a lle bynnag nad ydynt, nid yw Ysbryd Duw yno."

"Ond am ba hyd y deil Wil, Pen-y-Groesffordd, ddyliet ti?" gofynnai Mr. Jones.

"Am byth, 'rwyf yn credu," ebe Gwen, "oblegid y mae gwreiddyn y mater ganddo—mae'n hawdd deall hynny ar ei weddi."

"Gwreiddyn pren gwsberis!" ebe'r Person. "Yr ydych chi'n clebar am wreiddyn y mater a theimlo'r cortyn, a rhyw lol felltigedig fel yna, nes gneud dyn yn sâl. Ond feddylies erioed, Gwen, fod ti wedi ynfydu cymaint. Ddyliwn yr ei di i'w seiat felltith nhw yn y man?"

"Diolch i Dduw!" ebe Gwen, "yr ydw i yn y seiat er chwe mis, a gobeithio y bydda'i yno hyd fy marw!"

"Gwen!" ebe Harri, mewn syndod, oblegid ni ddychmygodd efe ei bod wedi ymuno â'r seiat.

"Yr ydw i yn y seiat er chwe mis, Harri. Wyt ti'n meddwl fod gen i gywilydd arddel fy nghrefydd. Mi wn, Harri, dy fod dithau, fel Mr. Jones, yn casáu'r Methodistiaid â dy holl galon. Ond trwy gymorth Duw mi lyna wrthyn' nhw tra bydda' i byw," ebe Gwen.

Edrychai Harri yn drist a siomedigaethus, ac eto teimlai fod Gwen yn uwch ei chymeriad ac yn fwy gwrol neg ef, ac ni ddywedodd air ymhellach.

"Bore da i chi'ch dau," ebe Mr. Jones, "a gobeithio, Gwen, y gweli di dy ffolineb yn fuan, a mi dreia weddïo drosot ti."

"Waeth i chi heb, ni chewch ateb i'ch gweddi, Mr. Jones," ebe Gwen.

XVII

Harri a Nansi

TRODD ymweliad y Ficer Jones â'r Wernddu yn siomiant mawr i Harri Tomos. Edrychasai ar ddyfodiad Mr. Jones y bore hwnnw fel yn hynod o ragluniaethol, a chredai, fel y dywedwyd o'r blaen, y gallai argyhoeddi Gwen nad oedd efe, Harri, wedi gwneud dim yn amryfus wrth ymladd efo Ernest, mab y Plas, oblegid pwy allai ei pherswadio os na allai Person y plwyf? Ond buan y gwelodd fod Gwen yn drech na'r offeiriad. Ac er bod ei holl gydymdeimlad gyda'r Person, tystiai ei gydwybod o hyd mai Gwen a safai ar y tir diogelaf, a bod rhywbeth yn anghyson wedi'r cwbl yng ngwaith y Ficer yn cymeradwyo yr ymladdfa. Ond blinid Harri nid ychydig gan yr argyhoeddiad fod Gwen yn ddyledus i'r Methodistiaid am ei goleuni a'i medrusrwydd yn dadlau â'r offeiriad, ac yr oedd ei haddefiad ei bod wedi ymuno â'r seiat yn ei boeni yn fawr, canys, fel ei dad o'i flaen casâi y pengryniaid â chas perffaith. Ar yr un pryd, nid oedd ei hoffter o'i chwaer fymryn yn llai a thybiai nad oedd ei thebyg yn y wlad. Yr oedd Gwen mor werthfawr yn ei olwg, a'i eiddigedd mor fawr, fel os trôi rhyw lanc lygad edmygol arni yr âi allan o ffafr Harri ar unwaith; ac er hoffed oeddynt o'i gilydd, ac er mor hy oeddynt ar ei gilydd, yr oedd un lledneisrwydd penodol rhyngddynt,—ni furmurent air byth ar gwestiwn carwriaethol. Os clywai Gwen sibrwd fod Harri yn cyfeillachu â rhyw ferch ieuanc yn y gymdogaeth—ac nid anfynych y clywai hi beth felly—ni soniai air wrtho. Yr oedd arni gymaint o ofn iddo briodi fel na fynnai gydnabod hyd yn oed wrthi ei hun fod hynny yn bosibl. A'r un modd yn union y teimlai Harri tuag ati hithau, ac felly ni fu gair rhyngddynt erioed mewn sobrwydd nac mewn cellwair ar y cwestiwn.

Yr oedd stori Wmffre am yr hyn a ddywedasai un o'r llanciau wrtho gyda golwg ar Gwen a mab y Plas yn blino Harri yn enbyd. Ni chymerasai lawer a sôn wrth Gwen am y peth, a theimlai yr un pryd na allai fod yn llonydd nac yn hapus heb gael gwybodaeth gywir am y stori. Yr oedd ei fynwes yn llawn eiddigedd, oblegid ni wyddai efe, yn ei ffolineb, am neb yn ddigon da i fod yn gariad i Gwen. Os oedd ystori'r llanc yn wir, fod Ernest Griffith yn torri i gyfarfod Gwen wedi bo nos, wrth iddi ddychwelyd o'r capel, credai Harri nad oedd gan y bonheddwr ieuanc ond amcanion maleisddrwg yn llenwi ei galon. Ond ceisiai gredu hefyd fod Gwen yn rhy gall i gael ei thwyllo ganddo; yn wir, yr oedd hi y bore hwnnw wedi galw Ernest yn ddyn drwg, a chasglai Harri ei bod yn gwybod rhywbeth amdano na fynasai ei adrodd wrtho ef. Ac eto meddyliai nad oedd wybod pa ddylanwad a allai bonheddwr gweddol gyfoethog gael ar feddwl geneth ieuanc ddibrofiad wrth barhau yn ei geisiadau. A rhyfedd, er mor elyniaethus oedd efe at y Methodistiaid, tybiai Harri gyda boddhad fod y ffaith fod Gwen "yn perthyn i'r seiat" yn rhyw amddiffyniad iddi. Pa fodd bynnag, penderfynodd y mynnai ryw ffordd neu'i gilydd wybod y cwbl am y stori.

Ni ellid dweud bod Harri yn neilltuol o ofergoelus, ond ar yr un pryd, nid oedd efe yr adeg honno, mwy na'r rhelyw o bobl wledig Cymru, yn hollol rydd oddi wrth gredu mewn ysbrydion, breuddwydion, a dewiniaeth. Yn yr amgylchiadau yr oedd ef ynddynt, rhedodd ei feddwl rywfodd at Nansi'r Nant. Hyd yn hyn nid oedd Harri wedi cymryd unrhyw sylw o'r hen wraig pan ddeuai hi i'r Wernddu, neu pan gyfarfyddai â hi ar y ffordd. Clywsai lawer chwedl amdani gan y gweision a'r morynion, a pharent iddo chwerthin a rhyfeddu at ofergoeledd pobl. Edrychai Harri ar Nansi fel dynes gyfrwysgall, os nad drwg, a synnai fod Gwen yn cymryd cymaint sylw ohoni. Dywedodd hynny un tro wrth Gwen, a'r ateb a gafodd oedd,—"Mae gan Nansi, wel di, enaid, ac enaid disglair iawn, eisiau ei gadw." Pan welodd Harri fod Gwen yn crefyddola, ni soniodd am Nansi mwy. Ond yn awr credai y gallai Nansi fod o ddefnydd iddo. Dirmygai y drychfeddwl o fod yn ysbïwr ei hun; er cymaint ei eiddigedd, y peth olaf a wnaethai fuasai hynny. Ac ni allai ymddiried yn Wmffre—hynny ydyw, yn ei ddoethineb—yr oedd yn rhy dafotrydd; ac ni fynnai, y pryd hwnnw, i mi wybod dim o'i gyfrinach. Ac fel y dywedwyd, ni allai feddwl am siarad â Gwen ei hun ynghylch yr hyn a'i blinai. Ac felly rhedai ei feddwl o hyd at Nansi, fel yr un debycaf i gael allan y gwir heb i neb wybod ei fod ef wedi bod yn ymholi. Mwyaf feddyliai efe am Nansi, mwyaf y meddiennid ef gan yr ofergoeledd a goleddid yn ei chylch gan y cymdogion. Wedi pendroni yn hir, penderfynodd dalu ymweliad â'r hen wreigan.

Yr oedd Twm, mab yr hen Nansi, ers tro bellach oddi cartref, o leiaf nid oedd neb wedi ei weld ers amser. Nid oedd llawer o gyfeillach wedi bod rhwng Harri a minnau â Thwm er pan gymerwyd ef i'r carchar, ond pan gyfarfyddem yr oeddem yn eithaf ffrindiau. Dilynai Twm yr un alwedigaeth yn gyson, ac yr oedd yn cynyddu yn barhaus yn ei fedrusrwydd i ddal pob math o *game*, ac ar yr un pryd ei wneud yn amhosibl ei *ddal* ef. Gadawai Twm y wlad weithiau am wythnosau bwygilydd ac ni wyddai hyd yn oed yr hen Nansi i ba le y byddai wedi mynd, na pha bryd i'w ddisgwyl yn ôl. Credai Harri nad ofn Dafydd Ifans, y cipar, a barai i Twm fynd oddi cartref, ond mai blys oedd arno newid ei borfa. Pan fyddai y borfa wedi mynd yn isel yng nghoed y Plas, gwyddai Twm yn burion lle yr oedd clofar braf yn tyfu yn rhywle arall. Ond y ffaith oedd fod Twm oddi cartref ers ysbaid, a'i fam druan yn gorfod cardota a dewina i gynnal ei hunan, ac felly nid oedd ar Harri ofn na phryder gyfarfod Twm wrth ymweld â'i fam. Gwyddai Harri yn burion fod Gwen ar delerau cyfeillgar â Nansi'r Nant, a'r olaf yn y byd y dymunasai efe iddi wybod ei fod yn mynd i ymgynghori â Nansi ar unrhyw bwnc oedd Gwen, ac yn fwy felly am mai ynghylch Gwen ei hun yr oedd efe yn awyddus i ddefnyddio Nansi fel offeryn i gael y wybodaeth a geisiai.

Clywsai Harri y byddai Nansi ar ei thraed bob adeg o'r nos, ac am hynny ni chychwynnodd i edrych amdani nes ydoedd yn lled dywyll, ac ofnai yn fawr i neb ei weld. Yr oedd yn tynnu at ddeg o'r gloch—awr hwyr yn y wlad—ac yr oedd yn noson dawel, ddistaw. Mynnai Mot, y ci defaid, fynd gydag ef, ond gyrrodd Harri ef yn ôl, rhag os digwyddai gyfarfod â rhywun iddo gael ei adnabod oddi wrth ei gi. Fel y cyfeiriai Harri tua thŷ yr hen wraig, edrychai yn ôl a blaen yn fynych i'w sicrhau ei hun mai efe oedd unig ymdeithydd y ffordd y nos honno. Nid oedd ganddo siwrnai bell, a buan y daeth i'r groesffordd lle y safai bwthyn tlawd yr hen Nansi. Tŷ â siambar ydoedd, a tho gwellt—un ffenestr fechan i'r gegin ac un i'r siambar. Cyn cyrraedd y bwthyn gwelai Harri olau gwan yn ffenestr y gegin, a phenderfynodd yn ei feddwl fod yr hen Nansi gartref. Edrychodd o'i gwmpas yn wyliadwrus cyn curo'r drws, ac ni welai ac ni chlywai neb na dim, ac yr oedd y fan cyn lonydded â'r fynwent. Curodd y drws yn ysgafn, ond ni chafodd ateb. Curodd drachefn yn drymach, ac arhosodd ennyd, ond ni ddaeth neb i agor. Nid oedd gorchudd ar ffenestr y gegin, a symudodd Harri ac edrychodd i mewn. Gwelodd yng ngoleuni tân bychan gath fawr ddu yn gorwedd ar yr unig gadair, yn ôl pob golwg, oedd yn yr ystafell. Deallodd erbyn hyn fod ei siwrnai yn ofer, ac nad oedd Nansi gartref, neu ynteu, yr hyn oedd fwyaf tebyg, ei bod wedi mynd i'r gwely ac wedi cysgu yn drwm. Cychwynnodd yn ôl yn gyflym tua'r Wernddu. Cyn iddo fynd ugain llath oddi wrth y tŷ, yn y drofa, cyfarfu ag ef ddyn main gweddol dal yn gwisgo clos pen-glin a siaced felfet, fel y tybiai Harri, a het feddal am ei ben, ac yn cerdded yn gyflym. Diolchai Harri, pwy bynnag ydoedd, na welsai efe ef yn curo drws yr hen Nansi, a dywedodd "Nos dawch." Nid atebodd y dieithrddyn ef, a throes Harri i edrych ar ei ôl nes iddo fynd o'r golwg, a thybiodd mai rhyw dramp o Sais ydoedd. Wedi methu yn ei gais, petrusodd Harri am ddeu-ddydd a wnâi efe ailgynnig ai peidio. Ond penderfynodd wneud un cais arall, a throes hwnnw allan yn fwy llwyddiannus, fel y ceir gweld eto.

XVIII

Harri a Nansi eto

WRTH nesáu at fwthyn yr hen Nansi yr ail dro, ni welai Harri lewyrch o oleuni yn ffenestr y gegin, a thybiodd y byddai ei siwrnai yn ofer drachefn. Pa fodd bynnag, wedi edrych a gwrando nad oedd neb yn agos, curodd Harri y drws yn ysgafn fel o'r blaen, ac atebwyd ef ar unwaith gan lais cryf yr hen wreigan:

"Tyrd i mewn, Harri Tomos."

"Sut yn y byd mawr," ebe Harri ynddo'i hun, "y gŵyr hi mai fi sydd yma?" ac agorodd y drws a chaeodd ef ar ei ôl.

Nid oedd na lamp na channwyll yn goleuo'r ystafell, ond yng ngoleuni tân marwaidd gwelai Harri yr hen Nansi yn eistedd yn ei chwrcwd ar ystôl isel, a'r glog goch am ei hysgwyddau, a'r fonet fawr am ei phen, a'r gath fawr ddu eto yn gorwedd ar yr unig gadair. Yr oedd cefn Nansi ato pan ddaeth efe i mewn, ac ni throes ei phen o gwbl i edrych pwy oedd yno, ond dywedodd wrth y gath:

"Tab, tyrd oddne, gael i Harri Tomos le i eistedd."

Ufuddhaodd Tab ar unwaith, gan fynd ar y pentan, ac wedi gwneud ei chynffon yn gron gorweddodd megis mewn gogor, gan agor a chau ei llygaid bob yn ail ar y tân isel. Eisteddodd Harri yng nghadair y gath, a thremiodd Nansi arno gyda'i llygaid main, duon, a theimlai Harri, er bod yr ystafell yn bur dywyll, fod ei hedrychiad yn myned drwyddo. Ebe Nansi:

"Be' sy'n dy gorddi di, dywed, i ddŵad i edrach am yr hen Nansi yr adeg yma o'r nos."

"Ti" y galwai Nansi bawb, o'r uchaf hyd yr isaf yn y tir.

"Digwydd pasio 'roeddwn," ebe Harri, "a mi hapnes feddwl sut yr oedd hi arnoch chi yrŵan a Thwm oddi cartref, a mi benderfynes droi i mewn i roi swllt i chi, Nansi. 'Dydi swllt ddim llawer i mi, ond hwyrach y gall o fod o ryw gysur i chi," ac estynnodd Harri y swllt iddi.

Derbyniodd Nansi y swllt, ac wedi syllu yn graff ar Harri am eiliad, ebe hi:

"Paid â hel dy gelwydd, Harri; 'dwyt ti'n hidio 'run ffeuen p'run a gaiff Nansi damaid ai peidio. 'Rwyt ti mor grintach ag oedd dy dad.

Fel y bydd y tad y bydd y mab,
O dyfiad ac o dafod;
Fel y ci a gerdd yn grwn,
A'i gynffon ellwch ganffod.

Mi ges ambell gerdod gan Gwen, dy chwaer, a mae hi wedi cael 'y mendith i, ond ches i erioed wlithyn gennyt ti, Harri; dyna'r gwir o flaen dy drwyn di."

"Yr un peth oedd i Gwen roi cerdod i chi, Nansi, ag a fuasai i mi ei roi, achos mi wyddoch mai fy eiddo i ydi popeth sydd yn y Wernddu," ebe Harri.

"Gwir," ebe Nansi, "petai o'n eiddo i ti hefyd, achos pwy sydd wedi gofalu am dy bethe di, a gweithio a chynilo, heblaw Gwen? A be' f'aset ti ond llafngi llwm oni base am dani hi?"

"Fe ŵyr pawb," ebe Harri, "fod Gwen yn eneth dda, weithgar, a gofalus, ac yr ydw i'n meddwl llawer iawn ohoni, Nansi, mi ellwch fod yn siŵr o hynny."

"Felly gelli di yn hawdd," ebe Nansi; "mae hi yn werth cant ohonot ti. Ond be' ydi dy fusnes di efo fi heno?"

"Ond 'dydw i wedi dweud fy musnes ers meitin?" ebe Harri.

"Paid â rhagrithio, Harri; mae gynnat ti fusnes efo fi, a mae gynnat ti ofn ei ddeud o," ebe Nansi.

"Sut y gwyddoch chi hynny, Nansi?" gofynnai Harri.

"Sut y gwn i'n wir!" ebe'r hen ddewines. "Sut y gwyddwn i mai ti oedd yn curo'r drws? Ond weles i di yn rhoi'r cam cynta' o'r Wernddu pan oeddat ti yn cychwyn tuag yma. Sut y gwn i fod ti wedi bod yma y noson o'r blaen a finne ddim gartre', ac i ti guro'r drws ddwywaith, a bod mor hy ag edrach drwy'r ffenest? Digwydd pasio 'roeddet ti'r noswaith honno. Sut y gwn i fod ti wedi pasio dyn diarth ar y ffordd? Fedri di ddweud hynny? 'Dydi Nansi byth yn deud wrth neb *sut* mae hi'n gwybod pethe."

"Gan ych bod chi mor glyfar," ebe Harri, "mi ddylech wybod beth ydi musnes i heno."

"Wrth gwrs 'y mod i'n gwybod, ond 'dydw i ddim am gadw ci a chyfarth fy hun," ebe Nansi.

"Ond golygwch, Nansi," ebe Harri, "fod y ci yn barod i dalu i chi am gyfarth yn ei le, 'naech chi ddim cyfarth yr adeg honno?" ebe Harri.

"Taw â dy ddameg a dywed dy fusnes, ne' cer adre'," ebe Nansi.

"Dalltwch hyn, Nansi," ebe Harri, " 'dydw i yn credu dim mewn dewiniaeth, a 'does gen i ddim isio i chi ddeud fy ffortun."

"Mwya' ffŵl wyt ti," ebe Nansi; "ydw i ddim wedi dy argyhoeddi di'n barod, os oes argyhoeddi arnat ti, y gwn i fwy o'r hanner nag oeddat ti'n feddwl? Ac am dy ffortun, mi ddywedwn hwnnw i ti mewn dau funud, ond mai gwell i ti beidio â'i wybod. Fydda i byth yn leicio deud ffortun drwg. Mae dau wrthrych o flaen dy feddwl di, ac yn peri llawer o bryder i ti—'rwyt ti'n caru un ac yn casáu y llall? Ydw i ddim yn iawn?"

"Heb 'neud 'chwaneg o lol, Nansi," ebe Harri, "yr ydw i isio i chi 'neud tipyn o fusnes i mi, a mi dalaf i chi am eich trafferth. Yr ydw i wedi clywed rhyw sibrwd fod Ernest, mab y Plas, yn torri i gyfarfod Gwen wrth iddi ddod o'r capel y nos, a mae gen i isio i chi gael allan oes gwir yn y stori."

"Wel y nerco! oni feder Gwen ei hun ddeud hynny wrthot ti?" ebe Nansi.

"Gwir", ebe Harri, "ond 'does gen i ddim isio gofyn iddi, nac isio i chithe sôn gair wrthi am y peth, nac wrth neb arall. 'Dydw i ddim yn credu'r stori, ond mi leiciwn fod yn siŵr o'r mater. Os ydi'r stori'n wir, dydw i ddim isio i Gwen ddeall 'y mod i'n gwybod, ac os nad ydi'r peth yn wir, leiciwn i ddim ei brifo wrth sôn amdano."

"Rhyngot ti a fi, Harri," ebe Nansi, "'dydw i ddim yn deud fy *secrets* i bawb—ond rhyngot ti a fi, dydi'r planede ddim yn deud mwy nag un peth wrtho i ar unwaith, a'r unig beth ddaru nhw ddeud heno oedd dy fod ti'n dŵad yma, neu mi f'aswn yn gallu ateb dy gwestiwn di heb chwilio chwaneg yn ei gylch."

"Peidiwch â chyboli ynghylch y planede, Nansi," ebe Harri; "y peth ydw i isio i chi 'neud ydi cael allan drwy eich cyfrwystra y gwir am y stori a glywes, a dim chwaneg."

"Hynny a gei di yn bur fuan," ebe Nansi. "Ond petawn i yn ffeindio bod y stori yn wir, be' wedyn? Wyt ti isio i mi lygad-dynnu'r climach heglog? neu wyt ti isio i mi ei wenwyno?"

"Dim un o'r ddau, Nansi," ebe Harri; "mi wn yn well na chi beth i 'neud â fo, os ydi'r stori yn wir."

"Paid â thwyllo dy hun," ebe Nansi, "mae mwy o gythrel yn y gwalch ene nag wyt ti'n ddychmygu, ac os wyt isio dial dy lid arno rhaid i ti gael help Nansi."

"Dim o gwbl," ebe Harri; "mi wn sut i ddelio â fo yn well na chi."

"Taw y ffwlbart; 'drycha yma," ebe Nansi, a chan godi ar ei thraed, estynnodd o gwpwrdd oedd yn ei hymyl hen lyfr tew, wedi ei rwymo mewn lledr du, a'i ddalennau yn felyn a phyd-redig. Wedi iddi aileistedd a rhoi proc i'r tân, dechreuodd yr hen wraig droi'r dalennau yn ofalus. Rhwng y tudalennau yr oedd rhyw fath o lysieuyn neu ddeilen grin, a sylwai Harri, er bod y goleuni yn brin, pan oedd Nansi yn troi'r dalennau, fod pob deilen grin yn wahanol—rhai yn fach a rhai yn fawr. Mewn distawrwydd bu rai munudau yn troi y llyfr, nes i Harri ddech-rau anesmwytho, a chychwynnodd wneud rhyw sylw, ond ataliwyd ef gan Nansi drwy iddi godi ei llaw chwith i gyfeiriad ei wyneb, heb dynnu ei llygaid oddi ar y llyfr, ac yn y man, wedi iddi ddod at ddeilen oedd ymron yn gron, ebe hi:

"'Drycha yma,—paid â dŵad yn rhy agos,—weli di y ddeilen hon?"

"Gwelaf; beth amdani?" ebe Harri.

"Wel," ebe Nansi, "dyma'r peth ydan ni sydd yn dallt pethau fel hyn yn ei alw yn ddeilen sawdl y diawl. 'Does dim hanner dwsin yn y deyrnas yn ei nabod. Petait ti,—paid â dŵad yn rhy agos,—petait ti yn rhoi y ddeilen yma o fewn modfedd i dy drwyn, fe fyddet farw fel drewgi. Fydde raid i mi ddim ond gyrru'r ddeilen yma mewn llythyr i—mi wyddost pwy—ag iddo ei hogle, mi gicie'r bwced yn syth."

"Dowch â hi yma, Nansi, a mi bwyta hi'r munud yma," ebe Harri.

"Dos adre', yr inffidel," ebe Nansi, gan gau'r llyfr a'i ddodi yn ofalus yn y cwpwrdd, ac edrychai wedi ei thramgwyddo yn dost.

Gwelodd Harri ei fod wedi ei chythruddo, ac ebe fe:

" 'Dydw i'n gwybod dim am bethau fel yna, Nansi. Ond a ydach chi'n addo gwneud y peth ddaru i mi ofyn i chi, a'i gadw i chi'ch hun?"

"Wn i ddim," ebe Nansi; " 'dwyt ti ddim yn haeddu i neb 'neud dim i ti, yr hen gath goed," a syrthiodd i ddistawrwydd, ac ni ddywedodd Harri air am y rhawg. Yn y man, ebe Nansi:

"Erbyn pryd yr wyt ti isio gwybod?"

"Cyn gynted ag y medroch chi," ebe Harri.

"Ddaw Ernest ddim o'r tŷ i ti am rai dyddiau eto," ebe Nansi.

"Sut y gwyddoch chi hynny?" gofynnai Harri.

"Sut y gwn i? Paid byth â gofyn *sut* y gwn i bethau,—'y musnes i ydi hynny. Ond sut y daw o allan a thithe wedi 'sigo pont 'i drwyn o? Pam na f'aset ti wedi lladd y draenog a thithe wedi cael y cyfleustra? Chawset ti mo dy grogi am ladd climach fel yna. Daset ti wedi gofyn i Nansi, mi fase hi wedi deud wrthot ti y b'aset ti'n colli dy geffyl wrth ganlyn y gêr fudur yna. Aros gartre' efo dy bobol dy hun o hyn allan, os wyt ti'n gall."

"Ydi'r sôn wedi mynd hyd y wlad, Nansi, 'y mod i ac Ernest wedi bod yn ymladd?" gofynnai Harri.

"Chlywes i neb yn sôn—ych gweld chi ddaru mi," ebe Nansi. "Yr oedd yr hen Berson yn meddwl mai fo oedd yr unig un oedd yn ymguddio yn y coed, ddyliwn! Yr hen ragrithiwr budur! Mi f'aswn yn leicio rhoi tro yn ei wddw fo pan oedd o'n cymryd arno'ch perswadio chi i roi heibio, a finnau'n ei glywed o'n siarad â fo'i hun,—'*Now*, Harri annwyl, lladda fo,' a mi fydd heno yn llenwi ei fol mawr yn y Plas."

"*Hold on*, chware teg i Mr. Jones; mae o'n ddyn go lew," ebe Harri, gan godi i fynd ymaith.

"Ydi," ebe Nansi, "glew iawn iddo'i hun—syrffed y cŵn hela gynno fo. Ond aros, 'dwyt ti ddim wedi deud faint ydyw i i gael am y *job* yma."

"Hanner coron," ebe Harri.

"A chawged o fenyn?" ebe Nansi.

"A phwys o fenyn," ebe Harri.

"Aros eto," ebe Nansi, "rwyt ti'n mynd i'r ffair 'fory; cymer di ofal o'r bustach tew."

"Pwy oedd yn deud wrthoch chi mod i'n mynd i werthu'r bustach?" gofynnai Harri.

"Cymer di ofal o'r bustach, a cher adre' cyn i mi flino ar dy stori di," ebe Nansi.

XIX

Nansi

YR oedd yr hen Nansi ar ei thraed yn blygeiniol drannoeth, a'i gên felen rhwng ei dwylo a'i phenelinoedd yn gorffwys ar lintel ffenest y gegin, ac yn gwylio pawb a elai i'r ffair. Gwnâi Nansi sylw, megis wrthi hi ei hun, ar bob un a welai yn myned heibio ei thŷ i'r ffair rywbeth i'r perwyl canlynol:

"Ie, dyna Ned, y Weirglodd Ddu, yn mynd â'r hwch. Mae 'i chefn hi cyn feined â llif Jac y saer troliau, fel petai hi wedi byw ar y gwynt. Pam na werthi di gwrych hi i'r cryddion, Ned? Ho! ydech chithe, Mrs. Jones, y big fain, yn mynd efo'ch mochyn, yn eich gown du a'ch crêp? Mi fydde'n well gynnoch *chi*, mi wna lw, daro ar gariad na gwerthu'ch mochyn, madam! A dyna fynte, Wil y trwyn cam, ar gefn ei sbafun. Mae'n lwc fod gynnat ti gyfrwy, Wil, neu mi fase asgwrn ei gefn o yn dy hollti di drwy dy ganol—mae o mor dene—yr hen gybydd d——. O, dyma ninnau, sgweiar moron y maes, efo'i hen hag! Yr wyt am ei dreio eto, wyt ti, Pitar? Mae'r hen Smoiler yn codi'i gynffon, ydi o? Ond fase waeth i ti heb roi *ginger* iddo; mi fydd ei gynffon yn ddigon fflat cyn y gweliff o fansiar! A dyma ninnau, Twm Pen-y-boncyn, a'i *lady*, yn mynd i dreio gwerthu yr hen Benwen eto! Gadewch i mi weld, ydach chi wedi bod yn ffeilio cyrn yr hen Benwen am y seithfed waith? O ydach, mi wela. Fase raid i chi ddim mynd efo'r hen fuwch i'r ffair—mae hi'n gwybod y ffordd yno ac yn ôl cystal â chithe. A drychwch arni *hi, lady* Hugh! Pwy ddylie, yn y ffair, fod y g'lomen yna, pan fydd hi gartre', mewn baw at ei thor!"

A sylwadau cyffelyb i'r rhai uchod a wnâi Nansi ar bawb a âi i'r ffair. Ond yn y man newidiodd dôn ei llais, ac ebe hi:

"Sefwch o'r gole! Dyma'r bobol yr ydw i wedi bod yn disgwyl amdanyn' nhw. Ie, dyma rywbeth gwerth eu cymryd i'r ffair. Chwech o heffrod yn werth edrach arnyn nhw. Deg punt y pen gei di amdanyn nhw, Harri. A dyma'r bustach tew; mae'n od gen i os na chei di ddeunaw punt am hwn yna. Cymer di ofal, Wmffre, o'r bustach, achos cythrel o nifel ydi o. Dase fo wedi nal i cyn i mi fynd dros gamfa, fase'r hen Nansi ddim yma heddiw. 'Dydi o ddim yn leicio'r glog goch, a gobeithio mai dyma'r olwg ola' ga' i arnat ti, yr hen fustach felltith. A dyma dy fistar yn dŵad ar gefn ei geffyl du. Wyt, Harri, 'rwyt ti'n fachgen go smart, a daswn i yn ferch ifanc faswn i ddim yn erbyn bod yn gariad i ti. Ond 'rydw i braidd yn meddwl fod gynnat ti fwy o bres nag o synnwyr, ac felly 'rydw i'n disgwyl, rhyngot ti a'r merched ifinc, gael ambell hanner coron ar dy gorn di. A 'rŵan, yr hen gath, waeth gen i pwy arall aiff i'r ffair; gad i ni gael brecwast, ac wedyn mi aiff Nansi i bysgota."

Paratôdd Nansi frecwast iddi ei hun ac i'r gath, ac wedi bwyta eisteddodd ar ystôl o flaen y tân, a chymerodd fygyn o getyn byr, du, ac wrth ysmygu ymddangosai mewn myfyrdod dwys. Yn y man curodd Nansi y llwch o'r cetyn, a gosododd ef ar y pentan, a phlethodd ei dwylo ar ei glin, gan droelli ei bodiau ac edrych yn ddyfal i'r tân. Ymddangosai fel yn methu penderfynu ar ryw gynllun oedd yn ei meddwl, ac ail-lwythodd ei chetyn. Tynnai fwg yn golofnau megis heb yn wybod iddi ei hun. Wedi mynd i waelod yr ail gatiad, cododd ar ei thraed a hwyliodd ei hun i fynd allan. Cymerodd biser yn ei llaw, ac ymaith â hi tua'r Wernddu. Fel y crybwyllwyd o'r blaen, yr oedd yn ddealledig mai unwaith yn yr wythnos yr oedd hi i ymweld â'r Wernddu, ac âi Nansi yno bob dydd Sadwrn. Synnodd Gwen ei gweled yn dyfod yno ar ddydd Gwener, a dywedodd wrthi:

"Beth wnaeth i chi ddŵad yma heddiw, Nansi?"

"Mi ddeuda i ti, Gwen, 'y ngeneth i, 'roedd gen i flys tipyn o laeth enwyn, a mi feddylies hefyd y galle fod Harri wedi mynd i'r ffair. 'Dydw i ddim yn hidio am iddo 'ngweld i'n dod yma, a gwell gen i ei gefn o na'i wyneb achos mi wn fod yn gas gynno fo ngweld i yn agos i'r tŷ,—mae o bob amser yn edrach mor sur," ebe Nansi.

"Dydw i ddim yn meddwl, Nansi, fod Harri yn erbyn i chi ddod yma, ond i chi beidio â dod yn rhy amal," ebe Gwen.

"Wn i ddim wir, golwg milen sy ganddo," ebe Nansi. "Ydi o yn symol ffeind wrthot ti, dywed? Mi ddyle fod!"

"Gwarchod ni, Nansi! pam yr ydych chi yn gofyn y fath gwestiwn? Un o'r creaduriaid ffeindia yn y byd ydi Harri," ebe Gwen.

"Mae'n dda gen i glywed," ebe Nansi, "ond golwg fel arall sy ganddo. Ond 'dydi pobol ddim i'w cymryd wrth eu golwg. Lle gwelest di ddyn ffeindiach yr olwg na mab y Plas? Ond cythrel o ddyn ydi o er ei holl wên deg."

"Nansi," ebe Gwen, "peidiwch â galw yr un dyn ar y fath enw hyll, yn enwedig gŵr bonheddig."

"Gŵr bonheddig y felltith! Wyddost ti be' ddaru o a'i dad 'neud efo fi? Mi ddarun fygwth gosod y cŵn arna i am i mi ddim ond mynd at y Plas i ofyn cerdod! Ond mi ddeudes wrthyn' nhw y bydde cŵn uffern yn eu cnoi *nhw* i dragwyddoldeb, a mi fyddant hefyd, myn ——, a mi rois 'y melltith iddyn nhw, a mae hi'n siŵr o ddŵad iddyn nhw yn ei hamser," ebe Nansi.

"Nansi, Nansi, peidiwch â siarad fel yna; fedra i ddim gwrando arnoch chi, a rhaid i chi beidio â dod yma os gwnewch chi sôn am bethau fel yna eto. Mae o'n beth ofnadwy o annuwiol i chi felltithio neb, a deud geiriau mawr fel yna. Ewch ar eich gliniau, Nansi, i ofyn maddeuant a gras yr Arglwydd," ebe Gwen.

"Paid â chynhyrfu, Gwen," ebe'r hen wreigan, "fedra i ddim melltithio neb, wyddost, heb i Dduw fy helpio—y Fo sy'n dod â'r felltith a'r fendith i ben. A mi synnet petawn yn mynd dros gymin ohonyn nhw sydd *wedi* dod i ben. Dene, i gychwyn——"

"Tewch, Nansi," ebe Gwen, " 'does gen i ddim isio eich clywed yn mynd drostyn nhw. Rhowch i mi eich piser i nôl y llaeth i chi."

"Paid â bod ar gymin o frys; aros am funud," ebe Nansi. "Chei di, 'y nghariad i, ddim ond 'y mendith i tra bydda i byw. Ond be' wyt ti dy hun yn feddwl am y Sgweiar a'i fab? Be' ydi dy farn onest di amdanyn nhw?"

"Fy meddwl i ydi, Nansi," ebe Gwen, "fod llawer un gwaeth na'r Sgweiar. Mae o yn fistar tir caredig a chymwynasgar. Ac am Mr. Ernest,—wel, mae'n rhaid inni gofio nad ydi o ddim yn troi yn yr un cylch â ni, nac wedi ei ddwyn i fyny yr un fath â ni. Dyn ffeind y gwelais i o, a chlywais ddim llawer iawn o sôn am ddrygioni yn perthyn iddo. Gadewch inni feddwl y gorau am bawb, Nansi. Yn wir, mi fydda i yn ceisio gwneud felly nes y bydd raid i mi gredu yn ddrwg amdanyn nhw."

"Mi elli ddechrau meddwl yn ddrwg am y gŵr yna pan fynni di. 'Drycha'r tro wnaeth o â Harri," ebe Nansi.

"Pa dro, Nansi?" gofynnai Gwen.

"Paid â bod mor ddiniwed, Gwen. Mi fase'n g'neud lles i dy galon di weld Harri yn ei thympio fo. Dyna'r seit orau weles i yn 'y mywyd," ebe Nansi.

"Oeddach chi, tybed, ddim yn edrach ar yr helynt?" gofynnai Gwen.

"Oeddwn, neno'r brenin, ond wyddan nhw mo hynny, dallta, a phaid dithe â deud wrthyn nhw. Y fi roth fy mendith i Harri, neu, mae gen i ofn, y cawse fo gweir. Oedd ddim yn dda gynnat ti fod Harri wedi neintio fo?"

"Nag oedd, Nansi," ebe Gwen, "yr oedd yn ddrwg gen i ddeall fod y ddau wedi gwneud eu hunain mor isel ag ymladd fel anifeiliaid direswm. Mae gen i gywilydd o 'nghalon drostyn nhw, ac os gwelwch chi'n dda, Nansi peidiwch â sôn wrth neb am yr helynt."

" 'Rwyt ti'n siarad," ebe Nansi, "fel petai gynnat ti gryn barch i Ernest, ond, yn dy galon, mi wn dy fod yn ei gasáu fel yr hen fachgen."

"Yr ydach chi'n camgymryd yn fawr, Nansi," ebe Gwen, "'dydw i ddim yn casáu neb. Mae'r Beibl yn ein dysgu i garu pawb. Wrth gofio, yr ydach chi'n medru darllen on'd ydach chi, Nansi?"

"Ydw debyg, mi fedra ddarllen Cymraeg, ond Sa'sneg yn well, ond Cymraeg ydw i'n ddallt orau," ebe Nansi.

" 'Newch chi ddarllen y Beibl, Nansi, os gwna i roi un i chi?" gofynnai Gwen.

"Oes gynnat ti Feibl gwahanol i Meibl i?" ebe Nansi.

"O, a mae gynnoch chi Feibl ynte?" gofynnai Gwen.

"Oes, a mi fydda yn darllen llawer arno," ebe Nansi.

"Pa rannau o'r Beibl sydd fwyaf hoff gynnoch chi, Nansi?" gofynnai Gwen.

"Mi ddeuda i ti," ebe Nansi; "llyfrau Samwel a'r Brenhinoedd, a rhai o'r Salmau lle mae Dafydd yn melltithio ei elynion. Dyn iawn oedd Dafydd, a 'roedd o yn medryd ei rhoi hi i'w elynion dros eu holl gorff. Mi f'aswn yn leicio dase yna rwfun o'i sort o 'rŵan. Fydda i'n hidio dim am y Testament Newydd,—'dydio ddim at 'y nhast i."

"O, Nansi! peidiwch â deud fel yna. Yn y Testament Newydd y mae hanes ein Gwaredwr," ebe Gwen.

"Gwareda di fel y mynnost di, 'dydw i'n hidio dim am y Newydd; mae'n well gen i o'r hanner yr hen hanesion yn Samwel a'r Brenhinoedd. Ond yr ydw i wedi dy gadw di yn o sownd bore heddiw; dyro i mi'r llaeth a mi af o dy ffordd di."

Aeth Gwen i gyrchu'r llaeth, a dychwelodd yn y funud. Edrychodd Nansi gyda chil ei llygad i'r piser, ac ebe hi:

" 'Dydi hwn ddim 'run fath ag arfer, Gwen."

"Beth sydd arno?" gofynnai Gwen.

" 'Does yna 'run lwmp o fenyn ynddo," ebe Nansi.

" 'Dydw i ddim am roi 'chwaneg o fenyn i chi tra byddwch chi'n sôn am y melltithio yma," ebe Gwen.

"Cymer di y piser yn ei ôl, a rho'r 'menyn ynddo, a mi gawn sôn am y melltithio ryw dro eto," ebe Nansi.

Gwnaeth Gwen yn ôl y gorchymyn, ac aeth Nansi ymaith dan ei bendithio.

"'Druan ohoni, y greadures dlawd, annuwiol," ebe Gwen wrth ei hun. "Ydi o'n bosibl cyffwrdd calon un fel yna, tybed? Ac eto y mae pob peth yn bosibl gyda Duw, ac fe fwriwyd saith o gythreuliaid allan o Mair Magdalen. Ond mor annhebyg y cedwir Nansi byth! Mae gen i ofn fod rhyw gymaint o wir yn yr hyn ddywed pobl amdani—fod a wnelo hi rywbeth â'r ysbrydion drwg."

XX

Ernest Griffith

PA un ai gwaith Mr. Jones, y Person, ai yr Yswain Griffith, neu y ddau gyda'i gilydd, oedd perswadio Ernest, mab y Plas, i ddyfod i'r Wernddu i wneud amodau heddwch â Harri Tomos, ni allai yr olaf benderfynu, ond gwyddai o'r gorau nad ohono ei hun y daethai Ernest yno,—yr oedd ei ystumog yn rhy uchel i hynny. Pa fodd bynnag, ymhen ychydig ddyddiau ar ôl yr ymladdfa, a'r olion wedi diflannu, a phan oedd Gwen a Harri ar fynd at y bwrdd i gael te, pwy ddaeth i mewn, yn ysgafn ei droed, yn foneddigaidd ei ddull, ac yn wên i gyd, ond Mr. Ernest Griffith. Syfrdanwyd Harri a Gwen am foment gan ei ymddangosiad disyfyd. Yn hollol ddiymdrech a naturiol, ebe Ernest:

"Harri, 'neiff hi mo'r tro i chi a minnau fod yn elynion i'n gilydd, ac yr ydw i wedi dod yma i fod yn ffrindie. Yr ydan ni wedi ffraeo ac wedi ymladd, a mi wnaf addef eich bod wedi rhoi cweir i mi, ac yr wyf yn meddwl fod hynny yn dipyn o gredyd i chi. Nid pawb, chi wyddoch, fase'n gallu gwneud hynny. Ond yrŵan, mi anghofiwn y cwbl, fel petasai dim wedi digwydd, o'm rhan i. Be' ydach chi'n ddeud am hynny, Harri?"

"Mi gynigiais ysgwyd llaw â chi, Mr. Ernest, ar ôl i bopeth fynd drosodd, a mi ddaru chithe wrthod, a hwyrach mai fy nhro i ydi gwrthod 'rŵan," ebe Harri.

"Yr oeddach dan gam-argraff yn y swper, Harri, a minnau dipyn yn wyllt fy nhymer. Ond cymerwch fy ngair, Harri, fel gŵr bonheddig, 'doedd gen i ddim bwriad—ddim y bwriad lleiaf—i anafu'ch ceffyl," ebe Ernest.

"Pam na f'asech chi'n deud hynny o'r blaen? A mae gen i fy syniad fy hun am hynny," ebe Harri.

"Cymerwch fy ngair yrŵan, Harri," ebe Ernest, "ac os ydach chi yn ei amau, fe wnaiff fy nhad dalu i chi am y ceffyl. Ydi hynny ddim yn deg, Gwen?"

"Yn berffaith deg," ebe Gwen. "Ysgydwch ddwylo fel cymdogion a Christnogion, a gadewch i bopeth ddarfod."

"Mae'n dda gen i'ch clywed chi'n siarad fel yna, Gwen," ebe Ernest, gan droi llygad edmygol arni.

"O'r gorau," ebe Harri, er ei fod yn credu fod Ernest yn dweud y celwydd mwyaf a ddywedodd yn ei fywyd, "mi 'sgydwn ddwylo ynte, a mi adawn i bopeth basio."

"Ie, dyna chi yn actio fel dynion," ebe Gwen, ac ychwanegodd: "Mr. Ernest, 'does gynnon ni ond te plaen; 'newch chi gymryd cwpaned efo ni?"

"Gyda phleser, os nad oes gan Harri wrthwynebiad," ebe Ernest.

"Dim o gwbl; eisteddwch wrth y bwrdd," ebe Harri.

Tra oedd y tri yn cymryd te, teimlai Gwen yn hynod hapus wrth weled Harri ac Ernest yn gyfeillion, ac yr oedd ei hapusrwydd yn ychwanegu nid ychydig at ei phrydferthwch yng ngolwg y ddau, oblegid edrychai'r ddau arni fel yr eneth brydferthaf yn y byd. Ond ychydig feddyliai Gwen fod eiddigedd cythreulig ym mynwesau'r ddau, er eu bod yn ymddangos ar delerau rhagorol. Nid ymddangosai Ernest yn awyddus i ymadael, a siaradai yn fwyn-felys a di-baid. Yr oedd llawer o bethau yn galw ar Harri ynglŷn â'r ffarm, ond ni symudodd o'i le, ac ni roddodd foment i Ernest fod yng nghwmni Gwen ar ei ben ei hun. Ceisiai Harri ei orau ymddangos yn hywaith a charedig, ac ar yr un pryd llosgai am weld Ernest yn mynd ymaith, a theimlai y gallai roi dagr yn ei galon. A phan ddywedodd Ernest fod yn bryd iddo fynd adref, ac y gofynnodd Gwen pa beth oedd y brys mawr oedd arno—nad yn aml yr oeddynt yn cael ei gwmni—teimlai Harri yn ddig enbyd wrthi. Wedi aros yn hir, a'i gymell i aros yn hwy fwy nag unwaith, o'r diwedd aeth Ernest ymaith, a theimlai Harri fel pe buasai llwyth trwm wedi mynd oddi ar ei feddwl, a'i fod wedi cael gollyngdod mawr, a hwyliodd yntau at ei orchwylion. Cyfeiriodd Gwen ar ôl hyn ddwywaith neu dair mor hapus y teimlai fod Harri ac Ernest wedi dod yn gyfeillion, ond ni chymerai Harri ddiddordeb yn y sôn am y peth. Pan ganfu Gwen hynny, peidiodd â chrybwyll enw mab y Plas.

Un o'r nosweithiau dilynol yr oedd Gwen yn dychwelyd o'r seiat. Yr oedd yn noson lwyd-olau. Cerddai yn gyflym, a meddyliai am y pethau oedd wedi bod dan sylw yn y capel, oblegid erbyn hyn yr oedd hi yn eneth wir grefyddol. Oddeutu hanner milltir o'r Wernddu, gwelai ŵr ifanc yn dod i'w chyfarfod. Adnabu ei osgo ar unwaith, a chynhyrfodd yn ddirfawr, ond ni chollodd ei gwroldeb arferol. Pan ddaethant wyneb yn wyneb, ebe'r gŵr ifanc:

"O, Gwen Tomos, yntê? Mi wyddwn mai chi oedd yn dŵad—'does neb yn cerdded mor ysgafn â chi, Gwen; mi fedrwn eich nabod ymhlith mil ar eich osgo. Ai yn y capel y buoch chi?"

"Ie, Mr. Ernest," ebe Gwen, "ac y mae hi wedi mynd yn lled hwyr, ac yr ydw i ar frys i fynd adre'."

"Gyda'ch caniatâd, mi ddof i'ch danfon, Gwen," ebe Ernest.

"Yr un cam, syr," ebe Gwen. "Yr wyf wedi dweud wrthoch o'r blaen fwy nag unwaith nad ydi o ddiben yn y byd i chi dorri i fy nghyfarfod fel hyn. Mae'n rhaid i mi ofyn i chi, Mr. Ernest, beidio â gwneud fel hyn eto. Be' ddeude pobol pe deuen nhw i wybod am hyn?"

"Waeth gen i be' ddeuden nhw. Fedra i ddim byw heboch chi, Gwen; 'rydw i bron marw o gariad atoch chi. 'Roeddech chi'n deud y nos o'r blaen nad oeddan ni ddim o'r un *class* o bobol, ac nad oedd dim rheswm i un fel chi feddwl am briodi un fel fi sydd yn fab gŵr bonheddig. Be' waeth gen i am y gwahaniaeth y mae pobol yn ei wneud rhwng *class* a *class.* Yr un pethau ydan ni i gyd, ond fod rhai wedi bod dipyn yn fwy lwcus nag eraill. Yr ydach chi yn well ganwaith na fi. Mi wn o'r gorau fod syniad ym meddyliau rhyw ffyliaid am y gwahaniaeth yr oeddech yn sôn amdano, ond does dim ohono yn fy meddwl i. Ac wedi i chi sôn am y gwahaniaeth, yr ydw i wedi bod yn gofidio na fuaswn i yn perthyn i'r dosbarth gweithiol, a mi ddymunwn y munud yma fod yn weithiwr cyffredin os medrwn i ennill eich serch chi, Gwen. Ond pa anfantais fydd o i chi 'y mod i yn aer y Plas? Onid gwell i chi, Gwen, fod yn feistres y Plas Onn nag yn trin llaeth a menyn yn y Wernddu? Yr ydach chi wedi eich bwriadu gan Ragluniaeth i fod yn rhywbeth gwell na hynny."

"Mr. Ernest," ebe Gwen, "hyd yn oed petawn i yn credu eich geiriau teg, a glywes lawer gwaith o'r blaen, mae llawer o bethau ar y ffordd i mi wrando am funud arnoch. Yr wyf i yn Fethodist, ac yn benderfynol o fod yn Fethodist, a byw a marw efo'r bobol gyffredin sy'n arfer mynd i'r capel, ac yr ydych chithe yn Eglwyswr, ac yn casáu'r Methodistiaid."

"Y fi yn casáu'r Methodistiaid, Gwen? Pwy ddeudodd hynny wrthoch chi?" ebe Ernest.

"Ddeudodd neb wrtho i," ebe Gwen, "ond ych bod chi i gyd fel Eglwyswyr yn casáu'r Methodistiaid. Mae Harri, fy mrawd, yn eu casáu, ac felly y mae Mr. Jones y Person, a'ch tad yn eu casáu. Mae eich tad, yn ddiweddar, wedi gwrthod yn bendant gwerthu darn o dir i ni i 'neud y capel yn fwy, er iddo gael cynnig pris da amdano. Beth ydi hynny ond gelyniaeth hollol?"

"Wyddwn i ddim am hynny, Gwen, ac mae'n ddrwg gen i os cymerodd fy nhad ei berswadio gan Mr. Jones y Person,—achos mae yn ddiamau mai fo fu wrth y gwaith,—i'ch gwrthod o beth fel yna. Fe ddylai pawb gael rhyddid a chyfleusterau i addoli yn ôl ei gydwybod, ac yn ei ffordd ac yn ôl ei duedd ei hun," ebe Ernest.

"Os nad ydwyf yn camgofio, Mr. Ernest," ebe Gwen, "mi glywes eich bod chi yn fwy gwrthwynebol na'ch tad i werthu'r tir."

"Mae hynny yn gamgymeriad mawr, Gwen, a chewch weld cyn hir, os oes gen i ryw ddylanwad ar fy nhad, y bydd y tir i chwi i'w gael, os gofynnwch eto, pe na byddai ond er eich mwyn chi. Mi *wna* iddo ei werthu, os oes arnoch ei eisiau."

"Na," ebe Gwen, "wnaiff y Methodistiaid ddim ymostwng i ofyn i'ch tad eto. Mae gynnon ni olwg ar le arall i wneud capel newydd heb flino eich tad."

"P'run bynnag am hynny, fy ngeneth annwyl," ebe Ernest, ar fedr cymryd gafael ynddi; ond ciliodd Gwen yn ôl, ac ebe hi:

"Peidiwch â chyffwrdd â mi, os gwelwch yn dda——"

"Pam?" gofynnai Ernest, " 'dydi'r gwahanglwyf ddim arnaf, ac yr wyf yn llosgi eisiau eich gwasgu at fy mynwes."

"Os symudwch chi gam yn nes mi waeddaf dros y wlad," ebe Gwen.

"Wnaf fi ddim yn erbyn eich ewyllys, Gwen, ond mi ddisgwyliaf y byddwch ryw ddiwrnod yn rhedeg i fy mreichiau, a buan y delo'r dydd, oblegid yr wyf yn berffaith annedwydd nes y caf ryw sail i gredu eich bod yn fy ngharu chwarter cymaint ag yr wyf fi yn eich caru chi. 'Newch chi byth edifarhau, Gwen, am ymddiried yn fy ngair, credwch fi."

"Mr. Ernest," ebe Gwen, "os ydach chi'n meddwl mai rhyw ffolog wirion ydw i, 'rydach chi yn camgymryd yn fawr, ac mae'n rhaid i chi roi heibio siarad fel yna efo fi, neu mi fydd raid imi siarad efo'ch tad neu Harri. Yr ydw i'n rhwym o 'neud un o'r ddau, os na adewch chi fi yn llonydd."

"Deud wrth 'y nhad? Wnâi nhad ddim ond chwerthin am eich pen, ac yr ydw i yn siŵr nad 'y nhad gaiff ddewis gwraig i mi. Ac am Harri, beth fydde ganddo yn erbyn i fab ei feistr tir briodi ei chwaer?" gofynnai Ernest.

"Mwy nag a feddyliech, syr," ebe Gwen; "ond y mae yn rhaid i mi fynd. Nos dawch, Mr. Ernest."

"Arhoswch hanner munud," ebe Ernest. "Gadewch i bethau fod fel y maen nhw 'rŵan, heb sôn wrth Harri na neb arall, achos y mae gen i isio——"

"Mae rhwfun yn dŵad," ebe Gwen; "dyma fo yn ymyl," ac ar y pryd aeth heibio iddynt ddyn main, gweddol dal. Edrychodd arnynt, ond ni ddywedodd air. Tybiai Gwen ei bod yn adnabod ei gerddediad, ond ni allai yn ei byw alw i gof pwy ydoedd, ac wedi iddo fynd heibio, ebe Ernest:

"Wel, yrŵan, Gwen, mi ganiatewch imi ddyfod i'ch danfon gartre'; 'newch chi ddim meiddio mynd ar ôl dyn diarth fel yna ar eich pen eich hun?"

"Na," ebe Gwen, "chewch chi ddim fy nanfon i gartre', Mr. Ernest, waeth i chi un gair na chant."

"Wel," ebe Ernest, "mi gerddaf o'ch lledol ynte, achos fedra i ddim meddwl am i chi fynd eich hun fel hyn."

"Purion, os ydach chi'n dewis," ebe Gwen, "ond peidiwch â dod ddim agosach nag ugain llath i mi, a throwch yn ôl wrth groesffordd y Wernddu. Nos dawch eto, Mr. Ernest."

"O'r gorau, Gwen, mi wnaf yn ôl eich gorchymyn, ond yr ydach chi'n eneth greulon," ebe Ernest.

Ymaith â Gwen yn brysur, a da gan ei chalon, erbyn hyn, oedd meddwl fod Ernest yn cerdded tu ôl iddi, oblegid teimlai yn anhapus ddilyn y gŵr dieithr. Gwnaed hi yn fwy ofnus fyth pan sylwodd nad oedd y gŵr yn y golwg, ac nad oedd sŵn ei droed i'w glywed, er iddi ei ddilyn ar unwaith. Trôi ei phen yn fynych i edrych a oedd Ernest yn ei dilyn, a phan ddaeth at y groesffordd tynnodd allan ei chadach poced gwyn, a chwifiodd nos-dawch i Ernest, a rhedodd nes cyrraedd y tŷ.

XXI

Hen Gymeriad

YR oedd sefyllfa Gwen Tomos erbyn hyn yn hynod o anghyfforddus. Blinid hi yn dost gan waith Ernest Griffith yn torri i'w chyfarfod yn feunyddiol. Ni chredai ond ychydig yn ei eiriau teg, a hyd yn oed pe gwybuasai i sicrwydd fod ei eiriau yn fynegiad cywir o'i galon, ni buasai hynny yn dylanwadu dim arni i beri iddi roi croeso iddo. Teimlai ryw fath o atgasedd ato, er na allai bwyntio at ddim fel rheswm am hynny. Hi a ymddygai bob amser yn barchus tuag ato, fel y tybiai fod ei sefyllfa fel bonheddwr yn galw am iddi wneud, ac ar yr un pryd teimlai fod rhywbeth mor wrthyrrol ynddo nes peri iddi, yn ei chalon, gilio oddi wrtho fel oddi wrth neidr. Bu lawer gwaith yn ceisio dyfalu pa beth oedd yn Mr. Ernest i achosi y teimlad oedd ynddi tuag ato, a methai roi ei bys arno, oblegid yr oedd efe yn ŵr ieuanc hardd o bryd a lluniaidd yr olwg, a'i ymadrodd bob amser y buasai hi yn ymddiddan ag ef yn foneddigaidd a gweddaidd. Ond ynglŷn â hi ei hun, credai nad oedd ganddo ond yr amcanion mwyaf drygionus yn ei fynwes. Cymaint oedd ei ffydd yng nghadernid ei chymeriad fel na ddywedodd air wrtho hyd yn hyn nad oedd weddaidd i un yn ei sefyllfa hi wrth siarad â bonheddwr. Ond yn awr gwelai fod raid iddi wneud rhywbeth mewn hunan-amddiffyniad. Yn wir, ofnai ei bod wedi aros yn rhy hir, ac wrth feddwl am y gŵr a aethai heibio iddynt y noson honno, a chofio ei fod wedi edrych yn graff arnynt, ni wyddai pa ystori a fyddai hyd y gymdogaeth amdani fore drannoeth, canys credai yn sicr nad gŵr dieithr ydoedd,—adwaenai ei gerddediad, fel y dywedwyd, er na allai ddyfalu pwy ydoedd. Heblaw fod rhyw ledneisrwydd rhyngddi a'i brawd ar bwnc o'r fath, fel yr eglurwyd mewn pennod flaenorol, ofnai ddweud ei chŵyn wrth Harri, canys gwyddai yn dda ddigon am ei dymer wyllt, ac odid hwyrach mai ffromi a wnâi yn enbyd, a mynd yn syth i chwilio am Ernest, a rhoi cweir iddo fel yr un o'r blaen. Os rhoddai hi heibio fynd i'r capel ar nosweithiau canol yr wythnos, gwyddai y caffai (fel y byddid yn arfer y dyddiau hynny) ei galw i gyfrif, ac na fyddai ganddi esgus am ei habsenoldeb heb iddi ddweud yr hyn nad oedd wir—yr hyn ni allai hi ei wneud. Wedi oriau digwsg o fyfyrio ac ystyried, penderfynodd ddweud y cwbl wrth ei chyfeilles, Elin Wynn Pant-y-buarth. Brynhawn drannoeth, ebe hi wrth Harri:

"Harri, mae gen i flys mynd i edrach am Elin Wynn, a phetawn i ddim yn dod yn ôl erbyn te, mi wnaiff Ann hwylio te i ti."

"Popeth yn reit," ebe Harri, "yr ydw i wedi deud wrthot ti lawer gwaith am fynd mwy allan; 'does dim rheswm fod ti yn pwnio ati yn y fan yma bob dydd heb byth fynd dros y rhiniog ond pan fyddi di yn mynd i'r capel."

"Petawn i yn aros dipyn yn hwyr, hwyrach y doi di i fy nghyfarfod i?" ebe Gwen.

"Aros cyd leici di, a phaid â chychwyn o Bant-y-buarth nes i mi ddod yno. Mae gen i isio siarad efo Robert Wynn ynghylch yr hadyd," ebe Harri.

Gan mor anfynych yr âi Gwen i ymweld â neb o'r cymdogion, cafodd groeso mawr ym Mhant-y-buarth. Dyfalai Elin ar unwaith fod rhyw reswm am ei hymweliad, annisgwyliadwy. Teulu Cymreig iawn oedd teulu Pant-y-buarth, ac yr oedd eu ffordd o fyw dipyn yn wahanol i ffordd pobl eraill. Gwreigan (yn yr ystyr orau) hywaith, dew, a bodlon oedd Beti Wynn, mam Elin, a phob amser, pan na fyddai raid iddi wneud rhywbeth arall, yn gweu sanau. Nid cynt y byddai twll mewn hosan na ddechreuai Beti ei throedio, oblegid ni chredai hi mewn trwsio llawer ar sanau, gan na allent, meddai Beti, fod yn gyfforddus. Yr wyf yn credu pe na chawsai Beti weu sanau na fuasai bywyd yn werth ei fyw ganddi. Cofiaf hefyd mai Beti Wynn oedd y gyntaf i mi sylwi arni yn gweu heb ei bod—yn ôl pob ymddangosiad—yn edrych o gwbl ar y gweill. Synnwn yn fawr at ei medrusrwydd, a phan oeddwn yn hogyn lled fychan, a neb ond Beti a minnau yng nghegin Pant-y-buarth, gofynnais iddi sut yn y byd yr oedd yn gallu gweu heb edrych ar yr hosan, ac ebe Beti,—

"Mi ddeuda i ti, 'machgen i. Nid pawb feder, wyddost, ond arfer ydi popeth. Yr ydw i wedi dysgu peidio edrach ar yr hosan a'r gweill, a gadel rhwng 'y mysedd a nhw, rhag ofn i mi r'w dro fynd yn ddall. A 'rŵan, petawn i'n hapno colli 'ngolwg—a mae o'n ddigon gwan yn amal—mi fedrwn ddifyrru fy hun wrth weu hosan wedyn, a gwneud cystal rhosyn ar y meinedd ag a welest di 'rioed. Wn i ddim be' ddôi ohono i tawn i ddim yn medryd gweu, ne' dae y riwmatis yn mynd i nwylo i 'run fath â Mali Roberts, mi dorrwn 'y nghalon."

Gŵr yr oedd crefydd wedi ei wneud yn hanner sarrug oedd Robert Wynn, tad Elin. Bod ganddo grefydd, a honno yn un bur, nid amheuai neb a oedd yn ei adnabod. Ar adeg diwygiad crefyddol cawsai'r fath olwg ar ei bechod a'i gyflwr nes creu ynddo hunan-ffieiddiad, a ffrae, a drwgdybiaeth yn ei fynwes yn erbyn y byd a'i bobol. Os clywai Robert neb yn chwerthin, parai boen i'w glust a'i galon; ond os clywai rywun yn ocheneidio yn llwythog, coleddai obaith amdano, a gloywai ei wyneb y mymryn lleiaf. Yr oedd ei egwyddorion wedi eu hargraffu eu hunain ar ei wyneb,—yr oedd gwg a chwyrniad ar ei wedd, a'i aeliau wedi llaesu dros ei lygaid, a'r blew yn fodfedd o hyd, a chyn stiffed â gwrychyn mochyn. Darfu ei fanyldeb mewn buchedd ac yn yr egwyddorion Calfinaidd, ei sarugrwydd a'i ddiysgafnder, ei nodi allan yn fuan ym meddyliau eglwys Tan-y-fron fel un tra chymwys i fod yn flaenor. Ni chawsai erioed ddiwrnod o ysgol ond Ysgol Sul, ac ni fedrai air o Saesneg. Ni ofidiai Robert Wynn am ei anwybodaeth o'r Saesneg, oblegid credai fod pob pechod *newydd* oedd yn y wlad o darddiad Seisnig, ac nid wyf yn sicr nad oedd efe yn lled agos i'w le. Dymunai o'i galon a gweddïai yn daer am lwyddiant yr efengyl, ond yn ôl syniad Robert nid oedd y rhai a fyddai ar gael yn y diwedd ond ychydig hyd yn oed ymhlith y Methodistiaid, a llai fyth ymhlith yr enwadau eraill, ac am y rhai a arferai fynd i'r llan, ni choleddai obaith y byddai cadwedig un cnawd ohonynt.

Fel rheol, ymolchai Robert yng nghafn y pwmp, ac ymsychai yn llewys ei smoc. Unwaith yn yr wythnos yn unig yr edrychai i'r drych, a hynny ar nos Sadwrn, pan fyddai yn eillio ei farf, ac nid oedd y drych ddim mwy na'm llaw. Awr bwysig ym Mhant-y-buarth oedd honno pan fyddai Robert Wynn yn torri ei farf, ac er ei bod yn digwydd bob wythnos yr oedd yn dal yn *event*. Byddai yn gas gan Robert ei hun feddwl am yr awr, a thoc ar ôl te ar brynhawn Sadwrn dechreuai sôn y byddai raid iddo siafio erbyn y Saboth. Ymhell cyn i'r oruchwyliaeth ddechrau, gofynnai yr hen Beti yn feunyddiol i Elin: "Roist ti ddŵr ar tân i dy dad siafio, dywed?" Bryd arall dywedai wrth y gwas: "Ned, ddaru ti fwydo'r 'nifeiliaid? achos y mae hi *just* yn amser i dy fistar siafio." Pan ddigwyddai "mis" Pant-y-buarth i dderbyn pregethwyr, byddai goruchwyliaeth y siafio yn digwydd rai oriau yn gynharach, a newidiai hynny drefn ac amser popeth ynglŷn â'r ffarm drwy'r dydd Sadwrn hwnnw. Edrychid ym Mhant-y-buarth ar yr awr siafio gyda chymaint pwysigrwydd ag yr edrychir yn ein dyddiau ni mewn ambell ffarm o ddau gant o aceri ar y dydd y byddant yn dechrau "cario'r cynhaeaf". A hwyrach fod rhyw rith o reswm am hynny, oblegid yr oedd barf Robert Wynn yn un anghyffredin iawn. Yr un fath â'i egwyddorion, yr oedd pob blewyn ar ei wyneb yn *stiff* ac anhyblyg, ac yn tyfu drwy ei groen fel *tin-tacks*. Gwell gan Robert unrhyw ddiwrnod a fuasai lladd chwarter acer o wair na mynd ati i eillio. Ac eto, ni chymerasai ystad y Plas Onn am adael ei farf heb ei heillio ar gyfer y Saboth. Byddai nos Sadwrn ym Mhant-y-buarth yn rhywbeth fel y canlyn drwy'r blynyddoedd:

Byddai Marged y forwyn yn troi'r uwd yn y crochan mawr, a oedd yn trwtian ac yn ffrwtian, ac eisteddai Beti mewn cadair ddwyfraich un ochr i'r tân yn gweu yn ddiwyd, gan daflu golwg yrŵan ac yn y man ar y cloc, i edrych a oedd agos yn amser i Robert ddechrau siafio. Wrth ochr y crochan mawr, ar y bar, yr oedd sosban fychan, a'i hunig swydd oedd berwi dŵr unwaith yn yr wythnos i Robert Wynn i siafio. Ar ben y bwrdd mawr yr oedd bowlen wedi ei throi a'i hwyneb yn isaf, ac yn gorffwys arni, ar led ochr, yr oedd y drych bychan y soniais amdano o'r blaen. Ar y chwith i'r fowlen fawr yr oedd bowlen fach bren, a lwmp o sebon yn glynu yn ei gwaelod, a brws wrth ei hochr hithau. Ar y dde i'r fowlen a'r drych yr oedd rasal mewn cas lledr, a strap o ledr oddeutu hanner llath o hyd, a dwy fodfedd o led, a dolen a garrai ar un pen iddo. Hefyd *jug* beint a llarp o bapur siop. Byddai'r holl dacle hyn wedi eu gosod yn daclus yn eu lle ers awr neu ragor gan Elin, a fyddai yn brysur gyda'i goruchwylion, ond a ddeuai i'r gegin yn awr a phryd arall i ymofyn rhywbeth, ac fel ei mam, a edrychai bob tro ar y cloc ai nid oedd bellach yn amser i'w thad siafio.

Yn y man rhoddai Beti seibiant am eiliad i'r gweill, ac edrychai yn graffach nag o'r blaen ar y cloc; gwrandawai, a dywedai: "Begws, dyma dy fistar yn dŵad i siafio; tro'r ci 'ma allan." Yna deuai Robert Wynn i mewn, ag arogl côr, gwair, a stabal arno. Rhoddai drem ddiystyrllyd ar y tacle siafio. Yna eisteddai wrth y tân, a thynnai ei law dros ei ben, gan ddechrau yn y corun a diweddu yn y talcen, ac ocheneidiai yn drwm, gan edrych ar far y grât heb ddweud dim. Wedi peth distawrwydd dywedai Beti;

"Wel, Robert bach, ewch ati i gael i chi gael o drosodd."

Rhoddai Robert ochenaid arall, ac yn y man, wedi pondro a chysidro dipyn, cydiai yn y strap lledr; dodai y ddolen oedd ar un pen iddo am gliced y popty haearn, ac wedi tynnu'r rasal o'i chas dechreuai yn hamddenol ei hogi ar y strap. Ar adegau cymerai amser maith i wneud hyn, nes y dywedai Beti:

"Ydach chi ddim agos yn barod i ddechre', Robert, gael i chi gael o drosodd? Mae gen i ofn fod y sosban wedi berwi yn hysb eto."

Yn araf ac anewyllysgar, tynnai Robert ei gôb, a thorchai lewys ei grys at ei geseiliau, a chymerai amser i wneud trochion tew yn y fowlen bren. Erbyn hyn byddai'r sosban wedi berwi yn hysb am yr ail neu'r drydedd waith. Ond arhosai Robert yn hamddenol ac amyneddgar i gael dŵr ffres, ac i hwnnw ferwi. Yn y cyfamser byddai'r crochan uwd wedi ei ddodi ar y pentan, oblegid nid oedd yn bosibl edrych ar ôl yr uwd tra byddai Robert Wynn yn siafio, a thystiai Beti nad oedd modd cael rheol ar swper ar nos Sadwrn. Wedi cael popeth yn barod, gelwid am Elin, gan nad gyda pha orchwyl y byddai hi, i ddodi lliain am frest ei thad, a'i binio ar ei wegil ac yna dechreuai'r oruchwyliaeth fawr.

Rhwbiai'r hen Robert ei wyneb gyda'r trochion yn egnïol am ysbaid, tra byddai'r rasal yn blaenllymu yn y dŵr poeth. Pan ddechreuai efe grafu byddai'r tŷ yn llawn o sŵn ell-llŷ-ell-llŷ. Ni feiddiai Elin am y byd aros yn y gegin tra byddai ei thad yn defnyddio'r rasal, nid yn gymaint oherwydd y sŵn ell, ond oherwydd y gwahanol ffurfiau a gymerai ceg yr hen ŵr. Oblegid pan gydiai Robert ym mlaen ei drwyn, gan grafu ei wefus uchaf, byddai ei geg yn *perpendicular,* a'r foment nesaf, pan grafai ei dagell, byddai yn *horizontal,* a'i chonglau yn cyrraedd o glust i glust; tra wrth dorri y blew oddi ar ei ên yr ymddangosai heb yr un geg o gwbl. Ni allai Elin edrych ar yr ystumiau rhyfedd hyn ar yr wyneb dynol, yn enwedig wyneb ei thad, a phrotestiai petai ei thad yn cystadlu ar yr hen gamp o "sbïo trwy'r golar", byddai yn siŵr o ennill y wobr. Credai Elin hefyd mai yr olwg yr oedd ei thad yn ei gael ar ei wyneb a greai ynddo y fath atgasrwydd at y gwaith o eillio.

Teimlai Beti yn ddig enbyd wrth Elin am adael y gegin tra byddai ei thad yn siafio, "oblegid," meddai, "be' petasai rhwbeth yn hapno?" Dywedai Elin y gwyddai fod ei thad yn credu fod a wnelo barf dyn rywbeth â'r pechod *gwreiddiol.* Os deuai un o'r gweision i'r tŷ pan fyddai Robert yn trin y rasal, caeai Beti ei dwrn arno yn arwyddocaol a bygythiol, a chiliai'r gwas yn ôl heb ddweud gair wedi deall beth oedd yn mynd ymlaen. Ni ddywedai neb air tra byddai Robert yn siafio, ac wedi iddo orffen gollyngai "Hyh" ddiolchgar dros y tŷ, yn arwydd o ollyngdod i bawb, a gwaeddai Beti ar Elin i ddŵad i "gadw y pethe siafio", y rhai a gaent lonydd am wythnos gron, a rhoddid y crochan uwd ar y tân i orffen berwi. Deuai pawb i'r gegin i gael swper, a byddai Robert Wynn mewn hwyl i gadw dyletswydd, yr hyn a wnâi efe ar nos Sadwrn gydag arddeliad neilltuol, fel pe buasai wedi cael gwaredigaeth o afiechyd trwm neu brofedigaeth lem. Rhywbeth tebyg i hynyna fyddai nos Sadwrn ym Mhant-y-buarth drwy'r blynyddoedd.

Wel, medd y darllenydd, rhyw hanner ffŵl oedd Robert Wynn. Nid y fo, yn wir! Yr oedd yn ddigrif mewn rhyw bethau, ond yr oedd sylfeini ei gymeriad yn llydan a chadarn, er bod ambell glonc yn yr oruwchadeiladaeth. Yr hyn y rhyfeddai pawb ato oedd unig epil Robert a Beti, sef Elin. Mewn ffurf, delw, ysbryd, a meddwl, ni welai neb ynddi y tebygrwydd lleiaf i'w rhieni. Ac eto, camgymeriad oedd hyn,—yr oedd yn Elin gyfuniad o rinweddau a nodweddion annatblygedig ei thad a'i mam, a'r hyn a fuasent hwy mewn amgylchiadau gwahanol a mwy manteisiol. Ystyrid hi yr eneth fwyaf synhwyrgall, hywaith, a defosiynol a berthynai i eglwys Tan-y-fron. Nid oedd hi yn brydferth, a dweud y lleiaf, ac eto ychydig o ferched, mewn cylch mor fychan ag y trôi hi ynddo, a fu yn meddu cymaint o ddylanwad ar y rhai oedd o'i chwmpas, ac a enillodd gymaint o barch, edmygedd, a gwir gariad y rhai a'i hadwaenai. Os digwyddai fod gwas neu forwyn wedi moni, ac yn bwgwth ymadael oherwydd rhyw air garw gan Robert Wynn, ni fyddai eisiau ond i Elin fynd a siarad â hwy, a byddai'r olew wedi ei daflu ar y dyfroedd. Os digwyddai i Robert gythruddo rhai o aelodau Tan-y-fron, maddeuid iddo er mwyn Elin. Os siaradai'r hen ŵr yn dda yn seiat, neu mewn rhyw gyfarfod arall, neu os cymerai gwrs a gymeradwyid gan bawb, Elin a gâi'r clod serch na fyddai a wnelai hi ddim â'r peth. Yn yr Ysgol Sul yr oedd dosbarth o hogiau gwrthnysig a thrystfawr, yr hwn yr oedd ambell un wedi ceisio gwneud rhywbeth ohono ac wedi methu. Yr oedd gŵr Tŷ'n-llan, y mwyaf dylanwadol, wedi gorfod cyfaddef fod yr hogiau yn drech nag ef, ac wedi rhoi y dosbarth i fyny. Ymgymerodd Elin â'r cnafon ieuainc, ac nid hir y bu cyn eu gwneud cyn ddofed ag ŵyn anwes, a chyn hoffed ohoni ag o'u mamau. Yr wyf wedi aros yn lled hir gyda theulu Pant-y-buarth, rhag ofn na chaf gyfleustra i sôn llawer amdanynt eto.

XXII

Teulu Pant-y-buarth

PAN oedd teulu Pant-y-buarth a Gwen Tomos yn cael te, ebe'r olaf:

"Robert Wynn, yr ydw i wedi meddwl fwy nag unwaith sôn wrthych chi am Nansi'r Nant. Mae hi yn wraig annuwiol iawn; dydi hi byth yn mynd i gapel nac eglwys, a does neb yn ceisio gwneud dim iddi i beri iddi feddwl am ei henaid. Yn ddiweddar yr ydan ni wedi bod yn cynnal cyfarfodydd mewn tai annedd; ydach chi ddim yn meddwl y gallech chi lwyddo i gael caniatâd Nansi i gynnal cyfarfod gweddi yn ei thŷ?"

"Leiciwn i ddim treio," ebe Robert Wynn. "Os oes rhywun yn yr ardal yma wedi gwerthu ei hun i'r gŵr drwg, Nansi ydi honno, os da y clywes i ei hareth hi dro yn ôl, ac os ydi popeth a ddywedir amdani yn wir, a mi greda i fod o. Mae rhyw bobol wyddost, Gwen, wedi pechu cymaint nes digio'r Bod Mawr am byth, ac na fedrir mynd ag efengyl yn agos atynt. Mi adwaenwn lawer o'r sort oedd heb fod mor ddrwg â Nansi—fase ddim diben i neb feddwl am dreio eu hachub. Plant y felltith ydyn nhw, wyddost, a phlant y felltith fyddan nhw byth,—mae nod Cain ar eu talcennau,—y diafol piau nhw heddiw, a fo fydd piau nhw i dragwyddoldeb, ac am wn i y fo ddyle'u cael nhw,—ei bobl ef ydyn nhw a defaid ei borfa."

"Dydi'ch ffydd, nhad," ebe Elin, "ddim yn gref yng ngallu yr efengyl, neu siaradech chi ddim fel yna. Mae trefn Duw ar gyfer y gwaethaf o bechaduriaid."

"Waeth i ti befo," ebe Robert, "fedri di ddim cau dy lygaid ar ffeithiau. Mae rhyw bobl, fel y mae Eliseus Cole yn deud yn ei lyfr, bron â gneud i rwfun feddwl eu bod wedi eu harfaethu i golledigaeth. Er iddyn nhw gael pob manteision—hwyrach fwy o fanteision na phobl eraill—i edifarhau a throi at yr Arglwydd, maen nhw yn parhau yn eu hannuwioldeb, ac i bechu yn rhyfygus."

"Wel, sut yr ydach chi yn rhoi cyfri', nhad," ebe Elin, "fod rhai hynod am eu hannuwioldeb yn cael eu hargyhoeddi a'u dychwelyd, ac eraill lled fucheddol eu bywyd yn parhau yn anufudd?"

"Nid 'y musnes i ydi rhoi cyfri'," ebe Robert; "ond y mae'r peth yr wyt ti yn sôn amdano yn profi mhwnc i. Os ydi rhai tebyg yn cael eu gadael, a rhai annhebyg yn cael eu cadw, be' mae hynny yn brofi ond fod rhai wedi eu hordeinio i fywyd a'r lleill heb. Y ti, Elin, sydd i roi cyfri', yn ôl dy athrawiaeth, ac nid y fi."

"Ond 'drychwch, Robert Wynn," ebe Gwen, "ar William Pen-y-groesffordd, mor annuwiol oedd o; yn meddwi ac yn rhegi, yn baeddu ei wraig ac yn llwgu ei deulu bach, ac yr oedd sôn ei fod yn dwyn defaid hefyd,—wn i ddim oedd y stori yn wir,—a dyma William, druan, wedi cael gras, ac erbyn hyn yn Gristion gloyw ac annwyl."

"Reit wir," ebe Robert; "chyda golwg ar y dwyn defaid, yr oedd hynny yn eitha' gwir,—mi deliais o ar y weithred, ond soniais i ddim wrth neb byw bedyddiol, naddo ddim wrth Beti a pheidiwch chwithe sôn wrth neb byth, achos pan fydd Duw wedi maddau pechodau dyn, does dim eisio sôn amdanynt na'u hedliw. A phan ddeliais i o ar y weithred wrth feddwl am wraig William a'i deulu bach fedrwn i ddim ffrwytho 'i gymryd o flaen y stisied, achos petasai'r dyn yn cael ei dransportio f'aswn i ddim yn medru cysgu yn 'y ngwely. A rhaid i ti gofio, Gwen, mai i'r eglwys yr oedd William yn mynd yr adeg honno, pan oedd o'n mynd hefyd, a mi wyddost nad oes yno 'run efengyl yn yr eglwys, a phetasai tithau wedi dal i fynd yno, mi f'aset ym mro a chysgod angau hyd heddiw."

"O diar, Robert Wynn bach," ebe Gwen, "mae o'n beth *sad* i feddwl amdano, ych clywed chi yn deud na f'asech chi ddim yn gallu cysgu yn eich gwely petasech chi wedi gyrru un o'ch cymydogion i'r transport, a hwnnw yn perthyn dim byd i chi; a Duw yn gallu bod yn gyfforddus a miliynau o'i *blant* o wedi eu gyrru i'r transport tragwyddol."

“ ’Rwyt ti yn cerdded tir go beryglus yrŵan, Gwen,” ebe Robert. “ ’Does gynnon ni, wyddost, ddim i wneud ond mynd yn ôl y Gair. Os ydi’r Gair yn dweud, fel y mae o, fod torf ddiri’ yn mynd i golledigaeth, ’does gynnon ni ddim i’w wneud ond ei gredu. A beth wyt ti yn sôn sut y mae Duw yn gallu bod yn gyfforddus wrth feddwl am gymaint sydd yn y trueni? Sut y mae o yn gallu bod yn gyfforddus wrth feddwl am gymaint sydd mewn trueni yn y byd hwn? Mae hanner y byd mewn poenau a thrueni.”

“Ond nhw’u hunain sydd wedi dwyn arnynt eu hunain y trueni,” ebe Gwen.

“Reit wir, ’y ngeneth i, a nhw eu hunain sydd yn y trueni tragwyddol sydd wedi ei ddwyn arnynt eu hunain. On’d oes yn dy galon di a finnau ddefnydd trueni diddiwedd petai Duw yn troi ei gefn arnon ni? ’Does dim eisiau ond i’r Arglwydd beidio ymyrraeth â’n calonnau ni, a dyna hi yn uffern arnom ni byth,” ebe Robert.”

“Ond y mae o yn iawn ynom ni geisio cadw rhai o’r trueni os gallwn ni, on’d ydi o, Robert Wynn?” gofynnai Gwen.

“Nid yn unig mae o yn iawn, ond y mae o yn ddyletswydd arnom ni wneud hynny, os gallwn ni,” ebe Robert.

“Os felly,” ebe Gwen, “nid ein dyletswydd ydyw ceisio cadw yr hen Nansi, druan? Mae hi yn ddynes dalentog, ac wedi darllen llawer ar ei Beibl.”

“Os medri di lwyddo i gael caniatâd Nansi i gynnal cyfarfod gweddi yn ei thŷ, mi ddof i ac eraill i’w gynnal. Ond y mae gen i ofn mai hau ar y creigleoedd y byddwn ni. A mae o yn newydd i mi fod Nansi wedi darllen llawer ar ei Beibl, ac os ydyw hynny yn wir, mi wna lw ei bod wedi darllen mwy ar lyfrau codi cythreuliaid a deud ffortun. O’r braidd na fase yn well gen i glywed fod hi ’rioed heb ddarllen ei Beibl, achos y mae y rheiny sydd yn gyfarwydd yng Ngair Duw, ac ar yr un pryd yn hynod am eu pechadurusrwydd, yn fwy anobeithiol na neb yn ’y ngolwg i. Ond mi gawn weld sut y llwyddi di,” ebe Robert.

"Satan ddrwg ydi Nansi," ebe Beti, "a mae gen i hofn drwy waed 'y nghalon. Mae pobl yn deud ei bod hi allan bob adeg o'r nos, ac ymhob man, a 'does gen i ddim ffydd y meder neb byth wneud lles i Nansi, a'i gadael hi yn llonydd ydi'r gore', yn ôl 'y meddwl i."

"Mae yn amlwg, mam," ebe Elin, "na wnaech chi ddim lles iddi, achos 'does gynnoch chi ddim ffydd. Heb ffydd fedrwn ni wneud lles i neb, ond pe byddai gennym ffydd gymaint â gronyn o had mwstard, ni a ddywedem wrth y mynydd hwn—'Symuder di i ganol y môr.' "

"Ond a âi o i ganol y môr er iti ddeud wrtho ydi'r cwestiwn, fel y deudodd y dyn hwnnw," ebe Beti.

"Peidiwch ag amau geiriau y Beibl, mam," ebe Elin. "Ond gadewch i Gwen a finnau dreio," ebe Elin, "ac os methwn ni, mi fyddwn wedi gwneud ein dyletswydd, a gwaed yr hen Nansi heb fod ar ein dwylo."

Gydag ymddiddanion cyffelyb i'r rhai hyn y treuliai teulu Pant-y-buarth eu horiau hamddenol. Ar ôl te aeth Gwen ac Elin o'r neilltu, ac adroddodd y flaenaf ei phrofedigaeth i'w chyfeilles, gan ofyn am ei chyngor.

"Ers faint o amser y mae Mr. Ernest yn torri i dy gyfarfod di, Gwen?" gofynnai Elin.

"Ers wythnosau—ers toc ar ôl iddo ddod adre' o Oxford," ebe Gwen.

"Ydi Harri yn gwybod?" ebe Elin.

"'Does neb yn gwybod, mi obeithia'," ebe Gwen, "a fynnwn i am y byd iddo wybod. Yr ydw i wedi aros yn rhy hir heb ddweud wrth neb, a mae yn rhyfedd fod neb heb ein gweld a thaenu stori hyll amdana i," ebe Gwen.

"Pa stori hyll fedre neb ddeud amdanat ti? Mi wn na wnaet ti ddim o'i le. Ond wyt ti yn meddwl o ddifrif ei fod o mewn cariad â thi?" gofynnai Elin.

"Nag ydw, a phetaswn i yn credu hynny fase fo yn g'neud dim gwahaniaeth, Elin," ebe Gwen.

"Dyna'r fantais o fod yn bropor, Gwen. Yr wyt ti a finnau o ran ein hamgylchiadau, rywbeth yn debyg, ond ddaru Mr. Ernest erioed siarad gair â mi, na chymryd arno ei fod yn fy adnabod i pan fydde fo yn y nghyfarfod i ar y ffordd. Synnwn i ddim os nad ydi Ernest dros ei ben a'i glustiau mewn cariad â thi, achos yr wyt ti yn bropor tu hwnt i bopeth, a phetaswn i yn llanc ifanc mi f'aswn wedi gwirioni amdanat ti. Mi wn na wnei di ddim ymfalchïo, achos rhodd y Brenin Mawr ydyw prydferthwch, ac fel pob rhodd arall rhaid rhoi cyfrif pa fodd y defnyddiwyd hi i'w ogoniant Ef."

"Yr ydw i yn bur ddiolchgar i ti, Elin, am siarad fel yna," ebe Gwen. "Mi wn nad ydyw i ddim yn hyll—fydde fo ddim ond rhagrith i mi ddeud fel arall—ac yr ydw i yn cofio yr amser cyn i mi adnabod fy hun 'y mod i yn meddwl tipyn ohonof fy hun; ond mi fedraf ddeud yn onest yrŵan 'y mod i yn rhoi anfeidrol mwy o bwys ar fod yn dda nag ar fod yn brydferth."

"Mi wn dy fod yn deud y gwir, Gwen," ebe Elin; "ddaw byth ddim rhychau ar wyneb sancteiddrwydd, ac ni chyll bochau daioni eu gwrid, fel y mae rhywun wedi deud. Ond y mae prydferthwch yn dalent, Gwen, ac yn *introduction* i ti lle bynnag yr ei di. Yr ydw i wedi sylwi lawer gwaith, pan fyddet ti a finnau yn mynd efo'n gilydd i gapel diarth ar gyfarfod pregethu—waeth pa mor dynn fyddai y gynulleidfa—y byddai rhywun mewn munud yn gwneud lle i ti eistedd, a mi fyddai amryw fel yn ymrafaelio am y fraint, a minnau yn cael 'y ngadael i sefyll hwyrach am awr, ac yn dy gysgod di y byddwn i yn cael te gan y bobl ddiarth. Mi wyddost 'y mod i yn deud y gwir."

"Hwyrach dy fod di yn deud y gwir, Elin, ond mi fyddet yn deud ynot dy hun,—'Wel, petai'r bobol yma yn gwybod ein gwir werth ein dwy, i Elin Wynn y gwnaent le i eistedd, ac Elin a wahoddent i de,' " ebe Gwen.

"Ddaeth hynny 'rioed i'm meddwl i, Gwen, ond cenfigennu y byddwn i at dy brydferthwch di, ac fel yr oedd dy brydferthwch yn cael sylwi arno ym mhob man. Ond dyna oeddwn yn mynd i'w ddweud,—y fath gyfleustra sy' gynnot ti, ac on' fydde fo yn beth neis i ti fod yn *lady'r* Plas? Wyt ti ddim yn meddwl dy fod yn colli'r *chance* orau gei di byth?" ebe Elin.

"Elin," ebe Gwen, gyda theimlad, "ddaru mi ddim disgwyl i ti siarad fel yna. Hyd yn oed petawn i yn credu beth mae o yn ddeud, f'aswn i ddim yn dychmygu am funud briodi dyn digrefydd, petai o yn werth stad Syr Watcyn! Na wnawn byth! Mi fydde'n well gen i briodi gwas ffarmwr crefyddol na'r dyn cyfoethocaf yn y byd a hwnnw'n ddigrefydd. Yr ydw i yn gostyngedig gredu y byddwn yn druenus ar hyd fy oes efo dyn heb fod yn grefyddol. Os byth y prioda i, yr ydw i yn gweddïo i ngŵr i fod yn dduwiol, er iddo fod yn dlawd."

"Mor dda gen i dy glywed di yn siarad fel yna, Gwen," ebe Elin; "doeddwn i ddim ond dy dreio di. Ond wn i ddim pa gyngor i'w roi i ti. Onid gwell a fyddai i ti ddeud dy stori wrth 'y nhad, a gofyn ei gyngor ef?"

"O'r annwyl, nage!" ebe Gwen; "fynnwn i am y byd i dy dad wybod; mi ddeude yn syth fod yn rhaid 'y mod i wedi rhoi croeso i Mr. Ernest, neu ni fase yn torri i fy nghyfarfod fwy nag unwaith."

"Hwyrach hynny, wir, Gwen. Ond petai rhwfun yn digwydd eich gweld chi yn siarad â'ch gilydd ar y ffordd yn y nos, mi daene stori amdanat ti, os na thaeniff y dyn a'ch gwelodd chi neithiwr rh'w stori; be' wyddost ti? Be' petait ti yn deud wrth Harri dy frawd? Mi rôi o derfyn buan ar dy drwbleth," ebe Elin.

"Mi fydde yn well gen i ddweud wrth Harri nag wrth dy dad," ebe Gwen; "ond creu helynt wnâi hynny, ac wn i ddim yn iawn beth i 'neud. Ond yr ydw i yn teimlo yn ysgafnach ar ôl cael deud fy stori i ti, a mi adawn y peth fel y mae o 'rŵan, nes imi gael amser i gonsidro, a hwyrach y ca' i lonydd ganddo o hyn allan."

"Ond dywed i mi, pryd y cawn ni ofyn i'r hen Nansi am ganiatâd i gynnal cyfarfod gweddi yn ei thŷ?" gofynnai Elin.

"Gore' po gyntaf," ebe Gwen. "Yfory; mi awn yno prynhawn yfory."

"O'r gore'," ebe Elin, ac ar y pryd daeth Harri Tomos i mewn i nôl Gwen adref ac ymddangosai mewn ysbryd rhagorol.

Wedi dangos siampl o hadyd i Robert Wynn, a gofyn cryn lawer mwy amdanynt nag a ddisgwyliai gael,—oblegid tybiai Harri hynny yn angenrheidiol bob amser hefo hen flaenor Methodist,—deuwyd i fargen, ac addawodd Harri anfon yr hadyd i Bant-y-buarth drannoeth. Edliwiasai Harri i Gwen galedwch Robert Wynn lawer gwaith, a phriodolai y caledwch hwnnw i'r ffaith ei fod yn Galfin,—heb gofio, nes y câi ei hatgofio gan Gwen, am ei dad ei hun, yr hwn mewn bargen oedd cyn galeted â charreg filltir, ac a ddywedai gant o gelwyddau mewn ffair er mwyn swllt, a llai na hynny weithiau. Ac anghofiai Harri hefyd, wedi gwneud bargen, y byddai yr arian bob dimai i lawr gan yr hen ŵr, ac weithiau cyn derbyn yr eiddo, fel y tro hwn, oblegid mynnodd yr hen flaenor gael talu am yr hadyd y noswaith honno. Gofynnodd i Beti am gannwyll ac am y "goriade", ac wedi eu cael agorodd ddrôr yr hen ddreser, yn yr hon yr oedd bocs, a heb ei dynnu allan agorodd y clo, a gosododd y gannwyll tu mewn i'r ddrôr, a chadwai gysgod ei gorff rhyngddo â'r bocs, fel na châi neb ei weld tra yr oedd yn cyfrif yr arian. A phan oedd yr hen Robert yn ceisio cyfrif yr arian tu mewn i'r ddrôr, ysmaliai Harri am gynnwys gwerthfawr yr hen focs, gan brotestio pe buasai ei gynnwys yn hysbys nad efe—Harri—a fuasai yr unig un a roisid mewn temtasiwn i ddyfod i "guro" at Elin. Bu yr hen ŵr yn hir yn cyfrif, a pharhâi Harri i ysmalio o bwrpas i'w ddrysu, a mwynhâi y genethod y digrifwch, ac felly y gwnâi Beti hyd i bwynt neilltuol, pryd y rhoddodd arwydd i Harri dewi cyn i'r hen Robert golli ei dymer, ac nid cynt y rhoddodd hi yr arwydd nag y dywedodd Robert,—

"Wyst di be', Harri, os na thewi di â dy glebar mi gei fynd i ffwrdd heb dy bres, achos pwy yn y byd feder gyfri' pan fyddi di yn prygywtha dy lol wirion o hyd?"

Yr oedd Harri mor hoff o arian ag yntau, a chymerodd arno ufuddhau, a bu distawrwydd hir wedi hyn, er bod Harri yn tynnu wynebau ar y genethod a'r hen Feti. Wedi cael yr arian, a'u cael, wrth gwrs, yn iawn i'r ddimai, a diolch amdanynt, dechreuodd Harri ysmalio drachefn,—

"Dydw i yn cael dim croeso gynnoch chi, Robert Wynn, pan sonia i rywbryd am gnocio at Elin yma. Mae gen i ofn y bydd raid i mi droi yn Fethodist cyn y bydd *chance* i mi."

"Mi fydde yn dda i ti droi yn rhywbeth heblaw beth wyt ti. 'Rwyt ti yn hir iawn yn sadio, a mi goelia i na sadi di byth nes yr ei di i rywle i glywed efengyl yn lle mynd i'r hen Lan yna. A chofia, 'y machgen i, y bydd raid i ti roi cyfri' am bob gair segur."

"Diawst," ebe Harri, "mae'n lwc mod i yn well cyfrifwr na chi, Robert Wyn, neu mi fyddwn yn hir gynddeiriog yn rhoi cyfri' am bob gair segur, achos yr ydw i wedu deud wmbreth ohonyn nhw."

"Paid â rhyfygu, 'y machgen i, a bod yn ysgafn efo pethe mawr. Petait ti yn well cyfrifwr nag wyt ti, mi fydd tragwyddoldeb yn ddigon o hyd i ti gael amser wrth ben dy gownt. A hwyrach," ebe Robert, dipyn yn sur, "petaset 'rioed wedi cael diwrnod o ysgol fel fi, y baset cyn hired yn cyfri' â finne."

"Wel, wel," ebe Harri, "peidiwch â digio wrtho i; yr ydw i yn amal yn rhy hy ar hen bobl, a dyma i chi hanner coron yn ôl o'r arian. Yr ydan ni yn ffrindia, ond ydan ni?"

"Ydan," ebe Robert, "ond mi leiciwn dy weld di yn dechrau meddwl am rywbeth uwch na'r byd a'i ddigrifwch a'i wagedd."

"Mae digon o amser i hynny eto; nos dawch, yr hen gyfaill," ebe Harri; ac wedi canu yn iach â'r teulu aeth ef a Gwen tua chartref.

Yr oedd Harri yn hynod o ddedwydd, a'r rheswm am hynny oedd ei fod cyn mynd i Bant-y-buarth wedi galw efo'r hen Nansi am ffrwyth ei hymchwiliad i gysylltiad Gwen â mab y Plas. Nid wyf yn meddwl fod hanes yr ymweliad yn angenrheidiol yn y fan hon. Yn fyr, dywedodd Nansi wrtho ei bod yn ffaith fod Ernest yn torri i gyfarfod Gwen, ond y gallai efe, Harri, roi ei feddwl yn dawel nad oedd Gwen yn rhoddi unrhyw groeso iddo, a'i bod hi, Nansi, wedi ei gweld a'i chlywed yn gwrthod yn bendant i Ernest gael cerdded cam gyda hi, ac wedi ymgom faith, ebe Nansi wrth Harri: "Cysga yn dawel, nid geneth ydi Gwen i gael ei hudo gan r'w fwch difarf fel Ernest, a mi gadwa' fy llygaid ar y ddau, ac os bydd perygl mi gei wybod trystia di fi."

A rhyfedd y fath gysur a bodlonrwydd a roddodd tystiolaeth Nansi i Harri. Er mai fi fy hun sydd yn dweud hynny, nid oedd geneth yn yr holl gymdogaeth yn cael ei hedmygu yn fwy na Gwen, na neb tebycach o gael amryw ymgeiswyr am ei ffafr. Ond mor eiddigus oedd Harri o'i chwaer, ac mor wahanol i frodyr yn gyffredin, fel pwy bynnag a daflai lygaid edmygol ar Gwen, ac yn enwedig pwy bynnag a dderbyniai ronyn o'i ffafr, a syrthiai yr un funud allan o ffafr Harri. Oherwydd hyn, yn ystod yr amser yr wyf yn sôn amdano, anfynych y croesai mab ieuanc parchus, golygus, riniog y Wernddu. Nid felly yr oedd wedi bod bob amser. Wedi marw Edward Tomos, mynych y deuai meibion y ffermwyr cylchynol i'r Wernddu ar yr esgus o ymweld â Harri, ond cyn gynted ag y deallai Harri mai i siarad â Gwen y deuent, cadwai hwynt ar unwaith ar hyd breichiau. Bu hyn yn fantais i rywun y caf sôn amdano eto.

XXIII

Myfi fy Hun

NID difyr gennyf ydyw sôn llawer amdanaf fy hun, ac eto rhaid i mi wneud ychydig o hynny yn awr ac yn y man ynglŷn â'r hanes hwn. Wn i yn y byd mawr beth wnaeth i'm mam,—os fy mam ddarfu hefyd,—roi enw mor rhyfedd arnaf a'm bedyddio yn Rheinallt. Hwyrach mai ewyllys fy nhad oedd hyn, oblegid mi glywais gan rai oedd yn ei adnabod ei fod yn hoff o hanesiaeth Gymreig, a dichon ei fod yn edmygwr o Reinallt ap Gruffudd. Pa fodd bynnag, anfynych y cawn fy enw priodol gan neb. Galwai fy nghyd-chwaraewyr fi yn Rei, galwai Harri Tomos fi yn Rhein, a'r hen bobl a'm galwent yn Rhun, neu, pan fyddent wedi llwyr anghofio fy enw, galwent fi yn Bethma. Ond yr oedd un na fethodd erioed swnio pob llythyren yn fy enw; Rheinallt y galwai hi fi bob amser, a byddai yn ddig iawn wrth neb a'm galwai yn Rondyl. Parodd hyn i mi ddygymod â'm henw digrif, oblegid yr oedd pob gair ac enw a ddeuai dros wefus Gwen Tomos yn swnio yn hyfryd ar fy nghlust. Yr oedd hi ychydig yn hŷn na mi, ac er pan oeddwn grwtyn bach yr oeddwn wedi arfer edrych i fyny ati, ac yr wyf yn sicr cyn fy mod yn ddeg oed fy mod yn ei charu â'm holl galon ac â'm holl enaid. Yr wyf wedi sôn fwy nag unwaith am eiddigedd ei brawd Harri, yr eiddigedd a'i cylchynai bob amser, ac a gadwai bob estron draw, ond yr oedd fy eiddigedd i fy hun yn anhraethol fwy a dyfnach, fel y dangosodd yr amgylchiadau dilynol, er na wyddai efe na hithau ddim amdano. Ond caf sôn am hyn eto.

Er i mi gael fy nwyn i fyny yn y capel ac yn y seiat, eto, wedi marw fy mam a'm mynd i'r Wernddu, i deulu hollol ddigrefydd, buan iawn y gwisgwyd yr holl argraffiadau ymaith, a'r addysg a gawswn ym more fy oes. Yr oedd Twm Nansi wedi paratoi fy ffordd, a gorffennodd Harri Tomos fy nirywiad, a bellach nid awn byth i gapel nac eglwys, oddigerth ambell waith i'r olaf yng nghwmni Harri Tomos, er mwyn rhyw amcanion neilltuol nad buddiol fyddai i mi eu henwi. Dilynais fywyd diofal a difeddwl am grefydd a moesau da. Ac er mai hogyn eiddil ac egwan oeddwn pan oeddwn yn byw gartref gyda fy mam, wedi i mi ddyfod i'r Wernddu, a chael digon o waith caled, digon o awyr iach, a digon o ymborth plaen ac iachus, tyfais yn fachgen cryf, tal, a hoyw. Nid edrychid arnaf fel gweithiwr na gwas yn y Wernddu; yn hytrach yr oeddwn fel un o'r teulu, ac am hynny ni dderbyniwn ddim cyflog—yn unig cawn fwyd a dillad, ac ychydig geiniogau, gan fy Ewyrth Edward tra fu efe byw, a'r un modd gan Harri ar ei ôl, wrth ei ewyllys fel y tybiai yn angenrheidiol. Chwarae teg i Harri, ymddygai ataf fel at frawd, ac ni byddai byth yn grintach, ac ni ddangosai un amser ei awdurdod drosof, ac ni pharai un amser i mi deimlo fy mod yn israddol iddo. Nid hir y bûm heb fod mor gyfarwydd yng ngwaith y ffarm ag yntau, oblegid yr oeddwn yn fy elfen gyda'r anifeiliaid a thrin y tir, ac yr oedd ynof uchelgais beunyddiol am ragori am droi, hau, a llyfnu, a chanlyn y wedd. Yr unig beth y teimlwn fy hun yn dra diffygiol ynddo oedd y wybodaeth am brynu a gwerthu, ac yr oedd Harri mor geidwadol gyda hyn fel na cheisiodd o gwbl fy nysgu yn y gangen hon o ffarmwriaeth. Credwn weithiau ei fod yn fy nghadw gymaint ag a allai ar ôl yn hyn rhag i mi feddwl gormod ohonof fy hun.

Anodd ydyw dwyn dyn oddi ar ei dylwyth. Mwyaf medrus y deuwn i gyda gwaith y ffarm, a mwyaf o ofal a roddid arnaf bob dydd, mwyaf oll y gollyngai Harri ei afael o'r amgylchiadau, a mwyaf oll yr ymollyngai i'w fwynhau ei hun. O dipyn i beth, ac o fodfedd i fodfedd, gollyngodd Harri yr holl ofal a'r drafferth arnaf fi, ac âi yntau yn ei glos pen-glin ar gefn ei geffyl i'r fan yma a'r fan acw, ar yr esgus o brynu a gwerthu, ond gan amlaf, mi wyddwn, i lolian hyd dafarnau'r dref, ac i ysmalio gyda merchetos penchwiban. Cymerai ffansi beunyddiol at ryw geffyl newydd, ac wrth edrych arno yn cychwyn i'r dref ar gefn ei farch bywiog, ni wyddai Gwen na minnau yn fynych ai ar gefn yr un march y dychwelai. Cenfigennwn yn aml at ei fywyd esmwyth. Ond yr oedd Harri a minnau bob amser ar delerau campus,—ni byddai byth air croes rhyngom. Ni chydnabyddwn awdurdod uwch na Gwen. Byddai hi yn rhoi'r ddeddf i lawr i mi yn fynych, ac nid oedd wiw anufuddhau,—yn wir, nid oedd ei deddf hi yn adfywio pechod, a theimlwn ryw gymaint o bleser mewn cydymffurfio â hi.

Ymhen y rhawg, wedi i Gwen ddechrau mynd i gapel Tan-y-fron, ac ymuno â'r seiat, dechreuodd siarad â mi ynghylch fy nirywiad; atogofiodd imi yr addysg foreol a gawswn gan fy mam, a chymhellai fi yn daer ac yn dyner i ailddechrau mynychu moddion gras yn y capel. Yr oeddwn yn awyddus i wneud yr hyn a anogai am mai hi oedd yn fy annog, a dim arall, ond yr oedd arnaf y fath gywilydd troi yn ôl i'r capel wedi byw cyhyd mor benrhydd fel y bûm yn hir iawn cyn gallu gorchfygu fy yswildod. Yr oeddwn erbyn hyn yn ddigon meddylgar i gofio ddarfod i mi y flwyddyn olaf y bu fy mam byw achosi llawer o boen i'w hysbryd duwiolfrydig, er yn ddifwriad, ac nid oeddwn wedi mynd mor galed fy nheimlad i'r atgof beidio â dolurio rhyw gymaint arnaf. Ac yr oedd yn fforddio tipyn o gysur i mi ddarfod i mi ymgadw yn hollol ar hyd y blynyddoedd heb fynychu'r tafarnau, er nad oedd gennyf un cydymaith heb wneud hynny. Hefyd, yr oedd sêl a ffyddlondeb Gwen yn peri i'r atgof am fore oes ddyfod yn fynychach i'm meddwl, ac ar adegau teimlwn yn awyddus, pe bai bosibl, wneud rhyw iawn i'm mam am y gofid a roeswn iddi, ond hyd yn hyn nid oeddwn wedi gwneud dim yn y ffordd honno,—ddim cymaint ag a wnaethai Twm Nansi, sef addurno ei bedd â blodau. Ni wn a oedd Gwen wedi dod o hyd i'm gwendid—os gwendid hefyd—pryd, wedi iddi wneud llawer cais ar lawer o adegau i'm cael i'r capel, y dywedodd wrthyf ryw brynhawn Saboth, ar ôl te, a Harri eisoes wedi mynd i gyfarfod rhyw gymdeithion ffast fel efe ei hun:

"Rheinallt," ebe hi, "ddaru ti erioed feddwl am roi carreg ar fedd dy fam? Os ydyn nhw yn ein gweld o'r byd arall, ac yn gwybod beth ydan ni yn 'neud yma, yr ydw i yn siŵr y leicie dy fam dy weld di yn rhoi carreg ar ei bedd i gofio amdani; i ddeud y flwyddyn y bu hi farw, a rhoi'r llinellau rheini, wyddost, y bydde hi yn eu hadrodd mor amal:

> Clwyfau gaed, a chlwyfau dyfnion,
> Ac fe fethwyd cael iachâd,
> Nes cael eli o Galfaria—
> Dwyfol ddŵr a dwyfol waed.

Wyt ti ddim yn meddwl y gwnaen nhw edrych yn hardd?"

Daeth rhywbeth drosof fel na allwn ateb mewn munud, ond yn y man ebe fi:

"Wyt ti yn meddwl, Gwen, fod nhw yn y byd arall yn gwybod rhywbeth amdanom ni?"

"Mi greda'," ebe hi, "bod nhw yn cael gwybod am ein pethau da ni, achos y mae hynny yn ychwanegu at eu dedwyddwch. Ond wyddost di beth wnâi foddio dy fam yn well na dy weld di yn rhoi carreg ar ei bedd?"

"Na wn," ebe fi.

"Dy weld yn dyfod efo fi i'r capel heno. Pe gwelai hi hynny mi drawai dant newydd ar ei thelyn na thrawodd erioed o'r blaen."

"Pe gwyddwn i hynny ——"

"Hwylia dy hun," ebe hi, cyn i mi ddweud ychwaneg; "rho dy ddillad gorau amdanat, achos rhaid i ti gofio y byddi di yn cerdded efo Gwen y Wernddu heno," ychwanegodd, gan roddi hanner tro lledfalch ar lawr y gegin, rhwng difrif a chwarae, yr hyn a'm hatgofiodd am yr amser y byddai hi yn cymhennu yn ei gwisg wech cyn cychwyn i ddawns yn y *Bedol* ers llawer dydd. Yna cymerodd afael yn fy llaw, a chododd fi oddi ar y gadair gan fy ngyrru i ymwisgo. Ni allwn mwyach anufuddhau, a dyna'r pryd yr ailddechreuais fynd i'r capel. Ni wyddwn beth a fyddyliai Harri ohonof am i mi ryfygu mynd at y Methodistiaid, ond penderfynais ddweud wrtho y noson honno, a disgwyliwn iddo fy nwrdio, oblegid parhâi i gasáu'r Pengryniaid, fel y galwai efe a'r Person hwynt. Siomwyd fi yn fawr pan adroddais wrtho i mi fod gyda Gwen yn yr oedfa. Gwenodd, ac ebe fe:

"Wel, mi wyddost nad dda gen i mo'r bobol, ond ddyliwn fod yna rai da yn eu plith nhw, dase ddim ond Gwen. 'Rwyt *ti* wedi dy fagu efo nhw; a phetawn i yn dy le di, mi awn atyn nhw pan fedrwn i. A mi fyddi yn gwmpeini i Gwen, rhag iddi gluro efo pob sort, a mae yna ffordd gas, dywyll i ddod adre'r nos."

Bychan a wyddai ef, a bychan a ddychmygai, na welwn i yr un ffordd yn gas, na'r un noson yn dywyll, os byddai Gwen gyda mi.

Wel, yr oeddwn ers tro byd bellach yn mynychu capel Tan-y-fron yn lled gyson, yn enwedig ar nos Sabothau, ond byth nid awn i foddion canol yr wythnos; yn wir, yr oedd y nesaf peth i amhosibl i mi fynd oddi cartref nosweithiau canol yr wythnos, yn gymaint â bod Harri erbyn hyn yn hollol ddiofal am y "pethe", er y synnai efe weithiau nad oeddwn innau, fel Gwen, yn mynd i'r seiat. Yr oedd ei syniadau am drefn y Methodistiaid mor llymrig fel nad euthum i'r drafferth o'u hegluro iddo, nac ychwaith i ddangos iddo nad oeddwn i yn aelod o'r seiat. Deellais ar ôl hyn mai yn y cyfnod hwn y torrai Ernest, mab y Plas, i gyfarfod Gwen pan fyddai yn dychwelyd o'r cyfarfod gweddi neu y seiat, ond ni soniodd Harri na Gwen air wrthyf am y peth, onid e cawsai y "pethe", gan faint fy eiddigedd, fod heb eu swper yn hytrach nag iddi gael ei phoeni mewn unrhyw fodd.

Ond at hyn yr oeddwn yn cyfeirio,—y nos Saboth ar ôl i Gwen a Harri fod yn ymweld â Phant-y-buarth, pan oeddem yn cydgerdded o'r capel, ebe Gwen:

"Rheinallt, wyddost ti, mae cyfarfod gweddi i fod yn nhŷ Nansi'r Nant nos yfory, a 'rydw i eisiau i ti ddŵad efo fi yno, os doi di."

"Cyfarfod gweddi yn nhŷ Nansi?" ebe fi, gan chwerthin yn uchel. "Dywed hefyd fod yna Gyfarfod Misol i fod yn y *Bedol*, a Sasiwn i fod yn uff——" ond ataliwyd fy ysgafnder gan Gwen, ac ebe hi:

"Bewt ti'n cellwair? Oes gan Nansi yr un enaid i'w gadw fel ti a finnau? A mae'r hen wraig yn eitha' bodlon inni gadw cyfarfod yn ei thŷ, a phwy a ŵyr na chaiff ei hachub. Nid ein lle ni ydyw rhoi terfyn ar Sanct yr Israel, a chyn hyn y mae Mari Magdalen wedi ei chipio o'r fflam, ac eraill, a'u bywyd yn lled fucheddol, yn llithro i golledigaeth."

Teimlais fod yn ei geiriau olaf ergyd i mi, ac atebais—

"Mae gennyf ofn fod dy sêl grefyddol di ac Elin Wynn yn eich gyrru yn ynfyd. Yr wyf yn adnabod Nansi yn dda, ac wedi bod efo Twm yn ei thŷ lawer gwaith, a mi wn mai dy garedigrwydd di ac Elin Wynn i'r hen *witch* a barodd iddi addo i chi gael cynnal cyfarfod yn ei thŷ. A pha les wnewch chi? Os oes rhywun wedi gwerthu ei hun i'r cythraul, Nansi'r Nant ydi honno, a phan fydd y cyfeillion yn gweddïo mi fydd Nansi yn chwerthin yn ei llewys, a hwyrach yn melltithio'r dyn fydd ar ei liniau."

"Fedri di ddwcud dim am Nansi, Rheinallt," ebe Gwen, "nad ydw i yn ei wybod, ond, er ei bod yn ddynes annuwiol, mae hi yn glyfar iawn, a phwy ŵyr na chaiff hi fendith."

Wrth gwrs, addewais fynd gyda Gwen i'r cyfarfod gweddi, ac yr oeddwn yn teimlo yn bur gywrain tebyg i beth a fyddai y ffigur a dorrai yr hen ddewines yn sŵn mawl a gweddi. Mi geisiaf ddisgrifio yr amgylchiad yn y bennod nesaf.

XXIV

Y Cyfarfod Gweddi

YR oedd Twm Nansi wedi bod oddi cartref ers cryn amser; nid oedd neb wedi ei weld ers misoedd lawer, a thybiem ei fod wedi cael porfa fras yn rhywle, neu fod rhywbeth wedi digwydd iddo, neu ynteu ei fod wedi gwneud rhyw ddrwg yn ei gartref, a bod arno ofn dangos ei wyneb i Dafydd Ifans, y cipar. Y peth olaf a debygid gan y nifer mwyaf ohonom oedd y rheswm am ei absenoldeb. Pa fodd bynnag, nid oedd Twm wedi cyflawni trosedd mawr iawn, ac nid oedd arno ofn dangos ei wyneb i neb, oblegid y Sadwrn o flaen y nos Saboth y dywedodd Gwen Tomos wrthyf fod cyfarfod gweddi i'w gynnal yn nhŷ Nansi nos drannoeth, pwy a welwn yn cerdded yn dalog drwy'r pentref ond Twm, â golwg raenus iawn arno o ran cnawd, er nad oedd ei ddiwyg yn cyfateb. Pan soniodd Gwen wrthyf am y cyfarfod gweddi, hysbysais hi am ddychweliad Twm, yr hyn a'i cythryblodd hi nid ychydig, oblegid ofnai y byddai i Twm fod yn rhyw rwystr ar ffordd y cyfarfod. Ond sicrheais hi pan ddeallai Twm mai hi ac Elin Wynn oedd wedi cael caniatâd ei fam i gynnal y cyfarfod yn ei thŷ, y byddai ganddo ormod o barch iddynt i daflu dim ar ei ffordd i gymryd lle.

Nid peth bach oedd anturio cadw cyfarfod gweddi yn ffau yr hen Nansi, a oedd, fel tybid yn gyffredinol, mewn cymundeb gwastadol â'r ysbrydion drwg, a'i chasineb at grefyddwyr—oddieithr y ddau eithriad a nodais—yn angerddol o ffyrnig. Heblaw hynny, ni chynhwysai ei dodrefn ond dwy gadair, a byddai raid i bawb sefyll yr holl amser, ond nid oedd hynny ond aberth bach gan bobl selog y dyddiau hynny. Credwn y byddai gan Twm orchwyl mwy diddorol na bod mewn cyfarfod gweddi, ac nad oedd fawr berygl iddo ef fod yno. Hwyrach fy mod yn meddwl yn rhy galed am yr hen ddewines pan ddywedais wrth Gwen ar y ffordd i'r cyfarfod, os gwnaethid argraff dda ar feddwl Nansi, ac yn enwedig os argyhoeddid hi o'i phechodau, na fyddai i mi mwyach anobeithio am ddychweliad y diafol ei hun. Arswydai Gwen at y fath sylw rhyfygus.

Yr oedd oddeutu dwsin o bobl wedi dod ynghyd, a phob un yn "proffesu" ond fy hunan. Eisteddai Nansi yn ei chadair un ochr i'r tân, a gorweddai Tab, y gath ddu fawr, ar y gadair arall, a phan aethom i'r tŷ, ebe Nansi:

"Tab, tyrd odd'na gael i Gwen neu Elin le i eistedd i lawr."

Eisteddodd Elin yng nghadair y gath, ac ni chynigiodd Nansi ei chadair i hyd yn oed Gwen. Megis i dorri'r rhew, aeth Robert Wynn ati i ddechrau y cyfarfod, a gofynnodd i'r hen wraig am fenthyg ei Beibl.

"Na, Robert Wynn," ebe Nansi, "chewch chi na neb arall iws y Meibl i; mae gen i dipyn o secreds yno fo nad ydw i ddim isio i bawb lygadrythu arnyn nhw."

Ond nid oedd yr hen Robert i gael ei wneud felly chwaith, ac adroddodd o'i gof bennod faith, yn hynod ddeallus a chywir, gallwn dybied. Yn anymwybodol, trôi pawb eu llygaid yn lladradaidd ar Nansi, ac yr oedd ei llygaid meinion, duon, hithau yn cyniwair yn aflonydd dan ei chuwch ar bawb, fel pe bai yn gwylio rhag i neb roi yn ei boced rai o'r mân bethau oedd ganddi yn ei thŷ. Ond hawdd oedd canfod arni yn y man ei bod yn edmygu cof Robert Wynn. Meddyliai gryn lawer o'i chof ei hun, ac adroddai i'r rhai a'i gwrandawai hen ganeuon masweddus wrth y llath. Wedi adrodd y bennod, aeth Robert i weddi, ac aeth pawb ar eu gliniau oddieithr Nansi, a chyda chil fy llygad canfyddwn hi—tra oedd yr hen flaenor yn cyfarch yr orsedd—yn simio dillad hwn a'r llall, ac yr oedd yn amlwg i mi ei bod yn gwneud sylwadau distaw rhyngddi a hi ei hun. Er iddo weddïo yn faith, ni chafodd Robert nemor hwyl; yr oedd mor wahanol i'r hyn a fyddai yn y capel neu ei deulu fel yr oedd yn eglur i mi na chredai ryw lawer yn y busnes yr oedd gydag ef y noson honno. Wedi iddo orffen, ac wedi hanner munud o ddistawrwydd, galwodd Robert ar frawd arall i arfer y moddion, ac un arall ar ei ôl yntau. Yr un ystum oedd ar Nansi o hyd,—troellai ei bodiau ar ei glin, gan edrych tua'r llawr; a phan fyddai pawb ar eu gliniau, codai ei phen weithiau i simio Gwen, bryd arall Elin, a phryd arall hwn yma a hwn acw. I ddiweddu'r cyfarfod, wedi i dri weddïo, galwodd Robert Wynn ar Edward Williams,—gŵr ieuanc a ddaethai yn ddiweddar at grefydd, ac a adnabyddid yn gyffredin wrth yr enw "Ned y geg gam," am fod anaf ar ei safn. Pan oedd Edward yn hwylio ati, ebe Nansi yn uchel:

"Hwde di, Ned, paid â bod yn hir, achos y mae'n amser i mi fynd i nôl y dorth o'r popty."

Cafodd amryw ohonom waith ymgynnal, ond edrychodd Robert Wynn yn ddigofus. Cymerodd Edward yr awgrym, a gweddïodd yn fyr ac yn felys. Ond bu mor anffortunus ag awgrymu yn gynnil mai da fuasai i'r Brenin Mawr gymryd trugaredd ar wraig y tŷ. Pan gododd oddi ar ei liniau, dechreuodd y cyfeillion fynd allan, ond gafaelodd Nansi yn adain Ned, ac ebe hi:

"Hwde di, y geg gam, at bwy yr oeddat ti yn hintio yn dy dipyn gweddi, ai ata i? Ydw i yn waeth na dy fam di, ysgwn i? Cymer di ofal y tro nesa' be' ddeudi di, neu mi dynna dy berfedd di allan!"

Cyfryngodd Elin Wynn ar unwaith, a rhedais innau allan gael imi chwerthin cyn ymagor yn fy nghanol. Ni ddigwyddodd dim gwaeth y noson honno, a theimlai Gwen ac Elin fod y cyfarfod yn llwyddiant, ac yr oeddynt wedi cael caniatâd yr hen wraig cyn ymadael i gynnal cyfarfod arall y nos Lun ganlynol. Ocheneidiai Robert Wynn yn llwythog, ond teimlwn i fy hun, er nad oeddwn wedi cael llawer o fendith, fy mod wedi cael llawer o ddifyrrwch.

Yr oedd y ffaith fod cyfarfod gweddi wedi ei gynnal yn nhŷ Nansi, heb i neb gael ei gipio gan yr ysbryd drwg, erbyn hyn wedi creu tipyn o ddiddordeb, ac yr oedd nifer y rhai a ddaeth ynghyd y nos Lun ganlynol, er nad oedd yn ugain a chant—yn fwy na llond y gegin. Canfyddwn ar olwg Nansi nad hapus oedd hyn ganddi, a chredwn ei bod yn meddwl fod pobl yn dechrau gwneud ei thŷ yn bricsiwn. Edrychai yr hen wreigan yn flinderog ac anesmwyth. Yr oedd y brodyr yn y cyfarfod hwn yn fwy parod; yr oeddynt wedi dod â Beibl gyda hwynt, ac yr oedd y dechreuwr canu wedi dod yno hefyd, a chafwyd canu cynnes, a gafodd i raddau yr un effaith ar Nansi ag a gafodd canu'r delyn ar y gŵr afrywiog hwnnw gynt. Llareiddiodd gryn lawer ar ei hysbryd, a sylwyd bod Nansi yn ysgwyd ei phen i ganlyn y nodau yn ystod y canu, yr hyn a barodd i'r dechreuwr ddyblu'r penillion. Ond nid oedd Robert Wynn yn y cyfarfod hwn—ni chredai efe fod Nansi yn yr arfaeth—a gofynnodd i'w gydswyddog, sef gŵr Tŷ'n-llan, fynd yno i arwain y cyfarfod, yr hwn na fyddai byth yn gweddïo yn gyhoeddus ei hun, ond a oedd yn un medrus iawn am alw rhai eraill at y gorchwyl, yr hyn a wnaeth efe y noson honno, ac nid gwiw oedd i neb anufuddhau i ŵr Tŷ'n-llan. Yr oedd y gegin mor llawn fel na allem fynd ar ein gliniau pan fyddai brawd yn gweddïo—yn unig ni a blygem ein pennau, ac a roddem ein llaw ar ein llygaid o weddusrwydd, ac mi wn yr edrychai y nifer mwyaf ohonom drwy ein bysedd ar Nansi.

Tra oedd brawd yn darllen wrth ddechrau'r cyfarfod, sathrodd rhywun droed neu gynffon Tab, y gath fawr, yr hon a roddodd ysgrech annaearol, ac ebe Nansi,—"Rho dithau dy esgidiau am dy draed, a phaid â chadw cymin o sŵn," ac aeth popeth ymlaen yn weddaidd ac mewn trefn. Yr oedd y lle mor dynn a minnau wedi fy ngwthio yn glòs at ddrws y siambar, fel y trawodd i'm meddwl mai purion peth a fuasai agor y drws fel y gallai hanner dwsin ohonom fynd i'r siambar, ac felly ychwanegu at fy nghysur i ac eraill. Ceisiais ei agor—mi wn fod hynny yn hyfdra ynof—ond yr oedd y drws wedi ei gloi. Wrth geisio ei agor, sylwais fod clamp o rigol yn y drws, a golau yn dod trwyddo; ac i ychwanegu at fy hyfdra, ysbïais drwy'r rhigol, a gwelwn yn eglur yn y siambar Twm, â channwyll ganddo ar fwrdd bychan, ac yn prysur lanhau'r hen wn a'm trawodd i lawr amser maith yn ôl. Wedi gwneud y darganfyddiad hwn, ni allwn yn fy myw beidio â gwylio ysgogiadau Twm, a dyfalu beth oedd yn rhedeg drwy feddwl yr hen herwheliwr yn y fath agosrwydd at gyfarfod gweddi. Yr oedd y gongl mor dywyll wrth ddrws y siambar fel na sylwai neb arnaf. Gwelais fod Twm, pan fyddai'r cyfeillion yn canu, yn rhoi heibio lanhau y gwn, ac yn ymddangos fel pe bai yn cael ei foddhau yn fawr gan y gerddoriaeth; yna wedi i'r canu ddarfod ailddechreuai rwbio a gloywi yr hen wn. Yr oeddwn yn gallu gweld ei wyneb yn glir drwy y rhigol, a phan godai brawd dipyn yn ei lais wrth weddïo gwrandawai Twm am ennyd. Yna chwarddai, a gwelwn ei wefusau yn symud, a gwyddwn ei fod yn gwneud rhyw sylwadau gwawdlyd rhyngddo ag ef ei hun. Aeth y cyfarfod ymlaen yn eithaf hwylus, a chanfyddais yn y man fod Twm wedi cael ei wn i sefyllfa foddhaol; gosododd ef i orffwys ar y gwely, ac wedi rhoi yn ei bocedau ryw bethau a gymerai o focs oedd yn siambar—*ammunitions*, mi wyddwn, oeddynt—daeth at y drws i wrando, ac i aros i'r cyfarfod fynd drosodd. Erbyn hyn nid oeddwn yn ei weld, ond teimlwn nad oedd ond modfedd o drwch rhyngof ag ef, ac ymron na theimlwn ei anadl ar fy ngwàr. Ni allwn beidio â gweld ar wyneb Elin a Gwen eu bod wedi eu llonni yn fawr gan lwyddiant y cyfarfod hyd yn hyn, pryd y galwodd gŵr Tŷ'n-llan ar William Pen-y-groesffordd i ddiweddu'r cyfarfod. Fe gofia y darllenydd mai gŵr oedd William a fuasai yn hynod o annuwiol, ac a gawsai dro amlwg, gyda chanlyniadau rhyfeddol o fendithiol iddo ef a'i deulu. Mwynhâi pawb William pan fyddai ar ei liniau, yn enwedig Gwen Tomos ac Elin Wynn, ac fel un a gawsai drugaredd wedi hanner oes o bechu mawr, byddai William yn neilltuol o wlithog yn ei weddïau, ac nid anghofiai efe byth yr annychweledig.

Ond—a chofied y darllenydd nad cyboli dychmygion yr wyf, y mae cyn wired â fy mod yn dal y pin yma yn fy llaw yn awr—nid oedd William onest wedi mynd ymlaen yn ei erfyniadau ar ran Nansi ddau funud cyn i'r hen wrach ruthro i'w wddf, a chan roddi ysgytiad ofnadwy iddo, ebe hi:

"Am bwy 'rwyt ti'n sôn, y c——? Fûm *i* erioed yn dwyn defed; mala hi o'r tŷ yma, ne' mi dy dynna di yn grie."

Ni fu y fath gynnwrf erioed mewn cyfarfod crefyddol. Rhuthrodd y cyfeillion allan, a chlywn innau Twm yn chwerthin yn uchel yn y siambar. Gwacaodd y tŷ mewn munud. Yr oedd Nansi fel arthes, a William Pen-y-groesffordd, druan, yn methu yn lân dod o hyd i'w het, ac oni bai i Elin a Gwen eu dwy gymryd Nansi mewn llaw, buasai raid i William fynd adref, nid yn unig heb ei het, ond heb rywbeth arall hefyd. Rhoddwyd Nansi'r Nant i fyny, a chyflawnwyd fy ofnau i a phroffwydoliaeth Robert Wynn, nad oedd Nansi yn yr arfaeth, a bu hyn yn siomedigaeth lem i Elin Wynn a Gwen Tomos.

Wrth fynd adref gyda Gwen, ni allwn beidio cellwair, ond yr oedd hi yn wir drist ei hysbryd. Ni chrybwyllais air wrthi hi na neb arall fy mod wedi gweld Twm yn y siambar, ac ni feddyliwn y buaswn yn ei weld drachefn y noson honno, ond ei weld a wneuthum, fel y caf adrodd.

XXV

Twm Nansi eto

NI chymeraswn lawer â sôn wrth Harri am y cyfarfodydd gweddïo yn nhŷ Nansi'r Nant, oblegid, er ei fod yn Eglwyswr, gwyddwn ei fod yn casáu crefyddwyr yn gyffredinol, yn enwedig y Methodistiaid, ac mai tamaid blasus i'w adrodd wrth y Person ac yn y tafarnau fuasai ymddygiad Nansi at y gweddïwyr. Yr oedd yn lled hwyr ar Harri yn dod i'r tŷ y noson honno, ac yr oedd Gwen a minnau wedi cael hamdden i siarad am lawer o bethau heblaw am Nansi wrth ei ddisgwyl adref. Edrychai Harri yn lled brudd a diysgwrs, ac yr oedd yn ddrwg gennyf ei weld felly, oblegid yr oedd arnaf eisiau gofyn iddo am ychydig arian y noson honno. Ac er ei fod bob amser yn barod a dirwgnach i gyflenwi fy anghenion, gwell fuasai gennyf ei weld mewn ysbryd mwy rhadlon. Wedi iddo ef a minnau fynd i'r ystafell wely, dywedais wrtho fod arnaf eisiau pedair punt i dalu am rywbeth—nid wyf yn cofio yn awr am beth. Edrychodd arnaf dipyn yn bryderus, ac wedi estyn ei bwrs o boced frest ei wasgod, ac archwilio ei gynnwys, gofynnodd i mi a fuasai tair punt yn gwneud fy nhro ar y pryd? Edrychais innau arno yn synedig, oherwydd nid oeddwn wedi tynnu oddi arno hanner yr hyn yr oedd fy llafur, ac yn enwedig fy ngofal, yn ei haeddu.

"Gad hyn tan yfory," ebe fe, "a bydd popeth yn iawn."

Yr oeddwn wedi fy syfrdanu, ac nid atebais air. Wedi diffodd y gannwyll a mynd i'r gwely, clywn ef yn ocheneidio fwy nag unwaith, a thywynnodd goleuni ar fy meddwl, ac ebe fi:

"Harri, 'dwyt ti ddim yn meddwl deud wrtho i dy fod ti yn brin o arian?"

Cyn fy ateb torrodd i sobian crio. Yr oeddwn wedi ei weled o'r blaen, pan fyddai yn ei ddiod, yn torri i grio, a hyd yn oed yn mynd yn grefyddol iawn ei ysbryd. Ond chwarae teg iddo, nid yn aml iawn y byddai yn feddw, yng ngwir ystyr y gair, er y mae yn rhaid i mi ddweud mai pan fyddai yn hanner meddw y deuai ei nodweddion gorau i'r golwg. Ond nid oedd arwyddion diod yn amlwg arno y noson honno. Yn y man ebe fe:

"Os wyt ti yn galw dyn heb ddim arian yn brin, yr ydw innau yn brin."

Neidiais ar fy eistedd yn fy ngwely, fel pe buasai wedi fy nhrywanu, ac ebe fi:

"Harri, wyt ti yn gwirioni? Y ti, gafodd gymaint o arian ar ôl dy dad, a Gwen a minnau wedi bod yn gweithio i ti fel slafiaid ar hyd yr amser, yn deud dy fod ti yn brin o arian? Beth yn y byd mawr wyt ti wedi 'neud â dy arian? Ydan ni ein dau wedi bod yn gweithio i ti o hyd am ddim? Beth wyt ti wedi 'neud â dy holl arian, Harri?"

"Wedi eu gwario fel ffŵl. Golau'r gannwyll yna gael imi ddeud y cwbl wrtho ti," ebe fe.

Wedi imi olau'r gannwyll gwisgodd Harri ran o'i ddillad, a thynnodd lyfryn o boced ei got, ac wedi edrych drosto am dipyn—fel pe bai arno gywilydd adrodd ei gynnwys, ac felly y gallasai yn hawdd—dechreuodd enwi symiau mawr o arian a gollasai. Yr oedd Mr. Jones y Person wedi ei berswadio i suddo rhyw gymaint o arian ar long, y rhai a gollodd bob dimai; ond ni feiai efe Mr. Jones, oblegid yr oedd y Person ei hun wedi cael ei dwyllo, ac yn gymaint colledwr ag yntau bron. Collasai ryw hylltod ar brynu a gwerthu ceffylau, ac wrth fetio ar redegfeydd. Mewn amgylchiad arall yr oedd wedi meichiafu rhyw dafarnwr lladronllyd, ac wedi gorfod talu'r arian. Pan oedd yn hanner meddw yr oedd wedi seinio cytundeb, ac wedi ysgrifennu amryw lythyrau, a'r rheini'n ei rwymo i briodi rhyw *waitress* olygus a fu am dymor byr yn y *Bedol.* Gwyddwn pan oedd y ferch ieuanc honno yn y gymdogaeth fod rhywrai yn dweud bod Harri a hithau yn bur gyfeillgar, ond nid oeddwn wedi rhoi coel ar yr ystori. Pan oedd y ferch ieuanc yn ymadael o'r *Bedol,* mynnai i Harri ei phriodi yn ôl ei addewid, ac nid oedd yntau yn barod i wneud hynny—yr oedd wedi colli pob mymryn o'i serch tuag ati. Aeth yr eneth ymaith gan ei fwgwth, ac yn y man daeth ei thad, a chyfreithiwr gydag ef, i gael tipyn o ymgom gyda Harri, ac wedi cryn ymdrafodaeth a'i ddychrynu am y canlyniadau, talodd gant a hanner o bunnau i'r ferch ieuanc am ei ryddhad, yr hyn, gyda'r holl golledion eraill nad wyf yn enwi eu hanner, a dorrodd asgwrn ei gefn.

Teimlwn wrth wrando ar ei ystori fel pe buaswn yn breuddwydio, ac mor gynhyrfus fel y gallaswn roi cweir iddo. Wrth gwrs, nid oeddwn heb ofni yn fynych y byddai i Harri ddiweddu yn ddrwg wrth ddilyn y llwybr a gerddai, ond yr oedd fy mhrofiad mor fychan ac amherffaith o ffyrdd y byd, a minnau wedi arfer bod gartref y rhan fwyaf o'm hoes, fel na ddychmygais fod Harri wedi gwario ei eiddo mor gyflym. Fel gwŷr ieuainc o gyffelyb fuchedd, yr oedd Harri yn edifeiriol iawn, ac yn canfod yn glir ei holl gamgymeriadau *ar ôl iddo eu cyflawni,* ac er ei fod yn ei ffoli ei hun yn fawr, yr oedd y rhan fwyaf o'r bai ar *rywrai eraill,* ac oni bai am y peth yma a'r peth arall ni fuasai y *pethau hyn* wedi digwydd. Gwnâi lwon mawr ei fod am ddiwygio, a chlurai fi â sebon meddal. Dywedai mai fi oedd ei unig obaith am allu dyfod allan o'i helbulon—y buasai yn y pen arno ers talwm oni bai amdanaf fi, a'i fod o hynny allan am wneud popeth fel y gwnawn i ei gyfarwyddo. Ond ei helynt mawr oedd ei ofn i Gwen ddyfod i wybod am ei sefyllfa, a thorrai i grio bob tro y soniai amdani. Yr oeddwn wedi arfer meddwl ei fod yn ei charu yn fawr, a'i fod yn synied nad oedd ei chyffelyb yn y byd. Ond prin yr oedd gennyf amynedd i wrando arno yn datgan ei ofal mawr amdani, a'i bryder y byddai iddi dorri ei chalon os deuai i wybod ei amgylchiadau, a minnau newydd glywed ystori ei ffolineb. Bron na feddyliwn nad oedd y parch mawr a broffesai i'w chwaer yn cyrraedd nemor is na thewdwr ei groen. A gwelwn nad oedd efe eto wedi canfod gwir werth Gwen. Ni fuasai colli hynny o arian oedd yn y byd yn torri calon Gwen.

Wedi torri'r argae, yr oedd Harri fel pe bai yn awyddus i ddeud popeth wrthyf, ac ebe fe:

"Ddaru Gwen ddeud wrthot ti r'w dro fod Ernest y Plas wedi bod isio siarad â hi?"

"Naddo 'rioed," ebe fi, a rhaid imi gyfaddef fod fy niddordeb wedi ei ennyn yn fflam y foment honno.

"Wel," ebe Harri, "mi ddylaswn fod wedi sôn am hyn wrthot o'r blaen. Ddaru hi ddim sôn wrtho innau chwaith, ond mi ddois i wybod drwy rwfun arall. Ydi, y mae Ernest wedi bod yn torri i'w chyfarfod hi wrth iddi ddyfod o'r capel ganol yr wythnos, pan fyddet ti ddim efo hi. Pan ges i sicrwydd am y peth, mi es ato a mi ddeudes wrtho os byth y ceisie fo siarad â hi wedyn y rhedwn gyllell drwy ei berfedd o. Mi ddychrynodd yn ofnadwy—mi aeth ei wyneb o fel y galchen. Yr oedd o yn protestio ei fod o reit gonest, a'i fod o yn ei charu hi yn fawr, ac y gwnâi o ei phriodi hi. Neis i ddim siarad â fo, ond mi ddeudes drachefn y rhedwn i gyllell drwy'i berfedd o, os y fo siaradai â hi wedyn i geisio'i gwirioni hi. Does neb yn gwybod am hyn ond y fo a finnau, a dydw i ddim yn meddwl y siaradodd o air byth â hi yn y ffordd honno. Yr oedd o yn cofio am y cweir rois i iddo amser yn ôl, mi wranta. Ond erbyn hyn yr ydw i wedi difaru. Mi glywsom lawer gwaith am foneddigion yn syrthio mewn cariad â merched cyffredin os bydden nhw yn bropor, ac yn eu priodi nhw. Hwyrach fod Ernest mewn gwir gariad efo Gwen. A mi fase yn *job* dda—er nad ydi pobl y Plas ddim yn gyfoethog iawn—mi fase yn *job* dda petasai hi wedi priodi Ernest yrŵan pan ydw i wedi gwario 'y mhres. Ac erbyn hyn dyma Ernest yn *engaged* efo merch y Plas Uchaf sydd yn ddeng mlynedd hŷn na fo a chyn hylled â phechod. Ei phres hi sy gynno fo mewn golwg, fe ŵyr pawb. Ond y mae gen i ofn i Gwen wybod 'y mod i wedi mynd drwy fy arian."

Ni chymerais arnaf fy mod yn cymryd diddordeb yn ei chwedl olaf, a rhoddais iddo ddarlith lem ar ei ffolineb a'i fuchedd wastraffus. Yn wir, cymerais hyfdra mawr arno i'w wersio, a dioddefai yntau fy ngheryddon yn ddistaw, ac ymddangosai fel cadach llestri. Cydsyniai â phopeth a lefarwn, nes i mi ddweud wrtho y byddai raid iddo o hynny allan aros gartref a gweithio yn galed fel Gwen a minnau, ac nid colma hyd y wlad heb neges yn y byd ond gwario ei arian, pryd y dywedodd,—

"Yr ydw i yn benderfynol o aros gartref, ond am weithio yn galed, fedra i ddim—am beth amser, beth bynnag—ond mi ddof o dipyn i beth i allu gwneud hynny. Yr ydw i wedi bod gyd o amser heb weithio, ond yn 'colma', chwedl tithe, fel na fedra i ddim gweithio, 'rwyf yn ofni, am dipyn o amser. Ond yn y man mi weithiaf yn g'letach na'r un ohonoch chi."

Er fy mod yn teimlo yn ddig enbyd ato, yr oedd yn ddrwg iawn gennyf drosto, oblegid ni bu bachgen mwy calon-agored erioed, a gwyddwn mai ei garedigrwydd a'i harweiniasai i'w sefyllfa bresennol, ac ofnwn nad oedd ynddo ddigon o'r duedd gybyddlyd a bydol a nodweddai ei hynafiaid i'w alluogi i adfeddiannu'r tir a gollasai. Ofnwn hefyd, drwy ei fod wedi segura a gwagsymera cyhyd, fod diogi wedi glynu yn ei asgwrn mawr, ac mai gorchwyl caled a fyddai iddo gydio o ddifrif yng ngwaith y ffarm. Tra oeddem yn ymddiddan—Harri yn eistedd ar ymyl y gwely ac wedi hanner ymwisgo, a minnau yn eistedd *yn* y gwely, clywem fel pe buasai rhywun yn taflu mân raean at y ffenestr. Gwrandawsom am eiliad, a chlywem yr un peth drachefn. Cododd Harri'r gorchudd ac agorodd y ffenestr, a chlywn lais adnabyddus yn gofyn yn ddistaw:

"Ydi Harri yma?"

"Ydi," ebe Harri.

"Tyrd i lawr am funud," ebe'r llais.

"Be wt ti isio, Twm?" ebe Harri.

"Tyrd i lawr a mi ddeuda iti," ebe Twm.

Caeodd Harri y ffenestr, a thynnodd y gorchudd i lawr, ac ebe fe, "Twm Nansi sy na, gwisga amdanat, a thyrd efo fi i lawr."

Gwisgasom yn frysiog, ac aethom i lawr cyn ddistawed ag y medrem, ond cyfarthai Mot, y ci, yn ffyrnig, yr hwn oedd yn rhwym wrth gadwyn. Pan aethom allan i'r buarth lle yr oedd Twm yn ein haros, ebe fe, wedi i Harri lonyddu'r ci.

"Harri, dyro fenthyg teirpunt neu bedair i mi? Mi cei nhw yn eu holau cyn gynted ag y medra i. 'Rwyt ti wedi benthyca llawer i mi 'roed, a mi wyddost dy fod ti wedi cael pob ceiniog yn ôl."

Yr oedd yn noson lwyd-olau—yn ddigon golau i mi sylwi fod Twm yn edrych yn fwy cynhyrfus nag y gwelais ef erioed.

"Be ydi dy helynt di yrŵan, Twm?" gofynnai Harri.

"Rho di fenthyg yr arian imi, a mi gei glywed yr helynt yn ddigon buan," ebe Twm.

Tynnodd Harri ei bwrs o boced frest ei wasgod a throes ef â'i wyneb yn isaf, ac ebe fe:

"Tair punt sy gen i ar fy elw, Twm, a dyma nhw i ti," a chadarnhawyd fy syniad am Harri mai ffŵl calon feddal ydoedd.

Derbyniodd Twm y tair punt yn ddiolchgar, a chydgerddasom at y llidiard oedd yn arwain i'r briffordd. Gwasgai Harri ar Twm i gael gwybod ei helynt. Ni ddywedodd Twm air nes i ni gyrraedd y ffordd, a phan oedd ar fin ffarwelio, ebe fe:

"Harri, petawn i byth yn talu i ti yr arian yma, mi wyddost mai nid diffyg 'wyllys fydd hynny. Ond y mae yn o debyg na welwch chi'ch dau byth mo Twm Nansi eto, os na welwch chi o yn hongian. Mae Dafydd Ifans wedi mynd i'w aped, ond y mae Duw yn gwybod nad y fi lladdodd o. Yr ydw i yn deud eto, nid y fi lladdodd o, petawn i yn mynd o flaen 'y Marnwr y munud yma. Ffarwél, Harri annwyl; ffarwél, Rei bach, a chedwch eich cegau yn gaead."

Ac wedi ysgwyd dwylo â ni ein dau yn afaelgar a hir, ac fel pe bai wedi ei orchfygu yn lân gan ei deimladau, a chyn i un ohonom gael nerth, gan faint ein braw, i ddweud gair, cerddodd Twm ymaith yn gyflym.

XXVI

Y Cwest

YR oedd Harri a minnau wedi ein syfrdanu gymaint gan eiriau olaf Twm Nansi, fel na ddywedasom air y naill wrth y llall nes inni gyrraedd ein hystafell wely. Crynai Harri fel deilen, a da oedd ganddo gael eistedd y foment yr aethom i'r ystafell. "Dyro imi lymaid o ddŵr," eb efe. Estynnais iddo wydryn wedi ei hanner lenwi o ddŵr, a synnais ei weld yn tynnu o'i boced botel hanner peint o wisgi, ac yn llenwi y gwydryn ag ef, ac yn ei gymryd ag un traflwnc.

"Harri," ebe fi "ydi hi wedi dŵad i hyn yma? Wyt ti yn cario wisgi yn dy boced?"

"Mae'n dda 'i fod o heno, ne' yr ydw i yn meddwl mai marw fuaswn i, a mi fydde yn dda i tithe gymryd dropyn ohono ar ôl inni glywed Twm yn deud y peth ddeudodd o heno," ebe fe gan gynnig y botel i mi. Gwrthodais oddi ar egwyddor, nid am na allaswn gymryd dropyn cystal ag yntau.

" 'Rwyt ti yn gryfach na fi," ebe Harri, " 'rydw i bron ffeintio."

Ac felly yr oedd; a gwelwn yn amlwg effeithiau ei afradlonedd ar ei gyfansoddiad. Ychydig amser cyn hynny, gan mor gryf oedd efe, gallasai ddal unrhyw ysgytiad heb i neb wybod ei fod yn teimlo dim, ond yn awr yr oedd yr hyn a ddywedasai Twm Nansi wrthym wedi ei wneud fel brwynen. Ond yn y man rhoddodd y wisgi iddo nerth amserol, ac ebe fe:

"Rhein, mae Twm wedi ei gwneud hi o'r diwedd, a mi gaiff ei grogi yn siŵr i ti."

"Gobeithio," ebe fi, "nad oedd yn deud y gwir, ond y mae arnaf ofn ei fod wedi gwneud rhyw waith melltigedig heno."

"Mae yn siŵr i ti hynny," ebe Harri, "ond beth oedd o'n feddwl wrth ddeud nad y fo laddodd Dafydd Ifans?"

"Wn i ddim," ebe fi, "os nad awgrymu yr oedd o fod ganddo bartnar, a rhaid i ti a minnau fod cyn ddistawed â llygod am ymweliad Twm â ni heno. Os ydi Twm wedi lladd Dafydd

Ifans, mae o yn siŵr o gael ei ddal heb dy help di a minnau, ac o'm rhan i 'dydw i ddim isio mynd i'r helynt."

"Wrth gwrs," ebe Harri, "wiw i ni sibrwd gair. Wn i ddim be naeth i'r ffŵl ddŵad yma—'does neb ŵyr ym mha helynt y byddwn ni yn union deg."

Yr oedd Harri erbyn hyn yn ei wely, a minnau yn barod i'w ddilyn, pryd y trawyd fi gan ddrychfeddwl. Cymerais y gannwyll gan hwylio mynd i lawr i'r gegin, a gofynnodd Harri yn frawychus, "Lle wt ti'n mynd?" "I nôl 'y maco a'm mhibell, achos mi wn na fedra i ddim cysgu heno," ebe fi. "Rheswm, brysia yn d'ôl," ebe Harri. Ond nid hynny oedd fy mhrif amcan—fy neges oedd edrych a oedd gwn Harri yn ei le arferol. Nid oedd y gwn yno, yr hyn a'm cythryblodd yn fawr, ond ni chrybwyllais am hyn wrth Harri. Codasom ein dau yn fore. Nid oeddwn i wedi cysgu ond ychydig, ond yr oedd Harri, yr oeddwn yn credu, wedi cysgu yn drwm. Sylwais cyn gynted ag yr euthum i lawr fod gwn Harri yn ei le arferol. Cyn amser brecwast yr oedd y newydd dychrynllyd wedi ei daenu dros yr ardal fod Dafydd Ifans wedi ei gael yn farw gelain ar ochr y ffordd oedd yn arwain heibio coed y Plas Onn. Deellid ei fod wedi ei saethu, a hefyd wedi ei faeddu gyda rhyw offeryn. Yr oedd y llofruddiaeth greulon wedi taro pawb ohonom â braw ac arswyd, ac ni allem na bwyta na gweithio. Ni allai hyd yn oed Wmffre, y gwas—ac un o'r creaduriaid mwyaf dibris a welais erioed ydoedd ef—ni allai Wmffre brofi tamaid o frecwast. Yr oedd ei wyneb yn welw a'i gorff yn grynedig, ac nid oedd y gwasanaethyddion eraill, nac yn wir Harri, nemor well. Yr wyf yn sicr mai Gwen a minnau oedd yn gallu meddiannu ein hunain orau o bawb yn y Wernddu. Ac erbyn deall, yr oedd yr ardal yn gyffredinol wedi ei meddiannu gan fraw. Er mai dyn brwnt oedd Dafydd Ifans—dyn nad oedd neb yn hoff ohono—yr oedd ei lofruddiad yn ymyl ein drysau wedi gyrru dychryn drwy galonnau holl drigolion y gymdogaeth, ac yr oedd arswyd ar bawb megys i fynd tu allan i'w fuarth. Nid oeddem wedi clywed ond ychydig o'r manylion, a'r rhai hynny gan y gŵr fyddai yn cario'r post, ac yr oeddem fel pe buasem yn ofni eu clywed. Gwyddwn fod meddyliau pob un ohonom yn rhedeg at Twm Nansi, ond nid oedd neb yn ei enwi.

Tua chanol dydd, ebe Harri wrthyf, "Wyst ti be, fedra i ddim dal yn hwy heb gael dropyn o rywbeth—'rydw i yn teimlo fel petawn i yn sincio—mi af i'r dre."

"Aros dipyn, hwyrach y dof fi efo ti," ebe fi, ac euthum i'r tŷ i siarad â Gwen. Dywedais wrthi fod Harri am fynd i'r dref, a'm bod yn meddwl mai gwell oedd i mi fynd gydag ef.

"Dos, ar bob cyfrif," ebe hi.

Credwn y cawn y manylion yn y dref, ac yr oeddwn hefyd eisiau cadw Harri rhag yfed gormod, oblegid pan fyddai yn ei grap, yr oedd ei dafod yn rhy lithrig o lawer. Yn unol â dymuniad Harri aethom i'r *Bedol.* Yr oedd y tŷ yn hanner llawn o bobl, ac am lofruddiaeth Dafydd Ifans y siaradai pawb. Rhyw ddwywaith erioed o'r blaen y buaswn yn y *Bedol,* a hynny pan oeddwn yn hogyn yn ymorol am fy ewyrth Edward, ond yr oedd Harri, fel yr oedd y gwaethaf iddo ef, wedi treulio llawer o'i amser yno ac yn teimlo yn y tafarndy hwnnw fel pe buasai gartref. Canfûm mewn munud fod y cwmni oedd yno y prynhawn hwnnw—oedd gan mwyaf yn ddieithr i mi—yn hollol gydnabyddus â Harri ac yn hynod o hy arno. Gwelais hefyd nad annerbyniol oedd ein hymddangosiad yng nghegin fawr y *Bedol,* yn enwedig yr eiddo Harri, oblegid cyn i ni brin eistedd yr oedd hanner dwsin yn holi Harri am y peth yma a'r peth arall ynglŷn â'r llofruddiaeth. Cyn ateb neb teimlai Harri ymholiad mwy grymus, a chanodd y gloch am rywbeth i'w yfed, ac yn y cyfamser bûm yn ddigon hy i ateb drosto mai ein pwrpas ni yn dyfod yno oedd i ymofyn am wybodaeth yn hytrach nag i gyfrannu gwybodaeth. Edrychai'r cwmni arnaf yn anghrediniol os nad anfoddog, a diau fod hynny yn ddigon naturiol yn gymaint â'n bod o'r gymdogaeth lle y cyflawnwyd y weithred ysgeler. Tybiwn hefyd fy mod yn canfod yn wynebau yr ymholwyr eu bod yn edrych arnaf fel *intruder,* ac na wyddwn mai arfer cwmni y *Bedol* oedd i bawb ddweud ei feddwl yn onest ac agored, ac nad oedd gennyf fusnes i ateb dros fy nghyfaill. Pan ddaeth Mrs. Anwyl y dyfarnwraig ymlaen i ateb y gloch.

"Wisgi," ebe Harri.

"O, Harri Tomos bach! ydi'r stori yn wir? mi wyddoch chi y cwbwl i gyd," ebe Mrs. Anwyl.

"Beda'ch chi'n boddro Mrs. Anwyl, on'd ŵyr pawb fod hi'n wir," ebe Peter Preis, y teiliwr.

"Wel ie," ebe Mrs. Anwyl, "ond ŵyr neb yn well na Harri Tomos *os* ydi'r stori yn wir."

"Dowch â glasied o wisgi i mi, a mi gawn siarad wedyn," ebe Harri yn anfoddog.

"Ond deudwch, Harri Tomos, 'rydych chi yn byw yn ymyl, deudwch ych meddwl, ydi'r stori *yn wir*?" ebe Mrs. Anwyl.

"Ydi'r stori'n wir, wraig? a chithe'n gw'bod fod corff y dyn wedi 'i gario i'r rowndws ers dwyawr i aros cwest. Bedach chi'n siarad? Serfiwch ych cwsmeried, dene'r peth fedrwch chi neud 'rŵan," ebe Wil Huws, y gof.

"Peidiwch â siarad yn rhyfygus, Huws," ebe Mrs. Anwyl, "mae rheswm ar bopeth. Ond os ydi'r stori'n wir, Duw fytho gyda ni—'does neb yn saff yn 'i dŷ ei hun. Mae'r byd yn mynd yn waeth o hyd, fel y bydde 'ngŵr i'n deud yn feddw ac yn sobor, ac felly mae o hefyd! 'Dydw i ddim isio mension enw neb, ond os ydi Dafydd Ifans wedi'i ladd, mae gynnon ni aidi pwy fu wrth y gwaith, a 'dydw i ddim yn mension neb—nid y musnes i ydi hynny. Ac er na leicies i 'rioed mo Dafydd Ifans, achos ddôi o byth yma heb neud *row*, eto 'does dim eisio i neb gael ei ladd i gyd. Diar fo'n gwarchod! ac yr *ydach* chi'n deud Harri Tomos, fod o'n ——"

"Dowch â glasied o wisgi i mi Mrs. Anwyl, neu mi af i rywle arall i'w 'mofyn," ebe Harri, fel pe buasai ei geg ar dân.

"Wel, wel," ebe Mrs. Anwyl, gan droi ar ei sawdl tua'r bar, a chlywn hi er yr holl ddwndwr yn siarad megis â hi ei hun, "does 'ma neb i edrach ar ôl y busnes ond fi fy hun, a mae'r byd yn mynd yn waeth bob dydd, fel y bydde William Anwyl yn deud; er yr holl brygethu yn y capeli a'r eglwys, yn waeth y mae o'n mynd er 'u gwaetha nhw! Sôn am y tafarne yn wir! mae'r byd yn waeth o'r hanner na'r tafarne—laddwyd neb erioed yn y *Bedol*, diolch i Dduw!"

Yn y fan hon darfu ei llais ar fy nghlust, a dychmygwn fod rhywun yn ei chwestiyno yn y bar, ac felly yr oedd, canys clywn yr hen wraig yn ateb yn hyglyw:

"Yn bod, ddyn bach? Ewch i'r gegin i glywed Harri Tomos yn deud yr hanes, ond e welodd o bopeth â'i lygaid ei hun!"

Yn y funud, rhuthrodd amryw i'r gegin, a llanwyd yr ystafell, a phrin y gallodd Mrs. Anwyl ymwthio efo'r wisgi i Harri. Sylwais na chynigiodd Harri iddi dâl am y gwydriad, ac na ofynnodd hithau am dâl, ond drwy fy mod yn eistedd ar ben y sedd yn y gegin a'r bar yn fy ngolwg, canfyddwn yr hen wraig, gan siarad heb ball, yn agor drws y seler, a oedd â'i gefn agos yn llawn o ddyledion mewn *chalk*, ac ar gyfer "H.T." gwelwn hi yn rhoi y ffigur—"W. 4" i lawr.

Nid cyn i Harri brotestio nad oedd yr hyn a ddywedaswn i ar y dechrau, sef na wyddem ni ddim am y llofruddiaeth ond y ffaith noeth, y credodd y cwmni. Gwyddai y cwmni fwy o lawer na ni, a chawsom ar ddeall yn union mai George Hywel, wrth fynd at ei waith y bore hwnnw, oedd wedi darganfod corff Dafydd Ifans ar ochr y ffordd isaf ger coed y Plas, a'i fod ar unwaith wedi hysbysu'r heddgeidwad—ac fod yr heddgeidwad, ar ôl rhoi y corff yng ngofal rhywrai, ac ar ôl cael siarad â gwas y Fron Uchaf—y ffarm nesaf i'r fan lle cyflawnwyd y llofruddiaeth—wedi mynd yn syth i dŷ Nansi'r Nant—wedi gwneud archwiliad manwl ar y tŷ, ac wedi methu dod o hyd i ddryll na phistol—fod Nansi wedi ei regi a'i felltithio tu hwnt i'w dawn gyffredin.

Tra oedd y siarad yn mynd ymlaen yn y *Bedol*, daeth yr heddgeidwad i mewn yn dal darn o bapur yn ei law, ac wedi edrych o'i gwmpas dywedodd wrthyf fi, Harri a Pitar Preis y byddai eisiau ein gwasanaeth ymhen yr awr ar y cwest. Ceisiasom ymesgusodi, ond ni wrandawai'r rhingyll, ac ebe fe, gan edrych ar ei bapur—"Dyna'r nifer i fyny 'rŵan, a chwi wyddoch beth fydd y canlyniad os na fyddwch yno i'r funud," ac ymaith ag ef. Nid oedd modd osgoi y gorchwyl anhyfryd, a bu raid i Harri gael amryw laseidiau i gryfhau ei nerfau. Cyn mynd i'r cwest, cawsom orchymyn caeth gan y cwmni i fod yn siŵr o ddychwelyd i'r *Bedol* i ddweud yr hanes, ac ebe Mrs. Anwyl wrth i ni adael y tŷ—:

"Mi wyddŵn o'r gorau, Harri Tomos, ych bod chi'n gwbod y cwbwl o'r hanes, 'blaw bod chi'n glòs, ne' pam y base'r plismon yn *gneud* i chi fynd i'r cwest? Diolch nad ydi William Anwyl ddim yn fyw i weld mor ddrwg y mae'r byd wedi mynd, a finne yma fy hun. Pan fydd mwya o isio m'rynion ma nhw'n wastad yn sâl ne yn colma, a does neb ŵyr na fydd y tŷ yn llawn o hyd ar adeg fel hyn—mi ddyle fod yn llawn er mwyn i'r cymdogion wbod sut mae pethe'n bod. Oni bai am y tafarne, châi neb wbod be sy'n mynd ymlaen yn y byd, a wydde neb be' sy'n digwydd dan 'u trwyne nhw."

Ac yn sŵn Mrs. Anwyl yr aeth Harri a minnau a Pitar Preis i'r cwest. Cymerwyd ni i'r ystafell lle yr oedd y corff, a chyn gynted ag yr eis i mewn caeais fy llygaid, ac felly, yr wyf yn meddwl y gwnaeth Harri. Ond cymerodd Pitar Preis, er mai teiliwr ydoedd, hamdden i archwilio'r corff, er mwyn iddo allu rhoddi adroddiad manwl yn y *Bedol.* Parhaodd y cwest am rai oriau, ond ofer fyddai i mi roddi adroddiad manwl. Yr oedd yr Yswain Griffith yn bresennol, gyda pha hawl, ni wn. Y dyst-iolaeth fwyaf pwysig oedd yr eiddo John Llwyd, cywmon y Fron uchaf, yr hwn, noson y llofruddiaeth, oedd yn mynd yn ôl ac ymlaen ym muarth y ffarm gan ddisgwyl i'r fuwch ddod â llo, ac a welsai lanc na ddarfu iddo ei adnabod, â gwn dan ei gesail, yn mynd drwy fuarth y ffarm a drwy y llidiard i'r ffordd isaf, ac ymhen ychydig o funudau a welsai Twm Nansi, yr hwn a adwaenai yn dda, yn ei ddilyn, a gwn dan ei gesail. Holodd Pitar Preis, y teilwr, y tyst hwn yn lled fanwl, yn enwedig am y llanc na ddarfu iddo ei adnabod, a chyda phob holiad taflai gil ei lygaid ar ŵr y Plas. Yr oedd Pitar yn gweithio i bobl y Plas. Ffrwyth yr ymchwiliad oedd fod Dafydd Ifans wedi ei fwrdro gan rywun na wyddai neb pwy, ond y grediniaeth ddistaw oedd mai Twm Nansi oedd y llofrudd, ac yr oedd cryn gywreingarwch i gael gwybod pwy oedd y llanc ifanc na ddarfu i John Llwyd ei adnabod, a llawer o ddyfalu yn bod, a phob dyfaliad, yn fy mryd i, yn anghywir.

Ni allwn i a Harri beidio meddwl am brotest Twm,—"Mae Duw yn gwybod nad y fi laddodd Dafydd Ifans," ac yr oedd arnaf gymaint o ofn i Harri ddatguddio ein cyfrinach fel y gorfodais ef, gyda llawer o drafferth, i ddod adref yn syth heb alw yn y *Bedol.* Ond gwyddwn y cynysgaeddai Pitar Preis y cwmni â phob gwybodaeth angenrheidiol, a thipyn ychwaneg. Cyn i ni adael y dref, er na ddarfu i ni ymdroi llawer, yr oedd yr holl wybodaeth a gafwyd ar y cwest yn hysbys i bawb, ac yr oedd yn rhaid i ni fynd dros yr un ystori gyda phob cydnabod a gyfarfyddem ar y ffordd wrth fynd adre', a diwedd pob ymddiddan oedd—"Twm ydi'r dyn." Yr oedd gennyf fi a Harri ein meddyliau am hyn. Crefais ar Harri i beidio sôn wrth neb am ymweliad Twm â ni hyd nes y byddai raid. Tra byddai Harri yn sobr gwyddwn nad oedd berygl iddo brebian, ond ni allwn ymddiried ynddo yn ei ddiod, am hynny ni allwn fod yn esmwyth oni fyddai efe yn fy ngolwg. Yr oedd Gwen, y morynion, a'r gweision yn llosgi am ein dychweliad o'r dref, a thynnodd pob enaid at ei gilydd yn y Wernddu i wrando ein hadroddiad. Wrth ddrws Twm Nansi y rhoddai Gwen a phawb yr anfadwaith. Ond cadwai Harri a minnau yn ddistaw. Cydymdeimlai Gwen yn fawr â Nansi, mam Twm.

XXVII

Y Meddyg Huws

PAN ystyriwn mor fyrbwyll ac mor nwydwyllt ydyw natur y Cymro, gymaint o wres sydd yn ei anianawd, ac mor hawdd ydyw ei gynhyrfu a'i gythruddo; a phan gofiwn mor brin oedd moddion addysg, yn enwedig hanner can mlynedd yn ôl, a chyn lleied o wir wareiddiad oedd ymysg ein cenedl—pan ystyriwn hyn oll, rhyfedd ydyw meddwl fod bywyd, fod einioes dyn wedi bod mor gysegredig, a bod y gyllell, y ddagr, a'r dryll wedi cael rhydu cyhyd. Hen Wlad y Menig Gwynion! Yr wyf yn falch ohonot, ac yn diolch i Dduw mai ar dy ddaear di y'm ganwyd ac y'm magwyd. Gan nad beth ydyw ein diffygion fel Cymry—ac y maent yn lluosog—y mae glendid ein dwylo oddi wrth waed ein cyd-ddyn yn beth i ymffrostio ynddo. Pan gyhuddir ni o anniweirdeb, o fwyseirio, a pheidio dweud y gwir yn onest a syth—o ffregodi yn gwynleisiol, gor-grefyddol a rhagrithiol—pan gyhuddir ni ein bod yn dueddol o fod yn amheus a drwgdybus—mae arnaf ofn fod gennym le i ostwng tipyn ar ein pennau, er nad i'r graddau y disgwylir i ni wneud gan y Saeson ffroenuchel, a phan ystyriwn oruchwyliaeth y gorthrymydd, mae yn amheus a ddylem ostwng pen yn fwy na rhyw genedl arall. Pa fodd bynnag, ni all yr athrodwr mwyaf wynebgaled a beiddgar ein cyhuddo o lechu tu ôl i'r gwrych, o saethu yn y tywyllwch, nac o ruthro i'r gwddf ar y ffordd fawr. Mae pregethiad a dylanwad yr Efengyl wedi ein cadw rhag hynny, medd rhywun. Gwir; ond rhaid i ni gofio nad ydyw pawb hyd yn oed yng Nghymru wedi eu dwyn dan ddylanwad yr Efengyl, a bod graddau o bob drwg ymron yn ffynnu yn ein plith, fel ymhlith pobl cenedl arall, oddigerth llofruddiaeth. Gymru wen! Mae dy fynyddoedd, dy ddyffrynnoedd, a'th ddolydd yn lled lân ers amser maith o gael eu lliwio â gwaed, ac estron, fel rheol, ydyw'r llofrudd o fewn dy derfynau.

Yr oedd hogen o forwyn yn y Wernddu, hollol ddiddysg, ac amddifad o dad a mam, ond un o'r genethod gorau ei gwaith a wisgodd esgid erioed. Ni byddai hi byth yn gref iawn o ran ei hiechyd, ac er ei bod yn fynych yn dioddef poenau dirfawr oherwydd rhyw anhwyldeb oedd arni, anaml y clywid hi yn cwyno. Byddai Ann yn ddiwyd ac onest efo'i gwaith yn ddi-baid nes gorfod ildio ambell dro gan wendid, a'r hyn a'i gofidiai yr adegau hynny oedd nid ei phoenau, ond ei hanallu i wneud ei gwaith. Yr oedd Ann hefyd yn hogen deimladwy iawn, ac os byddai rhyw anhwyldeb ar rai ohonom, nid oedd terfyn ar ei phryder yn ein cylch a'i gofal amdanom. Arferai Gwen Tomos ddweud fod Ann, druan, yn gofalu mwy am bawb nag amdani hi ei hun, ac nad oedd hyd yn oed cyw iâr yn cael ei anghofio ganddi os gwyddai ei fod yn dioddef. Yr oedd ei natur fel tannau telyn, a'r cyffyrddiad lleiaf yn effeithio arni. Meddyliai Gwen lawer iawn o Ann, ac yr oedd yn hynod garedig ati, ac yr wyf yn credu ei bod wedi bod yn offeryn i'w gwneud yn Gristion cywir a disglair.

Pan oeddwn i a Harri yn adrodd hanes y cwest ar gorff Dafydd Ifans wrth y teulu yn y Wernddu, sylwais fod wyneb Ann yn ymliwio. Sylwodd Gwen hefyd ar hynny, a dywedodd mai'r peth gorau i ni oedd i bawb fynd at eu gwaith a cheisio peidio â meddwl am yr amgylchiad ysgeler. Ac felly y bu. Pa fodd bynnag, cyn adeg swper daeth Gwen i'r buarth i ymorol amdanaf, ac ebe hi:

"Rheinallt, mi leiciwn petait ti yn mynd i nôl y doctor, mae Ann yn sâl ryfeddol. Mae hi wedi cymryd yr helynt yma yn ormod at ei chalon, ond feder hi mo'i helpio, mi wyddost. Cer, 'y ngwas i, ar unwaith."

Cyfrwyais y ferlen, ac euthum cyn gynted ag y medrwn. Hen fachgen braf oedd Doctor Huws, yn llond ei groen, a phob amser yn iach, fel y dylai meddyg fod, ac yn boblogaidd iawn yn yr ardal. Byddai bob amser yn llawen, a phan na byddai yn siarad chwibanai yn feunyddiol, ac anodd oedd penderfynu pa un ai siarad ai chwibanu a fedrai orau. Dywedid ei fod wedi gwella mwy o bobl drwy ei siarad na thrwy ei ffisig, a bod nifer y rhai yr oedd efe wedi eu perswadio i fyw pan oeddynt wedi penderfynu marw yn aneirif. Hen lanc ydoedd, ac erbyn hyn wedi mynd dipyn i oed, a phan fyddai rhywrai yn ei drin am na chymerasai wraig, ei reswm bob amser a fyddai na allai fforddio, oblegid pe bai yn priodi—yn gymaint â'i fod wedi addo priodi cynifer—y collasai hanner ei gwsmeriaid, os nad âi pawb ohonynt at Nansi'r Nant am ei ffisig dail, ac yn lle treulio pâr o olwynion bob blwyddyn, fel yr oedd yn gwneud, y gwnaethai un pâr iddo am ddeng mlynedd. Ac eto ni fedrai yn ei fyw beidio â lolian gyda merched ifainc lle bynnag yr elai. Credai Doctor Huws fod hanner afiechydon ei gwsmeriaid—yn enwedig ei gwsmeriaid benywaidd—â'u heisteddle yn y meddwl, ac yr oedd nifer y rhai a fuasai ar fin marw ac a wellasai yn hollol, fel yr adroddai, drwy ddim ond rhoddi iddynt ychydig ddŵr a halen, a hanner dwsin o bils bara gwyn, a dos dda o siarad yn ddiderfyn. Er ei fod yn cael ei alw yn fynych at achosion pwysig a pheryglus yr oedd ei grediniaeth mor ddiysgog yn ei athroniaeth, fel mai prin y credai fod dim anhwyldeb peryglus ar ferch, oni fyddai hi ar fin ychwanegu at nifer y boblogaeth. Ac eto ni fynnai yr un ferch yn y wlad neb ati pan fyddai'n afiach ond y meddyg Huws, ac os methai ef roi iachâd, nid oedd dim i'w wneud ond ymollwng i ddwylo angau, oblegid y dyddiau hynny nid oedd sôn am ddoctoriaid Caer, ac âi pawb oedd yn marw y pryd hynny i'r nefoedd, neu i'r lle arall, heb fynd drwy stesion Caer.

Yr wyf yn cofio'r noswaith cystal â phetasai neithiwr pan oeddwn yn trotian yn gyflym ar gefn Bess, y ferlen, i nôl Doctor Huws. Nid oedd gŵr yn y plwyf mwy adnabyddus na Doctor Huws, na neb a gerid yn fwy. Yr oedd efe wedi bod laweroedd o weithiau yn y Wernddu pan fyddai hwn a'r llall ohonom yn afiach, ac yr oeddwn yn bur gydnabyddus ag ef. Gan mor brysur yr arferai'r Doctor fod, ac mor bryderus yr oedd Gwen am iddo ddyfod i'r Wernddu ar unwaith, ofnwn ar hyd y ffordd na fyddai'r Doctor gartref, ac y byddai fy siwrne yn ofer. Ond, fel y digwyddodd, pan oeddwn yn cyrraedd at ei dŷ yr oedd y meddyg enwog yn fy nghyfarfod, ac ebe fe:

"Helo, Rheinallt, be' sy'n bod?"

"Ann, y forwyn acw, sydd yn sâl iawn, a mae Gwen yn gofyn a welwch chi'n dda ddod acw ar unwaith," ebe fi.

"Ho," ebe fe. "Be ydi oed yr hen ferlen yma, dywed? Yr ydach chi yn ei chadw hi mewn cas da ryfeddol. Ydi hi yn gyfeb, dywed?"

"Nag ydi," ebe fi. "Yr oedd Gwen yn gofyn, os gwelwch chi'n dda, ddod acw cyn gynted ag y medrech chi, achos mae'r eneth yn sâl iawn."

"Ie," ebe'r Doctor. "Yr ydw i'n cofio y bydde dy ewyrth, Edward Tomos, yn meddwl llawer o Bess—Bess ydi henw hi, yntê? Aros di, faint sy ers pan fu farw yr hen Edward? Hen gono rhyfedd oedd o! Ond fase waeth iddo heb gybydda, mae Harri yn 'u tywallt yn iawn ar y w—. Ond dyna fel yr ydw i yn 'i gweld hi *all round*—mae'r rhieni yn byw yn gynnil, yn glòs, ac yn slafio, a'r plant cyn gynted y cân nhw bridd ar eu hwynebau nhw yn 'u rifflo nhw i'r——. Ffasiwn wair sy gynnoch chi acw 'rŵan? Rydw i'n dechre mynd yn brin braidd."

"Mi gewch weld be' sy gynnon ni, Doctor," ebe fi. "Ond ydach chi'n meddwl y medrwch chwi ddŵad i olwg yr eneth acw yn o fuan, syr?"

" 'Doedd y gwair ges i gynnoch chi y llynedd, wyddost, ddim cystal ag yr oedd Harri yn deud ei fod o, ac eto 'roedd o'n burion—'daeth dim ohono yn ofer. Be ydi pris y gwair rŵan?"

"Rhywbeth fel tair a chweugen," ebe fi. "Ond ydach chi'n brysur iawn heno, Doctor? Ydach chi'n meddwl y medrwch chi ddŵad i olwg yr eneth acw? Mae Gwen yn bur bryderus yn ei chylch."

"Prysur?" ebe'r Doctor, "waeth i ddyn heb fod yn brysur. Wyst di be?—ac eto mi ddylit ti wybod—choelie neb faint sydd yn mynd at gadw ceffylau. Pan fydd y gwair yn dair a chweugen, a'r cerch yn rhywbeth y leicia nhw *chargio* ar Ddoctor, a'r gwas heb ronyn o gydwybod wrth ben y mansiar, mi synnet faint sy'n mynd i gadw y tri cheffyl yma. Heblaw hynny ——"

"Doctor Huws," ebe fi, wedi diflasu gan ei ddiffyg cydymdeimlad dros yr eneth y gwyddwn ei bod yn glaf iawn—"deudwch fedrwch chi ddod acw? rhaid imi fynd yn ôl." Ac ebe fe:

"Aros di, pwy ddaru ti ddeud oedd yn sâl? Ai Gwen?"

"Nage," ebe fi braidd yn gwta, "Ann, y forwyn."

"O, ie, 'rydw i yn cofio 'rŵan. Rho ffrwyn y ferlen am y post yna—mae hi'n llonydd ond ydi hi? a thyrd i mewn."

Euthum efo'r Doctor i'r *surgery,* ac wedi eistedd buasai wedi siarad am gant o bethau oni bai i mi gymryd hyfdra arno a dweud wrtho: "Doctor Huws, yr ydach chi yn anghofio fy neges—mae Gwen yn crefu arnoch i ddyfod acw ar unwaith."

"Anghofio?" ebe'r Doctor, "ddim peryg. Ann, y forwyn, ddaru ti ddeud oedd yn sâl? Wel, hwyrach mai gwell i Benja roi dy ferlen di yn y stabal, ac i ti ddŵad efo fi yn ôl yn y gig i'r Wernddu rhag ofn y bydd isio ffisig, fel y gelli di ddod yn ôl a chymyd y ffisig efo ti. Er dydw i ddim yn meddwl y bydd isio ffisig, achos y mae llawer iawn o rodres ar ferched. Ond y mae Ann mewn oed drwg, a mi gawn weld. A mi ga innau dy gwmpeini di yn ôl a blaen. Welest di rioed lai o gwmpeini mae Doctor yn gael--dydi o ddim fel dyn arall—mae o wrthi, wrthi o hyd, Sul, gŵyl, a gwaith. Dydi o ddim yn cael moddion gras fel dyn arall—fûm i ddim mewn capel nac eglwys ers gwn i pryd, a does gen i ond gobeithio fod gan y Brenin Mawr ryw *side-door* i ddoctoriaid fynd i'r nefoedd, neu mi fydd yn *bad look-out* iddyn nhw. Ddyn bach! corff, corff ydi hi o hyd efo doctor—mae corff rhywun o hyd allan o hwyl, a rhaid i ddoctor fod ar ei orau glas i gofio fod yna y fath beth ag enaid mewn bod. Ond y mae rhyw bleser weithiau i'w gael—hyd yn oed pan fydda i wedi blino na wn i ddim beth i wneud—wrth feddwl fy mod i wedi llwyddo, gyda bendith Duw, i roddi esmwythâd i ambell greadur fydd mewn poenau sobr trwy roi ffisig cyfaddas iddo; neu mewn amgylchiad arall, pan fydd un yn *meddwl* fod o'n sâl iawn a dim ar affaeth y ddaear arno, ond fod o wedi cymeryd yn ei ben, a phan fydda i wedi ei berswadio fo i grymryd dwy bilsen o fara a photeled o ddŵr glân a thipyn o soda ynddi, a chymryd fy llw y gwneiff ei fendio, a hynny yn ateb y diben, mae peth felly yn rhyw gysur i ddyn wrth iddo fynd i'w wely. Achos mi synnet gymin o bobl, yn enwedig merched sydd yn meddwl eu bod nhw yn sâl heb ddim yn y byd y mater arnyn nhw. Ond iddyn nhw, druain, mae o yr un peth â phetaen nhw yn wirioneddol sâl, ac mae isio gofal mawr efo nhw. Ond fel hyn bydda i yn gneud efo nhw—"

"Doctor," ebe fi, "maddeuwch i mi am dorri ar eich stori, ond y mae arnaf ofn y bydd Gwen wedi mynd yn anesmwyth os na ddeuwch acw yn fuan."

Canodd y meddyg gloch y buarth a daeth Benja i'r *surgery*, a gorchmynnwyd iddo roi Bess yn y stabal a dod â'r gig at y drws mewn dau funud, a chwarae teg i Benja yr oedd y cerbyd yn ein disgwyl ar fyrder. Ond dywedodd y Doctor gynifer o bethau wrthyf y noson honno fel y gwelaf na fedraf eu crynhoi i'r bennod hon.

XXVIII

Y Meddyg Huws eto

YR oedd arafwch a difrawder y meddyg Huws, pryd y gwyddwn fod Ann, y forwyn, mor wael, a Gwen, fel y dyfalwn, ar dân am iddo ddyfod i'w golwg, bron wedi peri i mi golli hynny o amynedd oedd gennyf. Ac eto, wrth ffilosoffydda yn fy meddwl, credwn nad oedd hyn yn brawf fod Doctor Huws yn fwy amddifad o gydymdeimlad â'r gwan a'r afiach, na phobl eraill, ac mai ei gynefindra ag afiechyd a phoenau oedd yn rhoi cyfrif am y cwbl. A gwelwn mai felly y dylai pethau fod, oblegid pe teimlai meddyg tuag at y claf a'r anafus fel y mae pobl eraill yn teimlo, ni allai gyflawni dyletswyddau ei alwedigaeth a byddai ei natur wedi ei gwisgo allan ymhen ychydig fisoedd. Ni wnâi y tro, meddyliwn, i feddyg gydymdeimlo llawer â'r claf. Yr oeddwn yn adnabod gŵr o natur hynod dyner a'i gydymdeimlad â dioddefydd yn anghyffredin o ddwys bob amser. Aeth y gŵr hwn un tro efo'i blentyn i gael ei fuchfrechu, a chymaint oedd ei gydymdeimlad â'r plentyn fel yr oedd ei fraich ef ei hun wedi enynnu erbyn bore drannoeth! Ni thalai i feddyg fod felly, onid e cawsai bob clefyd ac afiechyd yn y gymdogaeth. Heblaw hynny, fel yr awgrymwyd yn barod, mae edrych yn barhaus ar bobl mewn poenau ac afiechydon yn haearnu dyn, yr un fath ag y mae y cigydd mewn amser yn colli pob tosturi at greadur afresymol. A hyd yr wyf yn cofio, ni welais yr un *relieving officer* erioed na fyddai cyn diwedd ei oes yn ddyn calongaled—nid am ei fod felly yn naturiol, ond am fod ei gynefindra â gweld tlodi beunyddiol, a hwyrach lawer o ragrith a hymbygoliaeth, yn ei ysbeilio o bob tynerwch.

Cyn gynted ag yr aeth y Doctor a minnau i'r cerbyd, yr oedd ei dafod yn mynd yn gyflymach o lawer na thraed ei geffyl, a gwneuthum y sylw nad oedd ei farch yn ymddangos yn awyddus am gyrraedd pen ei siwrnai yn rhy fuan, ac ebe'r Doctor:

"Nag ydi; nid hon ydi'r siwrnai gynta i Bob heddiw. 'Dydi doctoriaid, wyddost, ddim yr un fath â chi, y ffarmwrs yma, yn dreifio fel cath i gythrel. Wnâi hi mo'r tro. Ond y mae Bob yn treulio pum pâr o bedolau am un pâr y mae eich ceffylau chi yn eu treulio. Fydda i byth, fel y gweli di heno, yn cymryd chwip efo fi. 'Does dim isio bod yn y fath frys yn yr hen fyd 'ma. A'r rheini fydda i yn weld yn dreifio yn ffast—ac erbyn hyn yr ydw i wedi sylwi dipyn ar bobol—maen nhw yn dŵad i'r pen yn fuan anwedd. Beth ydi oed Harri acw? Mae *o* wedi dreifio yn gyflym ryfeddol er pan fu farw yr hen ŵr, ac mae o *just* â chyrraedd y pen. Yr ydw i wedi ei rybuddio ers talwm, petasai hynny o ryw *use.* Y mae yma lot o rai eraill a'u sbardunau wedi bod yn rhy amal am eu sodlau. Mi fyddan yn dechre gyrru amdano i rai o'r dyddiau nesa yma iti. A welest di 'rioed yn y fath frys y byddan nhw, a fydd gen innau ddim i neud ond deud wrthyn nhw am neud 'wyllys gynted ag y medran nhw, ac ar ôl hynny gyrru bil i'w sgutorion nhw ymhen hanner blwyddyn. Dydy'r cyfansoddiad dynol, wyddost, erioed wedi ei fwriadu i gael ei neud yn *omnibus,* a phawb sy'n treio'i neud o felly, mae'r echel neu'r olwyn yn torri'n chwap. Mae rhyw bobol yn meddwl y medran nhw gymryd faint fyd fynnon nhw o ofalon a beichiau, ond torri y gwela i yr echel yn union. A mae eraill yn meddwl mai'r peth gorau fedran nhw neud ydi taflu pob gofal a thrafferth i ffwrdd a gwneud gerwyn o'u boliau, ond byrstio maen nhw yn union. Mi gymra fy llw nad oes yma yr un dyn yn y plwy a chymin i neud â fi, ond fydda i byth yn rhuthro i ddim yn y byd. Yr oedd yma Sais yn y gymdogaeth yma ers talwm. Sais oedd o er mai Samuel Jones oedd ei enw—waeth beth fyddai'r prysurdeb, neu beth bynnag a ofynnid iddo ddweud neu wneud, ei ateb bob amser a fyddai, '*Let Sam Jones consider a bit.*' Fydde fo byth yn rhuthro i ddim. Dyna'r dyn callaf a weles i 'rioed. Mi wnaeth fwy o waith nag odid neb, a mi fu fyw yn hir a mi fu farw yn hen. Yr oeddwn i efo fo pan fu o farw, a welest ti 'rioed gymin o amser gymerodd o i farw. 'Doedd dim peryg i Samuel Jones farw o strôc neu ffit—'roedd o yn rhy hamddenol—a 'roedd o wedi setlo fy mil am dendio arno ar ei wely angau cyn iddo farw, rhag i neb arall gael y drafferth, a 'rydw i yn cofio yn dda iddo fynnu cael *discount.*"

"Oedd o wedi gneud 'wyllys, Doctor?" gofynnais.

"Oedd ddyliwn wir, a'r 'wyllys galla wnaeth dyn erioed," ebe'r Doctor. "Hen lanc oedd o, fel finnau. 'Roedd o wedi 'considro' gormod i briodi. Os wyt yn meddwl am briodi paid â dechrau considro. Os dechreui di gonsidro, phriodi di byth. Mi gymra fy llw petasai hanner y rhai yr ydw i yn adnabod wedi considro tipyn cyn priodi, y basen nhw yn hen lanciau eto. A mi fase yn dda i lawer ohonyn nhw fod wedi considro, achos maen nhw wedi difaru am bob blewyn sydd ar 'u penne—yn wir y mae rhai ohonyn nhw heb fawr o flew ar eu penne—mae'r wraig wedi dragio nhw i ffwrdd. Wrth sôn am hynny, mae o yn dŵad i 'meddwl i am Jams Parri, y Boncyn, wyddost, pan ddoth o ata i y tro cynta. Wyddwn i yn y byd mawr pwy oedd o, achos 'doedd ddim llawer er pan oeddwn i wedi dechre practisio yma. Wel, mi ddoth Jams i'r *surgery* rhyw ddiwrnod a'r ddannodd yn gynddeiriog arno, a 'roedd golwg ofnadwy arno. Yr oedd o yn y fath boenau fel na feddyliodd o ddim am dynnu ei het, a'r cwestiwn cynta ddaru mi ofyn iddo, ar ôl dallt mai'r ddannodd oedd arno, oedd, a oedd o yn briod? A daswn i yn marw fedrwn i ddim peidio â chwerthin pan dynnodd Jams ei het gan ddangos ei ben, cyn foeled â chwysigen lard, ac ebe fe, 'Fasa'r olwg yma ddim ar y mhen i, Doctor, daswn i heb briodi.' Yr ydw i wedi cael llawer o ddifyrrwch efo Jams byth er hynny. Yn wir, er mod i wedi tendio llawer ar Jams a'i wreigan—achos gwreigan ydi hi, wyddost—ddaru mi roed 'i *chargio* fo, achos mi fyddwn yn cael yn y sbort fyddwn i yn gael efo Jams dâl da, a mi fydd yn dda gan fy nghalon i glywed fod rhywbeth o'i le ar Jams, a mi fydda yn rhedeg yno ar unwaith. Mae Jams, wyddost, yn un o'r dynion hynny ddeudiff y gwir wrthot ti am bob camgymeriad fydd o wedi neud, a mi clywes o, o flaen y wraig, yn deud ffasiwn ffŵl fu o yn priodi. Mi wyddost fod pawb wedi priodi yn canmol mor dda maen nhw wedi gwneud, ac yn cymryd arnynt fecsio na fasen nhw wedi priodi yn gynt, ac yn eu calonnau y mae eu hanner nhw wedi difaru, ond dydyn nhw ddim isio i neb wybod, wyddost. Ac erbyn iti feddwl mae o yn beth gwirion i'r eitha yn y rhan fwyaf o gesys—dyn yn cymryd geneth ddiarth, nad ydi yn perthyn dim byd iddo, i'w chadw ac i gael ei hymbygio ganddi. Ac eto, wedi iddyn nhw neud hynny, maen nhw yn perswadio pawb fedran nhw i neud yr un peth. Mae o yn gneud i mi gofio am yr amser pan oeddwn i yn hogyn; ar ddiwrnod ffair, yr ydw i yn cofio o'r gorau, ym muarth y *Red Lion* yr oedd yno ryw ddyn oedd yn gallach na'r cyffredin yn gweiddi fod ganddo y peth rhyfeddaf i ddangos a welwyd erioed, sef ceffyl—ym mhob ystyr arall fel ceffylau yn gyffredin, ond fod ei gynffon lle dylasai'i ben o fod, ac nad oedd yn gofyn ond un geiniog am ei weld. Yr oedd y ceffyl rhyfedd yn ystabl fawr y *Red Lion*, a'r bobl yn tyrru i'w weled. Er mwyn gweld y rhyfeddod rhoddais innau fy ngheiniog. Ond erbyn mynd i mewn 'doedd ynddo ddim ond hen nag a'i ben ôl wrth y mansiar. Yr oedd pawb yn mynd allan drwy ddrws arall, a rhyw greadur llon a smala wrth y drws hwnnw yn deud wrtho ni i gyd 'Peidiwch â deud am y tric, ond deudwch fod y ceffyl yn werth ei weld, achos chostiodd o ddim ond ceiniog.' Yr oeddan ni mor anfodlon i gydnabod ein bod yn ffolach na phobol eraill, fel y darfu inni berswadio cymaint ag y fedren ni fod y ceffyl yn werth ei weld. Ac felly y mae'r bobl yma sydd wedi priodi.

"Ond am ewyllys Samwel Jones yr oeddan ni yn sôn, yntê? Wel i ti, yr oedd ganddo ychydig gannoedd i'w gadael ar ei ôl, a mi drefnodd i'w sincio mewn *railway shares,* a bod yr *interest* i gael ei rannu bob blwyddyn rhwng gweithwyr tlawd y pentre a gymerai eu llw yn gyhoeddus eu bod wedi 'difaru priodi, ac os na fyddai yno chwech o rai digon gonest i ddyfod ymlaen, fod yr arian i gael eu defnyddio i roi gwledd i blant y *workhouse*, a thrwy na ddaeth neb ymlaen ond Jams, y Boncyn, mae'r arian yn cael eu gwario felly byth. Yr oedd yno amryw yn ddigon parod i ddyfod ymlaen, ond chaen nhw ddim gan eu gwragedd, wyddost. Wel, dyma ni wedi cyrraedd y Wernddu. Pwy ddaru ti ddeud oedd yn sâl, ai Ann? Beth sydd ar yr eneth, tybed? Ond mi gawn weld."

Aethom i'r tŷ a dechreuodd y Doctor lolian efo Gwen, ond nid oedd hi mewn ysbryd i hynny, a chymerodd ef ar unwaith i olwg Ann. Ni bu y ddau ond ychydig funudau cyn dychwelyd, ac ebe'r Doctor:

"Ydi, y mae'r eneth yn bur sâl; mae ei chalon yn wan a'i *nerves* wedi cael *shock*. Rwyt ti yn dy le, Gwen; wedi cynhyrfu mae'r beth wirion efo'r mwrdrad yma, a rhaid iddi gael rhywbeth i wneud iddi gysgu. Petai hi yn cysgu yn dda mi ddôi ati ei hun. Ann ydi'r drydedd yr ydw i wedi bod efo nhw heddiw, wedi dychrynu efo gwaith Twm Nansi, os Twm ddaru hefyd. Ond os y fo ddaru, mi wnaeth Twm salach gwaith cyn hyn." Yn y fan hon daeth Harri i mewn, ac ebe'r Doctor:

"Wel, Sgweiar y Wernddu! mae gen i ofn y byddan nhw yn rhedeg i fy nôl i atat tithau rai o'r dyddiau nesaf yma. Fedri di ddim rhoi cweir i Ernest y Plas heno, mi gymera fy llw. Rhaid i ti gymryd gofal a mynd llai i'r *Bedol* yna, ne' mi fydd dy bedolau di i fyny yn lled fuan yn siŵr i ti. Ond waeth heb siarad. Dyma'r *sort*, Gwen, sydd yn cadw y doctoriaid rhag torri i fyny."

Gwridodd Harri at fôn ei wallt, ac ebe fe:

"Mi dreiaf gofio'ch cyngor, Doctor, os ydi hi yn peidio â bod yn rhy ddiweddar. Ond, os gwelwch yn dda, mae gen i *job* i chi cyn hynny—mae Wmffre'r gwas yma, yn ôl fy meddwl i, yn bur wael. Fe 'neiff Rhein eich cymryd i'w olwg."

"Beth, y llabwst mawr Wmffre? Pwy fydd nesaf tybed?" ebe'r Doctor.

Yr oedd lloft y llanciau uwchben yr ystablau, ond yr oedd grisiau iddi o'r tŷ, a chymerais y Doctor at wely Wmffre, ac wedi iddo ei archwilio, ebe fe: "Mi ddeuda wrth Gwen am neud posel triag iti, a thria dithau gysgu a mi fyddi yn well." Ac wedi dyfod i lawr ebe fe: "Yr un peth sydd ar y crwmffast yna ag ar

Ann—wedi ypsetio efo'r helynt yma. Rhowch bosel triag iddo. Ond gwell i Ann gael ffisig ar unwaith. Tyrd oddne, Rheinallt."

Wedi mynd i'r cerbyd, a chyn i'r Doctor gael dechrau ar ei ribidires, dywedais wrtho fy mod yn synnu fod llanc cryf, iach, fel Wmffre, wedi cymryd llofruddiaeth Dafydd Ifans yn gymaint at ei galon, ac ebe fe—

"Ar yr olwg gynta, y mae yn edrych yn beth rhyfedd, ond y mae yn digwydd yn fynych. 'Roeddwn i yn adnabod dyn—un o'r dynion cryfaf a welais erioed—a fyddai bob amser yn mynd oddi cartref pan fyddent yn lladd ei fochyn, ac os digwyddai i rywun dorri ei fys ac yntau weld y gwaed, mi ffeintie yn syth. Ac eto mi gwelais o yn cario carreg agos gymaint â fo ei hun i ben *building*. 'Does dim cyfrif i'w roi am ryw bethau, a 'does dim isio i ni fod yn gwybod y cwbl neu mi aen i feddwl gormod ohonom ein hunain. Ond y mae'r llanc yn eitha sâl, ran hynny, a synnwn i ddim na throiff o yn ffefar arno ymhen deuddydd neu dri. Byndlwch o gartre gynted ag y medrwch chi. Pam y rhaid i chi fynd i'r holl drafferth efo clamp mawr fel yna. A beth sydd ar y bobl yn gwneud ffasiwn helynt efo Dafydd Ifans—fe saethwyd ei well filoedd o weithiau. Y snêc mwya' dan haul oedd o. Fase fo yn hidio dim a lladd dyn am ddal gwningen. Er gwaethed Twm Nansi, yr oedd yn well gen i Twm ganwaith na Dafydd Ifans. Ond cyfraith ydyw cyfraith, er nad ydyw pob cyfraith ddim yn iawn. Ond tra mae hi yn gyfraith—rhaid sticio ati."

"Beth ydyw eich syniad chi, Doctor, am fwrdrad Dafydd Ifans?" gofynnais.

"Does gen i yr un syniad am y peth," ebe'r Doctor. "Ond mi ddywedaf hyn, na fydd y wlad ddim tlotach. A mae yr amgylchiad yn rheswm ychwanegol dros ddiddymu y *game laws*, a rhoi rhyddid i bawb i ddinistrio y pryfaid melltigedig sydd yn andwyo y ffarmwrs. Pa reswm sydd mewn gadael i chwilod difethgar andwyo cynnyrch y ddaear a fwriadwyd i ddyn ac anifail? Ac os Twm Nansi setlodd Dafydd Ifans, mi fydd yn anodd iawn profi hynny. A hwyrach nad oedd hi ddim ond mater o eiliad pwy saethai gyntaf os aeth hi yn ffrae rhwng Twm a Dafydd, a phetasai Dafydd wedi bod yn ddigon cwic efallai mai Twm fuasai wedi ei ladd. A phetasai hynny wedi digwydd, hunanamddiffyniad fuasai y *case*, a fuasai ddim bai ar Dafydd! Pwy yn y byd fedr ffurfio syniad am y peth heb wybod yr amgylchiadau, a chawn ni byth eu gwybod yn gywir—y Brenin Mawr yn unig a ŵyr. Ond os caiff Twm ei ddal—a mae o yn siŵr o gael ei ddal—mi ddylem edrych fod ganddo gownsilor, a mi rof i gini at hynny. Fe ddylai Twm gael chwarae teg, myn gafr. Beth mae yr hen Nansi, ei fam, yn ddeud, os gwn i? Mi fydd yr hen Farimagdalen yn melltithio mwy nag erioed, mi gymra fy llw. A fynnwn i ar gownt fod ar y *jury* i gondemnio Twm! Wyst di beth? Nid ffŵl ydi'r hen Nansi, er ei bod hi yn gwneud drwg i nhrâd i. Rhyw dri mis yn ôl, yr oedd rhyw ddyn yn dod acw a'r sgyrfi ar ei ddwylo, a mi dreies bob peth yn y *surgery* i'w fendio, ond 'doedd y lleban damed gwell, ac wedi blino arna i, mi aeth at yr hen Nansi, a mi ciwriodd yr hen wrach o ymhen yr wythnos, a hynny hefo te dail hocas, medde'r dyn. Mae o yn ddigon gwir i ti, mi welais y dyn, ac yr oedd ei ddwylo cyn iached â'r clai. Ond beth waeth? Os bydd cwac neu gwaces wedi 'nghuro i, bendith ar eu pennau nhw, meddaf fi. Ciwrio ydi'r pwnc, waeth pwy fedr wneud hynny. Ond chlywi di ddim pob doctor yn siarad fel yna; mae ambell un, er gweld â'i lygaid ei hun, fod hen wraig wedi ei guro, na addefiff o byth. Y ffŵl! Benja, wedi i ti roi'r ceffyl yn y stabal tyrd â merlen Rheinallt allan," ebe'r Doctor wrth y gwas, yr hwn oedd yn ein derbyn.

Euthum efo'r meddyg drachefn i'r *surgery*, a thra oedd efe yn cymysgu rhyw gyffuriau mewn potel, siaradai yn ddi-baid. Wedi rhoi papur gwyn am y botel a'i selio â chwyr coch, ebe fe:

"Dwy lond llwy fwyta bob tair awr, ac os na fydd Ann yn well erbyn canol dydd yfory, gad i mi gael gwybod. Nos dawch, a brysia adref, a chofia bacio Wmffre acw at ei fam."

XXIX

Twm a Nansi

GWNAETH ffisig y Meddyg Huws gyfnewidiad buan ar Ann, ac erbyn bore drannoeth yr oedd yr hogen yn llawer gwell. Ond nid felly yr oedd Wmffre; os rhywbeth, yr oedd efe yn waeth. Megis o garedigrwydd, er nad dyna ydoedd mewn gwirionedd, cynigiodd Harri iddo gael mynd adref am wythnos, a derbyniodd yntau'r cynigiad yn ddiolchgar. Ond yr oedd ei gartref ugain milltir o'r Wernddu, ac nid oedd y creadur, yn ôl pob golwg, yn alluog i gerdded y fath bellter, er y protestiai efe y gallai wneud hynny. Nid oedd un ohonom, yn enwedig Gwen, yn fodlon iddo anturio cerdded y fath siwrnai. Trefnwyd i mi ei ddanfon bum milltir yn ein cerbyd i gyfarfod yr hyn a elwid y pryd hwnnw y *goach* fawr. Pan ddeallodd Wmffre fy mod yn mynd i'w ddreifio, casglodd at ei gilydd bopeth a berthynai iddo yn y Wernddu, er nad oeddynt yn llawer, ac ymaith â ni, wedi i Gwen roi tamaid o rywbeth yn ei boced, oblegid nid oedd y llanc truan wedi profi gwlithyn y bore hwnnw, nac ond ychydig y dydd blaenorol. Ar y ffordd ceisiais lawer gwaith dynnu ymgom ag ef, ond nid oedd fawr o siarad ynddo, ac yr oedd yn hynod drist, ac ar amserau edrychai yn bryderus ac aflonydd, ac ofnwn fod arwyddion o dwymyn arno fel y proffwydasai y Meddyg Huws. Wrth ffarwelio â mi, cyn esgyn y *goach*, torrodd Wmffre i wylo, a gofynnais iddo pam yr oedd efe yn wylo? ac ebe fe, gan hanner tagu: "Ofni'r ydw i na cha'i byth dy weld di eto." Sylwais fod rhywrai oedd eisoes ar ben y *goach* yn chwerthin wrth weld clamp o lanc braf dros ddwylath o daldra fel Wmffre yn crio, ac yr oeddwn yn ddig wrthynt. Dywedais ychydig o eiriau calonogol wrtho—y gwellhâi yn fuan wedi mynd adref, ac y deuai yn ôl i'r Wernddu ymhen ychydig ddyddiau. Ysgydwodd Wmffre ei ben yn anobeithiol. Dywedais drachefn wrtho am fod yn siŵr o gael rhywun i ysgrifennu drosto ataf i ddweud sut y byddai. Addawodd yntau wneud hynny; a'r un funud, craciodd y dreifar y chwip ac ymaith â hwy. Deliais i edrych ar Wmffre, ac yntau arnaf finnau, nes i ni golli golwg ar ein gilydd; a theimlwn yn berffaith sicr yn fy meddwl na ddeuai Wmffre byth mwy i'r Wernddu. A phe na buasai dim arall yn blino fy meddwl yn ei gylch teimlaswn yn gymharol hapus.

Dychwelais adref yn isel a thrist fy meddwl. Yr oedd tybiaeth, meddylfryd, neu rywbeth na wn beth i'w alw, wedi fy meddiannu, ac ni allwn er ymdrechu fy ngorau gael gwared ohono—yr oedd ynglŷn â mi yng nghwsg ac yn effro fel hunllef. Hyd yn hyn nid oeddwn wedi bod mewn unrhyw amgylchiad na phrofedigaeth na allwn ddweud fy meddwl wrth Gwen yn rhydd a diatal. Ond yr oedd yr hyn oedd uchaf ar fy nghalon yn awr yn gyfryw na allwn ei sibrwd hyd yn oed wrthi hi. Ac yr oedd ynof ymwybyddiaeth barhaus nad oedd neb arall yn y byd crwn yn cael ei flino gan yr un meddylfryd, ac ar adegau teimlwn y baich mor drwm fel y tybiwn na allwn ei ddal yn hwy, ac y byddai raid i mi wneud rhywun yn gyfrannog ohono. Bûm fwy nag unwaith ar fin dweud fy meddwl wrth un arall, ond gydag ymdrech llwyddais i'w gadw yn fy mynwes fy hun.

Ni bu Ann, y forwyn, yn gaeth i'w gwely fwy na diwrnod—nid oedd yn bosibl ei chadw yno, a llusgai ei hun o gwmpas y tŷ fel angau i geisio gwneud ei gorchwylion, a chymerai yn angharedig ar Gwen pan grefai hi arni fynd yn ôl i'w gwely neu fynd i orffwyso. Yr oedd Ann, druan, fel pe bai wedi penderfynu y mynnai farw yn y tresi, ac nid oedd yn bosibl ei pherswadio i gymryd seibiant i gryfhau.

Daeth y meddyg Huws i'r Wernddu yn y prynhawn, er na ddarfu i ni anfon amdano, a dywedai y byddai Ann, gyda gofal, yn ei hiechyd arferol, ymhen ychydig ddyddiau. Yna gofynnodd am Wmffre, ac adroddais innau fel yr oeddwn, yn ôl ei gyfarwyddyd, wedi ei anfon adref y bore hwnnw, a disgrifiais, orau y gallwn, mor isel ei ysbryd ydoedd ar y ffordd, ac fel yr ydoedd wedi torri i lawr wrth ffarwelio â mi.

"*Just* fel yr oeddwn yn disgwyl," ebe Doctor. "Mi wnaethoch yn gall ei yrru adre', achos y mae yn bownd o droi yn ffefar arno, fel y dwedes i neithiwr. Mae braw yn dwyn pethe rhyfedd ar ddyn. Mi welais lanc ifanc cryf a fynnodd unwaith, yn erbyn 'wyllys ei fam, fynd i weld dyn yn cael ei grogi, a mi ddychrynodd gymaint fel mai prin y medrodd o gyrraedd adre'. Mi trawyd o â'r *typhoid,* ond mi wellhaodd o'r ffefar, ond syrthio i'r dicâu ddaru o wedyn yn fuan. A 'roeddwn i agos yn sicr neithiwr, pan welais i Wmffre, y trôi y braw yn ffefar arno, fel y dywedas i wrthot ti, a dyna pam y daru mi'ch perswadio i'w yrru adre'."

"Rheinallt," ebe Gwen, "ddaru'r doctor ddeud wrthot ti neithiwr fod o'n ofni i'r llanc gael ffefar?"

"Do," ebe fi.

"Pam na fuaset ti yn deud hynny wrtho i? y creadur calongaled! Y Doctor a thithe yn gwybod, neu yn ofni beth bynnag, fod Wmffre, druan, ar fin cael ffefar, ac yn gyrru'r bachgen daith ugain milltir at fam weddw—y barbariaid digydwybod! Petawn i yn gwybod, chawse fo symud gam o'r lle. Yr ydw i yn synnu atoch chi'ch dau—'dydach chi ddim yn deilwng o gael eich galw yn Gristnogion."

"Yr oedd yn dda gan Wmffre gael mynd adre'," ebe fi.

"Nid dyna ydi'r cwestiwn," ebe Gwen—"wydde'r llanc mo'i berygl. Oedd Harri yn gwybod? Os oedd o, rhad ar ei gydymdeimlad, ac ar ei ddynolieth! Ond yr ydw i yn ffeindio mwy o fai arnoch chi, Doctor, nag ar y ddau. Yr oedd o yn greulon ynoch eu cynghori nhw i anfon y llanc druan adre. Beth os ydi o wedi ei daro i lawr cyn cyrraedd ei fam weddw? Yr ydw i yn synnu atoch chi."

"Wyst ti be, Gwen," ebe'r Doctor, "mi fydda i yn leicio dy glywed di mewn hwyl—hwyl capel, wyddost ——"

"Hidiwch chi befo'r capel — wyddoch chi, Doctor, ddim byd am y capel, ysywaeth," ebe Gwen.

"Paid â monni, Gwen," ebe'r Doctor, "y peth ydw i'n feddwl, wyddost, y bydda i'n leicio dy weld yn selog. 'Rwyt ti'n wastad yn fy argyhoeddi i fod gynnot ti galon fawr, a phetaswn i yn iengach o ryw ugain mlynedd mi faswn yn treio closio atat ti."

"Fase waeth i chi heb Doctor, mae'ch calon chi yn rhy fechan a chaled—faswn *i* byth yn closio atoch chi," ebe Gwen.

"Dyma ti, ngeneth i, rhaid i ti edrych ar y peth mewn ffordd resymol. Yr oeddwn i agos yn siŵr neithiwr y byddai Wmffre ymhen diwrnod neu ddau mewn ffefar, a drycha ffasiwn helynt a gawsech hefo fo—llanc cyn gryfed â cheffyl—mi fase eisio tri neu bedwar ohonoch chi i'w ddal yn ei wely, hwyrach. A pham yr oedd yn rhaid i chi yma fynd i'r fath helbul a thrafferth efo gwas, achos 'doedd Wmffre ddim ond gwas. Rho dy reswm ar waith—adre' oedd y lle gore i'r llanc fynd, a mi fyddwch yn ddiolchgar am hynny, gewch chi weld, pan glywch chi nesaf oddi wrth Wmffre."

"Ddiolcha i byth i chi, Doctor, am gynghori ei anfon adre'," ebe Gwen. " 'Rydach chi yn sôn am yr helynt a gawsem ni efo fo, ond pa helynt fydd ei hen fam weddw ynddo sydd yn byw yng nghanol gwlad a neb hwyrach yn agos ati, os caiff y llanc gwirion y ffefar? Mae yma wyth ohonom ni, a mi fasen yn gallu edrach ar ei ôl, y naill yn niffyg y llall, yn burion, a'n dyletswydd fuase gwneud hynny hyd eithaf ein gallu. Gwas, yn wir! Ydi bywyd gwas ddim mor werthfawr â'ch bywyd chi a minnau? Petaswn i yn esgeuluso bywyd gwas neu forwyn am mai gwas a morwyn ydyn nhw, fedrwn i byth feddwl am sefyll o flaen fy Marnwr. *Oh! for the rarity of Christian charity under the sun*!"

"Helo, Gwen," ebe'r Doctor, "wyt *ti* yn darllen Hood? Pwy fase'n meddwl! Ond waeth heb siarad efo ti, mi welaf mai lwmp o *sentiment* wyt ti. Os cei di fyw i ddyfod i fy oed i, mi fyddi wedi c'ledu plwc."

"Gobeithio ynte na chaf fyw i ddŵad i'ch oed chi. Mi ddylem ddŵad yn well ac yn well, yn llai hunangar ac yn fwy teimladwy dros ein gilydd wrth fynd yn hŷn," ebe Gwen.

"Paid â chyboli," ebe'r Doctor, "chwilia am ŵr, 'y ngeneth annwyl i, a phryd bynnag yr ei di yn sâl os bydda i byw, mi drycha ar dy ôl di yn iawn—gwna', byth na smudo i. Prynhawn da, Gwen," ac aeth y Doctor ymaith.

Drwy fod y Doctor yn ysmalio cymaint efo nhw yr oedd holl ferched y gymdogaeth yn bur hyfion arno, a dyna oedd y rheswm fod Gwen yn dweud ei meddwl wrtho mor ddi-dderbyn-wyneb. Cyn gynted ag y trodd y Doctor ei gefn daeth Harri i'r tŷ—yr oedd efe yn osgoi y Doctor hyd y medrai, a gwyddwn y rheswm am hynny. Cawsom ein dau y fath wers gan Gwen am ein "creulondeb" yn anfon Wmffre adref am ein bod yn ofni iddo glafychu nad anghofiasom yn fuan. Nid oedd gennym ddim i'w ddweud i gyfiawnhau ein hunain ond fod y Doctor wedi ein cyfarwyddo i hynny, a theimlwn i, gan nad pa fodd y teimlai Harri, fod Gwen yn byw mewn awyr burach a mwy anhunangar na ni.

Yn ddigon naturiol, llofruddiaeth Dafydd Ifans oedd testun siarad yr holl gymdogaeth, ac nid oedd dau feddwl pwy oedd y llofrudd. Yr oedd y ffaith fod Twm Nansi yn y gymdogaeth ar y pryd, a'i fod wedi ei weld yn cyfeirio tua'r fan lle y cafwyd corff Dafydd Ifans, a hynny ychydig oriau cyn yr adeg y gwnaed y darganfyddiad, a hefyd nad oedd Twm ar gael yn unman drannoeth, yn arwain pawb i feddwl mai Twm oedd y llofrudd. Yr oedd yr elyniaeth hefyd a goleddai Twm at Dafydd Ifans nid yn unig yn wybyddus i Harri a minnau, ond i'r cymdogion yn gyffredinol. Pwyntiai popeth at Twm fel yr un euog, ac yr oedd yr holl wlad yn ferw drwyddi am ddod o hyd iddo, ac nid oedd Twm ar gael. Cred y rhan fwyaf o bobl—yn enwedig y Person a'r Yswain—oedd nad aethai Twm ymhell, a'i fod yn ymguddio yn rhywle yn ein hymyl—"Yr oedd Twm mor gyfrwys," meddent. Ni allai Harri a minnau beidio â meddwl am brotest Twm noson y llofruddiaeth, a chredai Harri erbyn hyn mai Twm a gyflawnodd yr anfadwaith. Ceisiwn argraffu ar feddwl Harri y perygl oedd i ni sôn am ymweliad Twm y noson hon. Ond buan y canfûm fod ar Harri flys gwneud y peth yn hysybys, a'r ffordd a gymerais i'w atal oedd dweud wrtho—y foment y gwnâi efe y peth yn hysbys y cymerid ni ein dau i'r carchar, fel partneriaid yn y llofruddiaeth. Dychrynodd hyn Harri yn fawr. Ond yr oeddwn ar fy ngorau yn cadw Harri gartref, a bu raid imi laweroedd o weithiau anfon am ddiod iddo er mwyn ei gadw o'r dref, ac er pob dyfalwch dihangodd fwy nag unwaith. Nid oeddwn wedi dychmygu ei fod y fath slaf i'w chwant. Tyrrai pobl i'r tafarnau ddydd a nos i ymorol am newyddion, a gwefriai Harri wrth ddychmygu am y cwmni lluosog oedd yn y *Bedol.* Daeth y gyfaredd drosto mor gref un noson fel y dywedodd wrthyf:

"Rhein, paid â digio wrtha i *just* am y tro. Mae yn ofnadwy o anodd torri arferiad mor gryf ar unwaith. Mae yn rhaid i mi gael mynd i'r dref heno, ond chymera i ond rhyw ddau lasiad, a mi ddof yn ôl yn union."

Yr oeddwn ar y pryd yn brysur gyda rhyw orchwyl yr oedd yn rhaid ei gwpláu, ac na allai neb arall, yn hwylus, ei wneud ond myfi, ac atebais:

"Purion, dos, a mi adawaf innau bopeth i gymryd ei siawns," a gollyngais y gorchwyl o'm llaw, ac ychwanegais, "a thra y byddi di yn y dref yn yslotian, mi ddefnyddiaf innau yr amser i egluro i Gwen dy holl amgylchiadau—fel yr wyt, yn ôl dy addefiad dy hun—wedi gwario'r arian i gyd, ac fel yr wyt mewn gwirionedd yn gymharol dlawd—heblaw'r tipyn pethau yma, ac fel yr wyt mewn ychydig amser wedi difetha, gamblo, talu i ferched ——"

"Taw, taw," ebe fe, " 'da' i ddim—mi rôf y meddwl heibio. Ond yr wyt ti yn fistar caled, Rhein. Cer ymlaen efo'r *job* yna."

Ac yn wir erbyn hyn, myfi oedd ei feistr—teimlai ei fod yn hollol yn fy llaw, ac yr oeddwn yn gofidio mwy am hynny nag ef ei hun—Duw a ŵyr! Er cymaint oedd ei drachwant—a dychmygwn ei fod fel rhyw gythraul yn ei gylla—yr oedd ei ofn i Gwen ddyfod i wybod am wir sefyllfa ei amgylchiadau yn awr yn drech na'i chwant. Ond am ba hyd y daliai hynny ni wyddwn. Unwaith y deuai Gwen i wybod y gwir byddai'r argae wedi ei thorri, ac ofnwn yr ymollyngai Harri wedyn i ddinistr buan. Ond y mae'n rhaid i mi adael Harri ar hyn o bryd.

Aeth dyddiau heibio, ac nid oedd yr awdurdodau yn nes i ddod o hyd i Twm Nansi. Efe oedd y llofrudd yr ymholent ac yr ymchwilient amdano, ac nid neb arall—nid oedd neb arall yn cael ei amau—ac, mewn ffordd gobeithiwn nad oeddynt yn camgymryd. Aeth wythnosau heibio a Thwm heb ei ddal. Erbyn hyn tybiai rhai fod Twm, ar ôl cyflawni'r weithred ysgeler, wedi ei daflu ei hun i lawr un o hen byllau glo y gymdogaeth, ac na chlywid byth sôn amdano. Yr oedd tri o'r hen byllau hyn heb fod ymhell oddi wrth goed y Plas, ac mor debygol oedd y ddamcaniaeth hon fel y darfu i'r awdurdodau gymryd yr *idea* i fyny a gwneud ymchwiliad am olion o'r hunanladdiad. Ac wedi gwneud darganfyddiad synnent nad oeddynt wedi meddwl am hyn o'r blaen. Y darganfyddiad oedd—mor rhyfedd i'w adrodd—pan aethpwyd at yr hen Bwll Mawr, a adewsid heb ei weithio ers llawer o flynyddoedd, a'r dŵr wedi codi o fewn teirllath i'w enau, a reiliau o goed o'i gwmpas er diogelwch i anifeiliaid, a mieri wedi tyfu o'i gwmpas, beth a welent ond gwn Twm—yr hen wn a'm trawodd i i lawr ers llawer dydd—wedi ei osod yn daclus a'i ffroen i fyny ar un o'r reiliau—fel pe buasai Twm wedi ei osod yno yn barod erbyn dydd yr atgyfodiad. Wedi gwneud y darganfyddiad hwn, gorchwyl hawdd i'r prif swyddog oedd canfod ôl traed Twm yn sathru'r mieri ac yn dringo dros y reiliau cyn ei daflu ei hun i lawr. Yr oedd yr arwyddion a'r olion hyn yn amlwg i bawb a ddaeth yno i'w gweld, a thawelwyd meddwl y gymdogaeth am ddiwedd truenus Twm. Ond prin y gallwn i gredu fod Twm wedi ymostwng i fynd i'r byd arall yr un nos â Dafydd Ifans. Pa fodd bynnag, ni chymerodd ond ychydig amser i argyhoeddi'r trigolion fod dau gant o lathenni o ddŵr dros wyneb Twm Nansi.

Yn y cyfamser — dylaswn fod wedi dweud hyn o'r blaen — yr oedd Gwen Tomos ac Elin Wyn Pant-y-buarth wedi cael aml ymgynghoriad, a hwy oedd yr unig rai, yr wyf yn credu, a gydymdeimlai â Nansi, mam Twm. Gwyddai Nansi yn burion mai ei mab, Twm, oedd yn cael y bai am y llofruddiaeth, ac yr oedd yr hen wreigan fel pe buasai wedi hanner drysu yn ei synhwyrau, a mynych y clywid hi berfeddion y nos, yn gweiddi hyd y ffyrdd,— "Na, na, nid Twm Nansi laddodd Dafydd Ifans! Na, na, nid Twm bach ddaru! Y fi ŵyr pwy laddodd Dafydd Ifans! Ie, ie, y fi ŵyr! ond nid Twm bach ddaru!" Ailadroddai y geiriau ddegau o weithiau, a chadwai bobl yn effro yn eu gwelyau am oriau bwygilydd. Pellhâi pawb oddi wrthi orau y gallent, a phan ddeuai hi at y tai yr arferai gael elusen ynddynt, rhedai'r wraig neu y forwyn i gloi y drws, ac ni wrandawent arni yn curo, ac âi yr hen wreigan ymaith dan rwgnach a melltithio. Yr oedd y druanes fel y buasem yn dweud y dyddiau hyn, wedi ei boycotio gan bawb oddieithr Gwen ac Elin Wyn, a diau oni bai amdanynt hwy, mai trengi a gawsai o eisiau ymborth. Tosturai Elin, er yn groes i ewyllys ei thad, at gyflwr tost Nansi, ac felly y gwnâi Gwen, a chaffai Gwen bob cefnogaeth gennyf fi a Harri i hynny, er na wyddai hi y rheswm. Bu'r ddwy mor garedig wrthi nes tynnu gwg y gymdogaeth arnynt, a beiwyd hwy yn fwy gan grefyddwyr na chan neb arall. Ond wedi i'r syniad gymryd gafael ym meddwl y wlad fod dau gan llath o ddŵr dros wyneb Twm, lliniarodd y teimlad tuag at ei fam ddiswcr, a chredid yn gyffredinol fod yr amgylchiad wedi effeithio ar ymennydd yr hen wraig.

Mae amhariad ar yr ymennydd yn ennyn cydymdeimlad, a phe gwyddai y byd gynifer ohonom sydd â'n hymenyddiau wedi eu hamharu, y fath ychwanegiad a fyddai at y swm o gydymdeimlad sydd eisoes mewn cylchrediad!

XXX

Talu'r Rhent

DAETH cipar newydd i'r Plas Onn, gŵr hynaws a charedig—cipar y buasai Twm Nansi, pe na buasai efe wedi bod mor ffôl â'i daflu ei hun i lawr y Pwll Mawr—yn curo ei gefn ac yn ei alw yn drymp. Ysgotyn ydoedd o genedl, ac yn meddu llawer o gyfrwystra yn gystal â hynawsedd, ac yn benderfynol, gellid tybied, na ddiweddai efe byth ei oes yn yr un wedd â Dafydd Ifans. Cred yr Ysgotyn oedd mai bywyd tangnefeddus ymhlith ei gymdogion oedd y bywyd gorau a diogelaf, a phan ddaliai rywun ar y gwaith o herwhela—yr hyn a wnâi yn fynych, a'r un rhai fwy nag unwaith, oblegid yr oedd yn fedrus ar hynny, yn anhraethol fwy medrus nag a fuasai ei ragflaenydd, Dafydd Ifans, erioed, ei gynllun oedd setlo'r mater yn y fan a'r lle efo'r troseddwyr. Yr un peth, meddai, oedd i'r troseddwyr dalu'r ddirwy iddo ef â'i thalu i'r ustusiaid, heblaw ei fod yn arbediad ar amser a thrafferth. Ac fel rheol, cydolygai y troseddwyr ag ef yn hollol, oblegid ystyrient fod y twrneiod yn gofyn gormod am eu gwasanaeth wrth eu hamddiffyn, ac yn gymaint â bod y cipar yn fodlon ar y ddirwy yn unig, ac i'w chymryd ar ddwy waith, cytunent ag ef ar frys ar y ffordd. Cydnabyddai y cipar nad oedd wedi ymghynghori â'i feistr — gŵr y Plas — gyda golwg ar y cynllun hwn, oherwydd ystyriai fod ganddo fwy o brofiad na hen ŵr fel gŵr y Plas, na fu yn herwhela yn ei fywyd, ac na fuasai ymgynghoriad o un fantais. Heblaw hynny ni thybiai y byddai i'r cynllun leihau dim ar ei incwm wythnosol, ac yr oedd hwn yn bwynt pwysig yn ei olwg, canys yr oedd yn ŵr â theulu ganddo, ac nid oedd yn orselog dros ditotaliaeth. A chymaint Cristion oedd efe fel na chlywid ef byth yn edliw beiau nac yn dannod troseddau euogion pan ddigwyddai eu cyfarfod mewn tafarndy—yn hytrach, gwelwyd ef yn talu am wydriad i un nad oedd ond pedair awr ar hugain er pan afaelasai yn ei goler yng nghoed y Plas ar waith anghyfreithlon. Yn wir, pe buasai popeth yn noeth ac agored, cawsid ei fod wedi gwahodd y cyfryw un i'r tafarndy er mwyn gwastatáu pethau ac arbed trafferthion pellach. Gwrs o amser cyn hyn nid oedd Sam y *fowls*, er ei fod yn gwneud masnach barchus a helaeth yn y da pluog gyda ffermwyr y gymdogaeth, nid oedd Sam, meddaf, heb gael y gair ei fod hefyd yn masnachu gyda herwhelwyr. Ond pan ddaeth y cipar newydd i'r Plas argyhoeddwyd pobl fod Sam yn cael cam, oblegid yr oedd y cipar ac yntau yn gryn gyfeillion, ac anaml y gwelid yr Ysgotyn pocedog yn mynd heibio heb alw i edrych pa fodd yr oedd ei gyfaill Sam yn dod ymlaen. Canfyddai pob dyn synhwyrgall na fuasai'r cipar mor gyfeillgar gyda Sam pe buasai y *fowl dealer* yn euog o farchnata gyda herwhelwyr. Mor hawdd ydyw i ddyn parchus gael cam! Ac nid gyda Sam yn unig yr oedd McDonald—canys dyna oedd enw y cipar—ar delerau da, oherwydd clywais Mrs. Anwyl, y *Bedol*, yn dweud na chafodd yn ystod yr holl flynyddoedd y bu Dafydd Ifans yn gipar y Plas Onn gymaint â chwningen ganddo i fod yn llawen gyda'i chyfeillion, ond nad oedd McDonald wedi bod ar y stad am fis cyn iddo ei hanrhegu â iâr *pheasant*. "Mae'n wir," ebe'r hen wreigan wrthyf, "y mod innau wedi rhoi peint o *Scotch Whiskey* iddo amdani, achos y mae McDonald yn ffond o *Scotch*. A mae hynny yn ddigon naturiol, mae pawb yn ffond o ddiod ei wlad ei hun, 'run fath ag y mae pobl sir Fflint yn ffond o gwrw Kelstryn. A mi glywsoch, Rheinallt, am Lewis Siaffre?"

"Naddo," ebe fi.

"Ydach chi ddim yn deud?" ebe Mrs. Anwyl. "Wel i chi, yr oedd Lewis Siaffre yn ffond ryfeddol o gwrw Kelstryn, ond yn yr amser da hwnnw yr oedd Lewis wedi edrach ar ôl ei bethe, a roedd o wedi bildio tŷ yn y Wyddgrug. Ond pan stopiodd gwaith y Pwll Mawr, ac i bethe fynd yn slac, mi benderfynodd Lewis fynd i'r Merice. A mi werthodd Lewis ei dŷ a phopeth, fel 'rydw i'n deud wrthoch chi, a mi a'th i'r Merice. A wedi iddo gyrraedd Niw Iorc — rydw i'n meddwl ma' dyna o'dd enw y lle, ac eto dydw i ddim yn siŵr, ond p'run bynnag mi ddeudwn iddo gyrraedd Niw Iorc, mi drodd Lewis i'r dafarn gynta welodd o, a mi alwodd am beint o Kelstryn. A wydden nhw ddim byd yn y dafarn be oedd Kelstryn. A mi a'th Lewis allan, yr ydw i yn deud wrtho chi, i dreio rh'w dafarn arall, a mi dreiodd gryn ddwsin o dafarne, ond wydde neb be oedd Kelstryn, a bre Lewis. 'Oh, os dyma ffasiwn wlad ydi'r Merice, sir Fflint i mi,' a mi ddoth yn 'i ôl efo'r llong gynta' fedra fo gael gafael arni. Mae o cyn wired â'r pader."

Yr oedd y cipar newydd, fe ddywedid, yn rhoi bodlonrwydd mawr i'r Yswain Griffith, canys er y dydd y daeth ar yr ystad nid oedd cymaint ag un achos o herwhela wedi ei ddwyn o flaen yr ustusiaid, a phriodolai yr Yswain hyn i'r arswyd a roddai ymddangosiad corfforol yr Ysgotyn ar holl herwhelwyr y wlad, oblegid yr oedd ef yn gawr o ddyn. Pa ryfedd, meddyliai yr Yswain, canys nid oedd ei ragflaenydd, Dafydd Ifans, ond dyn bychan, eiddil, ac er bod ganddo lygaid fferet, nid oedd ar herwhelwyr ei ofn. Ond am yr Ysgotyn mawr yma, meddai, mae ei olwg yn cadw y carsiwn melltigedig ymhell o'r coed.

Safai'r cipar newydd mor uchel yn syniad y cymdogion (yn enwedig rhai ohonynt) fel y daethant i'r penderfyniad mai Rhagluniaeth ddoeth a roddodd yr awgrym i Twm Nansi i roi ergyd i Dafydd Ifans. Gofidiai eraill o hen gymdeithion Twm iddo fod mor ffôl â'i daflu ei hun i lawr y Pwll Mawr pan oedd amser mor dda yn ymyl, a phrotestient pe buasai Twm yn fyw y buasai yn mynnu codi tysteb (ddistaw) i McDonald! Pa fodd bynnag, parodd yr argyhoeddiad cyffredinol fod Twm wedi gwneud amdano'i hun, a rhagoriaeth y cipar newydd ar ei ragflaenor, i bobl yn fuan dewi â sôn am lofruddiaeth Dafydd Ifans.

Ac yr oedd gennyf finnau rywbeth pwysicach i feddwl amdano, sef ein hamgylchiadau yn y Wernddu. Nid oeddwn wedi clywed ond unwaith oddi wrth Wmffre, a hynny ymhen amryw o wythnosau ar ôl iddo ymadael. Yr oedd wedi llwyddo i gael rhywun digon anfedrus i ysgrifennu drosto y pryd hwnnw, oblegid nid oedd ei lythyr ond ychydig linellau yn gymwys fel y canlyn:

Anwil Reinallt

Rwin ysfenu y chydig leinie yna atat gan gybeithio fod ti'n iach fel rydw ine yn mynd yn wanach bod dudd mae mam yn symol a rydwi yn bwyse mawr arni ond mar plwu wedi lowio dau swllt yr wsnos i mi ag yn bur dlawd mar doctor yn deud ma isio nyrish ydwi a fine ddim modd cofia fi at Harri a gwen a at yr hogie dwy ddim yn meddwl y ca i bith dy weld di eto.

WMFFRE

Er mai anghelfydd oedd y llythyr, yr oeddem yn ei ddeall yn burion, ac effeithiodd arnom yn fawr, a mynnai Gwen inni anfon wn i faint o bethau i Wmffre druan, heb feddwl na dychmygu, fel y tybiwn, nad oedd gennym foddion i anfon ceiniog iddo. A'r hyn a'm gwylltiai oedd fod Harri yr un mor selog am anfon popeth iddo, pryd y gwyddai'r creadur difeddwl ei fod yn gymharol dlawd. Bu raid i mi ymgosbi rhag dweud wrth Gwen am ein hamgylchiadau. Rhoddwyd arnaf i anfon amryw bethau i Wmffre, yr hyn a wneuthum fwy nag unwaith. Ond mor dueddol ydyw calon dyn i ymgaledu a chynefino â'r syniad fod hyd yn oed hen was ffyddlon mewn angen, fel, cyn hir, gollyngwyd Wmffre dros gof.

Er gwneud fy ngorau ni allwn yn fy myw gadw Harri heb ddianc yn fynych i'r dref i yslotian, ond yr oedd ei ofn i Gwen ddyfod i wybod am wacter ei bwrs yn rhyw gymaint o atalfa arno rhag ymollwng i ddinistr buan, ond gwelwn nad oedd yn bosibl ei chadw yn y tywyllwch, a synnwn weithiau wrth feddwl am ei chraffter, ei bod heb ddeall gwir sefyllfa ein hamgylchiadau. Gwyddai agos cystal â minnau mor benrhydd fuasai ei brawd Harri, ac yr oedd hynny wedi blino mwy arni nag a feddyliai neb, ond wrth ei weld heb fynd i'r dref mor fynych ag a arferai, tybiai hi yn ei diniweidrwydd ei fod yn dechrau diwygio. Yr oeddwn innau yn lled obeithio y gallaswn ei ddiddyfnu bob yn dipyn oddi wrth ei afradlonedd, ac y gallai ef a minnau drwy ddiwydrwydd ac ymroddiad adennill ein sefyllfa heb i Gwen na'r wlad ddyfod i wybod am faint ei ffolineb. Ond buan y gwelais mai breuddwyd gwag oedd. Yr oedd arferion ofer Harri wedi cymryd gafael gryfach ynddo nag a dybiais. Nid oedd yn bosibl ei gael i weithio, ac os gwnâi osgo at hynny ar adegau, buan y blinai ac yr ymollyngai i ryw syrthni ac ysbryd isel. Yr oedd yn druenus ei feddwl, ac yn troi a throsi yn ei wely drwy'r nos heb gysgu hunell pan na fyddai wedi bod yn colma hyd y tafarnau. Heblaw hynny, yr oedd yn mynd yn fwy afrywiog ei dymer yn barhaus, ac ambell awr teimlwn yn barod i daflu popeth i fyny a gadael i'r gwaethaf ddyfod, a hynny a wnaethwn oni bai am Gwen. Gweithiwn yn galed yn hwyr ac yn fore, ac yr oeddwn yn barod i wneud unrhyw beth er ei mwyn hi.

Yr oedd diwrnod y rhent yn ymyl, ac yr oeddwn yn benderfynol na soniwn air amdano oni soniai Harri wrthyf fi. Gwyddwn ei fod yn llosgi am i mi sôn amdano, ond yr oeddwn yn fud, ac ar fwy nag un diwrnod gofynnodd i mi pa ddydd o'r mis ydoedd, fel pe buasai heb wybod. Un bore, torrodd yr argae, ac ebe fe:

"Rhein, mae hi'n ddiwrnod rhent bythefnos i heddiw, a 'does gen i 'run bunt ar gyfer hynny. Beth ydw i neud, dywed?"

"Wel," ebe fi, "gan nad oes gynnat ti ddim i dalu, 'does dim i neud ond ei adael heb ei dalu."

"Na," ebe fe, "mae'n rhaid i mi gael arian o rywle. Sut y medra i ei sgiamio hi, dywed?"

"Be petait ti," ebe fi, "yn gofyn i Mrs. Anwyl, y *Bedol*, am eu benthyg? 'Dydi pedwar ugain punt ddim llawer, a 'rwyt ti wedi gwario cannoedd yno, a mi fydd yn dda gan yr hen wraig roi eu benthyg iti."

"Paid â siarad fel het," ebe Harri, "mae arna i ormod yn y *Bedol* yn barod. Na, Rhein, o ddifri 'rŵan, sut y medra i ei sgiamio hi? Mi wn 'y mod i wedi bod yn ffŵl perffaith, a 'rydw i *just* â mynd allan o fy synhwyrau. Helpia fi efo hyn eto. Meddylia am Gwen, yr eneth orau yn y byd, mi dorrai 'i chalon petai hi yn gwybod na fedrwn i ddim talu'r rhent. Er mwyn Duw, awgryma ryw ffordd i fynd dros hyn. Wyddost di ddim byd be ydi bod yn slaf i ddiod, a gobeithio na chei di byth wybod," ac eisteddodd ar y clawdd, oblegid yn y cae y siaradem, gosododd ei ben rhwng ei ddwylo, ac wylodd fel plentyn. Toddodd fy nghalon, a chydymdeimlwn yn fawr ag ef. Wrth gwrs, gwyddwn yn burion nad oedd ond un ffordd i gyfarfod y rhent, ond bod ar Harri gywilydd ei hawgrymu wrthyf, ac ebe fi:

"Fedr hi ddim dal fel hyn yn hir, Harri. Mae'r stoc eisoes yn ddigon bechan, ond 'does dim iti neud ond gwerthu rhai o'r pethe yma. Mae hi yn ffair yr wythnos nesaf. Mae yma dri o ebolion y gallwn eu gwerthu, ac un o'r ceffylau, rhai o'r heffrod, ac ychydig o'r defaid. 'Does dim arall i'w wneud, a gadael iddyn nhw fynd am beth gawn ni amdanyn nhw."

Gwellhaodd Harri ar unwaith gyda'm hawgrymiad, a dywedodd ei fod yn gadael y cwbl yn fy llaw. Diwrnod y ffair a ddaeth a gwerthais "y pethe". Yr oedd Harri tra oedd y ffair yn mynd ymlaen yn ei fwynhau ei hun yn y *Bedol*, a phan oeddem yn cychwyn adref yr oedd yn rhy swrth a bodlon (byddai yn hapus iawn yn ei ddiod) i ofyn fath ffair a gawswn. Ac nid oedd yn gofalu tra oedd ef ei hun wedi cael cymaint ag a ddaliai ei grombil o'r hyn a hoffai mor fawr. Teimlwn erbyn hyn fod yn hen bryd i mi actio'r *tyrant* ato—yn wir, y mae arnaf ofn fy mod wedi dechrau cyn hyn. Pan ddaeth Harri ataf drannoeth i holi pa fath brisiau a gefais am y pethau, a chan feddwl, yn ddiamau i mi droi yr arian drosodd iddo, dywedais wrtho fy mod wedi derbyn mwy o rai punnoedd nag oedd angenrheidiol i dalu'r rhent, a fy mod wedi rhoi'r cyfan i Gwen i'w cadw—yr hyn oedd yn ffaith—yn gymaint â bod eisiau arian arni at angenrheidiau y tŷ, ac os efe a âi ati i ymofyn rhan ohonynt, y byddai raid i mi egluro iddi yr holl fanylion. Ymliwiodd yn ei wyneb pan ddywedais hyn wrtho, ond ebe fe yn union:—

"Wel, diolch y medra i dalu'r rhent unwaith eto. Ond yr wyt ti yn mynd yn g'letach bob dydd. A fedra i mo dy feio di. Roeddwn i wedi addo talu tipyn o'r hen sgôr i Mrs. Anwyl, ond rhaid iddi gymyd 'i gwynt am dipyn eto, mae'n debyg."

Wedi iddo gael y rhent oddi ar ei feddwl, ymddangosai Harri yn lled lon, a diau iddo ddweud rhyw ystori foddhaol wrth Mrs. Anwyl, oblegid âi i'r dref bob dydd yn ystod yr wythnos ddilynol, a deuai â llwyth gydag ef adref na fyddai byth yn cwyno yn ei gario. Ond pan ddaeth diwrnod y rhent yr oedd Harri yn rhy wael i fynd allan o'r tŷ, a gofidiai yn fwy, mi wyddwn, am ei fod yn colli'r cinio a'r ysbleddach yn y *Bedol*, nag am fod ei iechyd wedi torri i lawr. A phan edrychai arnaf wedi ymwisgo yn mynd i'r *Bedol* yn ei le, gwyddwn ar ei wynepryd ei fod bron torri ei galon. Ond bychan feddyliai fod profedigaeth lymach yn ei aros cyn nos.

XXXI

Harri Tomos

WEDI talu'r rhent prysurais adref, ac yr wyf yn credu mai fi oedd yr unig un nad arhosodd i fwynhau'r cinio danteithiol a roddai yr Yswain Griffith bob hanner blwyddyn i'w denantiaid. Buaswn innau wedi aros i gyfranogi o lawenydd y cwmni oni bai y gwyddwn y buasai hynny yn ychwanegu at dristwch Harri am fod afiechyd wedi ei amddifadu, am y tro cyntaf, i fwynhau yr hyn y meddyliai gymaint ohono. Gwyddwn mai gwell gan Harri a Gwen oedd fy nychweliad buan gartref na'r syniad fy mod yn mwynhau ysbleddach cinio rhent. Ond ni ddychmygais eu bod mor awyddus am fy nychweliad nes i mi gyrraedd y Wernddu. Synnais weld yn y Wernddu ddau ŵr dieithr, a hefyd weld Harri yn llipryn diymadferth yn eistedd ar y setl wrth y tân, a Gwen â'i hwyneb yn welw iawn. Nid oeddwn wedi bod hanner munud yn y gegin, pryd y cyfarchodd yr hynaf o'r gwŷr dieithr fi fel hyn:

"Syr, yr ydym yma ers peth amser yn disgwyl amdanoch er mwyn cael setlo tipyn o fater rhyngom a Mr. Harri Tomos. Mae yn ddiamau eich bod yn cofio am foneddiges ieuanc o'r enw Miss Pritchard a fu yn aros am beth amser yn y *Bedol,* a hwyrach eich bod yn gwybod i Mr. Harri Tomos a hithau fod yn gryn gyfeillion, ac i Mr. Tomos yn y man addo ei phriodi. Ond ar ôl amser rhesymol, pan ofynnodd Miss Pritchard iddo gyflawni ei addewid, gwrthododd Mr. Tomos wneud hynny, heb roddi iddi unrhyw sail i obeithio y byddai iddo ef ei phriodi byth. Mae yn wir ddrwg gennyf ddweud wrthych, syr, fod hyn wedi effeithio ar iechyd Miss Pritchard, fel y gall ei thad (gan bwyntio â'i fys at ei gydymaith) dystiolaethu. Y gwir yw, syr, fel y cewch glywed gan ei thad, mae iechyd y ferch ieuanc wedi ei andwyo gan y siomedigaeth. Yr ydym yn canfod nad ydyw stad iechyd Mr. Harri Tomos yn caniatáu iddo feddwl am briodi neb pwy bynnag ar hyn o bryd, hyd yn oed pe buasai yn dymuno hynny. Ond yr ydym yn meddwl y cydsyniwch chwi, syr, sydd yn ddyn yn deall busnes ac yn deall y byd a'i ffordd, mai rhesymol ydyw i Miss Pritchard gael iawn rhesymol—ar yr un pryd cymedrol—am y tor-amod, a gallaf eich sicrhau, syr, nad ydyw ei thad yn dymuno bod yn galed, a'n bod yn awyddus i arbed cost cyfreithiol, oblegid chwi wyddoch beth ydyw ystyr hynny yn gyffredin. Ymddengys yn ôl y siarad yr ydym wedi ei gael cyn i chwi gyrraedd yma, nad ydyw Mr. Harri Tomos yn barod i wneud dim heb ymgynghori â chwi yn gyntaf. Yn awr, syr, beth yr ydych yn ei ddweud am hyn?"

Tra oedd y gŵr yn siarad yr oeddwn wedi cymryd stoc go lew ohono. Deuthum ar unwaith i'r penderfyniad wrth edrych ar ei wisg a'i drwyn coch mai rhyw ysgerbwd ydoedd wedi treulio ryw dro ychydig fisoedd mewn swyddfa cyfreithiwr, a'r gweddill o'i oes yn y tafarnau, a'i fod ef a Mr. Pritchard—yr hwn, gyda llaw, na allwn yn iawn ei wneud allan pa un ai gŵr bonheddig ai teiliwr ydoedd—fod y twrne (?) a Mr. Pritchard, meddaf, wedi dyfod at Harri i geisio ei bluo, os gallent, fel yr oeddynt wedi gwneud o'r blaen, a chredwn eu bod wedi dyfod i'r Wernddu ar ôl deall mai fi oedd yn talu'r rhent yn y *Bedol* ac nid Harri. Gosodais y wedd fwyaf difrifol a fedrwn ar fy wyneb, ac ebe fi;

"Mae yn debyg, syr, mai chwi ydyw twrne cyflogedig Mr. Pritchard?"

"Ie, syr," ebe fe, gan wyro ei ben yn barchus.

"Yr oeddwn yn tybied hynny," ebe fi. "Mae'n debyg na ddarfu i chwi wneud cais o'r blaen at Harri Tomos am iawn am y siomedigaeth a'r boen a achosodd efe i'r ferch ifanc?"

"Dyma'r cais cyntaf, syr," ebe fe.

"Felly'n siŵr," ebe fi. "Yr ydych yn bur sicr na ddarfu i Harri Tomos dalu i chwi o'r blaen gant a hanner o bunnau fel cydnabyddiaeth fechan am y boen ddirfawr a achosodd efe i'r ferch ifanc?"

"Pe buasai hynny wedi digwydd, buasai gan Mr. Tomos *receipt* am yr arian," ebe y twrne.

Cychwynnodd Harri yn ei lesgedd mawr ddweud rhywbeth, ond ateliais ef ar unwaith, ac edrychai Gwen fel pe buasai wedi rhewi yn y gadair yr eisteddai arni.

"Wel," ebe fi, "chwi welwch fod fy nghefnder yn llesg iawn, ac yr wyf yn gobeithio y byddwch yn dyner wrtho. Pa swm, ac i chwi ei gael yn awr, a wnâi eich bodloni?" Yr oedd drws y gegin yn llydan agored.

"Wel," ebe'r twrne yn siriol iawn wrth fy ngweld yn barod i ddyfod i delerau, "Wel, fel y dywedais o'r blaen, nid ydyw Mr. Pritchard yn dymuno bod yn galed efo Mr. Tomos, yn enwedig wrth ei weled mor llesg. Ond hwyrach mai gwell a fyddai i chwi gynnig rhyw swm rhesymol ac anrhydeddus?"

"Beth feddyliech o ddau gant?" ebe fi, ac edrychai Harri a Gwen fel hurtiaid arnaf, tra ymgynghorai y twrne yn ddistaw gyda Mr. Pritchard, ac ebe fe:

"Mae Mr. Pritchard, syr, yn meddwl y dylech roi dau gant a hanner. Chwi wyddoch, syr, i ŵr yn sefyllfa Mr. Tomos, nad ydyw hynny ond swm cymedrol."

"A fyddech chwi yn fodlon ar hynny fel terfyn bythol ar yr helynt yma?" gofynnais.

"Yn hollol fodlon," ebe'r twrne.

"Ond a roech chwi bapur dan eich llaw i sicrhau hynny?" gofynnais wedyn.

"Wrth gwrs, gwnawn bopeth yn y drefn arferol," ebe'r twrne.

"O'r gore," ebe fi, a chan gymryd cadair a'i dodi yn gymwys o dan y dist oedd yn dal y gwn yn nhop y gegin, ychwanegais yn hamddenol wrth esgyn i'r gadair a thynnu'r gwn i lawr, "Yr wyf yn gweld, Mr. Twrne, fod gennych eisoes amryw dyllau yn eich côt a'ch trowsars, a mi wnaf ddau gant a hanner ychwaneg o dyllau ynddynt cyn pen dau funud—cau'r drws yna, Gwen!"

Cyn i Gwen sylweddoli fy archiad, na'r hyn yr oeddwn yn cymryd arnaf fod ar fedr ei wneuthur, yr oedd y twrne a Mr. Pritchard yn difa'r pellter oedd rhwng y Wernddu a'u cartrefi gyda chyflymdra ysgyfarnog, a dyna yr olwg olaf a welais i ar y giwed felltigedig.

Erbyn hyn yr oedd y gath o'r cwd am amgylchiadau Harri—nid oedd yn bosibl bellach eu cadw oddi wrth Gwen, yr hon, cyn gynted ag y dihangodd y twrne a Mr. Pritchard, a ddechreuodd holi am eglurhad ar yr hyn a welsai ac a glywsai. Cyn ateb un cwestiwn o'i heiddo, dywedais mai'r gorau inni yn gyntaf oedd cael Harri i'w wely, oblegid ymddangosai i mi yn wael iawn. Pan sylwodd Gwen arno yn fanwl, gwelodd fod ei wedd wedi newid a bod golwg legach ddifrifol arno, a chydsyniodd ar unwaith â'm hawgrymiad. Da gan Harri hefyd oedd cael mynd i'w wely, oherwydd yr oedd ei ymwelwyr a'u neges wedi ei gynhyrfu yn ddirfawr. Cynorthwyais ef i'r llofft, a phrin y gallaswn gredu wythnos cyn hynny fod ei gyfansoddiad—a oedd yn naturiol yn hynod o gryf—wedi darfod mor llwyr. Ond ceisiwn obeithio ar y pryd mai'r cynhyrfiad a gawsai a barai iddo ymddangos mor ddi-nerth, ac y deuai ato'i hun wedi iddo lonyddu. Ond buan y didwyllwyd fi. Y gair cyntaf a ddywedodd wedi cyrraedd ymyl ei wely oedd:

"Rhein, yr ydw i yn sâl ofnadwy. Mae hi yn y pen arna i. Ddoist ti â dropyn o rywbeth i mi, dywed?"

"Do," ebe fi.

"Wel, gad i mi lymaid er mwyn popeth," ebe fe, yn ymbilgar.

"Mi gei wedi iti fynd i dy wely," ebe fi.

"Na, yrŵan amdano, was, neu fedra i ddim tynnu oddi amdana," ebe fe.

"Mi dy helpia i di i dynnu oddi amdanat," atebais. Ac felly y gwneuthum, ac yr oedd fy nghalon yn gwaedu drosto. Yna tynnais botel o'm poced a rhoddais iddo ddogn led dda, debygaswn i, ond gwelwn ar ei wyneb yr ystyriai ef y ddogn yn un fechan iawn, ac edrychai ar y botel gyda llygaid hiraethlawn—eto yr oedd yn ddiolchgar. Ymhen ychydig o funudau teimlai yn llawer gwell, ond edrychodd yn siomedig pan roddais y botel yn fy mhoced er na ddywedodd air. Anogais ef i geisio ymdawelu orau y gallai, a dywedais wrtho y deuwn ato yn fy ôl yn y man. Pan oeddwn yn cychwyn o'r ystafell, ebe fe:

"Rhein, mae hi yn y pen arna i — dywed y cwbl — y cwbl i gyd wrth Gwen er mwyn imi gael ei maddeuant cyn marw. Yr eneth annwyl!" a thorrodd i wylo yn hidl.

Arhosais gydag ef nes iddo gael goruchafiaeth ar ei deimladau, yna gadewais ef. Hyd yn oed pe buasai efe heb orchymyn i mi ddweud y cwbl wrth Gwen, gwelwn erbyn hyn nad oedd yn bosibl i mi gadw yr amgylchiadau oddi wrthi. Wedi i mi anfon Ann i ofalu amdano, eglurais yn y modd mwyaf cymedrol a fedrwn ein holl sefyllfa i Gwen, ac am fy mod yn ofni iddi lesmeirio gofelais am eistedd yn glòs yn ei hymyl cyn dechrau ar fy stori. Pan orffennais, ebe hi:

" 'Dwyt ti ddim wedi deud llawer o newydd i mi, ond ddaru mi ddim meddwl fod pethau mor ddrwg. Mi wyddwn dy amcan yn peidio â sôn am yr amgylchiadau, ac yr wyf yn ddiolchgar i ti am geisio eu cuddio rhag i mi flino yn eu cylch. Ond wrth roi y naill beth efo'r llall, ac wedi clywed sibrwd yma ac acw, yr oeddwn yn siŵr ei bod yn dŵad i hyn. Ond yr oeddwn yn ceisio credu o hyd nad oedd pethau mor ddrwg ag oeddwn yn ofni. Yr oeddwn yn meddwl fod yn amhosibl fod Harri wedi gwario yr holl arian am ddiod, ond wedi gwrando arnat ti yn deud yr hanes heno, 'rwyf yn gweld y cwbl. Yr ydan ni ein dau wedi gwneud ein dyletswydd, a mae 'nghydwybod i yn dawel. A mae yn fwy drwg gen i drosot ti na throsof fy hun, achos yr wyt ti wedi gweithio yn galed, fel yr oeddat ti wiriona, a'r cwbl am ddim. Ond y mae yn fwy drwg gen i dros Harri na throsom ni ein dau—mae *o* yn dlawd mewn gwaeth ystyr o lawer na bod heb arian—mae ei enaid yn dlawd a llwm. Er cymaint yr ydw i wedi siarad â fo y mae yn hollol anystyriol a difeddwl am grefydd. Ac eto 'dydw i ddim wedi ei roi i fyny. Hwyrach y bydd y cystudd yma yn foddion tröedigaeth iddo. Yr ydw i yn credu y bydd o. Ac wedi iddo fendio, gyda phenderfyniad a diwydrwydd a bendith Duw, mi fedrwn ddod â'n pennau uwchlaw'r dŵr eto."

Synnwn at hunanfeddiant Gwen a'r gallu a feddai i gymryd popeth mor dawel. Ond canfyddwn ei bod yn ei thwyllo ei hun gyda golwg ar iechyd Harri, a thybiais mai gorau oedd imi ei rhybuddio, oblegid yr oedd y meddyg Huws wedi dweud wrthyf ers tro fod Harri wedi andwyo ei gyfansoddiad, ac na allai ddal ond am ychydig amser. Ebe fi wrthi:

"Paid ag adeiladu gormod ar adferiad Harri, mae arnaf ofn ei fod yn llawer gwaelach nag yr wyt yn meddwl."

"Wel, ond ydw i wedi weld o laweroedd o weithiau yn sâl ar ôl diod, ond fod y salwch yn mynd yn waeth o hyd, a mi fyddwn mor ddig wrtho weithiau fel yr ydw i yn siŵr ei fod yn meddwl fy mod yn galon-galed wrth fy mod i yn gwneud cyn lleied o sylw ohono pan fyddai yn sâl, ar ôl yfed gormod. Os medrwn ei gadw o'r dre' mi ddaw ato ei hun yn fuan."

"Gobeithio dy fod yn barnu yn iawn, Gwen," ebe fi, "ond, os nad wyf yn camgymryd yn fawr, fedr Harri ddim byw ond am ychydig iawn. Yr oedd ganddo gyfansoddiad cryf un tro, ond y mae arnaf ofn ei fod wedi ei lwyr ddinistrio."

"O, Rheinallt annwyl!" ebe hi, ac am y tro cyntaf, i mi ei gweld, collodd ei hunanfeddiant. Pwysodd ei phen ar fy ysgwydd, a gosododd ei braich am fy ngwddf ac wylodd yn hidl. Teimlwn ei chalon yn curo'n drwm, a chwyddai a gostyngai ei mynwes gan ocheneidiau dyfnion a gofidus. Nid yngenais air nes i loesion ei chalon leddfu ychydig, yna ebe fi:

"Gwen, yr wyf yn gobeithio o eigion fy nghalon nad ydyw sefyllfa Harri mor ddrwg ag a ddywedais, ond gobaith yn erbyn gobaith ydyw a'n dyletswydd ni yrŵan ydyw gwneud ein gorau iddo. Ond cyn inni fynd ato, rhaid i ti gael olion y crio yna i ffwrdd, a cheisio ymddangos yn siriol o'i flaen. Mi wyddost mor *sensitive* ydyw Harri, a mi fyddai dy weld di mewn galar a dagrau yn andwyol iddo."

"Yr ydw i wedi gael o drosodd, Rheinallt, ond y mae 'y nghalon i yn torri. Ond trystia fi sut i ymddangos o'i flaen," ebe hi.

"O'r gore," atebais, "mi af i fyny ato, a cher dithau i ymolchi, a thyrd ar fy ôl," ac felly y gwneuthum. Nid cynt yr oeddwn wedi mynd i ystafell Harri ac anfon Ann i lawr, nag yr oedd Gwen wrth fy nghwt, yn edrych yn siriol a llawen. Ac wedi tynnu ei llaw drwy wallt crych ei brawd a'i anwesu, gofynnodd sut yr oedd yn teimlo.

" 'Rydw i yn well," ebe Harri. "Ond, Rhein," ychwanegodd, "ddaru ti ddeud y cwbl i gyd wrth Gwen?"

"Do," ebe fi, "ond na hidia ddim am hynny 'rŵan."

"Ie," ebe Gwen, "paid â boddro am hynny 'rŵan, yr ydan ni isio i ti fendio ac ailddechre byw. Mae y Duw Mawr yn drugarog, Harri, a mi leiciwn petait ti yn trio rhoi dy ymddiried ynddo. 'Rydw i yn gweld dy fod di yn wannach ac yn salach nag yr oeddwn yn meddwl; ond cadw dy ysbryd i fyny, a mi wnawn ein gorau i ti, a mi obeithiwn y cawn ni fyw llawer o flynyddoedd eto efo'n gilydd yn hapus a llwyddiannus."

"Rhein," ebe Harri, "cod fi ar fy eistedd."

Gyda chynhorthwy Gwen codais ef ar ei eistedd yn ei wely, a phrin y gallwn gredu fy synhwyrau fod Harri wedi mynd mor ddiymadferth mewn cyn lleied o amser. Wedi ei roi i eistedd, a gosod dau obennydd wrth ei gefn, edrychodd yn ymbilgar arnaf, a deellais ei feddwl a rhoddais iddo ddogn arall o'r botel. Yr oedd ei anadl yn fyr, ac yn y man, ebe fe:

"Pobol ddrwg ydi'r bobol yna," gan gyfeirio at Mr. Pritchard a'r twrne, "ond mi gest wared rhyfedd ohonyn nhw. Gwen, 'nei di faddau imi? Yr ydw i wedi dy robio di o bopeth, ac wedi difetha popeth o nghwmpas—wedi dy neud di yn dlawd."

"Yr ydw i yn gweddïo i Dduw faddau iti mor rhwydd ag yr ydw i yn maddau iti, Harri, a'i faddeuant Ef ydi'r peth mawr i ti, Harri bach," ebe Gwen.

"Yr wyt ti yn chwaer heb dy ail yn y byd," ebe Harri, yn floesg. "Ond yr ydw i wedi gneud cam mawr arall â ti, a 'rydw i wedi 'difaru fil o weithiau am hynny. Mi ddarum rwystro i Ernest, y Plas, dy gael di yn wraig, achos mi wn ei fod o un tro yn ffond ohonot ti. Y fi bygythiodd o. 'Nei di faddau i mi am hynny, Gwen?"

"'Does dim isio i ti edifarhau am hynny, Harri, faswn i byth yn ei gymryd yn ŵr. Mae gen i well darpar ŵr fil o weithiau," ebe Gwen.

Edrychodd Harri arni yn syn, ac wedi munud o ddistawrwydd, ebe fe:

"Pwy ydi o, Gwen? Ddaru mi 'rioed wybod fod ti yn cadw cwmpeini efo neb, a welais i neb y baswn i yn leicio i ti ei briodi. Pam na faset ti yn deud am hyn wrtho i yn gynt?"

"Dyma fo," ebe hi, gan roddi ei llaw ar fy ysgwydd. "'Does bosib, Harri, na wyddet ti fod rhywbeth rhwng Rheinallt a finnau?"

Rhaid i mi gyfaddef pan ddywedodd hi hyn fy mod yn teimlo yn rhyfedd. Gwyddwn ers amser fy mod wedi ennill ei holl galon, ond ni chawswn cyn hyn fynegiad o hyn mewn Cymraeg glân gloyw. Edrychai Harri fel pe buasai wedi ei syfrdanu, a chyn dywedyd dim, estynnodd ei law i mi, ac yna gydag anhawster, dywedodd:

"Mi ddylaswn wybod, achos pwy ond Rhein——"

Wel, yr wyf yn cofio pob gair a ddywedodd, ond nid priodol i mi eu rhoi i lawr yma. Priodolwn lawer o'r ganmoliaeth a roddai i mi i'w wendid. I dorri'r ystori yn fyr, yr hyn a fawr ofnais a ddaeth arnaf. Aethai Harri i'w wely, byth i godi mwy. Ni fynnai ar un cyfrif i ni nôl meddyg ato am ddeuddydd, a phan ddaeth y Doctor Huws nid oedd yn ei allu i wneud dim lles iddo. Deuai Mr. Jones y Person i edrych am Harri bron bob dydd, ond ni fynnai Harri iddo weddïo gydag ef, a thrawyd fi â syndod un diwrnod, pan oedd Mr. Jones newydd ei adael, pryd y gofynnodd Harri i mi anfon am Robert Wynn Pant-y-buarth i ddod i weddïo drosto, yr hwn a ddaeth ar unwaith ac a fu o fendith iddo, mi obeithiaf. Prin y gadawai Gwen ei brawd o gwbl, a phan na allai beidio â gweld fod angau yn ei ddwyn oddi arnom, dyblai ei hymdrechion i'w achub o safn y llew rheibus hwnnw.

Ymhen tair wythnos yr oedd Harri Tomos yn gorwedd ym meddrod ei dadau fel yr olaf o Domosiaid y Wernddu, ac er nad ydyw hynny yn dweud llawer, yr wyf yn siŵr mai Harri oedd y gorau ohonynt. Perthynai iddo wendidau lawer, ond yr oedd ganddo galon agored a charedig, a'i hynawsedd, mi wn, a'i harweiniodd i'r llwybr a'i difethodd.

XXXII

Amrywiol

HYD y gwyddwn nid oedd neb yn gwybod dim am gyfrinach Gwen a minnau. Yr wyf yn credu nad oedd wedi tywynnu ar feddwl gwas na morwyn yn y Wernddu. Yr unig un yr ofnwn na fedrodd Gwen beidio â dweud wrthi oedd Elin Wynn Pant-y-buarth ond pan holais Gwen ar hyn deellais na ddarfu iddi sibrwd hyd yn oed wrth Elin, am fod arni arswyd y gallai Elin lithro dweud wrth ei thad, oblegid credai Gwen y buasai'r hen Robert yn ei diarddel o'r seiat yn ddiymdroi wedi deall ei bod yn cadw cwmpeini i ddyn dibroffes, canys hyd yn hyn yr oeddwn yn ddibroffes, beth bynnag am ddigrefydd. Yr oeddem hefyd wedi llwyddo yn lled dda i gadw manylion ein sefyllfa fydol oddi wrth bawb, er na allai y gymdogaeth beidio deall fod Harri wedi gwastraffu wmbreth o'r eiddo. Ac er mor ddig y teimlai Gwen a minnau at Harri yn nhymhor ei afradlonedd, bu arnom ein dau, wedi iddo farw, hiraeth a chwithdod maith ar ei ôl. Yr oedd ein dyfodol yn dywyll ac ansicr iawn. Nid oedd gennym arian, a'r unig beth a allodd Harri, druan, adael i'w chwaer oedd pethau y tŷ a'r ystoc, a honno heb fod yn fawr iawn. Ond yr oedd gennym ein dau gynhysgaeth o uwch pris—sef iechyd, ieuenctid, a phenderfyniad cryf i arfer pob diwydrwydd, os rhoddai yr hen fyd yma gyfleustra a chwarae teg i'w ddefnyddio. Gan mor amhenodol oedd popeth teimlwn i yn fynych iawn yn drist fy meddwl, ond yr oedd gan Gwen ffydd fawr mewn Rhagluniaeth, ac yr oedd yn hynod o obeithiol er gwaethaf rhagfynegiadau Nansi'r Nant. Deuai yr hen wraig fel arfer i'r Wernddu bob dydd Sadwrn, ac yr oedd arwyddion amlwg arni ei bod hithau yn gwywo, a bod diwedd Twm wedi effeithio yn dost arni. Pan soniai Gwen wrthi mor hiraethus y teimlai ar ôl Harri, ac am y profedigaethau a geid mewn bywyd, meddai Nansi—

"Ie, ie, Gwen fach, ond y mae'r profedigaethau tostaf yn dy aros di—dwyt ti ddim ond dechrau arnyn nhw 'rŵan. Maen nhw 'run fath, 'y ngeneth i, â phläau'r Aifft, yn mynd yn waeth at y diwedd."

Gallasai rhywun feddwl ambell waith ar siarad Nansi ei bod yn aelod eglwysig ac yn grefyddol iawn. Yr un fath â Sal Borobin, Rhydygolau, ers llawer dydd, gallai Nansi roi cân dduwiol neu gân ddigrif, yn ôl natur y cwmni, fel y bydd y pysgotwr yn newid ei blufyn i liw y dŵr.

Ryw ddydd Sadwrn, ebe Nansi: "Glywest ti am y Sgwiar?"

"Clywed beth?" ebe Gwen.

"Wel i ti," ebe Nansi, "mae hi wedi dŵad iddo fo o'r diwedd. Ddaru mi ddim deud wrthot ti nad oedd o ddim ond ei haros hi? Mi wyddwn y dôi rhywbeth ato, a diolch 'y mod i wedi cael byw i weld hynny. Mae o yn drysu yn 'i ben."

"Peidiwch â deud, Nansi!" ebe Gwen, yn synedig.

"Mae o'n ddigon gwir i ti. Mae o yn cnoi ei dafod, ac yn ffrothio o'i geg fel ci cynddeiriog, y syrffed gynno fo. Dyna iddo dâl am fygwth gosod y cŵn arna' i. Mi wyddwn fod hi'n dŵad iddo fo."

"Pwy oedd yn deud wrthoch chi, Nansi?" gofynnai Gwen.

"Waeth i ti pwy oedd yn deud wrtho i—dyna'r gwir i ti. A maen nhw'n deud na chymiff priodas Ernest â merch y Plas Uchaf ddim lle nes gweld be ddaw o'r hen ddyn. Mi goelia i na chymiff y briodas byth le—marcia di be ydw i'n ddeud—achos dydi'r llipryn hwnnw ddim ond yn ei haros hi," ebe Nansi.

"O Nansi! Nansi! mae'n ddrwg gen i'ch clywed chi yn dal i siarad fel yna, yn hen wraig fel yr ydach chi ar fin y bedd, ac yn wir yr ydach chi yn edrach yn wael hefyd. Meddyliwch, Nansi, mae siarad fel yna yn beth annuwiol iawn," ebe Gwen.

"Taw â dy lol," ebe Nansi, "geneth gall fel ti, sydd yn Fethodi, ac yn cymyd arnat ddallt dy Feibl! On'd oes yna ddigon o bethe fel yna yn yr Hen Destament. Y Brenin Mawr, wyddost, sydd yn dechre talu iddyn nhw yn y byd yma dipyn *on account* nes y cân' nhw eu cyflog yn llawn am eu drygioni a'u creulondeb at y tlawd. Be petawn i yn dechre deud hanes yr hen Sgwiar yna i ti efo'i forynion ei hun? Mi fyddet yn rhy gonsetlyd a sedêt i wrando arna i, a mi ordret fi allan o'r tŷ. Ond mi fydde yn ddigon gwir, a mi ferwine dy glustiau di. A dydi 'i fab o damed gwell, fel y cei di weld rh'w ddiwrnod, a mi gofi am eiriau Nansi pan fydd hi yn isel ei phen a'r borfa wedi tyfu ar ei bedd hi. Y bobol yna Gwen, fydd yn ei chael hi yn y byd arall, ac nid y fi a fy sort. "

Os oedd ystori Nansi yn wir am yr Yswain, esboniai hynny, ni a feddyliem, ei ddieithrwch i ni, oblegid er pan fu Harri farw disgwyliem yn feunyddiol i'r Yswain ymweld â'r Wernddu i'n cysuro ac i addo y caem aros yn y ffarm, neu ynteu i'n rhybudd-io y byddai rhaid inni ymadael yn yr amser priodol. Ni chollais amser i chwilio i ystori Nansi, a chefais wrth siarad ag un o weision y Plas fod peth gwir yn yr hyn a ddywedai'r hen wraig. Yr oedd yr hen Yswain "wedi mynd yn ddigri", ac nid oedd mwyach yn gyfrifol am yr hyn a wnelai, ond nid oedd yn "cnoi ei dafod" nac yn "ffrothio o'i geg"—dymuniad Nansi oedd hynny. Ond deellais oddi wrth yr hyn a ddywedai'r gwas fod yr hen ŵr mor "ddigri" fel mai Mr. Ernest oedd yn llywod-raethu popeth, ac y byddai "digrifwch" yr Yswain yn ddigon o reswm dros oedi'r briodas ddisgwyliedig am beth amser, "Er," ebe'r gwas, "gore po cyntaf i'r briodas gymryd lle, achos mi gymera fy llw fod ar Ernest eisiau pres yn sobor." Yr oedd y gŵr hwn, Edwin, wedi bod yn y Plas ers llawer o flyn-yddoedd, ac yn gwybod hanes y teulu yn well na neb arall, ac ebe fi wrtho—"Ydach chi'n meddwl, Edwin, fod acw brinder pres?"

"Dydw i yn meddwl dim am y peth," ebe Edwin, "yr ydw i yn ei wybod o yn rhy dda. Ddymunwn i ddim deud gair bach am yr hen ŵr—hen fachgen clên y gwelais i o erioed, ond fu ganddo 'rioed yr un pen i *fanagio* pethau, ac ers pan ydw i yn cofio yr oedd y morynion, y garddwr, y cipar a phawb yn ei neud bob ffordd, heb sôn am Mr. Ernest—'roedd hwnnw yn ei neud o er pan oedd o yn hogyn. Yn wir, mae gen i ofn fod Mr. Ernest wedi andwyo yr hen ddyn, achos y mae ar ei *ramble* yn rhywle o hyd, yn gwario ac yn tincro na ŵyr neb lle i'w gael o.

Hen ddyn go lew ydi'r Sgwiar, a mi sticia ato hyd y medra i. Ond y mae gan bawb ei fai, a bai y Sgwiar, fel y gwyddoch chi, Rheinallt, oedd efo'r merched yma, a mae hynny wedi costio yn ddrud iddo. A dydi'r mab acw damed gwell—yn wir y mae o'n waeth o'r hanner. Ond dydw i ddim am aros acw petai rhywbeth yn hapno i'r hen ŵr. 'Roeddwn i yn dallt yr hen ddyn yn eitha, ond am y mab acw, hen lwynog ydi o. Wyddoch chi ddim pryd yr ydach chi yn ei blesio na phryd yr ydach ddim. Ond mi sticia at yr hen ddyn hyd y medra i, er bod arno fo i mi dri hanner blwyddyn o gyflog. Ac am Ernest fedrwch chi gael yr un geiniog goch gynno fo petaech chi yn marw ar y clwt. Ond petai o wedi priodi merch y Plas Uchaf—mae yno ddigon o bres—hwyrach y bydde fo yn fwy ffri. Ydach chi am aros yn y Wernddu, Rheinallt? Bachgen iawn oedd Harri, a 'roedd yr hen ddyn yn ffond iawn ohono, mi clywes o'n deud ddegau o weithiau. Efo Ernest y bydd raid i Gwen Tomos siarad os ydi hi yn meddwl aros acw, ond deudwch wrthi am gymeryd andros o ofal efo fo, neu mi—"

Yr oedd ystori Nansi a'r gwas yn newydd trwm iawn i Gwen a minnau. Yr oeddem wedi cyfrif llawer ar hynawsedd yr Yswain Griffith am gael aros yn y Wernddu tra gallem dalu'r rhent, oblegid y mae yn rhaid i mi ddweud hyn amdano—er ei fod yn hynod lygredig mewn un cyfeiriad, ei fod yn feistr tir tirion a charedig, ac yn un o'r dynion hawddaf siarad ag ef ar wyneb daear. Cyn clywed am ei anhwyldeb, teimlai Gwen a minnau oni wnâi Mr. Jones, y Person, sisial yn ei glust y rhoddai i ni siawns i ennill ein bywoliaeth yn y Wernddu. Ond am ei fab, Mr. Ernest, ni wyddem pa olwg a gymerai efe ar ein sefyllfa. Yr oeddem ein dau erbyn hyn yn Fethodistiaid selog—Gwen yna aelod ffyddlon, a minnau "yn wrandawr cyson a dichlynaidd", fel y dywedai yr hen bobl. Ond ofnem, ac yn gywir felly, na fyddai hyn ond anfantais i ni feddwl am gael aros yn y ffarm.

Pa fodd bynnag, oherwydd anhwyldeb yr Yswain, a bod holl feddyliau Mr. Ernest, fel y dyfalem, ar ei briodas, ni ddaeth neb o'r Plas yn agos atom am wythnosau, a gwnâi Gwen a minnau ein gorau i wella ein hamgylchiadau. Ac yr oeddem yn eu gwella hefyd. Yr oedd Rhagluniaeth yn ein bendithio, a gwelem yn eglur, oni ddigwyddai rhywbeth nad oedd yn y golwg, y gallem wneud bywoliaeth gysurus yn y Wernddu drwy ymroddiad a diwydrwydd os caem aros yno heb godiad afresymol yn y rhent. Ond yr oedd ansicrwydd fel hwn yn andwyo ein cysur, ac yr oeddem yn byw yn barhaus mewn rhyw ddisgwyliad ac ofn. Yr oedd hyn yn fwy poenus drwy nad oedd gennym neb i ymgynghori ag ef. Tybiem pe cawsem ddweud ein stori wrth rywun o ymddiried y buasai hynny yn gwneud dyfnder ein pryder yn fwy bas. Nid oedd gennym ond un teulu mewn golwg y gallem ddweud ein helynt wrtho gyda diogelwch, sef pobl Pant-y-buarth. Yr oedd Robert Wynn, er mor rhyfedd ydoedd, yn hen ŵr craff, a gwyddwn fod ganddo feddwl uchel o Gwen oherwydd ei chrefyddolder a'i ffyddlondeb yn y capel, er na chymerasai efe lawer â dweud hynny, oblegid ystyriai Robert fod rhoi'r mymryn lleiaf o ganmoliaeth i neb yn annoeth a pheryglus. Penderfynasom ddweud hanes ein helynt wrth Robert, Beti ac Elin, heb, wrth gwrs, sôn gair am ein carwriaeth a'n hamod i'n gilydd. Buasai gwneud hynny yn andwyo popeth yng ngolwg Robert, ac yn taflu Gwen allan o'i ffafr ar unwaith. Yn wir, ni wyddai Gwen beth fuasai'r canlyniad pe cawsai Robert y rhinclyn lleiaf ei bod dan amod i ŵr dibroffes. Ac yn hyn yr oedd yr anhawster. Rhwng Gwen a mi yr oedd ein budd a'n lles, ein ffawd a'n hanffawd, yr un peth—nid oedd trwch blewyn o wahaniaeth. Ond Gwen oedd etifeddes y teulu, ac nid oeddwn i, mewn ystyr, ond gwas neu weithiwr. Sut i adrodd ein helynt wrth Robert Wynn yn y wedd olaf heb i'r wedd flaenaf ddod i'r golwg oedd yr anhawster a'r gamp. Ofnai Gwen ymgymryd â'r gorchwyl, oblegid credai y byddai yn sicr o slipio dweud "Rheinallt a finnau", ac felly, gosododd Gwen arnaf fi i fynd drwy'r stori ym Mhant-y-buarth. A thrwy ofal mawr ac arafwch, yr wyf yn meddwl i mi lwyddo yn lled lew gyda Robert a Beti, ond yr oedd yno un oedd yn graffach hyd yn oed na'i thad, fel y cefais ddeall ar ôl hyn. Tybiai hi fy mod yn cymryd braidd ar y mwyaf o ddiddordeb yn ffyniant Gwen, a mi wn nad oedd hynny yn un gofid iddi.

Edrychai yn ddigon naturiol mai fi, ac nid Gwen, oedd yn mynd dros y stori, yn gymaint â fy mod yn gwybod am fanylion afradlonedd Harri o flaen Gwen. Tra oeddwn yn adrodd yr hanes, gwaredai yr hen Robert rhag gwastraff a phechadusrwydd Harri, a chyn imi orffen yr oedd Beti hyd yn oed wedi gollwng ei hosan ar ei glin, ac ebe'r hen ŵr, gyda charedigrwydd na ddarfu imi ddisgwyl amdano:

"Wel, Gwen, mae yn ddrwg iawn gen i drosot ti—ydi wir. Yr wyt ti wedi haeddu gwell pethe. Ond y mae yn rhaid i bechod gael ei gosbi yn rhywle. Yr ydw i braidd yn meddwl y cei di aros acw, dase ddim ond er mwyn dy deulu di sydd wedi bod acw ers cymin o flynyddoedd. Fydd gynnyn nhw mo'r gydwybod, tybed, i roi notis i ti? Ac eto mi wn na ddaru'r Sgwiar erioed osod ffarm i ferch, ond hwyrach y gwnân nhw eithriad yn dy ges di. Ac *os* cei di notis, paid â meddwl am fynd i wasanaeth—'rwyt ti wedi dy dorri allan i rywbeth gwell na hynny. Myn gartre i ti dy hun, beth bynnag. Mi drawi, pwy ŵyr, ar ryw le bach i ti dy hun—mae pethe yn digwydd yn rhyfedd yn amal. Ac os byddi di isio benthyg canpunt neu chwaneg mi cei nhw, on' chaiff hi, Beti?"

"Caiff, neno'r annwyl dirion, â chroeso," ebe Beti.

"Cei," ebe Robert, a chan droi ataf fi, ychwanegodd, "A dyma ti, Rheinallt, os bydd Gwen yn cael aros acw, aros dithe efo hi nes iddi gael ei chefn ati, a phaid ag anesmwytho a dechre gwylltio yn rhy fuan. A mi fydd Gwen yn debycach o gael y ffarm os bydd pobl y Plas yn dallt dy fod di yn meddwl aros acw, achos mi wn i fod nhw yn erbyn gosod ffarm i ferch, a rydw i'n clywed fod di yn edrach ar ôl pethe acw yn riol arw. A phaid dithe, Gwen, rhoi dy galon i lawr. Weles i fawr o neb, fydde'n treio gwneud eu dyletswydd ac yn ymddiried yn y Brenin Mawr, rhyw lawer ar ôl, a fyddi dithe ddim ar ôl os gnei di hynny."

Pan oedd Robert yn fy nghynghori i aros tipyn efo Gwen, trois gil fy llygaid arni, ac edrychai yn ddiniwed ddigon. Diolchodd Gwen o eigion ei chalon i'r hen ŵr am ei garedigrwydd, ac felly y gwneuthum innau am ei gynghorion. Teimlem ein dau ein bod wedi cael iechyd ac ysgafnhad mawr i'n meddyliau, ac ar ôl cael swper ac ymddiddan am lawer o bethau, troesom tua chartref yn llawenach lawer na phan gychwynnem oddi yno. Ond mor chwithig ydyw amgylchiadau bywyd! Pan oeddem ein dau yn mynd tua chartref yn hoyw ac yn llawer mwy gobeithiol ein hysbryd nag y buasem ers amryw wythnosau, ychydig feddyliem y digwyddai rhywbeth y noson honno a achosodd i ni lawer o syndod a phoen, ac na ddarfu i ni byth ei anghofio.

XXXIII

Ymwelydd Diddisgwyl

YR oedd yr amser wedi llithro ymaith mor gyflym a difyr ym Mhant-y-buarth fel na ddarfu i Gwen a minnau feddwl ei bod mor hwyr nes i ni gyrraedd y Wernddu a gweld ei bod yn hanner awr wedi deg—awr hwyr yn y wlad. Ann, y forwyn, oedd yn unig ar ei thraed pan gyraeddasom y Wernddu. Cyn gynted ag y sylweddolodd Ann ein dychweliad, dychmygwn ar ei golwg fod rhywbeth wedi digwydd, a bod ganddi rywbeth i'w adrodd wrthym. Ac felly yr oedd. Erbyn iddi gwbl ddeffroi, yr oedd ganddi lawer iawn i'w ddweud wrthym, ac yr oedd, druan, mor gynhyrfus fel y bu raid i mi ddweud wrthi am eistedd, cymryd pwyll, a meddiannu ei hun wrth adrodd i ni ei newyddion.

Ymhen rhawg wedi i Gwen a minnau gychwyn i Bant-y-buarth, a chyda'r tywyllnos, adroddai Ann, daeth Mr. Ernest y Plas i'r Wernddu i ymorol amdanom, a theimlai yn dra siomedig am nad oeddem gartref. Dywedodd—a synnem wrth glywed Ann yn adrodd, a hithau ond hogen o forwyn—dywedodd wrth Ann fod yr Yswain, ei dad, yn bur wael, ac na wyddai pa gyfnewidiad a fyddai yn fuan, ond fod hyn yn sicr, na fyddai yr Yswain yn alluog mwy i edrych ar ôl yr ystad, ac y byddai y cwbl bellach yn disgyn ar ei ysgwyddau ef—Mr. Ernest—a'i fod wedi dyfod i'r Wernddu i edrych ym mha 'stad yr oedd y tŷ—a oedd angen atgyweiriad arno, oblegid nad oedd wybod pwy a fyddai y tenant yn y man. Ei fod wedi gofyn hefyd i Ann ei gymryd drwy bob ystafell yn y tŷ, ac wedi ei holi, yn y llofftydd, pwy oedd yn cysgu ym mhob ystafell, a'i fod wedi dweud y peth yma a'r peth arall, nes i Ann druan ddychrynu a rhedeg i ffwrdd. Gofynnais i'r eneth a oedd hi yn meddwl fod Mr. Ernest yn sobr.

"Wn i ddim," ebe Ann, " 'roedd o yn cerdded yn ddigon syth, ond yr oedd o yn siarad yn smala, yn smala iawn, a mi redes i ffwrdd."

Wedi i'r hogen fynd dros ei stori, aeth i'w gwely. Synnem yn aruthrol, a theimlem yn enbyd o ddigofus fod bonheddwr o sefyllfa mab y Plas wedi arfer ymadroddion efo geneth o forwyn—ymadroddion yr oedd ar yr eneth gywilydd eu hail-adrodd. Yn wir, edrychem ar ymweliad Mr. Ernest fel arwydd ddrwg iawn am obaith cael aros yn y Wernddu, a thybiem, neu o leiaf ofnem, ei fod wedi cymryd mantais ar ein habsenoldeb, nid yn unig i sarhau morwynig bur, ond hefyd i'w gwneud yn gyfrwng i'n paratoi i dderbyn rhybudd i ymadael. Newydd gael gloywi ein gobaith gan deulu Pant-y-buarth, trawyd ni i lawr yn sydyn ac annisgwyliadwy. Gwelem ein bod yn nwylo gŵr ieuanc trahaus, uchelfalch, a llygredig ei ymadroddion. Yr oedd Gwen yn gyffredin yn lled wastad ei thymer, ac fel y dywedais o'r blaen, o feddwl lled obeithiol. Ond ar ôl gwrando ystori Ann, aeth yn isel iawn ei hysbryd. Wrth ei gweld felly, ceisiais innau ymddangos yn hyderus—yn fwy hyderus o lawer nag y teimlwn. Dywedais fy mod bron â meddwl mai rhyw chwiw ynfyd oedd wedi dod dros Mr. Ernest—a hwyrach ei fod wedi cael dropyn gormod, yr hyn nad oedd beth newydd iddo. "Prin yr wyf yn meddwl," meddwn wrth Gwen, "pe buasai yn hollol sobr y buasai yn ymostwng i sôn am ei dad, yr ystad a phethau felly wrth hogen o forwyn. A hyd yn oed os ydyw yr *Esquire* wedi mynd mor ddiallu ag y dywedai Ernest, ac mai ef ei hun fydd yn rheoli popeth 'neiff o ddim o gywilydd roi notis i ni yn fuan. A phetai o yn gwneud ei waethaf, mi gawn dipyn o amser i edrych o'n cwmpas, ac, os bydd raid i ni fynd oddi yma, mi 'ffeia i o y bydda i wedi tynnu calon y Wernddu allan cyn i'r amser ddod i fyny."

"Erbyn hyn," ebe Gwen, "'dydw i ddim yn awyddus am gael aros yma. Fydda i byth yn hapus i fyw dan ddyn llygredig fel Ernest. Weles i ddim allan o'i le yn yr hen Sgwiar, ond hwyrach 'y mod i'n gwybod mwy am Ernest nag wyt ti'n feddwl, a gore po gyntaf y gwnawn ddechrau edrych o'n cwmpas. Yr wyf wedi newid 'y meddwl yn hollol heno, Rheinallt, a waeth gen i petaen ni oddi'ma yfory, petai gynnon ni le i fynd iddo."

"Ond mi wyddost o'r gore, Gwen," ebe fi, "fod yma le go lew i wneud bywoliaeth, a dydw i ddim yn teimlo yn barod iawn i ymadael, os gallwn ni rywsut aros yma."

Ac felly y buom yn siarad am ysbaid nes i mi o'r diwedd gymell Gwen i fynd i'w gwely, a pheidio â blino'i meddwl ynghylch y peth. Tra oedd hi yn golau ei channwyll ac yn hwylio i'w hystafell, llwythwn innau fy mhibell gan fwriadu cymryd un mygyn arall a myfyrio tipyn uwchben ein sefyllfa cyn i minnau hwylio i orffwyso.

Ond nid oeddwn wedi rhoi tân ar fy nghetyn cyn i Gwen ddyfod i lawr y grisiau fel saeth, â'i hwyneb cyn wynned â chynfas, a phrin y gallai ddweud gair gan ei braw, a dyheodd yn fyr ei hanadl:

"O, Rheinallt, y mae yna rwfun yn y rŵm!"

"Paid â chyboli," ebe fi, "ti sydd yn ofnus."

"Oes yn wir, y mae rhwfun yna," ebe hi eilwaith.

"Welest ti rwfun?" gofynnais innau.

"Naddo, ond y mae rhwfun yna, yn siŵr i ti," ebe hi.

Trawodd rhywbeth i'm meddwl y foment honno, ac ebe fi wrthi:

"Gwen, gad imi weld o ba ddefnydd yr wyt wedi dy wneud—fedri di feddiannu dy hun a pheidio â gweiddi?"

"Wn i ddim yn wir," ebe hi, yn frawychus.

"Wel, treia dy orau," ebe fi, a chymerais y gannwyll gan gychwyn i'r llofft. Ond cydiodd Gwen yn dynn yn fy mraich, ac ebe hi:

"Chei di ddim mynd yna dy hun—cod un o'r gweision i fynd efo ti."

"Dim peryg," ebe fi, "mi af fy hun i edrych beth sydd yna."

"Na, chei di ddim mynd dy hun," ebe hi, gan gydio yn dynn yn fy mraich.

"Yr wyf yn mynd fy hun, Gwen, waeth i ti heb siarad," ebe fi.

"Wel, mi ddof efo ti, ynte," ebe hi.

"Purion, ond rhaid i ti addo peidio gweiddi," ebe fi.

"Mi dreiaf fy ngore," ebe hi.

Aethom i fyny'r grisiau, a chydiai Gwen fel gelen ynof nes dod at ddrws yr ystafell, a adawsid ganddi yn llydan agored pan ddychrynwyd hi. Safodd Gwen yn y drws, ac euthum innau i mewn, a chlywn yn eglur ddigon rywun yn chwyrnu yn uchel, ond ni welwn neb. Edrychais dan y gwely, a dyna lle yr oedd glamp o ddyn ar ei hyd gyhyd, ac yn cysgu yn drwm. Cydiais yn ei goesau a llusgais ef allan o'i guddfan, yr hyn a'i deffrôdd yn ebrwydd. Neidiodd ar ei draed ac edrychodd yn syn arnaf, mor syn ag yr edrychwn innau arno yntau.

"Mr. Ernest," ebe fi, "beth ydach chi'n neud yma?"

"Beth ydach *chi* yn ei neud yma, tybed?" ebe fe, a rhuthrodd i'm gwddf, yr hyn a'm dygodd i ac yntau i'r llawr, myfi yn isaf, lle y bu ymdrechfa galed. Clywais Gwen yn rhoi un waedd, a'r foment nesaf yr oedd yn ceisio fy nghynorthwyo. Ond, drwy drugaredd, nid oedd arnaf angen am ei chynhorthwy—yr oeddwn yn gryfach na'm gwrthwynebydd. Trois ef drosodd ar unwaith—llindagais ef, yna pwyais ef yn ddiarbed yn ei ystlys-au, a rhegai yntau fel cath nes iddo golli ei wynt. Wedi ei gystwyo nes yr oedd yn hanner marw, cydiais yng ngholer ei got a llusgais ef i lawr y grisiau, heb fod yn ofalus am y cornelau, a Gwen yn dal golau imi, a theflais ef i'r buarth fel burgyn a chlois y drws. Ond bu raid imi agor y drws y foment nesaf, ac nid yn rhy fuan, oblegid clywn Mot—ci ffyrnig ofnadwy—yn dechrau gwneud dirmyg arno. Yr oedd y ci wedi cymryd gafael yn nhop ei lodrau—yng nghymdogaeth botymau ei fresys, ac wedi ei rwygo hyd at ei sodlau. Gyda thipyn o anhawster y cefais Mot i'r tŷ ac wedyn euthum i eistedd i gael fy ngwynt ac i aros i Gwen orffen crio. Ond cawsom arwydd yn y man fod Ernest wedi dod ato'i hun, a'r ffordd y canodd nos dawch inni oedd drwy yrru carreg drwy ffenestr y gegin.

Wrth gwrs, yr oedd yr helynt hwn wedi cynhyrfu Gwen yn dost. Yr oedd tro o'r fath gan un a'i hystyriai ei hun yn fon-heddwr dysgedig, ar ryw gyfrifon yn anesboniadwy, ac eto yr oeddwn yn credu mai yr un esboniad annywededig a roddem ein dau arno—yr esboniad oedd yn rhy lednais, neu yn hytrach yn rhy fwystfilaidd, i'w grybwyll. Er mwyn dweud rhywbeth, dywedais mai ystranc penffol neu chwidr ysmala pan oedd yn hanner meddw oedd yr hyn a barodd i Mr. Ernest wneud yr hyn a wnaeth. Ysgydwodd Gwen ei phen yn anghrediniol, a dywedodd,—

"Na, dyn drwg ei galon ydi Ernest, a mi fydde yn well gen i fynd i gardota fy mara na byw dan fistar tir fel Ernest Griffith. Ond fydd dim perygl i hynny gymryd lle ar ôl y driniaeth a roist di iddo heno, er na roist di yr un ddyrnod gormod iddo. A pham na faset ti yn gadael i Mot frathu tipyn ar y *scamp*? Na, fydd dim perygl i ni gael aros yn y Wernddu, ar ôl y peth ddigwyddodd heno, a does gen i ddim isio aros yma."

"Wn i ddim," ebe fi. "Yr ydw i'n meddwl y bydd gan Ernest gywilydd sôn am yr hyn ddigwyddodd heno, ac yn enwedig wneud defnydd o'r hyn a fu fel rheswm dros roi notis i ni. Yr ydw i braidd yn meddwl y cawn ni aros yma 'rŵan."

" 'Does gen *i* ddim isio aros yma," ebe Gwen, "a fedra i byth edrach ar y dyn yna ond gyda'r dirmyg mwyaf. Ond y mae cystal gen i â llawer na chlywodd neb yn y tŷ yr helynt. Ond fase yma siarad hardd hyd y gymdogaeth yfory? Mi faswn yn rhedeg i ffwrdd o'r wlad. Fydd dim peryg i'r ellyll gynno fo ddeud y stori wrth neb a fydd neb ond ti a finnau a fo yn gwybod, o drugaredd."

"Os na ddeudiff Mot y ci yma," ebe fi, "a 'does damaid o dryst iddo, achos y mae o yn ddigon cegagored efo phawb."

"Paid â smalio—dydi o ddim yn fater i smalio yn ei gylch o gwbl, a mae o wedi ngneud i yn druenus," ebe Gwen.

"Cer i dy wely i gysgu dros y peth, a mi fyddi yn well," ebe fi.

"Cyn i mi wneud hynny," ebe hi, "rhaid i ti fynd a churo drws Ann a gofyn iddi godi. Dywed nad ydw i ddim yn teimlo reit iach—mwy nad ydw i—a fedrwn i ddim meddwl am fynd i fy rŵm fy hun heb imi yn gynta gael ei golchi yn lân a gadael y ffenest yn agored am ddiwrnod cyfan ar ôl i'r dyn fod ynddi.

Dos, 'y ngwas i, a mi wna i r'w esgus i Ann am fynd i gysgu efo hi heno."

"Wel, wel," ebe fi, "ddaru mi ddim meddwl fod ti mor wan, Gwen;" ac ychwanegais yn ddireidus, "Be petai rhwfun yn dod yma tra byddai i yn galw ar Ann?"

"Mae Mot efo fi, a hwyrach fod Mot mor ffyddlon i mi â rhwfun arall," ebe hi, gan fingrychu tipyn.

"Mi wyddost, Gwen," ebe fi, "fod hynny yn amhosibl," a chan ddwyn ei min i'w ffurf ddymunol arferol, a dweud nos dawch, euthum i alw ar Ann, yr hon á gododd mewn munud, ac wedi hynny euthum i fy ngwely, ac felly y terfynodd ein helynt y noson honno.

XXXIV

Y Gŵr Dieithr

AR ôl y digwyddiad a ddisgrifiais yn y bennod ddiwethaf, ni fynnai Gwen sôn am aros yn y Wernddu ddim hwy nag y llwyddem i sicrhau lle arall i fyw ynddo. Nid oedd o un diben siarad â hi—teimlai yn ddigofus, ac yr oedd yn benderfynol na siaradai hi byth air â Mr. Ernest Griffith. Erbyn i mi ystyried y peth yn fy meddwl, dechreuais amau a oedd y bonheddwr ieuanc yn gyfrifol bob amser am y troeon ffolion a gyflawnai, oblegid yfai mor drwm ar adegau nes ymddangosai i mi wedi colli hanner ei synhwyrau, a braidd na feddyliwn mai mewn rhyw ffrec felly yr anghofiodd ei hun mor llwyr i wneud yr hyn a wnaeth. Ond ni fynnai Gwen wrando ar un cymedroliad ar ei ymddygiad. Fel yr oeddwn wedi disgwyl, ni chlywsom air oddi wrth Mr. Ernest Griffith nac amdano am ddyddiau rai, a'r unig newydd a glywsom o'r Plas oedd nad oedd yr Yswain ddim gwell, ac ymhen rhai dyddiau wedyn ei fod "wedi darfod". Hyd y gwyddwn, nid oedd neb yn llawenhau ym marwolaeth yr Yswain, oddieithr Nansi'r Nant. Yr oedd yr hen wraig yn dawnsio o lawenydd, ac yn credu mwy nag erioed yn ei rhagfynegiadau a'i melltithion, a phwysleisiai nad oedd eraill "ond yn ei haros hi". Tyngai Nansi y gallai dynnu ei thraed i'r gwely i farw mewn tangnefedd pe gwelsai hi ddiwedd dau arall, sef Mr. Jones y Person, ac Ernest y Plas, a theimlai yn bur hyderus y caffai weld claddu'r ddau. Ond yn ddiau yr oedd Nansi ar ei phen ei hun yn hyn, oherwydd er ei holl ddiffygion, yr oedd yr Yswain yn cael ei hoffi yn gyffredinol gan ei denantiaid. Ac nid oedd cymeriadau o'r fath yn anwybyddus ers talwm—boneddigion yn hynod am eu meddwdod neu eu hanlladrwydd, ac eto rhyw hynawsedd a charedigrwydd yn perthyn iddynt a barai i'w cymdogion wincio ar eu beiau a bloeddio "Hwrê!" iddynt ar ginio rhent neu ar adeg etholiad. Yr oedd hyd yn oed rai o'r Methodistiaid yn tewi â sôn ac yn edrych arnynt fel plant y byd hwn, a'r rhai gorau ohonynt.

Yr oedd gennyf achlysur i fynd i'r dref y dydd y bu farw yr Yswain Griffith, a digwyddais daro ar Edwin, gwas y Plas, yr hwn oedd wedi bod gyda Pitar Preis, y teiliwr, yn cael ei fesur am "ddu". Creadur rhyfedd oedd Edwin, ac nid rhyfedd ychwaith, oblegid mi a welais amryw Gymry cyffelyb iddo—dynion sydd yn meddwl fod pob chwedleuach a phopeth a ddywedant o ddiddordeb i'r neb a fydd yn gwrando. Yr wyf wedi sylwi fod yr ymgomwyr hyn yn hynod am eu cof am bersonau. Eu hunig bwnc ydyw hwn a'r llall, ac nid pethau ac egwyddorion, a chymerant yn ganiataol eich bod yn cymryd yr un diddordeb yn eu hanes â hwy eu hunain, er nad oes ganddynt ddim neilltuol i ddweud amdanynt, ac na wyddoch yn y byd mawr, ac nad ydych yn gofalu pwy ydynt neu oeddynt. Un o'r dosbarth hwn oedd Edwin, a hwyrach y cyd-ddyga y darllenydd â mi yn croniclo rhan fach o'i eiriau fel esiampl o'i ymgom arferol ac o'r dosbarth y perthynai iddo.

"Wel, Edwin," ebe fi, "mae'n ddrwg gennyf glywed fod yr hen Yswain wedi marw."

"Ydi," ebe Edwin, "y mae'r hen ddyn wedi darfod, ond peth arall ydi deud fod o wedi marw, yntê? Pan mae dyn yn marw, marw mae o, yntê? Mi glywson sôn am bobol yn cael eu llosgi, a mi glywson am bobol yn cael eu boddi, ac am bobol yn cael eu crogi, ond 'naen ni ddim deud fod y bobol rheiny wedi marw, a 'naen ni, 'rŵan? Mi ddaru nhw ddarfod, ond ddaru nhw ddim marw. Pan mae dyn yn marw, mae o *yn* marw, ond ydi o? ond pan mae dyn yn darfod, darfod mae o, yntê? Dydwi'n deud dim, dalltwch, Rheinallt, ond darfod ddaru'r hen Sgwiar. Mi fydd gan r'w bobol lawer i'w aped amdano r'w ddiwrnod, mae hynny'n ddigon siŵr, er nad ydwi'n deud dim, wyddoch. Ond deudwch fod rhwfun yn deud wrtho i heno fod *chi* wedi marw, a finne'n gwbod na chawsoch chi na ffit na strôc, nid wedi marw 'nawn i alw hynny, ond wedi darfod. Achos pan mae dyn yn marw, marw mae o fel rhyw greadur arall yn ôl trefn natur. Ond pan mae dyn yn darfod, mae ene r'w reswm am hynny, on'd oes? Dydw i'n deud dim, cofiwch, er bod gen i fy meddwl fy hun am bethe. Mae rhai pobl wedi darfod na ddaru nhw rioed farw. Mae'r Sgwiar wedi marw meddwch chi, mae'r Sgweiar wedi darfod, medda inne. Dydw i ddim yn enwi neb, ond yr oedd yn dda gan r'w bobol i'r Sgwiar ddarfod. Ydi, y mae'r hen ddyn wedi *darfod,* mae hynny'n ddigon gwir, a mae Ffred, y gwas, a finne wedi bod efo Pitar Preis, y teiliwr, yn cael ein mesur am ddu. Doedd Preis yn hidio dim am yr ordar—dene'r gwir, a mi wn y rheswm pam, ond dydi hynny ddim o musnes i. Dyn clên y gweles i Preis bob amser, a fo sy'n gweithio i ni ers blynyddoedd, ond a gafodd o dâl am bopeth 'naeth o, dydw i'n deud dim am hynny. Ond mi wn hyn, mae'r unig *job* a 'naeth Preis i mi ar fy nghownt fy hun oedd trywsers *pepper an salt* pan oeddwn i'n mynd i mhriodi. A 'roedd y trywsers yn riol ran hynny, a mi dales ddeunaw swllt yn onest i'r dyn amdano. Mae Preis a finne yn dŵad o'r un gymdogaeth. Roeddwn i 'nabod ei dad a'i deulu pan oeddwn i'n hogyn. Roedd ei dad y teiliwr gore yn y wlad, ne' felly roeddan nhw'n deud, a fo fydde yn gweithio i bobol y Wern Fawr. A mi ddoth diwedd rhyfedd i'r teulu hwnnw. Yr oedd yr hen ŵr a'r hen wraig yn bobol ddigon parchus, am wn i, ond fu dim llawer o lwc ar y plant. Mi briododd Ifan, y mab hyna, cyn bod yn ugen oed, a mi ddylase briodi yn gynt ran hynny, a fu byth rôl arno, ac yn y diwedd mi redodd y wlad gan adael ei wraig a'i blentyn, a chlywodd neb na sinc na sôn amdano byth. Be ddoth o'i wraig a'r plentyn dydw i ddim digon siŵr i allu deud wrthoch chi. Mi ddaru Betsi—a geneth ddigon clên oedd Betsi hefyd, redeg i ffwrdd efo'r cywmon, ond fu byth fawr lun arni. Enoc oedd y bachgen tebyca i rwfun arall ohonyn nhw i gyd. Ond mi werthodd hwnnw geffyl heb fod yn sownd i ddyn o Ddinbech, a mi dywlodd y ceffyl y dyn a mi lladdodd o, a fu byth dim lwc ar deulu y Wern Fawr—mi ddaru nhw ddarfod rwsut. Wn i ddim ydi Lowri yn fyw ai peidio, os ydi hi, mae'n rhaid fod hi'n hen, ond mae rhw aco gen i glywed fod hi wedi marw, a roedd ene sôn amdani hithe fod hi——," &c., &c.

Ac fel yna y siaradai Edwin am oriau pan gâi rywun digon ffôl i wrando arno. Rhoddai hanes manwl am deuluoedd nad oedd o un diddordeb i neb ond iddo ef ei hun, a synnai braidd os byddai rhywun yn torri ar ei stori. Byddai Edwin yn awgrymu llawer o bethau, ac wedyn yn eu cymedroli, fel na allai neb yn eu byw las, ar ôl bod yn siarad yn hir ag ef, ddweud yn bendant pa wybodaeth a fyddai wedi ei gael ganddo. Ac oherwydd hyn yr oedd Edwin yn un o'r ymgomwyr gorau a elai byth i dafarn—gallai siarad yn ddi-baid, ac ni byddai neb ddim callach. Pe buasai Edwin gymaint ganwaith ag ydoedd o ran ei alluoedd meddyliol, buasai yn gwneud gwladweinydd campus!

Synnwyd fi drannoeth pan dderbyniais nodyn oddi wrth Mr. Ernest, wedi ei ysgrifennu â'i law ei hun, fel y canlyn:

Y PLAS

ANNWYL RHEINALLT,—Byddwn yn claddu fy annwyl dad ddydd Iau am un o'r gloch, a disgwylir yr holl denantiaid i'r cynhebrwng. Os gall Gwen a chwithau faddau, gallaf finnau gymodi. Bydd yn dda gennyf eich gweld yn y gladdedigaeth.

Yr eiddoch yn gywir,
ERNEST GRIFFITH

Claddwyd yr hen Yswain yn y dull mwyaf parchus, fel yr oedd yn gweddu i fonheddwr a thirfeddiannwr cymeradwy. Yr oedd arwyddion amlwg o wir alar ar wynebau y tenantiaid, a hawdd oedd deall ar eu siarad na ddisgwylient nemor garedigrwydd oddi ar law ei olynydd. Yr oedd Mr. Ernest, fel y tybid, wedi cymryd digon o ddiod y bore hwnnw i'w alluogi i golli ychydig o ddagrau, a cheisiai ymddangos yn drist fel un ar dorri ei galon. Edrychid ar ei dristwch, yn enwedig gan ei weision, fel rhagrith digymysg, a chredent fod claddu ei dad yn amgylchiad yr oedd efe wedi hiraethu amdano ers tro byd. Yn fuan iawn, sibrydid bod yr Yswain wedi marw yn hynod ddyledog, a bod yr ystad wedi ei gwystlo yn drwm, ac oni phriodai Ernest ferch y Plas Uchaf yn fuan y byddai ef a'i feistr ar y plwyf. Credai Ernest yr un fath ag Edwin, a dywedai Ernest ar ei beth mawr nad oedd ef am wneud llawer o seremoni oherwydd marwolaeth ei dad, ond y priodai yn fuan. Yr oedd yn ymddangos fod y ferch a'i rhieni yn barod unrhyw ddiwrnod, a bod y cwbl yn dibynnu ar Mr. Ernest ddweud y gair. Nid oedd dadl am gyfoeth mawr Mr. Vaughan, Plas Uchaf, ac yr oedd ei unig ferch erbyn hyn yn dechrau mynd ar y silff, a dim taro wedi bod arni, a hithau, heblaw bod yn hynod o blaen, yn flinderog a bront, yn gymaint felly fel yr oedd ei thad, a'i mam hefyd ran hynny, yn barod iawn i ymadael â hi am unrhyw bris ac unrhyw adeg, ac yr oedd Ernest wedi penderfynu eu hysgafnhau o'u baich er mwyn y "cregyn", a hynny yn fuan, fel y dywedwyd. Ond, er hynny, aeth tymor heibio cyn i ddydd y briodas gael ei nodi.

Rhyw ddiwrnod yn y cyfamser tra oedd Gwen yn paratoi te, safwn wrth lidiard y buarth, pryd y daeth i fyny'r ffordd o gyfeiriad y dref ŵr dieithr trwsiadus a gweddus ei olwg. Canfyddwn fod ganddo wialen bysgota dan ei gesail. Pan ddaeth ataf gofynnodd a oedd yn y gymdogaeth le gweddol dda i bysgota? Atebais ef fod arnaf ofn nad oedd yn y rhannau hynny o afon Alun a oedd yn rhydd nemor fwy o bysgod nag o bysgotwyr, ac am y rhannau eraill lle yr oedd digon o bysgod, eu bod dan reolaeth boneddigion ac yn cael eu gwylio yn fanwl. Parodd hyn iddo fy holi am y gwahanol foneddigion ac a fyddai un ohonynt yn debyg o ganiatáu iddo bysgota ond iddo dalu am yr hawl? Ychwanegodd mai gŵr dieithr ydoedd ef yn bwriadu treulio peth amser yn y gymdogaeth er mwyn ei iechyd. Nid ymddangosai yn afiach, ac eto tybiwn fod cwmwl ar ei wyneb a ddynodai helbul, a siaradai yn isel ac araf. Yn gymaint â'm bod yn gwybod na fyddai Mr. Ernest Griffith, Plas Onn, yn arfer pysgota ei hun, ac na fyddai ganddo un amser wrthwynebiad i dderbyn arian, dywedais fy mod yn credu y rhoddai ef yr hawl ond iddo dalu am yr hawl. Diolchodd i mi, a thynnodd ohonof yn ddistaw ac esmwyth gymaint o wybodaeth am Mr. Ernest ag y tybiwn yn ddiogel ei chyfrannu i ŵr dieithr. Cofiais yn y man fod y te yn aros amdanaf a gwahoddais y gŵr i'r tŷ. Derbyniodd fy ngwahoddiad yn ddiolchgar. Esboniais i Gwen pwy oedd yr ymwelydd, a chymhellodd hithau ef i gymryd te. Nid oedd yn barod iawn i wneud hyn am yr ofnai, meddai, gymryd gormod hyfdra arnom. "Er," ebe fe, "y bydd yn dda gennyf wneud ychydig gyfeillion tra byddaf yn y gymdogaeth." Sylwais fwy nag unwaith ei fod yn craffu ar Gwen pan na fyddai hi yn edrych arno, yn gymaint felly nes imi ddechrau teimlo yn eiddigeddus. Ond nid oedd achos, oblegid yr oedd y gŵr yn ddigon hen i fod yn dad iddi. Megis heb yn wybod i ni ein hunain yr oeddem wedi adrodd tipyn o'n hanes i'r dyn, tra na wyddem pwy na beth ydoedd ef o bobl y byd. Mae yn debyg ei fod yntau yn teimlo hynny, canys faint oedd ein syndod pan ddywedodd:

"Fy enw yw Thomson, mae fy nghartref yn swydd Warwick. Yr wyf ers deuddydd yn aros yn y *Bedol*. Nid ydyw tafarndy yn lle wrth fy modd i aros ynddo. Dyn tawel ydwyf ac yn hoffi tawelwch. A gaf fi fyw gyda chwi yma tra byddaf yn aros yn y gymdogaeth? Nid wyf yn dlawd, a mi dalaf i chwi yn anrhydeddus am fy lle—mi dalaf ymlaen llaw, oblegid nid yw yn rhesymol i chwi gymryd gair gŵr dieithr na wyddoch ddim amdano," ac ar y pryd tynnodd o lyfr ddyrnaid o *bank notes*. Tra oedd efe ar fedr estyn un o'r rhain i Gwen fel rhagdal, hi a ddywedodd:

"Mae'n ddrwg gennyf, Mr. Thomson, nad oes gennym le cyfleus a chymwys i ŵr fel chwi, a mae gennyf innau eisoes ddigon i'w wneud."

"Peidiwch â fy ngwrthod—peidiwch â phenderfynu yn rhy fuan—mi alwaf yfory," ebe fe. "Mi fyddaf byw ar yr un bwrdd â chwithau, a gorau gennyf po blaenaf fydd yr ymborth. Byddaf allan agos drwy'r dydd, ac ni wthiaf fy nghwmni arnoch ond pan fyddoch yn dewis. Ac yn awr mi af i edrych am fonheddwr y Plas Onn am ganiatâd i bysgota."

Wedi dweud hyn, a diolch i ni am ein caredigrwydd, aeth y gŵr ymaith. O'm rhan fy hun nid oeddwn yn hoffi'r meddwl o gymryd lletywr, ond dywedai Gwen "Os ydi o mor hawdd i'w foddio ag y mae o'n dweud, mi fedrwn wneud lle iddo yn burion, ac yn ein hamgylchiadau presennol mae pob swllt yn help. Mi ddangosa iddo y ddwy ystafell fedrwn ni hepgor, a mi ddwedaf wrtho bopeth y gall o ei ddisgwyl mewn tŷ ffarm, a mi gaiff wneud fel y myniff o wedyn. Be wyt ti yn ddweud?" "O'r gorau, fel yr wyt yn dewis," ebe fi.

Daeth y gŵr i'r Wernddu drannoeth, fel yr addawsai, ac wedi i Gwen ddangos iddo pa fath le oedd gennym i'w dderbyn, ymddangosai yn llawen iawn a dywedai na ddymunasai le gwell. Mynnai dalu dwbl yr hyn a ofynnai Gwen am ei le, a hefyd dalu pum punt ymlaen llaw. Dywedai ei fod wedi cael Mr. Ernest Griffith yn fonheddwr hawdd iawn siarad ag ef, a'i fod wedi dyfod i fargen gydag ef am yr hawl i bysgota ar ei ystad. I dorri ystori hir yn fer, bu'r gŵr dieithr yn cyd-fyw â ni am wythnosau lawer, a chawsom ef yn un hawdd iawn ei foddhau. Mwyaf yr adwaenem arno, hoffaf yn y byd yr aem ohono. Er na byddai byth yn chwerthin, yr oedd yn un hynod o ddifyr yn ei gwmni. Nid oedd wedi gweld llawer o'r byd, ond yr oedd yn hawdd deall ei fod rywdro wedi bod yn ddarllenwr mawr, oblegid gallai siarad ar bob pwnc ymron, a hynny yn hollol ddiymhongar. Fel y crybwyllais, yr oedd ganddo allu neilltuol i beri i bobl ddweud eu hanes wrtho, a hynny megis heb geisio. Oddigerth yr adeg y byddai yn cymryd ei brydiau, byddai yn cerdded hyd y wlad ac yn pysgota, a chyn iddo fod ond ychydig wythnosau yn ein plith, yr oedd wedi taro ar nifer mawr o'r cymdogion ac yn gwybod llawer o'u hanes. Ond ni châi neb wybod dim o'i hanes ef, ond y ffaith ei fod wedi dyfod i fyw i'r wlad am dymor er mwyn ei iechyd. Synnem weithiau wrth ei glywed yn adrodd pethau yn hanes teulu'r Plas Onn, y Plas Uchaf, a'r Faenol, a lliaws eraill oedd yn newydd hollol i ni, er ein bod wedi ein geni a'n magu yn y gymdogaeth. Yr oedd y diddordeb a gymerai ym mhawb yn peri i Gwen synnu llawer, am y credai o'r dydd cyntaf y gwelodd hi ef fod rhyw ofid yn pwyso ar ei feddwl. Ac nid oedd hyn yn annhebyg; oblegid yn ei holl ymddiddanion ni ddywedai byth ystori na gair digrif, ac amryw weithiau pan awn i'w ystafell am ymgom anaml y byddai yn darllen, yn hytrach edrychai yn syn a myfyrgar. Afreidiol imi ddweud ei fod yn gwybod holl hanes Gwen a minnau, oddieithr y ffaith ein bod dan amod i'n gilydd, a'n bod yn bwriadu priodi wedi inni gael goleuni ar ein hamgylchiadau, a slipiodd hyn dros ein gwefusau un noson pan oeddem, mae'n debyg, heb ddim arall i'w ddweud wrtho. Edrychodd yn syn arnom, ond ni ddywedodd ddim ond: "Duw a'ch bendithio yn fwy nag y darfu iddo fy mendithio i." Mae chwilfrydedd merch yn fawr ni a wyddom, a synnais pan siaradodd Gwen fel hyn:

"Yrŵan, Mr. Thomson, yr ydan ni wedi bod yn ddigon gwirion i ddweud popeth o'n hanes i chwi, tra nad ydach chi wedi dweud dim o'ch hanes eich hun, a mi wn er y diwrnod cyntaf y gwelais chwi fod gynnoch eich stori, a bod rhywbeth yn pwyso ar eich meddwl."

Am foment lleithiodd ei lygaid, ac ebe fe:

"Yr ydych yn dweud y gwir, Miss Tomos, ond ddarfu i mi erioed ofyn i chwi ddweud eich hanes, fel y gwyddoch. Ond gan eich bod wedi ymddiried cymaint ynof, mi ymddiriedaf innau ynoch chwithau. Chwi gewch fy stori, er nad oes dim yn hynod ynddi, ond y wers a gawsom ganwaith o'r blaen—sef y fath helbul y mae pechod wedi ei ddwyn arnom, a'r fath galon-galedwch a drygioni y gall dyn syrthio iddo—y fath ofid a all ddwyn ar y diniwed—gofid y buasai un yn tybio na ddylasai neb ei ddwyn ond yr euog——."

XXXV

Mr. Thomson

"FEL y dywedais," ebe Mr. Thomson, "nid oes dim neilltuol o hynod yn fy hanes. Collais fy rhieni pan nad oeddwn ond pur ieuanc, ac nid oes gennyf ond cof gwan amdanynt, eto y mae yn ddigon cryf i fod yn gysegredig iawn gan fy nghalon. Heb fod ymhell o'r fan lle y'm ganwyd yr oedd gennyf ewyrth, brawd fy mam yn cadw siop brethynnwr, ac wedi marw fy rhieni cymerodd fy ewyrth fi dan ei ofal. Pan ddeuthum yn ddigon hen gosododd fy ewyrth fi yn y siop i ddysgu'r busnes, ac yr oeddwn yn hoffi fy ngwaith yn fawr ar y pryd.

Gan mai gŵr dibriod oedd fy ewyrth ac yn lled gefnog ei amgylchiadau, a'i fod yn cymryd tipyn o ddiddordeb ynof, teimlwn fod fy rhagolygon yn ddisglair. Ond yr oedd efe yn wyllt iawn ei dymer, ac felly yr oeddwn innau, ac, yn wir, felly yr oedd fy mam—yr oedd yn wendid ynom fel teulu. Oherwydd fy nhymer ddrwg a fy mod yn dueddol i dafodi, gwyddwn yn dda ddigon nad oedd un o'r llanciau yn y siop yn fy hoffi. Pan oeddwn wedi bod ddwy flynedd yn y siop dywedodd fy ewyrth ryw air cas wrthyf, ac atebais innau ef yn dreislyd, pryd y trawodd fi â chledr ei law yn ochr fy mhen nes oeddwn yn troi o gwmpas. Cydiais y foment honno mewn siswrn oedd ar ben y cowntar a chwyrnellais ef i'w wyneb. Suddodd blaen y siswrn dan ei lygad de, a llifai y gwaed i lawr ei wyneb. Rhedais ymaith. Yr oeddwn yn fuan tu allan i'r dref heb geiniog yn fy mhoced, ac yn prysuro i rywle na wyddwn i ba le, oblegid nid gwiw oedd i mi droi yn ôl. Ni phrofais damaid y diwrnod hwnnw, a chysgais allan am y tro cyntaf yn fy mywyd. Heb i mi fanylu, cerddais am ddyddiau lawer gan gardota fy ffordd. Yr oedd fy nioddefiadau yn fawr, a fy mhoen meddwl yn arteithiol, oblegid teimlwn fy mod wedi colli ffafr fy ewyrth am byth, a'r dyfodol disglair a fuasai o fy mlaen, a gwneuthum benderfyniad cadarn na byddai i mi golli fy nhymer byth wedyn. Ond, fel llawer o benderfyniadau eraill, torrais ef yn chwilfriw ddegau o weithiau, a gallaf briodoli fy holl brofedigaethau ymron i fy nhymer boethlyd. Wedi teithio a chardota yn hir nes oeddwn ymron yn rhy luddedig i roi y naill droed heibio'r llall, deuthum o'r diwedd i swydd Warwick. Wedi gorffwys ennyd tu allan i dref—nad yw o bwys i chwi wybod ei henw—euthum ymlaen, a deuthum yn fuan at siop nid annhebyg i siop fy ewyrth, ac adfywiodd hyn fy holl atgofion. Ond penderfynais fynd i mewn i ofyn elusen. Safai perchennog y siop ar ganol y llawr a'i ddwylo yn ei logellau. Yr oedd yn ddyn hardd iawn, a meddai edrychiad craff ond caredig. Wedi i mi ddweud fy neges ac iddo yntau syllu yn lled fanwl arnaf, ebe fe, "Ŵr ifanc, yr wyf yn meddwl nad ydych wedi arfer â chardota—mae eich gwisg a'ch osgo yn arwyddo hynny i mi." Pan ddywedodd efe hyn, torrais innau i wylo, a chafodd fy nagrau, er na fwriedais hynny, effaith dda ar y gŵr caredig. Parodd i mi ddweud fy hanes, yr hyn a wneuthum yn ffyddlon, gyda'r eithriad i mi ddweud fy mod yn cael fy nghamdrin yn feunyddiol gan fy ewyrth, yr hyn nad oedd wir. Cymerodd drugaredd arnaf a gwahoddodd fi i'r tŷ. Wedi i mi ymolchi a chael ymborth anfonodd fi i'r gwely i orffwyso. Bore dranoeth, dywedodd wrthyf y cawn wneud fy hun yn ddefnyddiol tu ôl i'r cowntar am dymor, nes y byddwn yn gymwys i ddychwelyd adref i wneud amodau heddwch â fy ewyrth. Yr oedd gwraig y siopwr yr un mor garedig ag yntau, ac yr oedd iddynt unig ferch oddeutu yr un oed â mi fy hun, yr hon, pan welais hi y tro cyntaf, a greodd ynof deimladau rhyfedd—teimladau na wyddwn ddim am eu cyffelyb o'r blaen. Meddiannwyd fi ar unwaith gan deimlad dwfn nad allwn byth mwyach fyw yn hapus ar wahân i'r eneth ddymunol hon. Parodd hyn i mi ymdrechu i wneud fy hun mor gymeradwy ag a fedrwn i bawb o'm cwmpas, yn enwedig i'r ferch ifanc a'i rhieni. Ac er, ym mhen amser, i fy meistr wneud ei orau i fy mherswadio i ddychwelyd at fy ewyrth gwrthodais yn bendant, a gomeddais hefyd roi cyfeiriad fy ewyrth iddo rhag y buasai yn ysgrifennu ato. O'r diwedd boddlonodd y teulu i mi gael aros am nad oedd ganddynt gŵyn yn fy erbyn. Yn fuan iawn enillais ffafr y ferch, ac yr oeddwn yn sicr ei bod cyn hoffed ohonof fi ag yr oeddwn innau ohoni hithau. Nid oeddwn ond hogyn, na hithau ond hogen, ond tyngasom lw o ffyddlondeb i'n gilydd ddegau o weithiau, a hynny yn hollol ddirgel i bawb fel y tybiwn. Ond buan y didwyllwyd fi. Yr oedd llanc yn y siop flwyddyn hŷn na mi, a deellais ar ei awgrymiadau nad oedd fy nghyfrinach yn ddieithr iddo. Ni fyddai yn blino siarad yn wawdlyd am fy rhyfyg yn ceisio ffafr merch y tŷ. Pan fyddai yn siarad felly byddai fy hen natur boethlyd yn berwi ynof, ond ymgosbwn. Un diwrnod yr oeddem ein dau wedi bod yn taclu'r ystafell uwchben y siop, a phan oeddem ar ben y grisiau ar fedr mynd i lawr i'r siop, dechreuodd ar ei hen orchwyl o fy ngwawdio. Mynnodd fy hen natur ei ffordd, a threwais ef nes oedd yn swp yng ngwaelod y grisiau. Ofnais fy mod wedi ei ladd, oblegid y bu yn hir mewn llesmair. Yn y man daeth ato ei hun, a chafwyd ei fod wedi torri pont ei ysgwydd. Digiais fy meistr mor dost yn yr amgylchiad hwn—yn enwedig pan ddeallodd achos y cweryl, fel y dywedodd wrthyf y byddai raid i mi ymadael ar unwaith. Yr oeddwn yn rhy ystyfnig i syrthio ar fy mai a gofyn ei bardwn, ac eto yr oedd meddwl ymadael ag Elsi, merch fy meistr, yn fy lladd. Nid heb lawer o anhawster y cefais gyfleustra i ffarwelio â hi. Crefai arnaf i beidio mynd ymaith, a dywedai y gallai hi berswadio ei thad i edrych dros fy nhrosedd ond i mi ofyn ei faddeuant. Ond yr oeddwn yn rhy uchel fy ystumog ac ystyfnig fy natur i wneud hynny. Pa fodd bynnag, wedi tipyn o grio, tyngodd Elsi a minnau lw o ffyddlondeb am y canfed tro, ac ymaith â mi tua Llunden. Yr oedd yr ychydig arian oedd gennyf wedi eu gwario ers tro cyn i mi lwyddo i gael lle i weithio, a rhwng fy hir brydiau cefais ddigon o hamdden i edifarhau am fy nhymher ddrwg a gerwindeb fy natur. Gwyddwn pe buaswn yn anfon at Elsi y buasai hi wedi gwneud rhyw ysgil i gael arian i mi, ond yr oeddwn yn benderfynol na wnawn hynny. Ac eto nid oes dim fel tlodi am dorri crib dyn, a lliniaru ei natur ystyfnig. Yr oedd cylla gwag ymron wedi gwneud i mi anghofio hyd yn oed Elsi. Bu raid i mi eilwaith ofyn ewyllys da hwn a'r llall. Mae yn hawddach i un ymostwng i gardota mewn dinas fawr nag mewn pentref, ond y mae'r ymdeimlad o unigrwydd, o fychander, ac mor ddibwys ydyw dyn mewn dinas boblog, yn annioddefol, a bûm fwy nag unwaith ar fedr taflu fy hun i'r afon. Yr ystyriaeth fod un, a dim ond un, yn fy ngharu yn fwy na phawb a'm cadwodd rhag y fath drychineb. Cymerai i mi ormod o amser i adrodd i chwi y fath dlodi, gofidiau, a'r cymeriadau y deuthum i gysylltiad â hwy yn y cyfnod hwn. Pa fodd bynnag, cefais le o'r diwedd, mewn ystordy *general drapery,* a deuthum ymlaen yno yn rhagorol. Yr oedd Elsi a minnau erbyn hyn mewn gohebiaeth gyson â'n gilydd, a threuliwn lawer o fy amser hamddenol i gyfansoddi y llythyrau mwyaf doniol ag a fedrwn. Yr oeddwn wedi bod yn yr ystordy dair blynedd, ac wedi ennill ymddiried fy meistri. Fy ngwaith gan mwyaf oedd gofalu fod yr archebion yn cael eu hanfon allan yn brydlon, a'u cofnodi yn y llyfrau yn ofalus, a phan fyddai gennyf amser, cymeryd cwsmer o gwmpas, a gwerthu iddo gymaint ag a fedrwn. Un diwrnod daeth cwmser i mewn ag un llygad ganddo, neu fel y dylwn ddweud nid oedd ganddo ond un llygad. Wedi iddo ddweud ei neges, cymerais ef o gwmpas gan ddangos iddo y nwyddau. Ond ni fedrwn yn fy myw gael ganddo edrych ar y nwyddau— sylwai fwy o lawer arnaf fi fy hun. Yn y man, ebe fe,—"Herbert, ai ti sydd yma?" ac adwaenwn fy ewyrth y foment honno. Yr oeddwn wedi bod yn achos iddo golli un llygad. Syrthiais wrth ei draed dan wylo yn hidl ac erfyn ei faddeuant. 'Arnaf fi,' ebe fe, 'yr oedd y bai yn colli fy nhymer ac yn dy daro, ac yr oedd bai arnat tithau yn taro fy llygaid allan o fy mhen. Aros yma am funud.' Wedi dweud hyn aeth yn ôl i'r swyddfa at un o'r meistri, a dychwelodd yn union, ac ebe fe, 'Yr wyf yn clywed gair da iti, ac os wyt yn dewis dod yn ôl, mi fydd yn dda gennyf i ti ddyfod. Yr wyf wedi blino ar y busnes, ac yn teimlo fy hun yn gwaelu.' Er y gwyddwn y byddai edrych ar ei wyneb yn feunyddiol, a chofio mai fi a'i hamddifadodd o'i lygad, yn ofid parhaus i mi, eto derbyniais ei gynigiad, ac euthum gydag ef yn ôl. Heb i mi ymdroi gyda fy stori, bu fy ewyrth farw, a gadawodd ei eiddo imi. Wedi clywed am fy ffawd dda, nid oedd gan rieni Elsi wrthwynebiad inni briodi, ac aethom at yr allor yn fuan ar ôl hyn. Er y byddai fy nhymer wyllt yn torri allan ar adegau, ac yn achosi llawer o boen i mi a'm gwraig, ac er mai iechyd gwael a gafodd Elsi, bu ein bywyd priodasol yn un lled hapus. Ganwyd i ni un eneth, ein hunig blentyn, ac yr oedd fel cannwyll ein llygaid. Mynnodd y fudfaeth—gwraig i ryw gipar o'r gymdogaeth, yr hon a adawodd y wlad gyda'i gŵr yn fuan wedyn—alw yr eneth yn Nansi, ac nid oedd gennym ninnau wrthwynebiad. Tyfodd Nansi i fyny yn eneth luniaidd a hardd, ac yr oedd yn un hynod am ei ffordd ei hun. Tybiwn, yn fy ffolineb, mae'n debyg, nad oedd ei harddach yn y wlad. Na feddyliwch, Miss Tomos, fy mod yn gwenieithio, ond os dymunech wybod fath un oedd Nansi yn un ar hugain oed, yr oedd mor debyg i chwi â neb a welais yn fy mywyd, a phan ddeuthum i'ch tŷ y waith gyntaf, bu edrych arnoch ymron â chymryd fy anadl ymaith. *Gipsy* y galwn i Nansi bob amser, am nad oedd, o ran pryd, yn annhebyg i'r tylwyth hwnnw. Ond, fel y dywedais, yr oedd fy merch Nansi fel ei thad, ac yn wahanol i chwi, Miss Tomos, yr oedd, meddaf, yn benderfynol am gael ei ffordd ei hun gyda phopeth, a thrwy fy mod innau yr un fath, bu aml ffrwgwd rhyngom. Ond, i mi brysuro, bu farw rhieni fy ngwraig, a daeth eu heiddo hwythau i'n rhan. Yr oeddem erbyn hyn yn lled gefnog ein hamgylchiadau, ac oherwydd gwendid iechyd fy ngwraig, a rhesymau eraill, gwerthais y busnes. Tybiai fy ngwraig ped elem i'w chartref i fyw y cawsai well iechyd, ac i'w boddio symudasom i swydd Warwick. Ond ni fu'r cyfnewidiad o un lles i Elsi, druan—dal yn wael yr oedd o hyd. Canfûm yn fuan na fynnai fy merch Nansi fyw fel boneddiges, a soniai o hyd am gael mynd i Lundain fel *nurse* i un o'r *hospitals.* Cythruddai hyn fi yn fawr, ond mwyaf a gythruddwn i mwyaf penderfynol yr âi Nansi. Tybiwn, a dywedwn yn bendant fod ganddi ddigon o waith nyrsio ar ei mam. O'r diwedd gadewais iddi gael ei ffordd, gan gredu y byddai wedi cael digon ar y swydd cyn pen y mis. Oherwydd fod fy nhymer mor afrywiog, a fy ngwraig mor wannaidd yr oeddwn yn bur annedwydd, er nad oeddwn yn brin o ddim, ond o ras Duw. Ymhen amser, derbyniais lythyr oddi wrth fy merch yn fy hysbysu ei bod wedi priodi, a'i bod hi a'i gŵr yn treulio eu mis mêl yn Ffrainc. Yr oedd y peth wedi digwydd yn bur naturiol, meddai hi, yr oedd wedi bod yn nyrsio bonheddwr o Gymro, o'r enw Befan, tra oedd efe yn gorwedd tan afiechyd tost yn Llundain. Cymerodd y boneddwr ffansi ati, a hithau ato yntau, ac wedi iddo wellhau aethant at yr allor. Ni wyddai hi ddim am ei deulu, meddai, nac o ba le yr oedd yn dyfod, ond credai ei fod yn fonheddwr o waed, ac yr oedd yn garedig iawn ati meddai. Gwnaeth y llythyr i mi ddawnsio mewn cynddaredd, ac wedi ei ddarllen i'w mam, ysgrifennais at fy merch ar unwaith nad oeddwn byth eisiau ei gweld hi na'i 'bonheddwr' o ŵr, na chlywed gair oddi wrthynt. Crefodd fy ngwraig arnaf i beidio anfon y llythyr, ond ei anfon a wneuthum. Wedi i mi oeri gwelais fy mod wedi gwneud camgymeriad ac, fel arfer, wedi ymddwyn yn fyrbwyll. Ond yr oeddwn yn rhy ystyfnig i gydnabod hynny. Gwyddwn hefyd fod fy merch, Nansi, mor debyg i mi fy hun o ran ei natur fel y byddai iddi fy nghymryd ar fy ngair, ac na chlywn oddi wrthi mwy. Achosodd fy ffolineb boen a thrallod mawr i fy ngwraig, ac, yn wir, i mi fy hun hefyd, ond nid ynganais air am fy mhoen fy hun wrth fy ngwraig nac wrth neb arall. Cyn hir canfûm fod yr amgylchiad yn effeithio yn dost ar fy ngwraig, oblegid yr oedd i'w gweld yn gwywo yn gyflym, a mynych y clywn hi yn ei chwsg yn trydar am Nansi. Aeth misoedd heibio, a gwelwn fod fy ngwraig yn cyflym nesáu i'r beddrod, a dywedodd wrthyf un diwrnod, 'Herbert, mi faswn yn leicio gweld Nansi cyn imi farw.' Addewais y gwnawn fy ngorau i ddod o hyd i Nansi. Euthum i Lundain a gwnes fy ngorau i ddod o hyd iddi, ond yn hollol ofer—ni wyddai neb o'i chydnabod ddim amdani. Yr oedd hyn, yr wyf yn meddwl, oddeutu deunaw mis ar ôl priodas Nansi.

Yr oedd fy methiant i ddod o hyd i Nansi yn siomedigaeth fawr i'w mam, a suddodd yn gyflym. Yr wyf yn cofio'r noswaith—y noswaith y bu farw fy ngwraig yn burion—noswaith oer a drycinog. Curai'r glaw ar y ffenestri yn drwm, a rhuai'r gwynt yn y simddai. Eisteddwn fy hunan wrth y tân yn y parlwr, ac yr oeddwn wedi rhoi gorchymyn i'r morynion nad oedd neb i aflonyddu arnaf. Wrth fyfyrio yn fy nhristwch, gwelwn yn eglur fod ymron holl brofedigaethau fy mywyd i'w priodoli i fy nhymer fyrbwyll. Ni wn sut y bu, ond er fy ngwaethaf, rywsut, bu raid i mi fynd ar fy ngliniau i weddïo ar Dduw am help i orchfygu fy natur afrywiog. Cefais fy ngwrando; ni chollais fy nhymer byth wedyn. Yr oedd yn hwyr ar y nos; a theimlais yr hyn na theimlaswn erioed o'r blaen, sef, yn y distawrwydd, a'r gofid oedd yn fy mynwes, a'r ystorm oddi allan, nesâi fy meddwl at Dduw. Yr oedd y teimlad yn newydd a hyfryd i mi, pryd y clywn rywun yn curo'r drws, a chlywn un o'r morynion yn ei agor. Deellais ar y sŵn a'r siarad fod ar rywun eisiau fy ngweld, ac na fynnai ei wrthod. Codais ac euthum i'r drws. Yr oedd yn rhy wyntog i allu dal cannwyll, a chlywn rywun yn gofyn: 'Nhad, ga i ddod i mewn?'

Yn y fan hon, methodd Mr. Thomson â mynd ymlaen am funud, a thorrodd Gwen i wylo yn hidl. Yn y man, ychwanegodd Mr. Thomson,—

"Fy merch, Nansi, oedd wrth y drws, a phlentyn bach yn ei breichiau, a'r ddau cyn wlyped ag y gallai glaw eu gwneud, ac mewn cyflwr gresynus iawn. Ond mi af heibio i'r cwbl. Ei stori, yn fer, oedd fel hyn: Wedi treulio peth amser yn Ffrainc, dychwelodd hi a'i 'bonheddwr' o ŵr i Lundain. Buont fyw mewn gwesty am rai wythnosau, pryd y dywedodd ei gŵr fod yn rhaid iddo ei gadael am ychydig ddyddiau. Rhoddodd iddi ddeg punt rhag ofn y byddai angen arni am arian cyn iddo ddychwelyd. Ond ni welodd hi mohono byth mwy. Gellwch yn haws ddyfalu nag y gallaf fi ddarlunio ei helyntion ar ôl hyn. Ond yn awr y mae hi a'i phlentyn uwchben eu digon yn fy nghartref, ac erbyn hyn yn lled gysurus. Mi gredaf ei bod hi a minnau wedi dysgu'r wers mai ewyllys Duw ydyw'r rheol i fynd wrthi, ac nid ein hewyllys ni ein hunain. Nid wyf yn meddwl, Miss Tomos, fod dim arall yn fy hanes yn werth ei adrodd wrthych."

"A ydych yn cofio, Mr. Thomson," gofynnodd Gwen, "beth oedd enw'r fudfaeth a fynnodd alw eich merch yn Nansi?"

"Mae llawer o amser er hynny, ond yr wyf yn meddwl mai Richards neu Rogers, neu rywbeth tebyg i hyn yna," ebe Mr. Thomson.

"A wnaech chwi ei hadnabod pe gwelech hi," gofynnai Gwen.

"Gwarchod ni, na wnawn! Mae hi yn hen wraig erbyn hyn, os ydyw yn fyw," ebe Thomson.

XXXVI

Dydd y Briodas

FEL yr awgrymais o'r blaen, er cryfed oedd ei natur a chaleted oedd ei chalon, effeithiodd llofruddiaeth Dafydd Ifans, a'r gred gyffredin oedd yn y gymdogaeth mai ei mab Twm oedd y llofrudd, yn fawr ryfeddol ar ei fam, Nansi'r Nant. Ni fu hi byth yr un ar ôl hyn. Yr oedd yn llai ei chlochdar ac yn llai hyderus o lawer, ac anfynych yr âi o gwmpas y wlad i ddewina. Yr oedd yr hen wreigan yn edwino yn gyflym, a daliai i ddweud nad Twm bach oedd y llofrudd. Erbyn hyn anaml yr âi i Bant-y-buarth nac y deuai i'r Wernddu am ei dogn wythnosol, ond gofalai Gwen ac Elin Wynn na chaffai Nansi fod mewn eisiau beunyddiol ymborth. Wedi i Mr. Thomson adrodd ei hanes i ni, teimlem yn fwy rhydd o lawer efo'n gilydd. Yn gymaint â bod y bonheddwr bellach yn adnabod agos bawb yn y gymdogaeth, synnwn nad oedd efe hyd yn awr wedi cyfarfod â Nansi'r Nant. Pan adroddais ychydig o'i hanes wrtho, a phan awgrymais y gallai mai hi oedd y fudfaeth a dderbyniodd ei ferch i'r byd, yr oedd Mr. Thomson ar dân am gael ei gweld. Fore drannoeth cymerais ef i gaban tlawd yr hen ddewines. Nid oeddwn wedi bod yno o'r blaen er y noson y cynhaliwyd y cyfarfod bythgofiadwy yn ei thŷ. Ymddangosai'r tŷ yn gymwys yr un fath, fel pe na fuasai dim wedi ei symud er y noson honno, a Tab, y gath ddu fawr, yn eistedd ar un gader a Nansi ar y gader arall, yn hollol fel y gwelswn hwynt pan aeth Gwen a minnau i'r cyfarfod gweddi hwnnw. Edrychai Nansi yn ddigon piglwyd a diysbryd, a dywedais wrthi yn Gymraeg:—

"Nansi, mae ar y gŵr bonheddig yma eisiau cael siarad â chi."

"Oes gynno fo rywbeth i'w roi i mi? Dene'r unig ŵr bonheddig ydw i isio'i weld y dyddiau yma," ebe Nansi.

"Oes, ddigon, ond i chi wybod sut i ddelio â fo," ebe fi.

Gofynnodd Mr. Thomson iddi a fu hi'n byw yn y fan a'r fan yn y flwyddyn a'r flwyddyn? Deffrôdd y cwestiwn yr hen wreigan o'i phen i'w thraed, ac wedi edrych yn graff i wyneb y gŵr dieithr, ebe hi yn hollol dawel:

"Do, beth oedd am hynny?"

"O, dim yn y byd—dim drwg beth bynnag," ebe Mr. Thomson, ac ychwanegodd—"ydych chwi yn cofio un o'r enw Mr. Thomson yno?"

"Thomson? Thomson? ydw o'r gore," ebe Nansi.

"Fath un oedd o?" gofynnodd ein lletywr.

"Dyn yn byw ar ei arian a'i natur ddrwg," ebe Nansi.

"Mi'ch gadawaf fi chwi yrŵan," ebe fi, ac felly y gwneuthum.

Pan ddaeth Mr. Thomson i'r Wernddu i'w ginio, teimlai yn hapus iawn ei fod wedi taro mor rhagluniaethol ar y fudfaeth a fuasai gyda'i wraig pan anwyd ei ferch, a dywedai ei fod wedi cael wmbreth o chwedleuon ganddi. Gwyddwn na allasai ein lletywr gael neb mwy wrth ei fodd na Nansi, oblegid gwyddai hi hanes pawb yn yr ardaloedd, ac nid oedd yntau byth yn fwy yn ei elfen nag wrth wrando hanes pobl. O hynny allan, ymwelai â hi ymron yn ddyddiol, a byddai ganddo lawer i'w adrodd wedi bod yng nghwmni Nansi, a chafodd yr hen wrach, mi wn, gynhaeaf bras, canys yr oedd Mr. Thomson yn hael efo'i arian. Anfynych y gwelid Nansi yn teithio'r wlad fel cynt, a dywedai ein lletywr nad oedd llawer o brinder arni, a dyfalem, yn gywir, mi gredaf, fod ei helaethrwydd i'w briodoli i garedigrwydd Mr. Thomson, fel yr oedd helaethrwydd ambell wreigan arall yn y gymdogaeth.

Pwnc y dydd, erbyn hyn, yn y gymdogaeth oedd priodas Mr. Ernest Griffith â merch y Plas Uchaf, yr hon oedd i fod ymhen ychydig ddyddiau. Mewn ardal mor wledig, yr oedd uniad dau deulu hynafol drwy briodas yn amgylchiad o ddiddordeb neillduol. Ychwanegid at ddiddordeb, ac yn wir at ddymunoldeb y briodas agosaol gan y ffaith, a oedd yn eithaf hysbys bellach, fod y darpar ŵr yn dlawd, a'r ddarpar wraig yn gyfoethog. Er nad oedd Mr. Ernest wedi talu swllt o gyflog i was na morwyn oddi ar yr adeg y bu farw ei dad, a rhai ohonynt â'u cyflogau yn ddyledus iddynt fisoedd cyn i'r Yswain ymadael â'r fuchedd hon, eto i gyd llwyddodd Mr. Ernest i gadw pob gwas, morwyn a gweithiwr, ar yr ystad gyda'r addewid bendant y byddai iddo dalu i bob un ar bant ei law bob dimai oedd ddyledus wedi iddo briodi Miss Vaughan. Siaradai Mr. Ernest mor ddi-lol a di-rodres am ei briodas wrth y lleiaf fel wrth y mwyaf yr oedd efe yn ei ddyled, â phe buasai yn mynd i brynu buwch neu i dderbyn ei renti yn y *Bedol.* Yr oedd y briodas mor sicr o ddigwydd yn nhyb pawb fel yr oedd pobl yn cystadlu â'i gilydd i roddi am y mwyaf o gredyd i aer y Plas Onn, a'r rhai yr oedd efe fwyaf yn eu dyled a ystyrid yn fwyaf ffortunus. Un o'r rhai olaf oedd Mrs. Anwyl, y *Bedol,* yr hon a ddywedai na fuasai drws y seler yn ddigon o faint i groniclo dyled y bonheddwr o'r Plas, ac ymorchestai ei bod wedi gorfod *mygagio* Mr. McDonald, y cipar, yr hwn oedd yn ysgolor, i ysgrifennu y ddyled mewn llyfr yn *business like,* a'r hwn na ofynnai am waith mor bwysig ddim ond hanner peint o *Scotch Whiskey* yrŵan ac yn y man. Wrth gwrs, meddai Mrs. Anwyl, 'doedd dim lle i ddisgwyl i Mr. McDonald dalu ei gownt ei hun nes i'w feistr briodi ac iddo yntau gael ei gyflog dyledus. Yr oedd "cownt" y Plas yn gwasgu yn drymach ar eraill, megis Pitar Preis, y teiliwr, ond yr oedd Pitar "am dreio'i gwydnu hi" heb flino Mr. Ernest nes iddo briodi. Yr oedd y tenantiaid hefyd yn llawen iawn yn y rhagolwg ar y briodas, oblegid oni bai fod gan eu meistr tir newydd ragolwg am ddigon o arian ynglŷn â'i wraig, gwelent yn eglur y buasai raid iddo godi'r rhenti yn llawer uwch i'w alluogi i dalu ei ddyled ac i fyw fel bonheddwr. Yr oedd gan bawb bron fel hyn ddiddordeb personol yn y briodas, ac yn eu plith Gwen a minnau, ac nid gorchwyl anodd yr ymgymerodd Mr. Jones y Person ag ef, sef cael yr holl drigolion i ymuno i wneud paratoadau ar gyfer y rhialtwch gorau oedd yn bosibl i ddathlu dydd y briodas. Fe gofia'r darllenydd mai syniad lled isel oedd gan Mr. Jones am Mr. Ernest tra oedd yr hen Yswain ar dir y rhai byw, ac na chelai ei syniad oddi wrth y rhai y gallai ymddiried ynddynt, megis Harri Tomos, fel y gwelwyd yn yr hanes hwn. Ond yr oedd yr hen Yswain wedi marw a Mr.

Ernest oedd ei olynydd, ac felly yr oedd yr amgylchiadau wedi newid yn hollol. Buasai i'r Person a'r Yswain fod yn anghytûn yn doriad ar hen arfer y Cymry er cyn cof, canys ym mha le y gwelwyd plwyf yng Nghymru nad dyna fyddai sefyllfa pethau—y Person a'r Yswain yn ffurfio un blaid, a'r bobl y blaid arall? Felly, nid oedd ball ar y Person yn canmol Mr. Ernest. Yr Yswain ieuanc, meddai, oedd y gŵr hawddgaraf, tirionaf, mwyaf haelionus ac anrhydeddus yn y plwyf, ac er bod ei dad, meddai Mr. Jones, yn ddyn lled dda, yr oedd mwy o arwyddion bod gwreiddyn y mater yn Mr. Ernest. A pha beth, gofynnai Mr. Jones, allasai fod yn fwy o destun llawenydd nag uniad aer y Plas Onn â merch y Plas Uchaf mewn glân briodas? Yr oedd bys Rhagluniaeth, a'r amddiffyniad Dwyfol a fuasai bob amser dros ddedwyddwch y plwyf i'w weld yn amlwg yn hyn. Oherwydd paham, nid arbedodd Mr. Jones, mewn undeb â phrif ddynion y gymdogaeth, na chost na thrafferth i wneud y paratoadau mwyaf perffaith i ddathlu dydd y briodas mewn modd teilwng o'r ddeuddyn hapus. Heblaw fod cloch yr eglwys i gael ei chanu o saith o'r gloch y bore hyd yr hwyr, yr oedd program y diwrnod i gynnwys te a bara brith i'r plant, rhoddion i'r hen wragedd, rasys mulod, rhedeg mewn sachau, ysbïo drwy'r golar, bwyta uwd poeth am y gorau, cleimio polyn sebon meddal, dal porchell gerfydd ei gynffon, a deg a mwy o wrolgampau eraill.

Ocheneidiai Robert Wynn, Pant-y-buarth!

Yr oedd gan bob tŷ a thylwyth hefyd eu ffordd a'u trefniadau eu hunain i arbenigo y dydd megis drwy addurno eu ffenestri a gwneud pontydd o'r naill dŷ i'r llall. Ond nid oedd hyn oll ond sothach o'u cymharu â'r paratoadau a wneid yn y Plas Uchaf, y rhai na cheisiaf ac na fedraf eu disgrifio. Nid oedd gair i'w gael gan neb ond am y briodas, a deuddydd cyn yr amgylchiad ni ellid cael gan was na morwyn lynu wrth eu gorchwyl. Teimlai Gwen a minnau ddiddordeb distaw yn y briodas, ac ni allem beidio â meddwl na siarad am ein priodas ni ein hunain, yr hon, fel yr hyderem, a ddigwyddai yn fuan mewn dull tra gwahanol, er nad llai cysegredig. Yr oedd y fath ystŵr a dwndwr yn cael ei wneud fel yr oedd Mr. Thomson wedi llwyr laru arno, ac ymddangosai yn anfoddog pan sonnid am y briodas.

Y noson o flaen y diwrnod mawr, pan oeddem ar ganol swper, ac yn hollol ddiddisgwyl, pwy a ymwelodd â ni ond Nansi'r Nant. Yr oedd yr hen wraig, er yn wannaidd, yn hynod siaradus, a gwnâi sylwadau gwawdus ar y briodas oedd i fod drannoeth. Nid oedd hynny ond yr hyn a ddisgwyliem, oblegid gwyddem ei bod yn casáu Mr. Ernest â'i holl galon. Wedi tipyn o ymgomio, edliwiodd Gwen i Nansi ei gau-broffwydoliaeth, sef na phriodai Mr. Ernest â Miss Vaughan byth. Cynhyrfodd hyn Nansi nid ychydig, a dywedodd nad oedd proffwydi y Beibl *bob amser* yn iawn, ac nad oedd Ernest *wedi* priodi eto, ac aeth ymaith yn anfoddog.

Gwawriodd y bore yn las hyfryd, ac yr oedd yr ardal yn fyw iawn, a phawb yn paratoi am lawenydd a miri. Yr oedd y seremoni i fod am ddeg o'r gloch yn y bore. Hanner awr cyn yr amser aeth Gwen, Elin Wynn a minnau i'r eglwys i weld y briodas, ac er cynhared oeddem yr oedd yr hen adeilad eisoes yn hanner llawn o bobl. Llwyddasom ein tri i gael lle manteisiol—bron yn ymyl yr allor. Tynnodd Elin Wynn ein sylw ar unwaith at Nansi'r Nant, yr hon oedd yn llechian mewn congl—ond congl hynod gyfleus i weld popeth. Yr oedd yr hen wraig yn ei chlog goch, na byddai byth yn ei gwisgo ond ar adegau neilltuol. Cyn deg o'r gloch yr oedd pob eisteddle yn yr eglwys wedi eu llenwi, a phan drawodd y cloc clywem y cerbydau oddi allan yn dyfod at ddrws yr eglwys ac yn sefyll, ac aeth y sibrwd, "Dyma nhw'n dyfod!" drwy gant o eneuau. Yn y funud daeth y cwmni urddasol i mewn, ac aethant yn syth at yr allor, gan sefyll yn gylch, a daeth Mr. Jones y Person i'w cyfarfod drwy ddrws y festri. Ni wn ryw lawer am wisgoedd, ond dywedai Gwen ac Elin Wynn fod y cwmni, yn enwedig y pâr ieuanc oedd i gael eu huno, wedi ymwisgo yn y dull gwychaf oedd bosibl. Yr oll a allaf fi ddweud ydyw fod yr olygfa yn un ardderchog. Trois i edrych pa effaith oedd yr olwg yn ei gael ar

Nansi'r Nant. Prin y gallwn ganfod ei bod yn edrych arnynt o gwbl ond gyda chil ei llygad, ac ymddangosai yr hen ddewines fel pe bai yn dal cymundeb â'r duwiau. Heb i mi ymdroi ychwaneg, dechreuodd Mr. Jones ar ei waith mewn llais uchel a chlir, a phan ddaeth at yr adran: "*Herwydd paham os gŵyr neb un achos cyfiawn na ellir yn gyfreithlon eu cysylltu ynghyd dyweded yr awr hon, neu na ddyweded byth rhagllaw*"—atebodd llais a adwaenwn yn dda, yr un mor uchel, o ben draw yr Eglwys,—"Mi wn i am achos cyfiawn!"

Dychrynwyd pawb ohonom, a chodasom oll ar ein traed yn y cynnwrf mwyaf, pryd y gwelwn ein lletywr, Mr. Thomson, yn cerdded yn wrol tua'r allor, a dynes hardd yn ei ddilyn, a geneth yn ei dilyn hithau a phlentyn yn ei breichiau. Daliai pawb ei anadl, pryd y gofynnodd y Person i Mr. Thomson:

"Beth ydyw ystyr hyn, syr?"

"Mi dd'wedaf i chwi," ebe Mr. Thomson, "mae'r adyn yna (gan bwyntio at Mr. Ernest) yn ŵr priod eisoes, a dyma'i wraig, sef fy merch i fy hun, a dyma'i blentyn," gan ddwyn y ddau i wyneb Mr. Ernest. Syrthiodd Miss Vaughan i freichiau ei thad, mewn llewyg, a gofynnodd y Person:

"Ai gwir ydyw hyn, Mr. Griffith?"

"Ie, myn d——," ebe fe, a throes ar ei sawdl ac ymaith ag ef.

Yr oeddwn wedi anghofio Nansi nes iddi weiddi "Bwh!" nerth ei phen pan oedd Ernest yn mynd allan, a churai yr hen wraig ei dwylo mewn gorfoledd. Ond yr oedd pawb yn rhy gythryblus i gymryd nemor sylw o Nansi. Nid anghofiaf byth yr olygfa. Tra oedd Mr. Thomson, fel yr oedd yn ymddangos, yn adrodd yr holl hanes wrth Mr. Vaughan a'r Person, siaradai pawb yn yr eglwys â'r nesaf ato, ac yr oedd rhai yn chwerthin, a rhai o'r merched ieuainc yn wylo o gydymdeimlad â Miss Vaughan, ac eraill fel pe baent yn methu cael gwared o'u braw, ac yn amau eu llygaid a'u clustiau. Gyrrai Mr. Ernest yn gyflym tua'r Plas Onn cyn i neb arall adael yr eglwys. Pan oedd pawb bron wedi mynd allan galwodd Mr. Thomson Gwen a minnau o'r neilltu, ac wedi iddo gyflwyno ei ferch i ni, yr hon, fel y dywedais oedd ddynes hardd a hawddgar iawn, dywedodd:

"Wel, dyma fy musnes i ar ben yn eich mysg. Yr wyf wedi cael fy nial, ac yr wyf yn awr yn hapus. Ffarwél i chwi'ch dau, a diolch i chwi am eich caredigrwydd a'ch cwmni. Os bydd raid i chwi ddioddef yn eich amgylchiadau oherwydd i chwi roi lloches i mi yn y Wernddu, a'm croesawu dan eich cronglwyd i ddwyn oddi amgylch y trychineb hwn, gwnaf eich colled i fyny. Dyma fy nghyfeiriad (ac estynnodd i mi gerdyn). Ac yn awr, fy ffrindiau, ffarwél meddaf eto. Pa le y mae Nansi? Bu Nansi o help mawr i mi. Pa le y mae Nansi?"

Yr oedd Nansi fel eraill wedi mynd allan. Gan faint yr helynt a'r siomedigaeth i'r plesergeiswyr a achoswyd gan ein lletywr y bore hwnnw, ofnwn yn fawr y câi ei hwtio gan y bobl pan elem allan o'r eglwys, ac nid oeddwn heb ofni hefyd y deuwn i a Gwen am ran o'r un driniaeth am i ni roddi llety iddo, ac am y gallai rhai dybied y gwyddem ei gyfrinach. Ond cyn gynted ag yr aethom drwy borth yr eglwys i'r fynwent, canfyddem fod rhywbeth arall yn cymryd sylw'r bobl, oblegid yr oeddynt wedi hel yn dwr at ei gilydd. Dywedodd rhyw hogyn wrthym fod Nansi'r Nant wedi marw. Prysurasom i'r fan, pryd y gwelem Nansi wedi ei gosod ar gistfaen ac yn ymddangos yn hollol farw. Ymwthiodd Mr. Thomson drwy'r dorf—cymerodd yr hen wraig yn ei freichiau a chariodd hi i'w gerbyd, a oedd yn ei aros tu allan i'r fynwent. "Gadewch i ni gymryd yr hen wraig i'w chartref, a dowch chwithau, Miss Tomos, efo ni," ebe fe. Aeth Gwen, Mr. Thomson, ei ferch, y *nurse* â'r plentyn i'r cerbyd ac ymaith â hwy.

XXXVII

Y Ddewines

NID wedi marw ond wedi llesmeirio yr oedd yr hen Nansi. Rhoesai ormod o raff i'w theimladau yn ei llawenydd ddarfod i'w phroffwydoliaeth gael ei chyflawni, na phriodai Ernest a merch y Plas Uchaf byth. Yr oedd Nansi wedi dod ati ei hun cyn iddynt gyrraedd ei chaban. Wrth ganu yn iach â hi cyflwynodd Mr. Thomson swm o arian iddi, a diolchodd am y cynhorthwy a roesai hi iddo "i ddal ei dderyn", fel y dywedai. Ac ebe fe, wrth ffarwelio â Gwen:—

"Yr wyf yn awr yn ddyn dedwydd, Miss Tomos, yr wyf wedi cael fy *revenge*. Mi wn y dywedwch chwi fod y teimlad yn un annuwiol, ac mai Duw biau'r dial. Ond beth a wyddom ni nad y fi a ddefnyddiodd Duw i ddangos ei ddial. Yr wyf yn awr yn gadael y dihiryn yn nwylo Duw—nid oes gennyf eisiau ei weld mwy na chlywed dim mwy amdano. Mae yn ddrwg gennyf, Miss Tomos, nad oes gennyf hamdden i egluro i chwi pa fodd y deuthum yma, a pha fodd y daeth fy merch yma, a hefyd na chawsoch fwy o'i chwmpeini, oblegid yr wyf yn credu yr hoffech eich gilydd. Yr wyf yn dweud eto, os bydd raid i chwi ddioddef am roi llety i mi, chwi wyddoch yn awr ym mha le yr wyf yn byw, a gwnaf eich colled i fyny."

Wrth sôn am yr amgylchiad, synnai Gwen na ddywedasai merch Mr. Thomson air o'i phen. "Edrychai," meddai Gwen, "mewn dwys a syn fyfyrdod, ond ni ddywedodd ddim. Tybed a ddarfu i'r olwg ar Mr. Ernest adfywio yr argraff a wnaeth efe arni pan enillodd ei serch?"

"O na," ebe fi, "meddwl yr oedd hi am ei ymddygiad creulon a bwystfilaidd tuag ati."

"Wn i ddim," ebe Gwen. "Pan gâr merch mae yn caru am byth."

Dydd i'w gofio yn hir fel un o'r dyddiau mwyaf siomedigaethus yn oes yr ardalwyr oedd y diwrnod y paratowyd cymaint ar ei gyfer fel dydd priodas Mr. Ernest Griffith a merch y Plas

Uchaf. Ymhlith y bobl gallaf a mwyaf "selied," yr elfen fwyaf amlwg oedd cydymdeimlad dwfn â merch y Plas Uchaf a'i rhieni, a'r dirmyg mwyaf dygasog o Ernest, aer y Plas Onn. Ond gyda'r bobl ieuainc Mr. Thomson oedd dan y wialen am iddo ddinistrio pleser a rhialtwch y dydd.

Dywedai Robert Wynn, Pant-y-buarth, nad oedd o ddrwg ond drwg i'w ddisgwyl.

Fel ficer y plwyf, dyletswydd Mr. Jones oedd cydymdeimlo â'i holl blwyfolion, a gwnaeth ei orau i gyfarfod yr amgylchiad yn ei holl agweddau. Cydsyniai yn hollol a dywedai Amen efo phawb a gydymdeimlai â theulu Plas Uchaf yn eu siomedigaeth a'u profedigaeth lem, a'r dirmyg o Mr. Ernest. Ond o'r ochr arall, meddai Mr. Jones, gresyn oedd i'r bobl ieuainc gael eu siomi o'r difyrrwch yr oeddynt wedi edrych ymlaen ato, ac felly, meddai, nid amhriodol oedd i'r plant gael te, a chael tipyn o redeg mewn sachau, bwyta uwd poeth, cleimio polyn sebon meddal, ac felly yn y blaen, gan fod yr arian wedi eu casglu at hynny. A felly y bu. Ac, am a wn i, yr oedd Mr. Jones yn berffaith yn ei le. At ba amcanion uwch a mwy bendithiol a llesol y gallesid defnyddio'r arian a gasglwyd? A, chwarae teg i Mr. Jones, drwy ei offerynoliaeth ef, er mor ddu y dechreuodd y diwrnod, diweddodd yn well na disgwyl. Enillodd Dic y Frechwen bum swllt am ysbïo drwy'r golar, Ned Llwnc ddau swllt am fwyta uwd poeth, Twm Begai y porchell, a Jac Ufflon yr het *silk* ar ben y polyn sebon meddal. Rhwng popeth diweddodd y dydd yn rhagorol yng ngolwg y cyfeillion hyn.

Er hynny, trychineb mawr yng ngolwg yr ardal oedd y dadleniad a wnaed ar gymeriad Mr. Ernest Griffith y diwrnod hwnnw. Rhegai a rhwygai gweision, ac wylai morynion y Plas Onn mewn gwan obaith am eu cyflog gor-ddyledus. Trawyd y gof, y saer, y sadler, y teiliwr, y crydd, a'r gwahanol siopwyr, ac yn enwedig Mrs. Anwyl, y *Bedol,* â phrudd-der ac iselder ysbryd mawr. Gwelent yn eglur, erbyn hyn, y byddai eu cyfrifon heb eu talu am amser maith, os telid hwy byth. Tyrrent at ei gilydd i ymdrin â'u gwahanol achosion ac i gydymdeimlo â'i gilydd, a diweddent bob cydgyfarfyddiad gyda bendith (yn null Nansi'r Nant) ar ben Aer y Plas. Penderfynodd amryw ohonynt, y rhai, yn flaenorol, oedd wedi arfer capio a chwrt-eisio i Mr. Ernest, fynd efo'i gilydd ato fore drannoeth i ddweud wrtho be oedd be, ac i roi ar ddeall iddo os oedd efe wedi gwneud ffŵl o ferch y Plas Uchaf, nad oeddynt hwy am gael eu trin fel ffyliaid. Ac felly yr aethant, a Mrs. Anwyl gyda hwynt, yr hon a brotestiai ar hyd y ffordd fod y byd yn mynd yn waeth bob dydd. Pan gyraeddasant y Plas cyfarfu Edwin, y gwas, hwy ar y buarth a deallodd eu neges ar unwaith, ac ebe fe:

"Wel, gyfeillion, yr ydw i'n dallt ych busnes chi—isio gweld y mistar yr ydach chi, yntê? Ond yr ydw i fel petawn i'n meddwl 'rŵan, yntê, fod y mistar wedi codi o flaen 'run ohonoch chi heddiw, fel dase, ac y mae o ar y ffordd i Lunden ers orie. Mi ddeuda'r cwbl wn i amdano, yntê, a mae hynny yn ddigon teg 'rŵan, ond ydi o? Bre fo, cyn i mi fynd i ngwely neithiwr, a roedd o reit sobor, hynny ydi, yntê, doedd o ddim yn feddw a phetasai fo wedi meddwi, fase hynny ddim yn rhyfedd, a fase fo, 'rŵan, ar ôl be ddigwyddodd ddoe? Ond 'doedd o ddim wedi meddwi, hynny ydi ddim byd *extra,* yntê, achos mi gweles o'n waeth lawer gwaith. Ond dene oeddwn i'n mynd i ddeud wrthoch chi, bre fo— 'Edwin, *job* gas oedd y *job* ene heddiw, yntê, 'rŵan? Ond fydda i byth am wadu'r gwir—'roedd y dyn yn 'i le—mi ddarum briodi ferch o—byth na smudo hi. A rhaid i mi rŵan newid y mhrogram. 'Rydw i isio i chi ddod i nreifio i gyfarfod y *goach* reit fore fory. 'Rydw i am fynd i Lunden i nôl pres i dalu i chi gyd. Mae digon o bres yn Llunden, Edwin,' dene oedd i air o. ''Rydw i isio i chi, Edwin,' bre fo, 'edrach ar ôl y lle yma nes do i yn ôl. Deudwch wrth bawb na fydda i ddim yn hir.' Ac fel y deudes i, y mae mistar ar ei ffordd i Lunden ers orie. Mi wn, gyfeillion, ma isio pres ydach chi. Felly'r ydw inne. A 'rydw i'n gesio mai felly mae mistar—yr ydan ni gyd, mi welwch, yn yr un bocs. Dene fi wedi deud y cwbl wrthoch chi, a mae hynny yn ddigon teg, ond ydio 'rŵan? A raid i chi ddim ofni deud dim byd yn gas am y mistar wrtho i, achos y mae arno gymin o bres i mi â 'run ohonoch chi, oddieithr Mrs. Anwyl yma—mae'n debyg fod ei bil hi yn un go drwm—felly, gadewch i ni gyd ei flagardio."

"Waeth i ni heb flagardio," ebe Mrs. Anwyl, "gan fod y gŵr bonheddig wedi mynd i Lundain i nôl pres inni. Gwell inni aros yn ddistaw nes daw o'n ôl."

"Ie," ebe Edwin, "ac os nad ydi'ch ffydd chi yn gryfach yn Mr. Ernest na fy ffydd i, mi fydd raid inni aros yn bur hir cyn y daw o yn ôl efo phres i neb ohonon ni,—dene meddwl i, yntê, a mae hynny yn ddigon teg 'rŵan, on'd ydi o."

Wedi tipyn o rwgnach a thipyn o felltithio Aer y Plas, dychwelodd pawb i'w gartref i fyfyrio ar ei ffolineb. Am beth amser, yr oedd y gweision a'r morynion yn byw ac yn gwneud fel y mynnent yn y Plas, gan ymresymu os nad oedd obaith buan am gyflog, nad teg oedd iddynt weithio. Ond nid hir y parhaodd pethau fel hyn. Yn y man, daeth rhyw foneddigion o Lundain i gymryd meddiant o'r Plas Onn. Dywedasant wrth y gwasanaethyddion y câi pob un ei gyflog wedi i'r ystad gael ei gwerthu, ond am bawb arall y byddai raid iddynt gymryd eu cyfran yn ôl fel y cyrhaeddai yr eiddo. Ac yn unol â'r arferiad gyffredin, cafodd y tenantiaid, ymhen ychydig ddyddiau rybudd i ymadael o'u ffermydd. Taflodd hyn y gymdogaeth i benbleth mawr. Ofnai'r tenantiaid y byddai cryn ymreibio am eu ffermydd, ac mai'r canlyniad wedyn fyddai codiad mawr yn y rhenti. Ond yr oedd tipyn o amser hyd adeg yr arwerthiad, a chawsom ddigon o hamdden i siarad, dyfalu, ac ymgynghori â'n gilydd.

Aeth wythnosau a misoedd heibio, ac ni ddychwelodd Mr. Ernest byth i'r gymdogaeth. Os oedd efe wedi llwyddo i gael arian yn Llundain, yr oedd wedi cymryd digon o ofal i beidio rhoi dim ohonynt i'r rhai yr oedd efe yn eu dyled. Credai rhywrai er hynny ei fod wedi anfon rhyw gymaint o bres i Edwin, oblegid yr oedd yr hen was wedi sefydlu ei hun yn dafarnwr tordyn cyn pen mis. Sut y gallai Edwin gymryd tafarn, meddai ei gymdogion, heb bres? Y gwir yw, nid oedd Edwin mor dlawd ag y cymerai arno ei fod. A chyda golwg ar fynd i gadw tafarn, fe ŵyr pawb, erbyn hyn, mai dyna ydyw diwedd pob bwtler a *coachman*.

Nid effeithiodd yr holl helynt ar ferch y Plas Uchaf ddim ond i'w gwneud dipyn yn frontach nag o'r blaen. Ond yr oedd yr amgylchiadau wedi effeithio yn dost ar Nansi'r Nant. Yr oedd yr hen wraig wedi cael mwy na llond ei llestr. Tynnai Nansi yn gyflym tua'r terfyn, ac yr oedd ei gweld mor llawn o ddial, ac yn gwledda ar anffodion Ernest ac eraill, a hithau yng ngafaelion angau, yn olwg echrydus. Ymwelai Elin Wynn a Gwen â'r hen wraig yn fynych yn ei chystudd, a thalent i'r gymdoges nesaf ati am droi i mewn i'w chaban ac edrych ar ei hôl, a disgwylient yn ddyddiol glywed fod yr hen ddewines wedi marw. Ond gwydn iawn oedd yr hen Nansi i roddi i fyny'r ysbryd. Un noson daeth y wraig a oedd yn edrych ar ei hôl i'r Wernddu gyda'r genadwri fod ar Nansi eisiau fy ngweld i a Gwen, a dywedai ei bod yn ofni na fyddai yr hen Nansi "ddim yn hir".

Aeth Gwen a minnau yno gan ddyfalu ar hyd y ffordd beth oedd gan Nansi eisiau gennym. Yr oedd y wraig a ddygasai'r genadwri i ni gyda Nansi pan aethom i mewn i'w chaban tlawd, ac ebe Nansi wrthi:

"Marged, mi ellwch chi fynd i'r tŷ 'rŵan am hanner awr, a dowch yma wedyn," ac aeth Marged ymaith.

Canfyddem cyn gynted ag yr aethom i'r siamber fod Nansi, druan, yn prysur fynd i ffordd yr holl ddaear, ac eto yr oedd ei phen yn glir a'i thafod yn ddifloesg, ac ebe hi:

"Gwen, ydi'r wraig yna wedi mynd?"

"Ydi," ebe Gwen.

"Purion," ebe Nansi. "Pryd ydach chi'ch dau yn mynd i briodi, dywed? Mae'n hen bryd i chi."

"Pam yr ydach chi'n gofyn y fath gwestiwn, Nansi?" ebe Gwen mewn syndod, oblegid yr oedd hi fel finnau yn credu nad oedd neb yn dychmygu'r fath beth.

"Pam?" ebe Nansi, "os wyt ti wedi llwyddo i gadw'r peth yn ddirgel oddi wrth bawb arall, wyt ti ddim yn meddwl, tybed, y mod i yn y twllwch? Mi wyddwn gystal â chithe fod chi'n caru ers talwm. Priodwch a darfod â'r peth. Achos pan ddaw pobl i wbod fod chi'n caru a chithe yn byw yn yr un tŷ, welsoch chi 'rioed gymin o glwydde ddeudan nhw amdanoch chi. A fydd Nansi ddim byw i gymyd ych plaid chi. Priodwch, priodwch, medda i. Yr ydw i wedi gyrru amdanoch chi yma heno i roi mendith i chi. Duw a'ch bendithio ac a'ch llwyddo. 'Rydach chi'ch dau wedi bod yn ffeind iawn wrtho i, a hynny ar amser pan oedd pawb yn poeri ar ben yr hen Nansi. 'Rwyt ti, Rei, wedi bod yn ffrind i Twm bach pan oedd o'n fyw, bendith ar dy ben di, y machgen glân i. 'Rwyt tithe, Gwen, wedi nghadw i rhag angen gannoedd o weithie, a heb fod yn rhy falch i siarad â fi pan oedd erill yn codi'u trwyne arna i. Ond y mae hi wedi dod iddyn nhw i gyd 'blaw yr hen Berson ene, a dydi ynte ond yn 'i haros hi. Bendith ar ben Elin Wynn hefyd a'i theulu. Rei, mae ene oriad dan bost y gwely yma—y post nesa atat ti—estyn o. (Gwneuthum felly.) Gwen, agor y bocs ene—bocs Twm bach ydio—a mi gei bum punt ene at fy nghladdu i. Gest ti nhw? O'r gore. Cofia di nghladdu i'n barchus ym mynwent y plwy nesa, rhag i'r hen Berson ene gael deud ei druth uwch y mhen i. Gwen, 'does neb yn y byd wedi bod mor ffeind wrtho i â thi, a 'does neb yn y byd yr ydw i wedi gneud cymin o ddrwg iddo â thi. Wyt ti'n gwbod? Ond y nghariad i at Twm bach oedd yr achos. Wnei di faddau i mi, Gwen, 'y nghalon i? Mi wyddost mai fi dy dderbyniodd di i'r byd, ac mai fi dy fagodd di nes i ti fedru cerdded? Mi ddeudodd dy dad hynny wrthot ti gannoedd o weithie, ac yr oedd llawer yn deud dy fod ti yn debyg i mi. Wyt ti'n cofio i Twm bach gael ei ffeinio am *boachio*? tair punt a'r coste, ne fynd i'r *jail* am ddau fis. Lle cawn i dros beder punt? Wyt ti'n cofio i mi ddod acw pan oeddech chi ar frecwest? wyt ti'n cofio i mi gymyd dy dad i'r parlwr?

"Y ti oedd ffrind dy dad, yntê? Y ti oedd popeth ganddo, yntê? Fedre neb gael swllt gan dy dad ond ti. Be ddaru i mi ddeud wrth dy dad yn y parlwr y bore hwnnw, ddyliet ti? Hynny ydw i isio i ti faddau i mi, os gnei di. Mi ddeudes ar fy llw mai ngeneth i oeddat ti, ac mae'i fachgen o oedd Twm. Mi dynges y bydde 'i fachgen o yn y *jail* os na chawn i yr arian. Wnâi o ddim credu am dipyn, a bre fi wrtho, 'Drychwch, Edward Tomos, ar wallt yr eneth, drychwch ar 'i thrwyn hi, ond fedr pawb gymryd 'i lw mai ngeneth i ydi Gwen?' Mi perswadis o i gredu, a mi ges yr arian ganddo i gadw Twm bach o'r *jail*, ar y ddealltwriaeth nad oeddwn i ddim i ddweud wrth neb tra bydde dy dad yn fyw, achos, medde fo, yr oedd pawb yn credu mai 'i eneth o oeddet ti. Mi wyddost yr effeth a gafodd y peth arno fo—fel yr aeth o i feddwi? Ond nid dyna'r gwaetha —mi dy adawodd di heb yr un swllt yn 'i 'wyllys. Yr oedd yr hen felltith Jones y Person ene yn methu dallt hynny wrth neud yr 'wyllys, medde dy dad wrtho i, a chafodd o byth wybod y rheswm. Fel y gwyddost di, mi gafodd Harri yr arian i gyd, ac fel ffŵl, mi gwariodd nhw i gyd. Wyt ti'n meddwl, Gwen, fod gynnot ti ddigon o grefydd i faddau i mi?"

Yr oedd Gwen erbyn hyn â'i hwyneb cyn wynned â'r calch, a chrynai fel deilen, ac ebe hi:

"Mae Duw wedi maddau, mi obeithiaf, fwy o lawer na hynny i mi, a mi obeithiaf y medraf innau faddau i chwithau, Nansi."

"Fy ngeneth annwyl! os bu geneth dduwiol erioed, ti ydi honno. Fy mendith ar dy ben di, ac ar ben dy ŵr, ac ar ben dy blant, pan ddôn nhw," ebe Nansi.

"Ond, Nansi," ebe Gwen, "mae gen i gwestiwn difrifol i'w ofyn i chi. Faint o wir oedd yn y stori ddaru chi ddeud wrth y nhad y bore hwnnw yr wyf yn ei gofio mor dda?"

"Gwir? gwir?" ebe Nansi. "'Rwyt ti 'run fath â Mr. Thomson—yr oedd hwnnw eisio gwbod y *gwir* am bopeth, am enedigaeth ei blentyn a wn i ddim faint o bethau. Ond faint o wir sydd yn y byd, ddyliet ti? Oes yna un ran o gant yn wir? Celwydd ydi'r byd i gyd—celwydd sydd yn ei ddal wrth ei gilydd—celwydd ydi'r bobol, a chelwydd ——"

Daeth y ddynes oedd yn edrych ar ei hôl i mewn, a chanasom ninnau nos dawch i Nansi, gan ein bod yn credu ei bod wedi gorwneud ei hun eisoes. Ond penderfynai Gwen gael golau ar y mater fore drannoeth.

XXXVIII

Diwedd Nansi

FEL y gallesid disgwyl, cynhyrfwyd Gwen yn dost gan ystori Nansi'r Nant. Credem ein dau fod yr hen wraig wedi dweud y gwir hollol am yr ymdrafodaeth fu rhyngddi hi ac Edward Tomos y bore y talwyd y ddirwy i gadw Twm o'r carchar. Ond nid hynny yn gymaint a flinai Gwen, ond yn hytrach ai gwir a ddywedasai Nansi wrth ei thad, ai ynte dyfais gelwyddog oedd y cyfan i gael yr arian i gadw Twm a'i draed yn rhyddion. Yr oedd y meddwl am y posibilrwydd iddi fod yn ferch i Nansi'r Nant, yr hen ddewines felltithgar, yn dryllio teimladau Gwen. Wylai yn ddwys a hidl, a deellais ar ei siarad a'i lled-awgrymiadau y tybiai os trôi yr hyn a ofnai allan yn ffaith, na fyddai i mi edrych arni yn yr un wedd ag a arferwn. Chwerddais innau yn galonnog a dywedais:

"Pa bwys, Gwen bach, pwy oedd dy dad neu dy fam? Pe gallai rhywun brofi i mi tu hwnt i amheuaeth mai y ddewines o Endor, neu Jesebel, neu Mari Magdalen, neu Salborobin oedd dy fam, pa wahaniaeth a wnâi hynny? Feddyliwn i fymryn llai ohonot ti, na mymryn mwy ychwaith. Digon i mi dy fod yn ferch i Efa, a dy fod yn ganwaith gwell na'r hen fam honno." Nid adroddaf lawer o bethau eraill a ddywedais wrthi i geisio lliniaru ei theimladau, rhag i'r darllenydd feddwl fy mod yn rhodresa. Ond nid oedd dim yn tycio. Yr oedd yn amlwg i mi fod Gwen yn rhoi mawr bris ar stoc neu linach, ac ni allai oddef y syniad am foment ei bod yn ferch i Nansi, ac yr oedd yn benderfynol o dynnu'r gwir allan ohoni fore drannoeth, pe cawsai hi at ei gwddf yn yr angau. Ar ei chodiad drannoeth, ar ôl noswaith ddi-gwsg a helbulus, a chyn profi tamaid cychwynnodd Gwen tua thŷ Nansi. Ond cyn iddi fynd ganllath o'r Wernddu cyfarfuwyd hi gan y gymdoges a edrychai ar ôl Nansi, yn dyfod i'w hysbysu fod Nansi wedi mynd i'w hateb bedwar o'r gloch y bore. Yr oedd wedi marw "fel diffodd cannwyll," meddai Marged. Daeth Gwen yn ôl mewn trallod mawr, ac wrth weld ei gofid, ebe fi yn gellweirus, "Wel, Gwen, mae'n rhaid mai Nansi oedd dy fam, neu fuaset ti ddim mor alarus ar ei hôl!" Briwiais hi yn dost gyda'r sylw hwn, a bu raid i mi anwesu cryn lawer arni cyn y maddeuodd i mi. Yna dywedais wrthi:

"Mae'r hen wraig wedi rhoi pum punt i ti tuag at ei chladdu yn barchus, a rhaid inni ofalu am wneud hynny. Ar ôl brecwest mi af i lawr, a mi chwiliaf bob twll a chornel am bapurau a llyfrau yr hen Nansi, i edrych a oes golau i'w gael ar yr hyn sydd yn dy flino, ac i weld Dafydd, y saer, ynghylch yr arch, ac i drefnu pethau eraill ar gyfer priddo'r hen greadures." Lliniarodd hyn dipyn ar ei helynt. Ar ôl brecwast, mi euthum i wneud yr ymchwiliad. Pan ofynnais i Marged, y wraig a edrychai ar ôl Nansi yn ei dyddiau olaf, pa le yr oedd llyfrau a phapurau yr hen wraig, dywedodd fod Nansi wedi gorchymyn eu llosgi y diwrnod cynt, a'i bod wedi gorfod gwneud hynny o flaen ei llygaid. Gwyddwn fod gan Nansi rai llyfrau rhyfedd, megis y llyfr a welodd Harri Tomos pan dalodd ymweliad â hi, a channoedd hefyd o hen gerddi y caraswn edrych drostynt ar awr hamddenol. Ond yr oedd y cerddi, y llyfrau, a hyd yn oed ei Beibl wedi eu bwrw i'r tân. Nid oedd yn y tŷ ddarn o bapur cymaint â'm llaw. Gofynnais i Marged a oedd yr hen wraig wedi dweud rhywbeth neilltuol wrthi cyn marw?

"Dim byd," ebe Marged, "ond am i mi ofalu rhoi tamed i Tab, y gath."

Wedi i mi wneuthur trefniadau ar gyfer ei chladdu dychwelais adref, a chefais Gwen yn disgwyl yn eiddgar am ryw oleuni ar yr hyn a ddywedasai Nansi. Pan ddywedais wrthi fod Nansi wedi llosgi ei holl lyfrau a'i phapurau, yr oedd yn amlwg i mi fod hynny yn fforddio rhyw gymaint o gysur i Gwen, eto parhâi yn isel ei hysbryd. Gwneuthum fy ngorau i'w llonni ac i ymlid ymaith y syniad oedd yn ei gofidio—sef y posibilrwydd mai Nansi oedd ei mam. Ymresymais â hi, a cheisiais ganddi atgofio'r fath un oedd Nansi er pan oeddem yn ei chofio—mai dynes oedd wedi darllen llawer ar swyngyfaredd, codi cythreul-iaid, dylanwad a mynegiadau y planedau, a ffiloreg wirion o'r fath, nes iddi o'r diwedd, fynd i gredu y pethau ffolaf yn y byd, yn enwedig ei gallu hi ei hun i ddweud ffortun, ac i ddwyn bendith neu felltith ar y neb a fynnai. Ychwanegais fod y fath gymeriad â Nansi yn ymhyfrydu mewn cylchynu ei hun â chymaint o ddirgelwch ag a allai, ac o hir arfer â hynny, fod dirgelwch yn mynd yn nwyd a thraserch angenrheidiol i'w bywyd. "Yr oedd Nansi fel y gwyddost, Gwen," ebe fi, "yn byw ar fygwth, awgrymu, a lledawgrymu, ac ni fedrai ddweud y gwir plaen heb ei gymysgu â lledrith ei dychymyg. Ac yr wyt yn cofio am y gair—*the ruling passion strong in death*? A dyna oedd cic olaf cyfaredd Nansi—lled-awgrymu mai hi oedd dy fam, ac yr oeddwn yn rhoi cymaint o bwys ar awgrymiad y *witch* a phe dywedasai mai hi oedd fy nhaid! Paid â blino dy feddwl ynghylch y peth, os wyt ti yn hanner call. Ond rhaid i ti a minnau edrach fod yr hen gredures yn cael ei chladdu yn symol barchus, fel y dywedodd, rhag ofn iddi ddod i drwblo." A chwerddais yn uchel. Gwellhaodd Gwen gryn lawer dan fy ngweinidogaeth er mor anfedrus y pregethwn, a rhyngom ein dau ac Elin Wynn trefnasom gladdedigaeth barchus i'r hen ddewines. Waeth i mi gyfaddef fy ngwendid yn y fan hon—ni chyfaddefais ef erioed o'r blaen—er nad oeddwn yn credu dim yn swyngyfaredd Nansi'r Nant, rhoddais bob egni ar waith i wneud y gladdedigaeth yn llawn werth y pum punt a adawsai at y pwrpas rhag ofn—rhag ofn—wel, rhag ofn rhywbeth na wyddwn pa beth, ond mi wn fod y posibilrwydd i Nansi ddyfod ryw dro i fy "nhrwblo" yn bresennol yn fy ymennydd ac o fewn terfynau y rhag ofn hwnnw!

Un peth yn unig a ddigwyddodd ynglŷn â'r gladdedigaeth gwerth ei groniclo. Ychydig a ddaeth ynghyd i hebrwng gweddillion yr hen Nansi i'r plwyf nesaf, ac yr oeddwn wedi gorfod crefu ar amryw o'r rhai hynny i ddyfod. Wedi i Dafydd, y saer, ddweud ei bader wrth y tŷ, ac inni ffurfio yn orymdaith fechan a chychwyn ymaith, sylwodd amryw ohonom fod Tab, y gath ddu, yn dilyn yr elorgerbyd. Pan ddaethom at dŷ'r cipar, lle y buasai Nansi yn byw ar y cyntaf, ciliodd Tab o'r orymdaith, safodd ar y ffordd nes inni oll fynd heibio, ac wedi edrych am funud yn hiraethlawn ar yr elor, croesodd y ffordd ac aeth i goed y Plas ac ni welwyd mo Tab byth wedyn, ond y mae traddodiad yn y gymdogaeth hyd heddiw fod Tab yn y coed fyth, ac i'w chlywed ganol nos yn wylofain am Nansi.

Fel y dywedais o'r blaen, yr oedd Gwen a minnau wedi llwyddo i gadw ein carwriaeth yn ddirgelwch i bawb. Ond effeithiodd geiriau Nansi'r Nant i beri anesmwythder mawr i Gwen, ac ymsyniai os oedd Nansi wedi dod o hyd i'n cyfrinach y deuai eraill yn y man o hyd iddo, ac ni allwn innau lai na chydsynio â hi. Yr oedd dyfodol Gwen a minnau, a'r rhagolwg am inni allu gwneud bywoliaeth yn ymddangos yn fwy ansicr nag erioed. Wrth ystyried bod y Wernddu i gael ei gwerthu fel y ffermydd eraill ar ystad y Plas Onn, ni wyddem ymhen ychydig amser, pwy a fyddai ein meistr tir, ac ni wyddem na fyddai raid i ni ac eraill ymadael o'n cartrefi ar derfyniad y rhybudd a gawsem. Ond, ymresymais gyda Gwen, pa beth bynnag a ddigwyddai na allai wneud wahaniaeth yn ein perthynas ni ein dau â'n gilydd. Os aflwydd a ddeuai, gallem ei ddal yn well fel gŵr a gwraig—os llwyddiant, gallem ei fwynhau yn well—gwneud mwy ohono. Nid oedd dim i'w ennill, meddwn, wrth aros heb briodi. Yn wir, ystyriwn y bydden ar well tir i ymladd ag amgylchiadau pe unwaith wedi priodi, oblegid fel yr oeddem, Gwen a ystyrid fel tenant y Wernddu, ac os troid hi allan hyhi a fyddai yn ymorol am le arall. Yr oedd hyn yn fy mryd i yn beth chwithig iawn, ond unwaith wedi priodi gallwn i ymladd yr holl frwydrau, tra na allwn wneud hynny yn y cymeriad o was ar y ffarm. Mae rhyw lun o ddyn, meddwn, yn well na merch i fynd i ymladd â'r byd a'r bobl ddrwg sydd ynddo. Nid oedd gan Gwen ddim i'w ddweud, neu o leiaf ni ddymunai ddweud dim yn erbyn hyn.

"Ond," ebe hi, "mae gen i eisio i ti wneud un peth cyn inni briodi—yn wir, y mae yn rhaid i ti ei wneud."

"Beth ydyw hwnnw, Gwen?" ebe fi, er y gwyddwn yn burion beth ydoedd cyn iddi ei enwi.

"Rhaid i ti ddod yn aelod eglwysig," ebe hi. "Mi wyddost fod o'n groes i'r rheol i un yn perthyn i'r seiat briodi un o'r byd, fel y dywedir. Ac y mae y rheol yn hollol yn ei lle. Ond cofia, Rheinallt, dydw i ddim yn meddwl deud 'y mod i yn well na thi. Yn wir, mi fyddaf yn meddwl yn aml fod gen i lawer o bethau i'w dysgu oddi wrthot ti. Yr wyt ti yn fwy hirben ac amyneddgar na fi, ac weithiau mi fyddaf yn meddwl fod gynnot ti fwy o ffydd mewn Rhagluniaeth na fi, a beth ydi ffydd mewn Rhagluniaeth ond ffydd yn Nuw os ydi hi yn ffydd o gwbl. 'Rwyt ti yn darllen dy Feibl fel finnau, ac yn ei gredu, mi obeithiaf. 'Rydw i yn ceisio meddwl hefyd dy fod yn gweddïo. 'Rwyt yn mynychu moddion gras fel finnau, a, mi gredaf, yn cael bendith ynddynt. Dydw i yn gweld dim gwahaniaeth rhyngot ti a fi, ond 'y mod i yn proffesu a thithau ddim. Ac oni bai 'y mod i yn credu fel hyn amdanat ti, Rheinallt, er mai ti ydyw y dyn anwyla gen i yn y byd, creda fi, phriodwn i byth mohonot ti."

"Mae gen i ofn, Gwen," ebe fi, "nad ydw i yn dod i fyny â'r syniad sy gennyt amdanaf, ond gyda'r fath batrwm sydd gen i o'm mlaen bob dydd mi obeithia gyrraedd hynny ryw ddiwrnod. Ond dydw i ddim yn gallu gweld yr angenrheidrwydd i mi ymuno â'r eglwys yn Nhan-y-fron cyn i ni briodi, Gwen."

"Rheinallt," ebe hi, "mi wyddost fod y broffes wedi costio rhywbeth i mi—mi wyddost y sbort a'r dirmyg a ddioddefais oddi wrth fy nhad a Harri, ac wyt ti ddim yn meddwl y gwnawn i ei thaflu i ffwrdd hyd yn oed er dy fwyn di? 'Rwyt ti wedi deud gannoedd o weithiau dy fod di yn fy ngharu i, a ddaru mi mo dy amau unwaith. Ond leicet ti glywed fod pob llaw yn eglwys Tan-y-fron wedi ei chodi i nhorri i allan?"

"Pe gwnâi eglwys Tan-y-fron hynny, Gwen, mi fyddai mor ffôl a phe torrwn i fy mraich dde i ffwrdd," ebe fi.

"Na fyddai," ebe hi, "pe torret ti dy fraich mi bechet yn dy erbyn dy hun ac yn erbyn Duw, ond pe torrai eglwys Tan-y-fron fi allan am ieuo yn anghymarus, mi wnâi ei dyletswydd tuag at Dduw a'r cyfundeb."

"Lol," ebe fi. "Ieuo yn anghymharus gyda'r rhai digred a ddywed Paul, a siŵr ddigon ni feiddiai hyd yn oed Robert Wynn ddweud fy mod i yn un o'r rhai digred?"

"Felly," ebe Gwen, "os wyt ti yn credu a ddim yn fodlon i'r credwr gorau yn y gymdogaeth edrych arnat ti fel un digred, pam na phroffesi di dy gred? Mae byw dan *false colours* yn annheilwng o ddyn onest."

"Gwen," ebe fi, "'rwyt ti yn siarad yn bur gryf. Mi wyddost o'r gorau y byddwn i farw, pe byddai raid, er dy fwyn; ond pe deuwn i'r seiat a phriodi yn union wedyn, fe briodolai pobl amcanion gau i mi, a mi ddarostyngwn fy hun yng ngolwg y gymdogaeth."

"O, ai ofni syrthio yn syniad pobl sydd arnat ti? Ydi hynny ddim yn arogli o hunan-gariad, ac nid cariad at rwfun arall, yn enwedig cariad y byddet ti farw erddo?" ebe Gwen.

"Gobeithio," ebe fi, "nad ydw i ddim wedi dangos llawer o hunan-gariad. Ond, yn wir, fedra i ddim meddwl am ddod i'r seiat cyn priodi—mi edryche, rywsut, fel rhagrith."

"Purion," ebe hi, "a chyda chymorth Duw phrioda innau mohonot ti byth! A pham y daru ti fy rhwydo i hyn? Pam y daru ti fy arwain i gredu y gwnait unrhyw aberth er fy mwyn? Pam y daru ti ddwyn fy serch a'm holl galon os oeddit ar hyd yr amser yn meddwl i mi fradychu fy mhroffes grefyddol? Yr oedd yn dro creulon ynot ti."

Yr oeddwn wedi fy syfrdanu. Gwelwn, a dylaswn wybod cyn hynny, fod ar Gwen ganwaith mwy o ofn cael ei diarddel o'r eglwys na chael ei throi o'r Wernddu. Yr oedd fforffedio ei phroffes grefyddol yn rhywbeth na allasai feddwl amdano, ac nid oedd gennyf finnau hawl i ddisgwyl y fath aberth ganddi.

Ni pharâi annealltwriaeth yn hir rhwng Gwen a minnau. Gwnaethom *compromise*, neu gyd-gytundeb. Cyfarfu Gwen fi hanner y ffordd, ac felly finnau hithau, a phenderfynasom briodi ar unwaith. Pa fodd y llwyddodd fy nghynllun—oblegid fy nghynllun i ydoedd—fe geir gweld eto.

XXXIX

Disgyblaeth Eglwysig

YR oedd Gwen a minnau, fel y dywedais, wedi penderfynu priodi, a gwneuthum bob brys i ddwyn hynny i ben. Ystyriai Gwen mai Elin Wynn o bawb ddylasai gael gwybod hynny yn gyntaf, ac anfonodd ati air i'r perwyl, oblegid arswydai Gwen fynd i Bant-y-buarth ac wynebu Robert Wynn, yr hen flaenor hybarch, onest, a manwl. Chwarae teg i Elin, yr oedd yn llawen iawn pan glywodd am ein bwriad, ond yr un pryd, gofidiai yn fawr wrth feddwl y byddai raid torri Gwen o'r seiat. Yr oedd Elin dipyn o flaen ei hoes, ac edrychai ar ddiarddel Gwen am fy mhriodi i fel yr ynfydrwydd mwyaf, ond gwyddai y byddai ei thad yn anhyblyg. Yn y dyddiau hynny, priodai pawb, a briodai hefyd, yn eglwys y plwyf, a chyhoeddid y gostegion ymlaen llaw, a dyna fyddai siarad y gymdogaeth nes i'r amgylchiad fynd drosodd, ac am bythefnos bu Gwen a minnau, fel eraill o'n blaen, yn cael ein beirniadu, a'n trin a'n trosi ar bob aelwyd yn y gymdogaeth. O'm rhan fy hun ni ofalwn beth a feddyliai, na pheth a ddywedai neb, ond yr oedd ar Gwen yswildod fynd allan o'r tŷ, ac ni allwn beidio chwerthin wrth ei gweld yn llechian ymaith ar ddiwedd moddion y Saboth, rhag ofn dyfod i gysylltiad ag un o'r blaenoriaid, yn enwedig Robert Wynn. Digiodd Robert Wynn yn dost, meddai Elin, pan glywodd fod ein gostegion allan, ac yr oedd wedi ei siomi yn fawr yn Gwen, ac yn erbyn ei ewyllys y cafodd Elin ddod yn forwyn briodas i ni. Ffôl-dybiai Gwen a minnau y caem y gorau ar Robert Wynn yn y diwedd, ac y gwnaem y "Seithfed Reol" yn ddiystyr.

Heb i mi ymdroi gyda'r hanes, priodwyd ni ar fore Llun, yr 20fed o Dachwedd, yn y flwyddyn ——, ac aethom oddi cartref am dridiau. Dychwelasom yn ddistaw wedi iddi dywyllu nos Iau, ac wedi cael cwpanaid o de a newid ein dillad, aethom *ein dau* i'r seiat, yn ôl fy nghynllun ardderchog i i arbed i Gwen gael ei "thorri allan". Gwyddwn ymlaen llaw y creai ein hymddangosiad yn y cyfarfod eglwysig dipyn o syndod, gan na wyddai yr un creadur byw am ein bwriad i ddyfod yno. Gwen-ieithiwn i mi fy hun fy mod yn gwybod yn dda am drefn ac arfer y Corff, ac mai fy achos i fel ymgeisydd am aelodaeth a ddeuai dan sylw yn gyntaf. Yr oeddwn yn bur hyderus y codai pob un ei law dros fy nerbyn fel aelod ar brawf, ac felly, meddyliwn na fyddai gan Robert Wynn sail i ddiarddel Gwen. Dyna oedd fy nghynllun clodwiw. Ond buan y gwelais fy mod wedi camgrymryd fy nyn.

Rhaid i mi ddweud yn y fan hon mai Robert Wynn, Pant-y-buarth, oedd *factotum* eglwys Tan-y-fron. Yr oedd Robert yn rhyfedd pan fyddai yn siafio a chyda llawer o bethau eraill, ond yr oedd ynddo rywbeth—ni wn beth i'w alw yn well nag *athrylith seiat*, a gwelwyd yng Nghymru yn yr oes o'r blaen, amryw yn meddu'r athrylith hon—dynion cyffredin ym mhob cylch arall ond yn frenhinoedd yn y seiat. Yn bendifaddau yr oedd Robert Wynn felly. Yr oedd gŵr Tŷ'n-llan wedi cael ysgol dda, mewn amgylchiadau da, yn gwisgo yn dda, yn dda wrth yr achos ac yn cymryd diddordeb yn yr achos, ac yn sefyll yn uchel yn y plwyf—yn warcheidwad ar fwrdd y tlodion, ac wn i ddim beth arall. Ond yn y seiat nid oedd efe ond baban wrth ochr Robert Wynn. Dyn da oedd gŵr Tŷ'n-llan—da iawn—ac ar ei ffordd i'r seiat ganol yr wythnos tynnai pobl eu hetiau iddo wrth ei gyfarfod, ac yn y man cyfarfyddent Robert Wynn yn ei frethyn cartref, a dywedent "Nos dawch," heb dynnu eu dwylo o'u pocedau. Ond pan groesai y ddau riniog drws y capel, newidiai yr holl sefyllfa. Bûm yn meddwl mai yn y "dydd hwnnw" yn unig y gwelir mawredd a defnyddioldeb dynion fel Robert Wynn. Mewn pwnc o athrawiaeth, disgyblaeth neu farn ar bethau crefyddol, prin y tybiai llawer o aelodau Tan-y-fron y gallai Robert Wynn fethu, ac os rhyfygai rhywun yn y pedwar amser amau ei gywirdeb, nid hir y byddai heb gael ar ddeall nad mewn byrbwylldra y siaradai y pen blaenor.

Wel, y mae'r noswaith mor ffres yn fy nghof â phetasai neithiwr. Ar ôl y gwasanaeth dechreuol, gwelaf Robert yn sefyll yn ffrynt y sêt fawr, ac wedi troi ei lygaid o gwmpas am hanner munud megis i edrych a oedd pawb yn barod i wrando ac i dderbyn rhyw fynegiad pwysig, dechreuodd yn arafaidd osod achos Gwen Tomos gerbron. Eglurodd drefn y Methodistiaid mewn achosion o'r fath—trefn, meddai, gyda phwyslais, oedd wedi ei seilio ar yr Ysgrythur Lân. Yr oedd y rheolau disgyblaethol, ychwanegai, wedi eu trefnu gan rai o'r dynion mwyaf deallgar, goleuedig a duwiolaf a welodd y byd erioed, ac nid oedd gan un blaenor teilwng o'r enw hawl i'w hesgeuluso gan nad pwy a fyddai'r troseddwr. Yr oedd wedi arfer, meddai, meddwl yn uchel am Gwen Tomos, ac yr oedd ganddo barch mawr iddi. Ond nid lle crefyddwyr ffyddlon i'w Meistr oedd gwneud blawd wyneb i neb, na gwneud gwahaniaeth rhwng y naill a'r llall, ac yr oedd yn rhaid gweinyddu'r ddisgyblaeth. "Unwaith yr aiff y ddisgyblaeth dan draed," meddai, "ffarwél am burdeb yr eglwys, ac am wedd wyneb y Meistr." Siaradodd yn gryf ac i'r pwynt, a heb ddangos tymer o gwbl. Ni soniodd air amdanaf fi, ac ni fuasai neb yn deall ar ei siarad ei fod yn gwybod fy mod yn bresennol, llawer llai fy mod yn eistedd wrth ochr yr hon oedd o dan ddisgyblaeth. Heb ofyn i'w gydswyddogion na neb arall ddweud gair, gofynnodd Robert am arwydd i ddiarddel Gwen, a rhoddwyd yr arwydd, ebe fe, cyn belled ag y gallai weld, yn unfrydol.

Wedi tynnu ychydig o foeswersi oedd wrth yr amgylchiad, cerddodd Robert yn hamddenol tuag ataf fi, gan siarad ar hyd y ffordd, a chan sefyll bob rhyw ddau gam, fel i atalnodi ei frawddegau. Yr wyf yn cofio yn burion ei eiriau cyntaf:

" 'Rwyf yn gweld," ebe fe, "fod Rheinallt Tomos wedi dod yma. Testun llawenydd ydyw gweld rhywun yn troi ei wyneb i'r eglwys, a gwyn fyd na welem beth felly yn amlach, a phob lle i gredu eu bod yn dod dan gerdded ac wylo tua Seion. Drwy'r drws y mae dyfod i gorlan y defaid, a'r enw a rydd yr Ysgrythur ar bob un sydd yn dringo ryw ffordd arall ydyw, lleidr ac ysbeiliwr." Yna holodd fi yn fanwl, ond yn eithaf teg, ac mewn dull fel pe na buasai achos Gwen wedi bod dan sylw o gwbl, na bod a fynnwyf fi ddim â hi! Mae'n debyg fy mod wedi ateb yn weddol foddhaol, oblegid heb symud o'm hymyl gofynnodd Robert am arwydd o dderbyniad, a rhoddwyd yr arwydd yn gyffredinol, ebe fe, canys nid edrychwn i a godai rhywun ei law ai peidio, a hysbysodd Robert fi fy mod wedi fy nerbyn yn aelod ar brawf. Ni wn sut y bu, ond credwn mai y ffaith ei fod yn sefyll erbyn hyn yn ymyl Gwen a ddinerthodd yr hen ŵr i fynd yn ôl heb ddweud rhyw air wrthi, a gwyddai pawb fod diarddel Gwen yn boen ddirfawr i Robert Wynn onest, ac ebe fe:

"Wel, Gwen,' y ngeneth i, dyma beth go fawr wedi ei wneud efo ti heno—dy ddiarddel o eglwys Dduw, a mi obeithiaf, a mi gredaf hefyd, ran hynny, dy fod di dy hun yn edrach arno fel peth mawr. O ran pwysigrwydd, y peth nesa i ti gael dy wrthod yn y dydd mawr a ddaw, ydi i eglwys Dduw dy ddiarddel ar y ddaear. Ac eto," a daeth rhywbeth i wddf yr hen greadur wrth ddweud hyn, "ac eto yr wyf yn rh'w feddwl dy fod yn un o'r plant, ac na fyddi di ddim yn dy le heb ddod yn ôl. Meddylia am hyn, a phaid ag aros yn hir—tyrd yn ôl yn o fuan. 'Does dim llawer o borfa ar y comin, mi wyddost, a gwaethygu wnei di allan o dy gynefin. A phan ddoi di yn dy ôl, fyddwn i ddim yn disgwyl, wrth gwrs, i ti ddeud dy fod yn edifarhau am yr hyn a wneist ti, ond mi fyddwn yn disgwyl, i ti ddeud fod yn ddrwg gynnot ti fod ti wedi peri gofid i dy frodyr a'th chwiorydd crefyddol. Hwyrach y leiciet ti ddeud gair o dy deimlad, Gwen?"

Wedi eiliad o ddistawrwydd, ac i Gwen glirio ei gwddf, ebe hi: "Mae'n ddrwg iawn gen i 'y mod i wedi achosi yr holl helynt yma, ac yn enwedig 'y mod i wedi'ch brifo chi, Robert Wynn. Ond 'dydw i ddim yn meddwl am fynd odd'ma—yr ydw i'n cynnig fy hun fel aelod o'r newydd heb aros yn hir, fel yr oeddach chi'n cynghori."

Edrychodd Robert yn syn a syfrdanllyd—ni wyddai beth i'w ddweud, ac yr oedd bod heb ddim i'w ddweud yn beth dieithr iawn iddo ef. Cyfeiriodd ei lygad tua'r sêt fawr, ac eb efe, gan annerch gŵr Tŷ'n-llan:

"Mistar Defis, be ydach *chi'n* ddeud yn y fan ene?"

"Be fedrwn ni ddeud ond ei derbyn," ebe Mr. Davies.

"Ie," ebe Robert, yn berffaith ddiniwed, ac wedi cerdded cam neu ddau oddi wrthym, rhoi ei ben i lawr i ystyried tipyn, a dim yn dod i'w feddwl. "Ie," ebe fe, "ie, wel ie, os ydach chi'n fodlon derbyn Gwen Tomos i'n plith *fel yr oedd hi o'r blaen*, gwnewch arwydd."

Wedi rhoi'r arwydd, gollyngwyd rhwymau tafod yr hen ŵr, a dechreuodd siarad yn rhagorol ar weinidogaeth y Saboth blaenorol. Ac felly y terfynodd yr helynt, a bu Gwen a minnau, ar ein ffordd adref, yn cael swper ym Mhant-y-buarth y noson honno.

Ond mae arnaf eisiau rhoi fy hun yn ysgwâr, fel y dywed y Sais, gyda'r darllenydd, ac adrodd wrtho sylwedd yr hyn a ddywedais wrth Robert Wynn yn ei dŷ ei hun. A arferais i ysgafnder yn yr amgylchiad hwn? Do, yn ddiau, medd y darllenydd; naddo, meddaf fi. Y gwir yw, yr oedd cynnig fy hun yn aelod eglwysig wedi bod yn fy meddwl ers llawer o amser, a bûm ddegau o weithiau ar fin aros yn y Seiat ar nos Sul, a phe buasai'r aelod mwyaf distadl ddim ond wedi rhoi plwc yn label fy nghôt, buaswn wedi aros rai gweithiau. Ond ni ddarfu i neb oddigerth Gwen wneud hynny, na fy nghymell mewn unrhyw fodd. Nid oeddwn y pryd hwnnw, ac nid ydwyf yn awr yn ystyried fod ymuno â'r eglwys yn sicrhau cadwedigaeth neb, ond fe ŵyr pob un sydd wedi ymaelodi fod hynny yn fantais fawr ond iddo wneud y defnydd gorau o'r fantais. A bûm yn meddwl yn fynych ar ôl hynny gynifer, hwyrach, sydd yng ngwahanol gynulleidfaoedd Cymru ag ydynt yn hollol yn yr un cyflwr ag yr oeddwn innau y pryd hwnnw, ddim yn eisiau ond ychydig gymhelliad *personol* i beri iddynt ymuno â'r gwersyll, yr hyn sydd yn ddyletswydd bendant ac yn fraint oruchel. Ond nid wyf yn mynd i bregethu—dweud fy mhrofiad yr ydwyf. Byddai'r hen Fethodistiaid yn ystyried nad oedd eisiau cymell neb i ddod i'r seiat. Yn wir, meddyliai rhai ohonynt fod cymell yn beth i'w feio, ac y deuai dyn ohono ei hun wedi iddi fynd yn galed arno, ac nid oeddynt yn hidio am weld neb yn cynnig eu hunain ond y rhai caled arnynt. Pa fodd bynnag, bûm i yn yr ystad honno am amser maith ar fin cynnig fy hun yn aelod, ac eto heb wneud hynny. Yna daeth fy nghysylltiad neilltuol â Gwen, a meddyliwn pan ddeuai'r cysylltiad hwnnw yn hysbys y rhedai meddwl pobl yn ôl, ac y dywedent mai i gyfaddasu fy hun iddi hi y deuthum i'r seiat. Wedi i hynny ddod i fy meddwl, yr oeddwn yn amharod iawn i ymuno â'r eglwys cyn priodi, ac, fel y gwelwyd, yr oedd Gwen yn anfoddlon iawn priodi heb i mi ymaelodi. Ystyriwn fy hun yn ŵr dyfeisgar iawn pan ddaeth y cynllun i fy meddwl gyda'r hwn y llwyddais i dawelu Gwen. Synnais ganwaith i Gwen roi i mewn iddo, ond yr oedd Homer yn hepian weithiau. Nid oedd yn syndod yn y byd, erbyn i mi ystyried, fod fy nghynllun ardderchog wedi ei wneud yn chwilfriw mân o flaen cyflegrau hen law fel Robert Wynn. Nid ag us y delid ef! Ac eto y mae yn ddigrifol i feddwl amdano—y fath ddiniweidrwydd plentynnaidd oedd ynglŷn â'r medrusrwydd mawr a nodweddai'r hen frawd o Bant-y-buarth! Ac mor ddedwydd y teimlai yn wyneb yr anhawster "fod y ddisgyblaeth wedi ei chadw ar ei thraed!" Ond aeth y peth drosodd, ac ymhen ychydig wythnosau yr oedd yr amgylchiad yn *ancient history*, a minnau wedi cymryd fy lle yn eglwys Tan-y-fron, ac ni chefais byth le i edifarhau.

XL

Darganfyddiad

Yr oedd arwerthiant ystad y Plas Onn yn agosáu, a llawer o siarad ac ymgomio, ac yn wir, llawer o bryder ymhlith y tenantiaid, beth fyddai'r canlyniad—pwy a brynai'r fan hon a'r fan acw—faint o bris a "nolai" fferm hwn-a-hwn a hon-a-hon. Y syniad cyffredinol oedd, pwy bynnag a fyddai'r prynwyr, y byddai cryn godiad yn rhenti'r holl ffermydd. Gwyddwn yn gyfrinachol fod Robert Wynn, Pant-y-buarth, yn bwriadu prynu ei ffarm ei hun, a gofidiai yn fawr na allwn innau a Gwen brynu'r Wernddu; oblegid, fel y dywedais, gwyddai teulu Pant-y-buarth, a hwy yn unig, ein holl amgylchiadau. Credwn hefyd y prynai gŵr Tŷ'n-llan ei le, ond ni wyddwn am neb arall a wnâi gynnig am eu lleoedd eu hunain—yr oeddynt, fel Gwen a minnau yn llawn eu helynt a'u trafferth. A helynt fawr ydyw pan fo cartref dyn a'i deulu yn mynd ar werth—cartref lle cafodd ei fagu ynddo, lle y bu ei dad, ei daid, a hwyrach ei hen daid, yn chwysu mêr eu hesgyrn ynddo heb fawr elw ac mewn llawer profedigaeth, ond cartref yr un pryd a llawer o atgofion melys ynglŷn ag ef, a'r serch wedi ymglymu wrth bob cae, llidiart a gwal, ac eto gorfod gadael eu cartref a fu ffawd degau o ffermwyr Cymru, pryd, pe buasid yn rhoi pris priodol ar eu llafur hwy a'u cyndadau, y cawsid eu bod wedi talu am eu cartref ddwywaith drosodd. Wedi deall nad oedd a fynno Ernest y Plas ddim mwyach â'r ystad, yr oedd ymlyniad Gwen wrth y Wernddu—hen gartref ei theulu ers oesoedd—bron yn annatodadwy, ac yr oedd ei phryder pwy a brynai'r ffarm yn orthrechol. A'r un modd y teimlwn innau.

Oddeutu pythefnos cyn yr arwerthiant, daeth gŵr boneddigaidd yr olwg, i'r Wernddu, a dywedodd ei fod yn cynrychioli y rhai oedd ag awdurdod ar ystad y Plas Onn, a hysbysodd fi mai ei neges oedd rhoddi trem ar y gwahanol ffermydd. Cymerais ef o gwmpas y lle. Pan ddaeth efe i'r gegin, synnodd fod grât y lle tân mor salw, a dywedodd pe deuai rhywun i weld y tŷ, y gwnâi'r olwg wael oedd ar y gegin ddibristod yn ei feddwl o ddeugain punt yng ngwerth y ffarm, a gofynnodd a fyddwn mor garedig â chael grât newydd dda a'i gosod i fyny drannoeth, a pha beth bynnag a fyddai'r gost, y caniateid hynny i mi yn y rhent. Addewais wneud hynny, ac ysgrifennodd yntau bapur yr amod, ac aeth ymaith i archwilio ffermydd eraill. Ni chredwn i y byddai cael grât newydd yn gymhelliad i neb roddi punt ychwaneg am y ffarm, a llawen oedd gennyf fynd i'r dref i gael crefftwr at y gwaith, ac i brynu'r grât newydd, oblegid yn wir, ni fu erioed le tân mwy annhaclus ac oer yr olwg na lle tân cegin y Wernddu. Yr oedd y grât yn uchel iawn, a'r barrau yn anghelfydd, ac nid oedd bosibl cael gwres i'r aelwyd, ac yr oedd y pentanau yn ynfyd o fawr. Euthum i'r dref ar frys, a phrynais rât ardderchog, ond cefais drafferth fawr i gael John Llwyd, y briclar, i addo dod i'w gosod drannoeth—yr oedd mor brysur—ac nid cyn i mi ddweud wrtho y tynnwn y lle i lawr iddo fy hun, ac y gwnawn bopeth yn barod iddo osod y grât yn ei lle erbyn chwech o'r gloch bore drannoeth, y cydsyniodd i ddyfod. Ar ôl swper, a rhoi'r tân allan, tynnais fy nghot, a dechreuais ar fy ngwaith yn fawr yn erbyn ewyllys Gwen. Ond yr oeddwn wedi addo wrth John Llwyd, a rhaid oedd i mi ei wneud. Yr oedd y gorchwyl yn fawr i mi oedd yn anghynefin â'r fath waith. Ond ymroddais ato. Yng nghefn un o'r pentanau yr oedd rhywbeth tebyg i gwpwrdd derw oddeutu troedfedd ysgwâr. Er y dydd cyntaf y deuthum i'r Wernddu ni welswn ef erioed yn cael ei agor, ac ni welsai Gwen un defnydd yn cael ei wneud ohono. Yn wir, yr oedd clo arno, ac yr oedd Ann, y forwyn, wedi blacledio'r cwpwrdd yr un ffordd â'r brics oedd o'i amgylch ddegau o weithiau, ac nid gorchwyl hawdd erbyn hyn a fuasai gallu ei agor o gwbl.

Yr oedd pawb wedi mynd i'w gwelyau ers meitin, a minnau wrthi yn tynnu'r lle tân i lawr yng nghanol llwch a baw nid bychan. Yr oeddwn wedi tynnu'r grât, ac yn brysur ar y pentanau, ac wedi imi dynnu ychydig o'r brics o dan y cwpwrdd bach, syrthiodd yn drwm i'r aelwyd. "Hene, yr hen gono," ebe fi, "mae'n bryd i ti symud odd'ne—rwyt ti wedi bod ene ddigon o hyd yn gwneud dim," ac eisteddais i gymryd mygyn, oblegid yr oeddwn wedi blino yn enbyd. Tra oeddwn yn ysmygu, ni allwn beidio dal rhyw fath o gymundeb â'r cwpwrdd bach. "Ys gwn i," meddwn wrtho, "pwy a dy saernïodd ac a'th osododd yn dy gornel ddiddos? Yr wyt wedi gweld llawer tro ar fyd yn yr hen gegin yma, oblegid yr wyt yma ers oesoedd, a dwyt ti fawr waeth. Yr wyt wedi gweld a chlywed pob tenant a'i epil a fu yn y tŷ yma erioed, a phetasai gen ti dafod mi fase gennyt stori hir i'w hadrodd i mi. Yr wyt wedi gweld eu claddu nhw i gyd, a dyma ti eto yn dy breim, a dwyt ti werth yr un tair ceiniog. Mae'r dyn dy wnaeth, a'r hwn a'th osododd di yn yr hen gornel ene yn llwch ac yn lludw ers can mlynedd o leiaf. On'd ydi o yn andros o beth fod rhyw gwpwrdd bach comon fel ti, na fuost erioed yn dda i ddim, yn fwy hirhoedlog na chreadur o ddyn!" Rhyw syniadau fel yna âi drwy fy meddwl, pryd yr ailddechreuais ar fy ngwaith ac y cydiais yn y cwpwrdd gan fwriadu ei daflu o fy ffordd, ac y dychrynais—yr oedd yn drymach o lawer nag y tybiais ei fod, a deellais ar unwaith fod rhywbeth o'i fewn—clywn ef yn symud wrth droi'r cwpwrdd o'r naill ochr i'r llall. "Gad i mi weld, yr hen rychor," meddwn, "be sy gynnat ti yn dy fol," a chyrchais gŷn a cheisiais agor ei ddrws. Ond yr oedd y drws mor glòs fel na allwn wthio'r cŷn rhwng ei rigolau. Nolais i fwyall, a chyda'r gwegil trewais ei dop i ffwrdd. Faint oedd fy syndod! oddi mewn yr oedd cwd lledr â'i geg wedi ei rhwymo â charrai. Yr oedd yn drwm, a churai fy nghalon yn gyflym, a chyda dwylo crynedig agorais ef—yr oedd yn llawn hyd i'w dop o aur melyn! Yn fy llawenydd, y cwd yn un llaw a'r gannwyll yn y llaw arall, rhuthrais i'r lloft i hysbysu Gwen o'n ffortun. Yn fy mrys wrth agor drws yr ystafell wely, gwneuthum gryn drwst yr hyn a ddeffrôdd Gwen o gwsg trwm a neidiodd i'w heistedd mewn braw mawr, ac i ychwanegu at ei braw yr oedd fy wyneb ar ôl tynnu'r lle tân i lawr cyn ddued â swîp simdde, ac nid mewn eiliad, wrth ddeffro yn sydyn felly, yr adnabu fi ac y cofiodd beth oeddwn wedi bod yn wneud. Ac yr oeddwn innau am funud yn rhy gynhyrfus i allu siarad ac i fynegi fy llawenydd mewn geiriau, ond mynegais ef mewn ffordd arall gan adael tipyn o barddu ar wyneb Gwen, ac nid rhyw wen iawn oedd hi yn wir erbyn hyn, pan neidiodd o'r gwely. Pan ddywedais wrthi yr hanes, a phan ddaliwn y cwd lledr o flaen ei llygaid, prin y credai nad breuddwydio yr oedd. Tywelltais gynnwys y cwd ar y bwrdd a chyfrifais y sofrod; yr oeddynt yn bum cant ac wyth a deugain. Cyfrifais hwynt drachefn a thrachefn, canys meddyliais y dylasai fod yno ddwy sofren arall i'w gwneud yn union ac, i mi gyfaddef fy ngwendid, teimlwn rywfodd fy mod wedi colli'r ddwy sofren hynny. Nid oedd wyneb un ohonom yn lân chwaethach dymunol; ond, wedi cyfrif yr aur, edrychodd Gwen a minnau i wynebau ein gilydd lawn hanner munud heb allu dweud gair, yna gwnaethom beth ffôl iawn—torasom i grio ein dau! Ond nid dagrau gofid oeddynt, a gwnaeth Gwen beth gwell—syrthiodd ar ei gliniau wrth ochr y gwely, a chladdodd ei hwyneb yn y dillad. Mi wyddwn i bwy yr oedd yn diolch. Wedi inni ein meddiannu ein hunain, ebe hi

"Rheinallt, wyddost ti arian pwy ydyn nhw?"

"Gwn, fy ngeneth," ebe fi, "dy arian di bob dimai goch."

"Nage," ebe hi, "ond wyddost di pwy rhoth nhw yn yr hen gwpwrdd?"

"Na wn, a wyddost dithe ddim chwaith," ebe fi.

"Mae gen i gès go dda," ebe hi, "fy Ewyrth Jams rhoth nhw yn y cwpwrdd yn siŵr, achos mi glywes mai hen gybydd mawr oedd o. Mi glywes hyd yn oed 'y nhad yn ei alw yn gybydd mawr, a'i fod wedi synnu llawer fod gynno fo cyn lleied o arian pan fu farw mor sydyn a fynte ffasiwn gybydd."

"Dydio'n trwblo dim arna i pwy rhoth nhw yn y cwpwrdd—eu cael nhw odd'no oedd y gamp," ebe fi. "A 'rŵan," ychwanegais, "mi fedrwn brynu'r Wernddu wrth fenthyca'r hyn fydd eisiau atyn nhw." "Wyt ti'n meddwl hynny?" ebe hi. "Yr ydw i yn siŵr o hynny," ebe fi. "Ond rhaid i mi fynd i orffen gwneud y lle yn barod i John Llwyd, er mor gas gen i'r gwaith. Ond 'does wybod be' arall y ffeindia i cyn y bore." Cafodd y gair olaf yr effaith a ddymunwn, canys ebe Gwen, "Mi ddof i gadw cwmpeini i ti. Mae hi'n unig arw i ti fod ar ben dy hun yn y nos fel hyn, a mae isio un ohonom i edrach ar ôl yr eiddo mawr yma," ebe hi dan chwerthin.

Da oedd gennyf gael cwmni Gwen, oblegid nid oedd arnaf lai nag ofn i ysbryd yr hen begor a guddiodd ei arian dalu ymweliad â mi yn ystod y nos. Gwaith garw a gefais i gael y lle yn barod i John Llwyd, a gorffwyswn yn fynych i gymryd mygyn ac i siarad efo Gwen ynghylch ein cyfoeth. A chwarae teg i'r eneth annwyl ni chwynodd unwaith y noson honno fy mod yn lladd fy hun wrth smocio cymaint, fel y gwnâi hi weithiau. Yn wir dywedodd fwy nag unwaith yn ystod y noson honno, "Rheinallt, well i ti gymryd *smoke*—rwyt ti wedi rhoi *twtch* go galed, a waeth i ti heb ladd dy hun wrth weithio yn rhy galed." Mi wyddwn mai eisiau sôn am ein ffortun annisgwyliadwy oedd ganddi hi, ac nid oeddwn innau yn anfoddlon o gwbl.

Wedi llawer o gonsyltio â'n gilydd, penderfynasom beidio sôn wrth yr un enaid byw am y cyfoeth ddisgynnodd i'n rhan, a hoffai Gwen yn fawr y syniad o brynu'r Wernddu, ac yr oeddem ein dau rywfodd fel pe buasem yn disgwyl dod o hyd i ryw drysor arall yn yr hen dŷ. A rhyfedd y fath gyfnewidiad ddaeth dros ein meddyliau ni ein dau. O'r blaen, yr oeddem yn credu y cynigiai rhywun grocbris am ein ffarm, ond ar ôl ffeindio'r cyfoeth, nid oeddem rywsut yn meddwl yr âi'r ffarm am fwy na'i gwerth, a thybiem y gallem ni roi mwy amdani na neb arall. Pwy a fedrai wneud iddi dalu os na fedrem ni? Dywedais wrth Gwen fy mod yn meddwl na fuasai yn anodd cael benthyg yr holl arian angenrheidiol i brynu'r Wernddu—fod arian mor ddiogel ar dir—ond yn gymaint ag y gallem yn awr hel rhyw chwe chant o bunnau, y gallem gael y gweddill am log bychan. Nid oedd ond un peth i'w ystyried—pwy a gâi'r fraint o roi benthyg yr arian i ni? Awgrymodd Gwen Doctor Huws. Y *very man*, ebe fi. Mae gan y Doctor ddigon o arian, a mi fydd yn falch o gael eu rhoi ar y Wernddu. Nid oedd amser i'w golli, a phenderfynais fynd at y Doctor drannoeth. Ac felly yr euthum. Gwyddwn nad ddoe y ganwyd y Doctor, a'i fod yn hen gono synhwyrol a hirben. Ar ôl aros am ddwy awr iddo gael *siarad* a gwasanaethu ar ei gwsmeriaid, cefais o'r diwedd gyfleustra i ddwyn yr achos ger ei fron. Yn fyr, dywedais wrtho fod Gwen a minnau yn awyddus i brynu'r Wernddu, y gallem hel oddeutu chwe chant o bunnau neu dipyn rhagor, ac a wnâi ef roi benthyg yr hyn a fyddai yn angenrheidiol at hynny i brynu'r ffarm. Atebodd y Doctor, hyd eithaf fy nghof, fel hyn,—

"Wysti be Rheinallt, ddaru mi ddim meddwl fod ch'ch dau mor gywaethog. Ond dyna fel rydach chi'r ffarmwrs yn cwyno bob amser, a phan ddaw hi i'r pwsh, mae gynnoch chi wastad hen hosan yn rhywle. 'Roeddwn i'n meddwl fod Harri wedi gwario'r pres i gyd. Chwarae teg i'r hen leban, 'doedd o ddim cyn waethed ag oeddwn i wedi meddwl, a gore yn y byd. Yr ydach chi'n gneud yn iawn, meddwl am brynu'r Wernddu, os cewch chi hi am bris rhesymol—pris neiff dalu, ac os cewch chi hi felly, mi rof finnau fenthyg yr arian â chroeso calon. Ond yr ydw i dipyn bach hŷn na ti, Rheinallt, ac wedi gweld tipyn mwy o'r byd na ti, a chymer di 'y nghynghor i. Cyn i chi'ch dau benderfynu prynu'r Wernddu, ystyriwch yn dda be ydech chi'n neud. Waeth heb gau drws y stabal wedi i'r ceffyl redeg allan. Cynsidra yn fanwl faint fedri di neud o'r ffarm mewn blwyddyn, gan gymryd i ystyriaeth dywydd gwlyb—gostyngiad yn y farchnad, colli ambell i nifel, clwy' ar y tatws, a'r maip yn misio, a llawer o bethau eraill y gwyddost yn well amdanyn nhw na fi. Am *bad debts*, 'does dim isio i ti sôn am rheiny—teilwriaid a doctoriaid ŵyr am rheiny—amdanoch chi, y ffarmwrs, —*money down* bob strôc ydi efo chi. Ond dene ydw i'n feddwl, cymer bopeth i ystyrieth heb i Gwen a tithe orfod slafio'ch—— am ych penne, ac wedyn meddylia faint ydi'r ffarm werth, a thyn o hynny *ten per cent*, a mi fyddi rywbeth o gylch y marc. Wedi i ti neud hynny, tyrd yma, a mi gawn siarad, achos y mae gen i *idea* am bethau felly, mi wyddost. Os byddi di yn rhywbeth agos i dy le, mi fydda innau yn barod efo'r arian. Ond cofia ro i ddim benthyg arian i ti i neud ffŵl ohonot dy hun, ac i dy helpio i golli'r chwe chant o arian gwerthfawr sy gynnat ti. Petawn i yn dy le di mi ofynnwn i ryw hen gono fel Robert Wynn, Pant-y-buarth, dyn ŵyr be ydi gwerth pob glaswelltyn sydd ar 'i ffarm—be ddylie fo ydi gwerth y Wernddu. Ond 'does dim isio i ti ofyn i neb os gnei di arfer dy sens, achos pwy ŵyr yn well na thi dy hun beth ydi gwerth y ffarm? Ond mi synnet gymaint a wn i am rai a fenthyciodd arian i roi cannoedd mwy am eu ffermydd nag oeddan nhw werth gan feddwl ond iddyn nhw gael y ffarm yn 'u henw 'u hunain y bydden yn *all right*. Y creaduriaid gwirion! fuon nhw byth uwch bawd na sawdl. Ond gwna di fel rydw i'n deud, a mi gawn siarad eto."

Diolchais iddo, ac ni allaf adrodd gymaint o wynt a dynnodd y Doctor o fy mhledren. Ond gwneuthum yn hollol fel y cyfarwyddodd fi, ac euthum drachefn i ymgynghori ag ef, a rhoddais iddo gyfrif manwl a'r ffigur y tybiwn y gallwn ei roddi yn ddiogel am y Wernddu.

"Wyst di be," ebe'r Doctor, "mae dy ffigur di yn agos iawn i fy ffigur innau, a chofia paid â rhoi yr un deg punt ychwaneg."

"Doctor," ebe fi, "mae gynnoch chi ganwaith fwy o synnwyr na fi, a wnewch chi un gymwynas arall â Gwen a minnau? Mae y *sale* i fod adeg y byddwch, fel rheol, yn rhydd—a wnewch chi gynnig drosom? Dymuniad Gwen ydi hwn, a mae hi yn deud na chynigiai neb o'r cymdogion yn eich erbyn *chi*. Mi wn ei fod yn hyfdra mawr ofyn y fath beth i chi."

"Paid â chyboli, g'naf, yn eno dyn, os bydd hynny o ryw fantais i chi—hynny ydi, os na cha i fy ngalw at rwfun fydd wedi torri *blood vessel* neu wraig mewn helynt. Ond cofia fod yno dy hun rhag ofn i rywbeth ddigwydd."

Ac felly y cytunwyd.

XLI

Yr Arwerthiant

DIWRNOD yr arwerthiant a ddaeth, a gwelid yr holl denantiaid, ac eraill a deimlai ddiddordeb yn eu glân-drwsiad yn hwylio tua'r *Bedol*; yn "ystafell cinio'r clwb" yn y dafarn honno yr oedd yr arwerthiant i fod. Yr oedd Robert Wynn, Elin a Gwen a minnau yn mynd efo'n gilydd, ac er mai dydd Mawrth ydoedd, sylwais fod yr hen Robert wedi eillio ei farf am unwaith yn ei oes, ganol yr wythnos. Yn anffortunus, yr oedd cyfarfod misol Llanfallen yr un dydd, a grwgnachai Robert pe cawsai ei ffordd ei hun, mai yno yr aethai, ac nid i'r *sale*, ac ychwanegai, "Be cawn i lonydd gan yr eneth ene (yr oedd Elin a Gwen yn cerdded dipyn o'n blaenau), 'nawn i ddim codlo meddwl am brynu Pant-y-buarth, a mi faswn wedi mynd i'r seiat fisol. Ond 'does dim byw efo hi na phryna i'r lle. Wyst di be rydw i *just* 'difaru dŵad, a mi faswn yn leicio yn 'y nghalon daswn i fel tithe, heb feddwl am brynu yt ôl."

"Yr oeddwn yn meddwl, Robert Wynn," ebe fi, "pan oeddwn acw ddiwethaf, eich bod yn awyddus am brynu?"

"Ond Elin a Bet oedd wedi bod yn pwnio i mhen i ddydd a nos. Ond erbyn i mi gysidro, petawn i *yn* prynu, nawn i ddim ond rhoi llawer o arian i dwrneiod anonest, ac o'm rhan fy hun waeth gen i pwy gaiff Bant-y-buarth. Ond meindia di ro i ddim mwy na hyn a hyn amdani—yr un geiniog, ac os rhoiff rwfun arall chwaneg, wel, cyman hi i'w chrogi. Mi wn i'r dim be fedra i neud ohoni, a rydw i wedi gneud yn go lew, fel y gwyddost di, ond dydw i ddim yn mynd i dywlu y cwbwl wnes i i r'w garpie o Lunden."

"Os cewch chi Bant-y-buarth am y ffigur yr ydach chi wedi penderfynu arno, mi ellwch ystyried eich hun yn lwcus," ebe fi.

"Wyt ti'n meddwl hynny, dywed? Sut wyt ti'n gwneud hynny allan?" ebe fe, gan sefyll ar y ffordd, a gwthio ei ddwylo i waelod pocedau ei glos pen-glin.

"Fel hyn," ebe fi, ac eglurais orau y gallwn fod Pant-y-buarth, yn ôl fy syniad i, yn werth llawer mwy, ac y gwnâi gamgymeriad os na chynigiai am y ffarm fwy na'r ffigur a enwodd.

"Wyst di be," ebe Robert, "mae rhywbeth dan dy het di heblaw gwallt. Wyt ti wedi bod yn pwnio i ben Elin acw dywed? 'Rwyt ti'n siarad yn debyg arw iddi."

"Dim un gair," ebe fi.

"Purion," ebe fe, "peth garw ydi dysgeidieth. Ond y mae deryn mewn llaw yn well na dau yn y llwyn, a mi ddyle dyn yn fy oed i, petai o'n gwbod yr un lythyren ar lyfr, wybod be mae o'n neud. Ro i 'run pisyn tair mwy nag a ddeudes i. Yr ydw i wedi arfer er yn hogyn gysidro popeth cyn penderfynu, ac ar ôl penderfynu, dal ato trwy'r tew a'r tene, a rydw i wedi gweld hynny yn talu yn go lew."

Ni fedrai Robert Wynn siarad hanner dwsin o eiriau heb sefyll, ac yr oedd wedi sefyll gynifer o weithiau ar y ffordd, fel erbyn i ni ein dau gyrraedd y *Bedol*, fod yr arwerthiant ar fin dechrau. Yr oedd yr ystafell yn llawn o bobl, ond yr oedd yn hawdd, hyd yn oed i ddyn dieithr, wybod pwy oedd y tenantiaid, a phwy oedd wedi dyfod yno o gywreinrwydd, oblegid yr oedd wynebau'r rhai blaenaf yn hirion, llwydion, a phryderus. Ym mhen draw'r ystafell, wrth fwrdd hir, yr oedd amryw glercod a thwrneiod, ac eraill na wyddid beth oeddynt, ond fod ganddynt rywfodd fys yn y brywes, a chymerent arynt edrych rhyw fapiau lliwiedig oedd o'u blaenau, ac ebe Robert, gan gyfeirio atynt,—"Weli di y rhai acw? dene'r tacle fydd yn mynd â'r pres i ti." Ar y gair, daeth rhyw ferched o gwmpas efo pob math o winoedd ar hambwrdd, gan gymell y gwin yn daer ar bawb. Tra oedd rhai—yn enwedig y rhai nad oedd yr arwerthiant o un diddordeb iddynt—yn gwneud defnydd helaeth o'r gwin, edrychai Robert yn ddiystyrllyd ar *waitresses* Mrs. Anwyl. Nid cynt y byddai efe wedi gwrthod y gwin gan un, nad y deuai un arall i'w gymell, ac felly o hyd, nes i Robert golli ei amynedd, ac ebe fe yn grabed,—"Ewch odd'ma, y carsiwn, efo'ch gwin a'ch codyl," a throdd ataf fi, ac ebe fe,—"Wyst ti be, lle melltigedig ydi *sale*, dydw i ddim am aros yma. Be di'r gloch, dywed?" "Hanner awr wedi deuddeg," ebe fi. "Purion," ebe Robert, "mi af i Lanfallen—mi fedraf fod yno erbyn yr oedfa ddau, a chymrwch ych siawns efo'ch *sale*, wn i ddim be naeth i mi ddŵad yma—'does dim lle i ddisgwyl bendith yn y fath le." Gwelodd Elin, ei ferch, oedd yn ein hymyl, fod ei thad wedi cynhyrfu, ac ar gychwyn ymaith, a chydiodd yn ei aden ar fedr ei atal, ond ebe Robert,—"'Rosa i 'run munud hwy—mi af i'r Cyfarfod Misol, a gna dithe dy botes efo'r *sale*—pryna Bant-y-buarth os leici di," ac ymaith ag ef.

Yn y man, dechreuodd yr arwerthwr ar ei waith, gan ddarllen rhyw brolog hir am delerau'r *sale*, nad oedd un o bob cant yn eu deall. Yna enwodd Cilhaul, un o'r ffermydd salaf a mwyaf diffrwyth yng Nghymru ac nad oedd dda i ddim, meddai rhai, ond rhag bod twll yn y ddaear, a chanmolodd yr arwerthwr hi nes oedd bron syrthio. Buwyd am dipyn heb gael cynnig arni, ond o'r diwedd cynigiodd rhyw ŵr dieithr oedd yn fy ymyl—dyn mawr tew, â gwasgod wen ganddo—swm bychan, ac wedi canmol drachefn a thrachefn, gwerthwyd Cilhaul am bris isel. Yna gwerthwyd Tan-y-bryn, Cae Brith, Wern Olau, Tŷ'n-llan, ac amryw eraill, a'r gŵr tew a'r wasgod wen oedd y cynigydd cyntaf ar bob un, ond nid oedd wedi prynu unwaith. Teimlwn yn anesmwyth iawn, oblegid nid oedd Doctor Huws eto wedi dod i'r golwg. Pa fodd bynnag, pan oedd Pant-y-buarth ar werth, daeth y Doctor i mewn, ac wedi fy ngweld aeth yn ddigon pell oddi wrthyf. Y gŵr tew a gynigiodd gyntaf eto ar Bant-y-buarth, ac wedi cynnig a chynnig, trawyd y lle i Elin Wynn am ffigur ychydig llai nag oedd yr hen Robert yn barod i'w roi am y fferm, a theimlwn yn bur falch o hynny.

Fel y digwyddodd, y Wernddu oedd yr olaf i'w rhoi i fyny, ac fel gyda'r ffermydd eraill, y gŵr tew a gynigiodd gyntaf arni. Cododd y Doctor yn ei bris arno, a chododd y gŵr tew ar y Doctor, ac felly y naill ar y llall am ysbaid, ac yr oedd fy nghalon yn curo nes oeddwn yn ofni fod y rhai oedd yn fy ymyl yn ei chlywed. Waeth faint gynigai'r Doctor, yr oedd y gŵr tew yn codi ychydig arno. O'r diwedd, cynigiodd y Doctor y swm yr oeddem wedi penderfynu arno, ac ofnwn na chynigiai fwy. Ar unwaith, cynigiodd y gŵr tew hanner can punt ychwaneg, ac yr oedd y cwbl drosodd. Pan ofynnodd yr arwerthwr am enw'r prynwr estynnodd y gŵr tew gerdyn iddo, ac wedi iddo edrych arno mynegodd yr arwerthwr fod y busnes drosodd. Yr oeddwn wedi colli'r Wernddu, a gwyddwn fod fy ngwep wedi syrthio, a gwelwn Gwen ac Elin Wynn yn prysuro allan fel eraill. Daeth amryw ataf i ofyn pwy oedd y prynwr, ond ni allwn eu hateb.

" 'Doedd dim help," ebe'r Doctor, "a mae'r dyn yna pwy bynnag ydi o wedi rhoi hanner canpunt gormod amdani."

Nid oedd hynny o un cysur i mi, a theimlwn yn siomedigaethus ac isel fy meddwl. Oherwydd fy mod yn awyddus i wybod pwy oedd prynwr y Wernddu, sefylliais dipyn ar ôl gan fwriadu gofyn i'r arwerthwr, ac erbyn hyn yr oedd agos i bawb wedi gadael yr ystafell, oddigerth ychydig oedd o gwmpas y twrneiod, y clercod, &c., ac ymhlith y rhai hyn yr oedd y gŵr tew a'r wasgod wen, ac yr oedd yn gas gennyf edrych arno—tybiwn mae efe oedd y gelyn mwyaf a gyfarfûm yn fy mywyd. A thybiais, er ei fod yn ymddangos yn brysur gydag un o'r twrneiod, ei fod yn cadw ei olwg arnaf fi o hyd. Ac felly yr oedd, a daeth yn syth ataf ac anerchodd fi fel hyn:

"Y chwi yw Mr. Tomos, 'rwyf yn deall?"

"Ie," ebe fi, a theimlwn awydd rhoi clewten iddo.

"Wel," ebe fe, "mae'ch ffarm wedi ei gwerthu, ond deellwch nad y fi ydyw y prynwr. Dyfod yma a wneuthum i'w phrynu dros un arall, ac i brynu'r Wernddu yn unig. Y cyfarwyddyd roed i mi oedd yn gyntaf adnabod Mr. Tomos, y tenant, ac wedi gwneud ymholiad pwyntiwyd chwi allan i mi gan fwy nag un ar ddechrau y *sale*. Y cyfarwyddyd arall a roed i mi oedd, os byddech chwi yn cynnig am eich fferm, nad oeddwn i gynnig yn eich erbyn ar un cyfrif, ond os na fyddech yn cynnig amdani fy mod i'w phrynu am unrhyw bris. Yn gymaint ag na ddarfu i chwi gynnig o gwbl, gwelwch fy mod wedi gwneud yn ôl y cyfarwyddyd a roddwyd i mi."

"Ond pwy ydyw fy meistr tir newydd, os gwelwch yn dda?" gofynnais.

"Nid yw yn elyn i chwi," ebe'r gŵr tew. "Hwyrach eich bod yn cofio Mr. Thomson, a fu yn lletya yn y Wernddu? Gwas iddo ef ydwyf fi, ac efe fydd eich meistr tir bellach. Ac y mae wedi gorchymyn i mi ddweud wrthych, gan nad faint a fyddai raid iddo roi amdani, na fyddai iddo godi dimai ar y rhent yr ydych yn ei dalu eisoes. Hwyrach y gwyddoch nad ydyw Mr. Thomson yn brin o arian, ac nad ydyw can punt nac yma nac acw ganddo. A dyna oedd y rheswm i mi godi hanner canpunt ar y Doctor yna i roi taw arno."

"Ond cynnig drosof fi yr oedd Doctor Huws," ebe fi, â'm calon wedi ysgafnhau gryn lawer.

"Ni wyddwn i mo hynny, ac yr oedd yn resyn, ond ni wna lawer o wahaniaeth. Mae Mr. Thomson yn cofio atoch ac at eich gwraig, oblegid y mae yn dyfalu eich bod wedi priodi erbyn hyn, ac y mae yn addo ysgrifennu atoch yn fuan."

Yr oeddwn wedi cael y fath iechyd i'm hysbryd na allaf ei ddisgrifio, ond ymdrechwn beidio â gwneud arddangosiad plentynnaidd ohono o flaen y gŵr dieithr. Cymhellais ef yn daer i ddod gyda mi i'r Wernddu, y rhown y croeso gorau fedrwn iddo. Diolchodd i mi, ond dywedodd y byddai raid iddo ddychwelyd ar unwaith wedi gorffen y busnes, ac ysgydwodd law â mi yn gynhesol, ac aeth yn ôl at y twrneiod. Prysurais innau allan, a'm mynwes yn berwi eisiau cael dweud y newydd da i Gwen, yr hon a wyddwn oedd ymron torri ei chalon. Ond erbyn hyn, yr oedd Gwen ac Elin Wynn wedi mynd tua chartref ers meitin—un yn llawen a'r llall yn brudd. Tra oeddwn yn cychwyn ar eu holau, ac ar fedr rhoi'r troed gorau ymlaen, daeth yr hanner pen a fyddai yn arfer cario'r post ataf â llythyr yn ei law, ac ebe fe:

"Dyma lythyr i chi, Mr. Tomos. Mae'r Wernddu, fel y gwyddoch, dipyn o fy ffordd, a ddaru mi ddim galw bore heddiw, achos yr oeddwn yn meddwl y cawn eich gweld yn y *sale* neu yn dod odd'no."

Arferai y dyn hwn wneud troeon digrif gyda llythyrau pobl. Weithiau cadwai lythyr yn ei boced am ddiwrnod neu ddau os byddai ei berchen yn byw dipyn allan o'i lwybr. Teimlwn mor ddig wrtho y tro hwn fel y gallaswn ei daro, oblegid y gair cyntaf a dynnodd fy sylw ar gongl y llythyr oedd "*Urgent.*" Pan dynnais ei sylw at hyn, dywedodd ei fod wedi cymryd y gair am *Sergeant*, a bod yr anfonydd wedi camgymryd mai fi oedd *Sergeant* Tomos oedd efo'r *militia*! Torrais y sêl yn frysiog, ac achosodd cynnwys y llythyr i ias oer fynd dros fy holl gorff. Adfywiodd ddegau o feddyliau o'm mewn, y rhai, amser yn ôl, a fu'n achlysur i mi dreulio llawer noswaith ddi-gwsg, ac a roes i mi boen meddwl mawr. Llythyr ydoedd oddi wrth Ficer Cwmhir yn crefu arnaf ddod yno ar unwaith heb golli awr o amser, am fod achos pwysig yn galw amdanaf. Dyfelais sut yr oedd pethau yn bod. Oni bai am fwnglerwch y *postman* gallaswn fod yno erbyn hyn. Yr oedd y *goach* fawr yn sefyll o flaen y *Bedol* ers meitin, ac yr oeddynt wedi newid y ceffylau ac ar fin cychwyn ymaith. Nid oedd gennyf funud i'w golli a neidiais i ben y *goach*, ac yr oedd llawer peth oedd wedi bod yn cysgu yn fy ngalon ers tro byd erbyn hyn ar lawn ddi-hun. Yr oeddwn wedi trafaelio rhai milltiroedd pryd y cofiais y fath anesmwythyd a achosai fy niflaniaid anesboniadwy i Gwen—yn enwedig ar ôl y siomedigaeth yn yr arwerthiant. Ofnwn, yn gymaint ag nad oedd yn bosibl imi ddod yn ôl y noson honno, y byddai wedi hanner drysu yn ei synhwyrau yn fy nghylch. Ond nid oedd mo'r help, ac nid oedd gennyf gyfrwng i anfon gair ati.

XLII

Y Cyfaddefiad

GWYDDWN y byddai Gwen yn methu dirnad beth allai fod y rheswm am fy absenoldeb o gartref, ac nad âi i'w gwely y noson honno, ac y byddai yn dychmygu fod pob drwg wedi digwydd i mi. Blinai hyn ynghyd â'r neges yr oeddwn yn ei chylch gymaint ar fy meddwl fel y credwn mai hon oedd yr adeg fwyaf profedigaethus ar fy mywyd. Yr oedd wedi nosi pan gyrhaeddais Gwmhir, a chyfeiriais at dŷ'r ficer ar unwaith. Nid oeddwn erioed wedi gweld na chlywed y gŵr da. Gŵr cnodiog, bodlon a charedig yr olwg oedd, a chefais allan cyn ei adael nad oedd ei olwg yn ei gamliwio.

"Yr ydych wedi bod yn hir yn dyfod," ebe fe, "ac y mae arnaf ofn eich bod yn rhy hwyr, ac na wnaiff eich 'nabod, a heb ofyn i chwi eistedd na chymryd tamaid gwell inni fynd yno ar unwaith—y mae yn ymyl," ac aethom rhag ein blaen i'r caban tlawd lle yr oedd Wmffre, hen was y Wernddu, ar ei wely angau. Dywedodd y ficer wrthyf cyn imi fynd i mewn fod yr hen wraig, mam Wmffre, â'i synnwyr wedi amharu, ond ei bod yn bur ddiniwed a hapus. Fel yr ofnasai'r ficer, yr oeddwn yn rhy hwyr, yr oedd Wmffre, druan, yng ngwaelod y dyffryn tywyll. Gan faint y cyfnewidiad oedd yn ei wedd ni buaswn byth yn ei adnabod. Yr oedd ei wyneb yn hir ac esgyrniog, ac wedi tyfu barf hir er pan welswn ef o'r blaen, a honno cyn ddued â'r frân, ac yn peri i'w wyneb ymddangos yn wynnach nag y gallasai angau ei wneud. Er na allai ddweud gair, credwn fod ei synnwyr ganddo, a daliai i edrych arnaf o'r foment gyntaf y deuthum i'r ystafell. Pan ofynnais a oedd yn fy nabod, gwnaeth arwydd ei fod. Bu farw cyn imi adael y tŷ. Wedi i'r ficer roddi rhyw gyfarwyddyd i'r ddynes oedd yn edrych ar ei ôl—oblegid nid oedd un diben siarad â'i fam, a edrychai yn ddiniwed ddedwydd fel pe na buasai dim wedi cymryd lle—dychwelasom i'r ficerdy. Er i'r bonheddwr fy nghymell yn daer i gymryd rhywbeth i'w fwyta, ni allwn brofi na thamaid na llymaid ar y pryd. Wedi hyn, ebe'r ficer, gan agor drôr a chymryd papur allan ohoni, "Mi gymerais ei gyfaddefiad ddoe o flaen dau dyst pan oedd yn ei lawn synnwyr. Nid ydyw yn hollol yn ei eiriau ef ei hun, oblegid yr oeddwn eisiau ei wneud yn weddol drefnus, a darllenais ef yn araf ac eglur iddo cyn iddo roddi ei groes wrtho. Mi a'i darllenaf i chwi:

CYFADDEFIAD

Yr wyf fi, Wmffre Edwards, Cwmhir, a diweddar was yn y Wernddu, yr hwn wyf yn awr ar fy ngwely angau, ac yn gwybod y byddaf ymhen ychydig oriau o flaen fy Marnwr, yn gwneud, yn ddigymell, y cyfaddefiad hwn—mai myfi a laddodd Dafydd Ifans, cipar y Plas Onn, ar y noson Tachwedd yr ugeinfed, yn y flwyddyn ——. Yr wyf hefyd yn dymuno hysbysu pawb nad oedd gan Twm Nansi, er ei fod yn bresennol, ran na chyfran yn y weithred ysgeler, er mai efe a dybid a gyflawnodd y weithred. Yr wyf hefyd yn dweud yn ddifrifol—Duw yn dyst—nad oedd dim pellach o'm meddwl hanner munud cyn cyflawni'r weithred ofnadwy na lladd Dafydd Ifans. Yr oedd yr amgylchiadau fel hyn: Yr oeddwn wedi addo cyfarfod Twm Nansi am hanner awr wedi deg y nos mewn man neilltuol ar y ffordd isaf wrth goed y Plas. Arhosais wrth lidiart y Wernddu, gan ddisgwyl am Twm, am y credwn mai y ffordd honno y deuai, ac yr oedd gwn Harri Tomos dan fy nghesail. Arhosais nes ydoedd agos yn un ar ddeg o'r gloch, a thybiais fod Twm wedi mynd o'm blaen, yna cyfeiriais tua'r fan trwy fuarth tŷ ffarm oedd heb fod ymhell. Pan gyrhaeddais y fan lle yr oeddwn wedi addo cyfarfod Twm ni welwn ddim ohono. Euthum ychydig ymlaen, pryd y cyfarfuwyd fi gan Dafydd Ifans, y cipar. Dechreuodd roi tafod imi, a dywedodd y byddwn yn y carchar drannoeth, a gorchmynnodd i mi roi fy ngwn iddo. Ni ddarfu i mi ffraeo ag ef, ond gwrthodais roi fy ngwn i fyny. "Os na roi di dy wn i mi, mi dy saethaf di," ebe fe, a chododd ei wn at ei ysgwydd. Ond cyn iddo allu gwneud hynny mi saethais i ef, a syrthiodd ar ei gefn. Pan oeddwn yn tynnu at y trigar, clywn Twm Nansi tu ôl i mi yn gweiddi: "*Hold on*! be di'r helynt?" Ond yr un pryd, gwelwn Dafydd Ifans yn hwylio codi a threwais ef yn ei ben gyda gwegil y gwn a bu farw yn y fan. "Wel," ebe Twm, "rwyt ti wedi gwneud hi 'rŵan! Ffŵl oeddat ti bob amser. Dyma'r tro olaf am byth i mi fynd allan i *boachio*. Cymer dy siawns, a mi gymra inne fy nhraed," a ffwrdd â fo. Yr oeddwn yn hanner gwallgof, ac ni wyddwn beth i'w wneud, a rhedais i ffwrdd. Fy mwriad cyntaf oedd rhoi fy hun i fyny drannoeth, a mi euthum i ystabl y Wernddu i aros i bawb gysgu yn drwm. Gwelwn olau yn ystafell wely Harri Tomos, a chyn i'r gannwyll fynd allan gwelwn Twm Nansi yn dyfod i fyny'r buarth, ac yn lluchio rhywbeth at y ffenestr a llithrais innai i'r ydlan, a llechais tu ôl i un o'r teisi. Bûm yno yn ymguddio am oddeutu dwy awr, ac ni wn a ddaeth Harri i lawr at Twm ai peidio. Cyn y bore euthum i'r tŷ a rhois y gwn yn ei le arferol, ac eis i'm gwely i aros amser codi, pryd y bwriadwn fy rhoddi fy hun i fyny. Cedwais fy hun o'r golwg nes oedd y newydd wedi cyrraedd y Wernddu, ac wrth glywed pawb yn dweud mai Twm Nansi oedd y mwrdrwr, oedais fy rhoi fy hun i fyny. Yr oeddynt yn methu dod o hyd i Twm, a meddyliais y byddwn yn ffŵl pe cyfaddefwn, ond yr oeddwn bron â marw o euogrwydd a braw, a thrwy garedigrwydd fy meistr, Harri Tomos, cefais fynd adref. Yr oeddwn yn gwrando ar hyd yr amser a oeddynt wedi dod o hyd i Twm, ac yn benderfynol y cyfaddefwn y cwbl cyn y câi Twm ddioddef. Er fy mod yn llanc cryf cyn hynny, darfu i euogrwydd fy nghydwybod andwyo fy iechyd ar unwaith. O'r noswaith honno hyd yn awr, mae fy mywyd wedi bod yn uffern ar y ddaear. Er bod hir amser er hynny, nid wyf ar gyfartaledd wedi cysgu dwy awr yn y pedair ar hugain. Nid gwiw oedd imi gysgu, oblegid yn fy nghwsg byddai fy mreuddwydion a'm dychrynfeydd yn arswydus. Byth er y noswaith felltigedig honno, yr wyf wedi gweddïo nos a dydd am faddeuant Duw, ac yr wyf yn dymuno diolch i Mr. Lewis, ficer Cwmhir, am ei gyfarwyddiadau a'i weddïau drosof er pan ydwyf wedi fy nghaethiwo i'm gwely, ac am garedigrwydd pawb o'r cymdogion. Yr wyf yn awr yn ceisio cyflwyno fy enaid euog i Dduw ac i'w drugaredd yn ei Fab, Iesu Grist.

WMFFRE X EDWARDS.

Ac yna mae enwau'r tystion yn dilyn, Mr. Tomos," ebe'r ficer. "Wrth gwrs, anfonais ar unwaith at y *chief constable*, ac yr wyf wedi bod yn ei ddisgwyl bob awr, a bydd y cwbl yn y papurau newydd ymhen diwrnod neu ddau. *Poor fellow*! yr wyf wedi ymwneud llawer ag Wmffre druan er pan ddaeth adref. Yr oedd yn greadur anwybodus a diniwed, fel y tybiwn, a chefais ddoctor y plwyf i edrych ar ei ôl. Nid oedd y doctor yn ei ddeall o gwbl, ac erbyn hyn nid oedd hynny yn rhyfedd. Yr wyf yn credu yn fy nghalon ei fod wedi dweud y gwir i gyd ac na fwriadai ladd y cipar. Duw a'n gwaredo rhag pechod! Mae natur pawb ohonom yn *capable* i unrhyw ddrwg ar wahân i ras Duw. Ond a oedd gennych acw, Mr. Tomos, ryw amheuaeth ar Wmffre?"

Daeth y cwestiwn hwn mor sydyn fel y petrusais am foment, ond atebais: "Gwyddai rhai ohonom fod Wmffre weithiau yn canlyn Twm Nansi i *boachio*, ond nid wyf yn meddwl bod y gymdogaeth yn cysylltu Wmffre â'r llofruddiaeth o gwbl."

"Mor rhyfedd!" ebe'r ficer. "Ond y mae'n bryd i chwi feddwl am gymryd rhywbeth i'w fwyta?"

Ni fedrwn brofi tamaid; yn wir, teimlwn yn bur sâl, ac yr oeddwn yn awyddus am gael mynd i fy ngwely. Ond mynnodd y ficer i mi gymeryd gwydraid o ryw gordial, a daeth gyda mi i ddangos fy ystafell. Dywedais wrtho y byddwn yn cychwyn gartref yn lled fore, ac am iddo beidio cymryd yn angharedig os na welwn ef cyn ymadael. Ni fynnai y ficer caredig wrando ar hyn. Ond yr oeddwn yn benderfynol o ddychwelyd yn blygeiniol, canys meddyliwn am helynt Gwen. Ni chysgais hunell, a diolchwn erbyn hyn na chrybwyllaswn air am fy amheuaeth wrth un enaid byw, er bod hynny, fel yr awgrymais wrth sôn am ei ymadawiad o'r Wernddu wedi blino llawer arnaf. Diolchwn hefyd nad oedd Wmffre wedi crybwyll am fy enw ynglŷn â Thwm Nansi pan welodd efe ef yn lluchio rhywbeth at y ffenestr, oblegid gwyddai yn burion fy mod yn cysgu gyda Harri Tomos. Hwyrach mai dyna pam 'roedd mor awyddus am fy ngweld i gael gwybod a oedd Twm wedi dweud yr hanes wrthym. Yr oedd Harri yn awr yn ei fedd, ac Wmffre yn barod i'w fedd, ac nid oedd bosibl mwyach gysylltu fy enw â'r helynt. Codais oriau cyn dydd gan fwriadu llithro ymaith o dŷ y ficer cyn i neb ddeffro. Ond yr oedd y ficer wedi codi o'm blaen, ac wedi paratoi brecwast imi (hen lanc ydoedd), ac nid annerbyniol oedd cael ymborth erbyn hyn, ac yr oeddwn yn wynebu ar daith hir. Ar ôl imi fwyta daeth y ficer i'm hebrwng ddwy filltir. Pan oeddwn yn ffarwelio ag ef clywem gerbyd yn dyfod yn gyflym y ffordd yr elwn, ac ebe'r ficer, "Dyma i chwi *chance* am *lift* i dorri cwt y ffordd," a phan ddaeth y cerbyd atom gwaeddodd y ficer yn Saesneg, "Holo! ydach chi'n mynd ymhell y ffordd yma?" "Ydym." "Rhowch *lift* i'r gŵr bonheddig yma," ebe'r ficer. "*All right*," ebe'r gyrrwr, a neidiodd ei gydymaith i lawr, a gwnaeth le i mi y tu ôl, a ffwrdd â ni. Ni ddywedodd un o'r ddau air wrthyf, er imi ddiolch iddynt am fy nghymryd i'r cerbyd. Yr oedd y ddau yn ôl a allwn ganfod yn y tywyllwch yn ddynion cryfion, ac yr oedd ganddynt geffyl chwim, a gyrrent yn ddidrugaredd. Deallwn beth o'u siarad, a meddyliwn mai porthmyn oeddynt yn myned i ryw ffair. Ni chymerwn nemor sylw o'u hymgom nes i enw Twm Nansi syrthio dros wefus un ohonynt, yna gwrandewais fel cath.

"Mwya ffŵl oedd o'n cyfadde, a fase waeth iddo adael i Twm gael y bai," ebe un, a deellais eu bod wedi clywed rhywbeth am gyfaddefiad Wmffre. "Fase Twm fawr o gyfadde myn—," ychwanegodd.

"Rhyw hen ieir ydi'r *chaps* yma sy'n cyfadde," ebe'r llall, "a mae isio crogi pob un ohonyn nhw—dydyn nhw ddim ffit i'w trystio. Be petaset ti a finne yn cyfadde popeth ddaru i ni neud? Myn——, fasen ni ddim yn gyrru mor ffast heddiw! 'Rydw i braidd yn ame mai pigo ocwm neu dorri cerrig fase'n gwaith ni heddiw, a mai sgili fase i frecwast, ac nid ham a wyau!"

"Rwy't ti'n reit," ebe'r llall, "ac o'm rhan fy hun mi gaiff y Calfins, y Wesles a'r Sentars, a holl gythrelied y capeli yma yr edifarhau a'r cyfadde i gyd iddyn nhw'u hunen, achos petawn i'n dechrau wn i ddim pryd y diweddwn i."

Chwarddodd ei gydymaith, ac ebe fe—"Pawb drosto'i hun a Duw dros bawb ydi'r prinsibyl gore, medda i. Pan ddaw rhywbeth yn fy ffordd i, mi leiciwn weld y dyn ddôi ar fy ôl i—fydde ene ddim llawer iddo gael."

A chyda geiriau cyffelyb, gan dyngu a rhegu yn ddychrynllyd, y difyrrent eu hunain. Teimlwn yn bur anesmwyth oblegid nid oeddwn yn hoffi fy nghwmni, ac yr oeddwn yn bur awyddus am oleuni dydd, ond ofnwn na oleuai am awr arall. Yn y man gostyngodd y ddau eu llais, ac ni allwn ddeall un gair a ddywedent. Ofnwn ers meitin eu bod wedi gadael y briffordd, a'u bod yn cyfeirio i rywle na wyddwn i ba le, pryd mewn rhyw le anial a diffaith y safodd y cerbyd yn sydyn, ac ebe'r gyrrwr wrthyf:

"Fedrwch chi Gymraeg, syr?"

"Medraf," ebe fi, gan geisio ymddangos yn wrol, "ddigon o Gymraeg i ddeall nad ydyw eich ymgom yn adeiladol iawn."

"Purion," ebe'r gyrrwr, "yr ydw i'n meddwl yn bod ni wedi'ch cario chi yn ddigon pell am ddim, felly fforciwch allan ych pres," a neidiodd ei gydymaith i lawr i'r tu ôl i'r cerbyd gan fy wynebu, ac ebe yntau, "Ie, allan â nhw, ŵr da."

Gwelais mewn amrantiad fy mod mewn cwmni drwg, ac aeth ias drwy fy holl gorff, ac ebe fi, "Ewch ymlaen, a pheidiwch â gwneud lol, mae gennyf ddigon i dalu i chwi am fy nghario." Pan oeddwn yn dweud y gair olaf gwthiodd y gyrrwr fi allan o'r cerbyd, ond o drugaredd syrthiais ar fy nhraed, ac yn gynt nag y gallaf adrodd yr oedd y ddau yn ymosod arnaf eu gorau glas. Er nad oeddwn, oherwydd yr amgylchiadau a nodais, yn y cywair gorau, yr oeddwn serch hynny yn anterth fy nerth ac yn hynod o gryf, ac ymleddais fel llew. Yr oedd y gwersi a gawswn gan Twm Nansi pa fodd i ddefnyddio fy nyrnau o wasanaeth i mi yn awr, ond yr oedd ymladd â dau ddyn cryf yn ormod imi, a theimlwn fy hun yn darfod. Ar y pryd, daeth clamp o gi atom a dechreuodd gyfarth, a deellais fod rhywun yn ymyl, gwaeddais am help, a syrthiais dan ddyrnodiau'r lladron gwaedlyd, ac aeth yn nos arnaf a chollais fy ymwybyddiaeth.

XLIII

Gwlad Hud a Lledrith

YR oedd agos yn ganol dydd pan ddeuthum ataf fy hun, a phan gefais fy hun mewn gwely dieithr a gwraig garedig yn sefyll yn fy ymyl ac yn prysur wlychu carpiau mewn finegr ac yn eu dodi ar fy arleisiau, cofiais yn y funud yr hyn a ddigwyddodd, a rhoed ar ddeall i mi mai mewn tŷ ffarm yr oeddwn, ac mai mab y tŷ a'r gwas a'm hachubodd o ddwylo llofruddiog y lladron pan glywsant fi yn gweiddi am help. Dywedodd y wraig dda wrthyf fy mod wedi colli llawer o waed, ac y byddai raid i mi fod yn llonydd am amser. Diolchais iddi am ei charedigrwydd, ond dywedais y byddai raid i mi gael mynd adref ac na châi dim fy atal. Daeth gŵr y tŷ i'r ystafell, a cheisiodd yntau drachefn fy mherswadio i fod yn llonydd, ond wedi ymbilio â hwy, ac egluro iddynt yr amgylchiadau aeth y wraig i lawr i baratoi cwpaned o de i mi, a chynorthwyodd y gŵr fi i ymwisgo, pryd y gwelais fod fy nillad yn llardiau, ond yr oedd fy arian yn fy llogell, a hyd yn oed fy *watch* heb ei chymryd gan y chwiwladron. Gwegiwn ar fy nhraed, ond wedi ymolchi a chael te teimlwn yn well, a rhyfeddai fy noddwyr cymwynasgar fy mod cystal, oblegid yr oeddynt wedi meddwl na allwn ddod o'r gwely am wythnos o leiaf. Wedi i mi ddeall ym mha ran o'r wlad yr oeddwn, gwelais y gallwn wrth gerdded rhyw chwe milltir ddal y *goach* fawr ymhen ychydig gwell na dwyawr. Ni fynnai yr hen ffarmwr i mi gerdded, a rhoddodd hen gaseg wedd yn y *gig*, yr hon, mi feddyliwn, na fu ar siwrnai ers llawer dydd. Yr oedd yr hen *gig* yn gwyro ar un ochr ac yn gwichian yn enbyd, a'r gaseg fawr yn mynnu trafaelio y ddwy ochr i'r ffordd, a'i phedolau trymion yn gwneud y fath sŵn a helynt, a minnau eisoes yn ysig, nes oedd fy mhen ymron hollti gan gur, ac nid oedd gennyf flas i siarad gair â'r hen rychor caredig oedd wrth fy ochr. Ond er fy salwch, ac yr oeddwn yn llegach i'w ryfeddu, ni allwn beidio meddwl y fath wahaniaeth oedd rhwng dynion. Y bore hwnnw yr oedd dau anghenfil yn ceisio am fy eiddo os nad am fy mywyd, ac yn eu hymyl wele eraill na welswn mohonynt erioed yn gwneud rhan Samaritan â mi o wirfodd eu calon, ac ni allwn ddyfeisio pa fodd i ad-dalu iddynt am eu tosturi a'u caredigrwydd. Wedi ffarwelio â'r hen ŵr ac addo ysgrifennu ato yn fuan, da oedd gennyf gael newid yr hen *gig* unochrog am y *goach* fawr. Ar hyd y ffordd deuai rhyw deimladau rhyfedd drosof yn awr ac eilwaith, a chawn waith cadw fy hun rhag llesmeirio, ac yr oeddwn yn falch iawn pan safodd y *goach* o flaen y *Bedol*, a phan ddaeth amryw gymdogion ataf gan fy nghymryd i'r tŷ. Cododd Mrs. Anwyl ei dwylo i'r nefoedd wrth fy ngweld, fel y tybiwn, yn y fath gyflwr, ond, fel y deellais ar ôl hynny, synnu yr oedd fy mod yn fyw, oblegid ei damcaniaeth hi amdanaf oedd, ar ôl fy siomedigaeth yn y *sale* ac imi golli'r Wernddu, fy mod wedi cyflawni hunanladdiad, ac yr oedd llawer wedi mynd i gredu yr un fath â hi. Hwyrach hefyd ei bod yn teimlo dipyn yn siomedig am na throdd ei damcaniaeth allan yn wir, canys anfynych y cydnabyddai yr hen wraig fod yn bosibl iddi wneud camgymeriad. Er hynny, gwnaeth Mrs. Anwyl yn fawr ohonof, a chyn i mi fod yn y tŷ dri munud yr oedd wedi cynnig i mi y pethau gorau a feddai yn y ffurf o ddiod, a holai ac ystiliai fi nes oeddwn ymron marw. Ond chwarae teg i'r hen beunes, yr oedd yn gyntaf oll wedi gyrru rhywun i nôl Doctor Huws ataf, ac wedi siarsio y gennad i ddweud wrtho nad oedd gennyf brin asgwrn yn gyfan. Yr oedd y meddyg gyda fi yn ebrwydd, a'r peth cyntaf wnaeth oedd troi pawb o'r ystafell, oblegid o garedigrwydd yr oedd y cymdogion wedi llenwi'r ystafell fel na allwn ymron gael fy anadl. Mae'n debyg fod golwg go fawr arnaf, oblegid agorodd y Doctor ei lygaid arnaf nes oeddynt yn ymddangos i mi gymaint ymron â'i *giglamps*, ac ebe fe,—

"Wel, be gebyst wyt ti wedi bod yn neud â thi dy dun, ac yn rhoi Gwen a phawb yn y fath bryder yn dy gylch? Wyt ti wedi colli y tipyn sens oedd gynnat ti, dywed?"

Adroddais wrtho mewn cyn lleied o eiriau ag a fedrwn hanes fy ymgyrch, a phan oeddwn yn sôn am Wmffre, agorodd y

Doctor ei *giglamps* led y pen. Yna dechreuodd fy archwilio, a dychrynodd fi braidd pan ddywedodd,—

"Mae'n lwc fod dy esgyrn di yn gyfa; ond y mae yma globen o *job* i mi arnat ti, a rwyt ti'r munud yma mewn *fever heat*. 'Doedd gynnot ti ddim busnes i ddod o wely'r bobl fu mor ffeind wrthot ti. Hel dy hun efo fi i'r *gig* gael iti fynd adre, ne' mae gen i ofn na cha i ddim siawns i redeg bil efo ti. Mae dynion yn mynd yn wirionach bob dydd—'dawn i byth gam i geibio."

Cymerodd yr hen ffrind fi i'r Wernddu yn ddiymdroi. Yr oedd yn ffortunus fy mod wedi gallu dweud tipyn o fy hanes wrth y Doctor, oblegid ni ddywedais fawr o synnwyr wedyn am dros wythnos, ac nid oes gennyf ond cof cymysglyd am fy nerbyniad i'r Wernddu yng nghwmni'r Doctor Huws—yn unig clywaf Gwen yn gweiddi—yn neidio ataf gan roddi ei breichiau am fy ngwddf—dyna'r cwbl! Wedi hynny, yr oeddwn mewn byd arall, a phawb yn ddieithr i mi, a chan fynychaf yn ceisio am fy mywyd. Gwelwn bob math o ddrychiolaethau—a'r prif gymeriadau yn fy ngweledigaethau oedd Wmffre, y porthmyn, Harri Tomos, Twm Nansi, a'i fam, Dafydd Ifans, etc. Gwelwn Dafydd Ifans yn lladd Twm Nansi, a Thwm wedyn yn lladd Wmffre, a'r porthmyn yn eu crogi i gyd, a'r hen Nansi gyda rhyw ffisig oedd ganddi yn dod â nhw yn fyw yn eu holau. Weithiau gwelwn Gwen yn gwthio ffisig i lawr corn gwddw y Doctor Huws, fel rhoi ffisig i fuwch, ac yntau yn ystraffu yn erbyn, ond byddai Gwen yn ei goncro bob tro. Yr oedd pawb allan o'u pwyll, meddyliwn, oddieithr fy hunan, a phawb yn gwneud y pethau ffolaf ar wyneb daear. Yn rhyfedd iawn, yr oeddwn wedi dysgu, dim ond dweud wrth fy mhen, a rhedai oddi wrthyf am filltiroedd, a dim ond chwibanu arno deuai yn ei ôl.

Yr oedd rhywun hefyd yn fy ymyl yn sâl o hyd a phlasteri ar ei ben a'i wyneb, ond gwyddwn yn eithaf da nad fi ydoedd, oblegid byddwn yn aml yn rhoi fy llaw ar ei ben ac yn ffeindio fod top ei ben wedi mynd i ffwrdd, ac wrth edrych i lawr fel edrych i lawr pwll glo, gallwn weld i waelod ei gorff. Yna byddai Nansi'r Nant yn tywallt chwartiau o de dail i lawr y twll oedd yn nhop pen y dyn, ac ni byddai'r twll byth yn llenwi—yn hytrach byddai'r te dail yn berwi yn rhywle yng ngwaelod corff y creadur, a'r ager yn codi fel o simdde. Credwn o hyd pe gallesid cau'r twll y buasai'r dyn yn mendio, ac oherwydd hynny cymerais y peth yn fy llaw fy hun, a mi ges ddarn o *sheet* haearn, ac a'i hoeliais ar dop y twll, ac edrychai'r dyn yn llawer gwell. Ond cyn gynted ag y trown fy nghefn byddai rhywun yn tynnu'r haearn, yr hoelion a'r cwbl, a'r dyn yn waeth nag erioed, a Nansi yn ailddechrau tywallt y te dail. Ac un diwrnod mi welwn Gwen wedi gwylltio wrth ei gweled yn tywallt cymaint i lawr pen y dyn, ac yn ei gwthio oddi wrtho, ac am ei chast fe *witchiodd* Nansi Gwen a'i gwneud cyn lleiad â doli oddeutu pum modfedd o hyd, ac fe *witchiodd* Ann, y forwyn, wedyn yn llai na hithau, a'i gosod fel mendin ar ben Gwen. A dyna lle yr oedd y ddwy, Ann a Gwen, yn bethau bach, bach yn dawnsio ar dop post y gwely, ac yn gwawdio'r dyn sâl. Synnwn at Gwen a gofynnwn iddi ymhle yr oedd ei chrefydd, a bygythiwn ddweud ei hanes wrth Robert Wynn.

Ac un diwrnod daeth Robert yno, ac wedi imi gyfeirio sylw Robert at Gwen ac Ann yn gwawdio ar flaen post y gwely, fe wylltiodd yr hen ŵr, a chydio yn y ddwy a'u rhoi ym mhoced ei got. Ond cyn gynted ag y tynnodd Robert ei law o'i boced, mi welwn Ann a Gwen yn ysbïo dros ymyl y boced ac yn dal i chwerthin am ben y dyn claf, a phan drôi Robert ei ben tuag atynt yswatiai'r ddwy i'r boced mewn eiliad. Ac erbyn imi sylwi yr oedd yr hen Feti yn eistedd ar ymyl y boced arall ac yn pwyntio â'i gweill at y dyn claf, ac wedi ymuno â Gwen ac Ann i'w wawdio. Ac yn y man ymddangosai Robert fel yn dygymod â hyn oll, ac ni chymerai sylw o'r anweddeidd-dra nes i Elin, ei ferch, ddod yno, ac wrth fy nghorchymyn eu troi i gyd allan. Dywedais wrth Elin y mynnwn dorri ei thad, Gwen a Ann o'r seiat, a dywedai Elin y gwnâi fy helpio gyda hyn. Elin, yn fy meddwl, oedd yr unig un oedd wedi ei gadael â thipyn o synnwyr yn ei phen, a chydymdeimlad yn ei chalon, oblegid cynorthwyai hi fi i drwsio'r twll oedd ym mhen y dyn claf. Daliai Elin y gannwyll yn ofalus i mi roi darn o haearn ar dop y twll oedd ym mhen y dyn sâl oedd yn dioddef mor dost, a chyfarwyddai fi sut i roi y *screws* drwy'r haearn yn ei ben, oblegid gwelwn erbyn hyn fod hoelion yn anfuddiol, gan fod rhywun yn eu dwyn yn barhaus. Rhyngom ein dau gwnaethom *job* iawn ar ben y dyn claf, a phan ddaeth Doctor Huws i edrych amdano, tystiodd ein bod wedi gwneud gwaith campus. Er bod y dyn claf yn ŵr hollol ddieithr i mi ac i Elin Wynn, yr oeddem yn llawen iawn pan welsom ei fod yn gwella yn gyflym ar ôl i ni roi clwt o haearn ar y twll oedd yn nhop ei ben. Dechreuai gymryd sylw ohonom, a gofynnai am fwyd, ac yr oedd Elin a minnau yn rhedeg i nôl y peth yma a'r peth arall wrth ei alwad. Ni wn sut y bu—yr oedd yr oruchwyliaeth yn rhyfedd—ond dechreuodd Elin fy mherswadio mai fi oedd y dyn claf. Yr oeddwn yn anfodlon iawn i'w chredu, ond o'r diwedd—ni wn sut—ymdoddais rywfodd i'r dyn claf, a mi gefais mewn gwirionedd mai myfi fy hun ydoedd, a diflannodd Elin y foment honno. Mae yn debyg i mi agor fy llygaid o'r newydd, oblegid gwelwn mai yn y Wernddu yr oeddwn ac yn fy ngwely arferol, ac yn sefyll wrth fy ymyl, ac yn edrych yn ddwys arnaf, gwelwn yr eneth orau a wisgodd esgid erioed, ac ebe fi, "Wel, Gwen, 'y nghariad i, lle 'rwyt ti wedi bod ers talwm?" ac ebe hi:

"Wyt ti ddim yn gwbod fod ti wedi bod yn sâl iawn? Ddaru mi mo dy adael di am bum munud," a thorrodd allan i grio yn hidl a rhoddodd ei breichiau am fy ngwddf.

Yr wyf yn cofio bore drannoeth cystal â phetasai ddoe. Teimlwn yn wannaidd a rhyfedd iawn. Ymddangosai popeth fel pe buaswn heb eu gweld ers cyfnod maith. Yr oedd Gwen, er na fuasai yn ei gwely ers dros wythnos, cyn llawened â'r gog. Yn y man clywn Doctor Huws yn dyfod i fyny'r grisiau dan chwibanu, a phan ddaeth i'r ystafell hwyrach i mi wenu arno. Pa fodd bynnag, ebe fe:

"Wel, yr hen begor, wyt ti wedi dod yn ôl o wlad hud a lledrith?" Wedi dweud hyn cydiodd yn chwareus yn Gwen, fel pe buasai yn llanc ifanc, a lleithiodd ei lygaid. Wedi cymryd ei gadach poced a chwythu ei drwyn yn galed, ychwanegodd, "Ddaru mi ddim deud wrthot ti neithiwr, Gwen, y trôi o cyn y bore? Diolch i Dduw! Dydan ni ddim isio cael 'madael efo ti eto, y lleban, er y medren ni neud yn burion hebot ti. Sut mae dy ben di, petai o ryw ots, achos yr wyt ti wedi mlagardio i'n ddychrynllyd yr wythnos dwaetha 'ma? Gwen, wyt ti yn disgwyl Elin yma, gael i tithe gael tipyn o orffwyso? Diawst, rwyt ti'n haeddu cael gorffwyso ar ôl yr holl helynt efo'r lleban 'ma."

Yr oeddwn yn adnabod Doctor Huws, ac yn gwybod ei fod yn ffrind mawr i mi ac i Gwen. Wedi rhoi rhyw gyfarwyddiadau i Gwen yn fy nghylch a lolian tipyn aeth ymaith, gan addo y deuai i'm gweld cyn iddo fyned i'w wely.

Cefais lawer o newyddion amdanaf fy hun y diwrnod hwnnw. Yr oeddwn wedi bod mewn twymyn boeth ac wedi dweud llawer o bethau cas a charedig wrth bawb, ac ni allaf ddisgrifio mor ddiolchgar y teimlwn fy mod eilwaith wedi dod i fy mhwyll.

XLIV

Pant-y-buarth

PAN ddeuthum i'm synhwyrau ar ôl bod yn y dwymyn boeth am fwy nag wythnos, yr wyf yn cofio bod y drychiolaethau a'r gweledigaethau rhyfedd a gawswn wedi gadael y fath argraff ddofn ar fy meddwl, fel mai prin y gallwn eu gwahaniaethu oddi wrth ffeithiau celyd oedd yn awr yn fy nghof a than lywodraeth fy rheswm, y fath ag ydoedd. Yr wyf yn cofio yn gynnar fore yr ail ddydd wedi i mi ddod i fy synnwyr, fod y Doctor Huws yn eistedd wrth ochr y gwely, a Gwen a'i gên rhwng ei dwylo, a'i phenelinoedd yn pwyso ar ystyllen traed y gwely. Yr oedd y ddau yn bur llon wrth fy ngweld yn dyfod ataf fy hun, pryd y dechreuais sôn am arwerthiant ystad y Plas Onn, ac y dywedais—yr oeddwn yn sicr yn fy meddwl nad oeddwn wedi dweud hyn o'r blaen—mai Mr. Thomson, ein hen letywr, oedd wedi prynu'r Wernddu, a'i fod wedi gorchymyn i'w oruchwyliwr ddweud wrthyf na fyddai dim codiad yn y rhent. Tra oeddwn yn dweud y newydd hwn edrychwn i wyneb Gwen gan ddisgwyl ei gweld yn llawenhau. Faint oedd fy syndod pan welais hi yn ymliwio â'r dagrau yn neidio i'w llygaid, ac ambell un yn llithro i lawr ei gruddiau, a phan ddywedodd—

"O, Rheinallt bach, paid â dechre siarad yn wirion eto! Yr wyt ti wedi siarad llawer o bethe rhyfedd am Mr. Thomson yn dy glefyd. Gorwedd i lawr, 'y machgen i, yr ydan ni wedi siarad gormod efo ti." A daeth ataf a thynnodd y clustogau oddi wrth fy nghefn a gwnaeth i mi orwedd. Edrychodd y Doctor yn syn arnaf, ac ailafaelodd yn fy arddwn i deimlo fy mhyls. Gwelwn fod y ddau yn edrych yn bryderus arnaf, ac yn dechrau amau ai nid oeddwn eto yn ramblo. Yn wir, meddyliwn fy hun mai un o'r gweledigaethau a gawswn yn fy nghlefyd oedd yr arwerthiant a phopeth, a gorweddais i lawr yn llonydd heb ddweud gair, yn ôl cyfarwyddyd y meddyg ac anogaeth Gwen. Edrychodd y ddau yn wirion arnaf, a minnau cyn wirioned arnynt hwythau, pryd y daeth Ann, y forwyn i mewn i'r ystafell â llythyr i mi yn ei llaw. Gofynnais i Gwen ei ddarllen, yr hyn a wnaeth, a daliai y Doctor ei afael yn fy arddwn ag un llaw a daliai ei *watch* yn y llaw arall gan symud ei ben megis i ganlyn tipiadau'r *watch* neu fy mhyls ni wyddwn pa un, ac megis heb gymryd arno ei fod yn gwybod fod Ann wedi dod â'r llythyr i mi. Darllenodd Gwen:

E——WARWICK, RHAG. 16, 18—

ANNWYL MR. A MRS. TOMOS,—Dylaswn fod wedi ysgrifennu atoch ers tro byd, ac oni bai fy mod yn gwybod eich bod o duedd faddeugar, buasai arnaf gywilydd ysgrifennu atoch yn awr, gan faint fy oediad. Yr oedd yn wir ofidus gennyf glywed gan fy ngoruchwyliwr mai drosoch chwi yr oedd Dr. Huws yn cynnig yn yr arwerthiant. Ni wyddai Mr. Knowles hynny nes clywed gennych chwi, onid e gallasech fod wedi sicrhau'r Wernddu i chwi eich hun am bris rhesymol o isel. Pa fodd bynnag, er mai fi oedd y prynwr, ac i mi hwyrach, roi mwy am y ffarm nag a dalai, fy amcan i oedd ei sicrhau i chwi, ac yr wyf yn meddwl fod Mr. Knowles wedi eich hysbysu na fydd dim codiad yn y rhent.

Wel, fy nghyfeillion annwyl, ni wn pryd y gallaf dalu i chwi am eich caredigrwydd i mi tra oeddwn yna, ac am eich cynhorthwy—er na wyddech eich bod yn fy nghynorthwyo—i ddod o hyd i'r dihiryn yr oeddwn eisiau dial arno, neu yn hytrach eisiau talu iddo fy nyled. Mae'r tywydd mor erwin a'r ffordd mor bell, neu buaswn yn crefu arnoch ddyfod yma i dreulio wythnos y Nadolig gyda mi, a mi wn y gwnâi Nansi chwi yn gyfforddus. Ond os na ellwch weled eich ffordd yn glir i ddyfod yma yn awr, mae'n rhaid i mi gael addewid gennych i ddyfod yn y gwanwyn. Pa gymhelliad a allaf ei roddi i chwi i ddyfod yma? Hwyrach, os oes ynoch gariad mawr at y Wernddu y gallwn ddyfod i fargen amdani pan ddeuwch yma. Yr wyf yn meddwl yn aml amdanoch, ac yn dyfalu pa fodd yr ydych yn dyfod ymlaen fel gŵr a gwraig. Mae Nansi yn gofidio na chawsai fwy o adnabyddiaeth ohonoch, ac yn hiraethu am wneud y diffyg i fyny. Y mae yma un arall a garai eich gweld, ac y carech chwithau ei weld yntau. Cofiwch fi yn garedig at Dr. Huws—

efe, ag i mi eich eithrio chwi eich dau—ydyw'r unig un yn y gymdogaeth yna y buaswn yn rhoi grot amdano. Gadewch i mi gael llythyr maith oddi wrthych ar fyrder.

Gyda chofion gorau, yr eiddoch yn gywir.

ALFRED THOMSON

Wedi darllen y llythyr, edrychodd Gwen ar y Doctor braidd yn yswil, ond yn y funud, chwarddodd y meddyg yn uchel, ac ni chymerai arno ei fod wedi ei dwyllo ynof. Fel y gallesid disgwyl yr oedd y newydd yn dderbyniol iawn gan y meddyg, ac yr oedd llawenydd Gwen yn fawr, ac ni feddyliodd mwy gan nad beth a ddywedwn fy mod yn "ramblo". Wedi i'r Doctor ymadael, cawsom ymgom dawel am ein hamgylchiadau. Teimlai Gwen eisoes yn wir ddiolchgar i'r Llywydd Mawr am fod gobaith cryf am fy adferiad, a daeth y newydd am ein diogelwch yn y Wernddu i orlenwi cwpan ei dedwyddwch. Yr oedd cael Mr. Thomson yn fistar tir yn rhywbeth i'n teimladau ni ein dau na allasem roddi pris arno, a darllenodd Gwen y llythyr lawer gwaith drosodd. Yr oeddem yn methu'n glir â deall na dyfeisio pwy oedd yr "un arall" y soniai Mr. Thomson amdano ac y buasai yn dda ganddo ein gweld. Daethom i'r penderfyniad o'r diwedd mai plentyn Nansi ydoedd. Ysgrifennodd Gwen ateb maith i'r llythyr, oblegid yr oedd ganddi lawer i'w adrodd, a gofynnodd am ragor o wybodaeth am yr "un arall".

Ymhen ychydig amser yr oeddwn yn gallu siarad yn rhydd am bopeth heb fy niweidio fy hun. Adroddai Gwen y fath syndod ac arswyd a achoswyd yn y gymdogaeth a'r wlad gan gyfaddefiad Wmffre, ond gofalodd ddweud bod ei phryder yn fy nghylch i yn fy nhwymyn wedi rhwystro iddi feddwl ond ychydig am Wmffre, druan, a'i gyfaddefiad, ac mai yr adeg honno yr oedd hi yn dechrau sylweddoli ofnadwyaeth y peth. Er gwaethaf y cyfaddefiad, ni fedrai Gwen yn ei byw edrych ar Wmffre fel mwrdrwr, a gobeithiai o'i chalon ei fod wedi cael maddeuant. Yr oedd Elin Wynn yn ôl ac ymlaen yn y Wernddu bob dydd, ac ni pheidiai Gwen â'i chanmol wrthyf, mor dda a charedig a fuasai hi yn ystod fy afiechyd, a phryd na wyddwn ddim oddi wrthyf fy hun. Ac un prynhawn ebe Gwen:

"Mae gen i newydd i ti, a brysia dithe fendio—mae Elin yn mynd i gael gŵr."

"Pwy yn y byd mawr ydyw y dyn lwcus?" ebe fi. "Oddieithr un, Elin ydyw'r eneth orau yn y byd. Mae hi dipyn yn blaen, ond geneth dan gamp ydyw Elin."

" 'Does yna ddim 'oddieithr un'—efo dy weniaith—yn y cwestiwn," ebe Gwen. "Elin ydi'r eneth orau a welais erioed. A dydi hi ddim yn blaen, a mae *hi* yn mynd i gael gŵr gwerth ei gael."

"Nid pawb sydd yn cael gŵr gwerth ei gael, mae'n wir, ond dywed i mi pwy ydi o. Mae'n rhaid ei fod yn flaenor neu fydd Elin ddim yn gyfforddus," ebe fi.

"Na, dydi o ddim yn flaenor," ebe Gwen, "a pheth arall, dydw i ddim yn meddwl y bydd ganddo byth siawns i gael ei wneud yn flaenor."

"Paid â chyboli," ebe fi, "wyt ti ddim yn meddwl deud fod Elin am dywlu ei hun i ffwrdd efo rhyw fydolddyn cyfoethog a digrefydd?"

"Na," ebe Gwen, "dydi o ddim yn ddigrefydd, ond yr ydw i'n deud eto, mai un o'r pethe diwetha a wnâi unrhyw eglwys a fyddai ei wneud yn flaenor."

"Wel, wyt ti'n meddwl dweud mai rhyw hanner lob ydi o? Ond dyna fel y mae y genethod call a chlyfar yma yn wneud yn amal—priodi rhyw nerco difennydd," ebe fi.

"Dyna dy brofiad di yn ddiame," ebe Gwen. "Ond dydi Elin ddim yn mynd i briodi nerco chwaith. Leiciet ti wybod pwy ydi o? Lewis Jones, y pregethwr."

"*Well done* Elin," ebe fi, "mae hi wedi dy guro di yn sownd."

"Gwir a ddwedaist," ebe Gwen, "ond does gen i ddim i wneud bellach ond treio cymyd i fyny efo ti. Ydi, y mae Elin yn mynd i briodi Lewis Jones."

"Ond y mae o'n hŷn lawer na hi—yn ddigon hen o dad iddi," ebe fi.

"Pa ots am hynny," ebe Gwen. "Dydi merched wrth fynd i gael gŵr ddim yn gwneud yr un fath â ti pan fyddi di yn prynu ceffyl—yn edrych i'w geg o am ei oed."

"Mae'n lwc hynny," ebe fi, "neu mi ffeindien yn amal ei fod wedi gadael ei saith—wedi colli ei oed ers talwm. A phetase Elin wedi edrych i geg Lewis Jones, beth fase hi'n weld?"

"Set o ddannedd gosod, digon propor hefyd," ebe Gwen. "Ond na hidia, dydi merched ddim mor barticiwlar am yr oed os bydd y *quality* yno."

"Gwir," ebe fi, "ond beth mae'r hen bobol yn ddeud am hyn?"

"Wel," ebe Gwen, "mi feddyliwn fod Elin wedi cael tipyn o ddifyrrwch. Yr oedd hi'n dallt ers tro fod Lewis Jones yn meddwl amdani, achos yr oedd o yn dod yno yn amal iawn, ac o'r diwedd mi siaradodd efo hi am y peth. Ddyliwn i ti nad oedd gan Elin ddim gwrthwynebiad—'roedd cael pregethwr yn ŵr *just* at 'i ffansi hi, a mi ddeudodd wrtho am siarad efo'i thad. Tipyn o *job* oedd hynny, meddai Lewis, ac yr oedd yn ddigon buan sôn am hynny, meddai, a daliai i ddod yno yn amlach ac yn amlach. Yr oedd Elin yn disgwyl o hyd i'w thad ffeindio'r peth allan, ac yn gwrando ei gorau bob nos wedi i Lewis fynd i ffwrdd a ddeude ei thad neu ei mam rywbeth amdano. Un noswaith, a'i thad wedi bod yn danfon Lewis i'r ffordd—yr oedd yr hen Robert, meddai Elin, wedi cymryd i neud hynny yn ddiweddar rhag i Lewis gael cyfleustra i siarad â hi—gwrandawai Elin wrth y drws sydd yn mynd o'r gegin, wyddost, be ddeude ei thad wedi dod yn ôl. Mae'r hen Robert, fel y gwyddost, yn siarad yn uchel—feder o ddim wispro, a mi clywe Elin o'n deud gynted y steddodd o—"

"Beti, fedri di ddeud wrtho i be ydi'r rheswm fod y dyn ene yn dŵad yma mor aml?"

"Na fedra i, neno'r annwyl," ebe Beti, "os nad teimlo ei hun yn unig y mae o rŵan ar ôl colli ei fam, ne' fod o'n ffond o'n cwmpeini ni."

"Wyt ti'n siŵr nad oes gynno fo lygad ar yr eneth yma? Mae hynny wedi taro i meddwl i yn ddiweddar," ebe Robert.

Yr oedd Elin yn glust i gyd erbyn hyn.

"Sgwn i ar y ddaear—hwyrach fod, ac eto dydw i ddim yn meddwl hynny," ebe Beti.

"Wyddost ti p'run, mae rhwbeth wedi taro meddwl i," ebe Robert.

"Wel petai gynno fo lygad ar yr eneth fedren ni ddeud dim llawer yn ei erbyn, achos y mae o'n bregethwr, a synnwn i ddim na wnâi o ŵr da," ebe Beti.

"Petawn i'n gwybod fod o'n meddwl rhywbeth amdani, nawn i fawr o siapri ohono fo," ebe Robert.

"Pam Robet bach?" ebe Beti. "Mae'n gwestiwn gen i a fedre'r eneth neud yn well, a chymyd popeth i styrieth."

"Taw â dy lol, mi fydd yn ddigon buan i'r eneth feddwl am briodi ar ôl i ti a minne gael ein priddo," ebe Robert.

"Na fydd wir, achos dydw i ddim yn meddwl am gael y mhriddo am dipyn, beth bynnag, a mi fydd yr eneth yn dechre mynd i oed erbyn hynny," ebe Beti.

"Yr ydan ni yn ddigon di-sut fel rydan ni, a be 'naen ni hebddi? Heblaw hynny mae y dyn yn llawer hŷn na'r eneth," ebe Robert.

"Felly roeddech chithe yn llawer hŷn na minne, Robert bach," ebe Beti.

"Dydi un camgymeriad ddim yn rheswm dros gamgymeriad arall," ebe Robert.

"O, ai camgymeriad oedd yn priodas ni, Robet? ydach chi'n deud hynny yn yr oed yma?" ebe Beti.

"Nag ydw, a phaid â bod mor bethma," ebe Robert.

"Be oeddech chithe," ebe Beti, "yn sôn am gamgymeriad? Dydw i ddim yn meddwl fod gynnoch chi le i gwyno, Robet, a gadewch i Lewis Jones gynnig ei hun yn gynta cyn dechre cadw sŵn. A sôn am yn priddo ni'n wir! Mi wranta nad ydach chi mor barod i gael ych priddo mwy na finne! Mi leiciwn i weled ffasiwn ŵr gaiff Elin, ac os rhosiff hi tan 'y mhriddo i, cha i ddim siawns i'w weld."

"Mae rhwbeth yn y peth wyt ti'n ddeud, Beti," ebe Robert, "ond mi fydd yn anodd iawn 'madel â'r eneth—mi fydd fel petaen ni yn ailddechre byw rwsut."

"Well gen i ailddechre byw o'r hanner na chael 'y mhriddo. A bedach chi'n cyboli, Robet? Yr ydach chi fel petai popeth wedi setlo a'r eneth yn mynd i briodi yfory," ebe Beti.

"Beti," ebe Robert, "rydw i'n gweld ymhellach na nhrwyn, a chyn sicred â bod ti'n gwau yr hosan ene ma Lewis Jones yn meddwl am yr eneth—dydw i ddim yn siarad dan 'y nwylo. Mi ddeuda i ti beth arall, doeddwn i fy hun ddim yn hidio rh'w lawer am ei athrawiaeth o pan oedd o'n pregethu yma ddwaetha—roedd ene ormod o lawer o allu dyn yn y bregeth. Mae gen i ofn fod Lewis yn tueddu yn gry' at yr ysgol newydd yma, fel y maen nhw yn i galw hi, os nad ydi o yn ei galon yn Armin noethlymun. Ac os na ffeindia i fod o'n iach yn y ffydd ar arfaeth ac etholedigaeth gras, ro i byth 'y nghynsent i Elin ei briodi. Dene'r gwir i ti, Beti."

"Bedach chi'n feddwl wrth arfeth, Robet?" ebe Beti.

"Dwyt ti ddim wedi dod i'r oed yma, tybed, Beti, heb wybod beth ydi arfaeth?" gofynnai Robert. "Arfaeth ydi rhagfwriadau tragwyddol a doeth y Bod Mawr gyda golwg ar bopeth sydd i gymryd lle mewn amser a byth, a dydi o ddim o fewn gallu dyn, pryfyn gwael y llawr, i newid dim ar fwriadau yr Anfeidrol Ddoeth, neu mi fydde'n ddoethach na'i Grëwr."

"Felly," ebe Beti, "os ydi o yn arfaeth y Bod Mawr i'r eneth briodi Lewis Jones, fedrwch chi, Robet bach, mo'i stopio."

"Hy," ebe Robert, a gwnaeth Elin ryw drwst efo'r llestri, ac aeth i mewn i'r gegin pan oedd ei mam wedi cael y gorau ar yr *argument*, a chyn i'w thad gael amser i ddod allan o'r anhawster, oblegid gwyddai Elin ond i'w thad gael amser y byddai yn siŵr o fod yn goncwerwr. Mi fase'n werth weil i ti glywed Elin yn mynd dros y stori—dydw i ddim yn cofio'i hanner hi. Ond mi ddaru Elin roi Lewis Jones ar ei wyliadwriaeth i fod yn iach yn y ffydd, a mae popeth wedi'i setlo."

XLV

Yr Hen Amser Gynt

FFARMWR wrth natur oedd Lewis Jones, fel y dywedir bod dyn yn bechadur wrth natur. Mewn ffarm y ganwyd ef, ac mewn ffarm y bu fyw holl ddyddiau ei einioes. Mewn ystyr, yr oedd helynt gardd Eden wedi ei actio drosodd drachefn yn hanes teulu Lewis. Ac yn awgrymiadol iawn ym Mhlas Eden yr agorodd Meredydd Jones, tad Lewis, ei lygaid gyntaf ar yr hen fyd yma, yng nghanol llawnder a dedwyddwch. Nid oedd arno eisiau dim. Ac yn ei gyflawn faintioli yr oedd yn byw ar yr hyn a adawyd iddo yn ewyllys ei dad. Ond cymerodd wraig yr hon oedd yn gwybod sut i fyw yn well nag ef, o leiaf sut i wario arian, a chafodd Meredydd, oherwydd y wraig, gwymp, a bu raid iddo gymryd y Gelli, ffarm heb fod yn fawr, a thrwy chwys ei wyneb geisio ennill bara iddo ef a'i wraig. Ond drwy fod Meredydd Jones a'i wraig yn dal i gadw tipyn o olion eu cyflwr cyntaf, nid oedd y parch a delid i bobl y Gelli yn ychydig, a chafodd Meredydd fyw i weld ei unig fab, Lewis, yn abl i ganlyn y wedd ac i edrych ar ôl "y pethe", ac wedi iddo dderbyn ei gymun gan berson y plwyf bu farw mewn tangnefedd. Dylwn ddweud i'r cwymp o Blas Eden i'r Gelli fod o gryn fendith i fam Lewis, canys ymwadodd â'i moethau a gadawodd ei gwastraff, a bron nad ellid dweud ei bod wedi mynd i'r eithafion cyferbyniol o fod yn fydol. Yr oedd ei chynildeb erbyn hyn yn ddiarhebol, a'i gofal yn ddi-fwlch am fod pob gwas a morwyn gyda'u gorchwyl yn wastadol, ac ni allai neb ddwyn cwyn yn erbyn yr wyau a ddygai hi i'r farchnad, ond ei bod yn llithro ambell i wy ceiliog i'r fasged, nac ychwaith yn erbyn ei hymenyn, ond fod braidd ar y mwyaf o flew ynddo. Ond tystiai Mrs. Jones nad ei bai hi oedd y peth olaf, a phrotestiai pan nesaf y cyflogai hi forwyn i wneud llaeth ac ymenyn na chymerai hi un â gwallt coch nac â gwallt du—fod pobl mor barod i weld y blew. Ac nid amheuai neb dueddiadau moesol Mrs. Jones, oblegid dywedai yn fynych nad oedd ganddi hi wrthwynebiad o gwbl i neb fod yn grefyddol os byddai ganddynt amser i hynny, a'i bod hi ei hun yn mynd i'r eglwys weithiau pan na fyddai dim arall yn galw. Bu Lewis yn fab rhagorol i'w fam, ac megis o ddamwain aeth gyda rhai o'i gyfoedion i gapel Salem. O ddilyn y moddion daeth yn fachgen selied a defosiynol, a chyn hir rhagorai ar ei gymdeithion mewn ffyddlondeb a duwioldeb. Ac efe eto yn ieuanc bu farw ei fam, ac yn fuan wedyn cafodd Lewis ganiatâd i ddechrau pregethu. Ychydig o ysgol a gawsai, ac oherwydd y dull y dygwyd ef i fyny, nid oedd ei wybodaeth ond pur gyfyng. A gellir dweud am Lewis fel am ddegau o ddysgawdwyr cyhoeddus Cymru yn yr oes a basiodd, ei fod pan dechreuodd bregethu yn esgyn i bwlpud i ddysgu amryw yn y gynulleidfa oedd yn gwybod cymaint ddwywaith ag ef. Ond pa wahaniaeth? Teimlai Lewis fod ganddo genadwri, a theimlai eraill hynny hefyd, a phan wnâi efe gamgymeriad ambell dro wrth lefaru a barai i'r gwybodusion gilwenu, eto, er y cwbl, ni fynasai hyd yn oed un o'r rheiny ddweud nad oedd gan Lewis hawl i ddringo pwlpud i'w dysgu. Yr oedd ganddo neges, a'r neges honno wedi ei hymddiried iddo oddi fry. Ac wrth i mi feddwl am hynny, y fath fyddin ardderchog o ddosbarth Lewis Jones a welodd Cymru yn yr amser a aeth heibio!—dynion oedd o ran gwybodaeth yn israddol i lawer o'u gwrandawyr—dynion na chawsant gyfleustra, ac nad oedd ganddynt amser i aros cael addysg cyn dechrau dysgu ein cenedl, ond dynion a chanddynt genadwri i'w thraddodi cyn cyflawnder amser y colegau! Pa nifer yr ydym yn gofio o'r dysgawdwyr hyn a ddwedai bethau chwithig a digrifol, ond y teimlem yr un pryd eu bod yn genhadon anfonedig? Ni fuasai Cymru y peth ydyw heddiw oni bai amdanynt hwy.

Er bod Lewis Jones yn ffarmio ei orau glas chwe diwrnod o'r wythnos, eto, fel Lewis Jones, y pregethwr, yr adwaenid ef yn ei gartref ac yn y cymdogaethau cylchynol. Ac, fel y dywedai Beti Wynn, diau fod Lewis, ar ôl claddu ei fam, yn ei deimlo'i hun yn unig, ac mai oddi ar y teimlad hwnnw y llygadodd efe Elin Wynn fel un dra thebyg o wneud cymar bywyd ac ymgeledd gymwys iddo. A phe buasai Lewis Jones yn bregethwr mawr, mae bron yn sicr na fuasai efe yn meddwl am Elin Wynn—buasai yn chwilio am un salach, a buasai yn rhwym o ddod o hyd iddi; ond gan mai pregethwr at iws gwlad ydoedd Lewis, syrthiodd ei lygaid ar ddarpar wraig gampus. Gallodd Lewis hefyd basio arholiad Robert Wynn yn llwyddiannus.

Yr oeddwn yn awyddus iawn i wella er mwyn cael mynd i briodas Elin, ac mi gefais fy nymuniad a mwy—cefais i fod yn was a Gwen yn forwyn briodas. Ac i arbed mynd i'r Eglwys talodd yr hen Robert am drwyddedu capel Tan-y-fron. Pan fyddai egwyddor yn y cwestiwn gallai'r hen frawd beidio bod yn llawgaead. Felly, rhag i mi anghofio dweud hynny eto, cafodd Elin, am mai hi oedd y gyntaf i briodi yng nghapel Tan-y-fron, glamp o Feibl a phictiwrs ynddo yn anrheg. Yr oedd y briodas ar ddydd Iau, a Robert wedi gorfod siafio y noswaith flaenorol, ac yr wyf yn cofio o'r gorau fod ganddo ddau bisyn o *sticking plaster* at faint swllt ar ei ên drwy iddo fynd yn *nervous* ar ganol siafio, pan ddywedodd Beti yn ddigon annoeth wrtho:

"Wel, Robert bach, dyma'r tro ola i Elin baratoi'r pethe siafio ichi." Rhoddodd Robert ochenaid pan oedd y rasal ar ei wyneb, a thorodd ei ên ddwywaith. Ar ôl sylw Beti yr oedd dagrau hefyd yn rhedeg i lawr gruddiau Robert, ond ar y rasal yr oedd y bai, a 'doedd gan Beti ddim busnes i siarad tra oedd Robert "wrthi".

Yr oedd golwg ryfedd ar yr hen frawd onest fore'r briodas, oblegid yr oedd wedi sefyll yn dynn yn erbyn cael dillad newydd, ac wedi dwyn allan o'i drysor hen ddres côt las, fer ei gwasg, a chyn hyned ag yntau bron. Ni fuasai gwiw i mi na neb arall wneud sylw arni, ond wrth fy ngweld yn syllu ar y *curiosity* tynnodd Beti wyneb arnaf, a phwyntiodd at ei modrwy, a deellais mai yn y dres côt honno y priododd Robert ei hun ers llawer dydd. Gwyddwn yr edrychai Robert ar ddillad Gwen ac Elin fel gwastraff pechadurus, ond ni ddywedai ddim ond drwy ei lygaid a chonglau ei safn, y rhai a allai ddynodi dirmyg gwywol weithiau. Ymddangosai pawb mewn tymer dda a llawen oddieithr Robert. Hanner awr neu ragor cyn yr adeg i fynd i'r capel yr oedd yr hen frawd yn hynod o aflonydd a blinderog yr olwg—yn symud yn ôl a blaen, i mewn ac allan yn ddi-baid, ac nid unwaith na dwywaith y dywedodd Beti wrtho:

"Da chi, Robert, treiwch fod yn llonydd fel rhwfun arall."

Nid atebai Robert—yn unig taflai olwg yn awr ac yn y man ar Lewis Jones, cystal â dweud mai efe oedd wedi achosi'r helynt, ac yn y man ebe fe:

"Heliwch i'r capel i ni gael yr hen helynt drosodd," ac ymaith ag ef ar ei ben ei hun dan frasgamu yn enbyd. Yr oedd yn ddrwg gan fy nghalon dros yr hen gyfaill y diwrnod hwnnw, oblegid gwyddwn fod ei ofid yn fawr wrth feddwl am ymadael ag Elin. Ac yn wir, Elin oedd popeth yn Mhant-y-buarth, ac hebddi byddai'r tŷ fel tŷ gwag. Diau mai meddwl am hyn yr oedd yr hen ŵr pan gymerai arno fwyta ar ôl y briodas wrth y bwrdd brecwast. Er bod ei ystumog yn gyffredin yn un lled wancus, nid oedd dim bron yn mynd i lawr iddi y bore hwnnw, gan nad pa mor aml y dywedai Beti,—"Wel, Robert bach, dydach chi'n bwyta dim—'mrowch ati." "Fedra i neud fawr ohoni heddiw," ebe Robert, a chymerodd ei gadach poced a chwythodd ei drwyn er mwyn cael esgus i sychu ei lygaid llaith, ac wrth ei weld yn gwneud hynny fwy nag unwaith, ebe Beti, "Ydach chi wedi peidio cael annwyd, Robet?" "Wn i ddim, ond y mae rhywbeth tebyg arw arna i," ebe Robert. "Ydach yn siŵr, 'nhad," ebe Elin yn gellweirddrwg, ond gydag wyneb sad,—"ydach yn siŵr, 'nhad, wrth roi yr hen gôt las yna amdanoch—rhaid ei bod yn damp." "Mae'r gôt yn riol," ebe Robert. Ceisiais ysmalio amryw weithiau, ond nid ymddangosai Robert Wynn ei fod yn fy nghlywed, a dywedai ei wyneb fod ei feddyliau yn rhywle arall, a chododd o waelod ei fynwes lawer ochenaid, ond mygai hwynt yn ei wddf. Pan ddaeth yr amser i Elin a'i gŵr gychwyn am wythnos eu gŵyl, gwelwn fod yr hen dad yn methu ymgynnal, a dirgrynai ei ên hir a siglai conglau ei safn yn boenus i edrych arnynt, ac ni fedrai ddweud gair wrth ffarwelio, ac ni ddaeth cysgod o wên ar ei wyneb pan daflodd Gwen ddeubar o hen esgidiau ar ôl y briodasferch. Treuliodd Gwen a minnau y diwrnod ym Mhant-y-buarth, ond ni chawsom lawer o gwmni Robert Wynn. Rywbryd yn y prynhawn, a Robert wedi bod allan awr neu ragor, euthum am dro i un o'r caeau. Yng nghongl y cae nesaf i'r tŷ yr oedd beudy bychan, ac wrth ddychwelyd heibio iddo tybiais fy mod yn clywed rhyw sŵn ynddo, a neseais yn ddistaw. Adwaenais y llais. Yr hen ŵr oedd yno yn gweddïo neu yn siarad ag ef ei hun. Ofnais fynd yn rhy agos, ond deellais ar y sŵn ei fod weithiau yn siarad, bryd arall yn hanner wylofain. Diamau gennyf mai dweud ei gŵyn yr oedd efe wrth yr Hwn y byddai yn dweud popeth bob amser, a da oedd gennyf hynny, oblegid gwyddwn, wedi iddo gael arllwys ei deimladau, y byddai wedi iacháu llawer. Ac uniawn y bernais, canys yn y man daeth i'r tŷ yn ddyn hollol wahanol, ac ebe fe:

"Beti, faint o amser sy, dywed, er pan oeddat ti a finne yn mynd drwy'r helynt?"

"Mae plwc, Robert, ond 'dydw i ddim yn cofio yn gysact," ebe Beti.

"Oes," ebe Robert, "a llawer tro ar fyd wedi bod er hynny."

"Aethoch chi oddi cartre' ar ôl priodi?" gofynnais innau.

"Oddi cartre', wir! dim peryg!" ebe Robert. "Yr adeg honno fydde neb yn mynd oddi cartre' ar ôl priodi ond boneddigion, a rhyw ddynwared pobl fawr yr ydw i'n galw'r ffasiwn welwn ni 'rŵan. Yr oeddwn efo 'ngwaith y prynhawn y priodes i, on'd oeddwn i, Beti?"

"Oeddech, os nad cyn cinio," ebe Beti.

"Ond y mae'n well gen i'r ffasiwn mynd oddi cartre' 'ma na'r ffasiwn fydde'n rhy gyffredin y dyddiau hynny," ychwanegai Robert. "Y ffordd y bydden nhw'n gwneud fydde mynd i'r eglwys mor fore ag y medren nhw—gyda iddi daro wyth, ac wedyn mi fydde cwmni'r briodas yn mynd yn syth i'r dafarn i gael brecwast, ac yno bydden nhw drwy'r dydd, a thua'r prynhawn mi fydde'r ewyllyswyr da, yn feibion ac yn ferched, yn dod yno i botio ac i ddawnsio. Mi fydde pawb yn talu siot, hynny ydi, yn dropio chwech neu swllt at y ddiod, a phan orffennai'r ddiod mi fydden yn gwneud siot newydd. A mi fydde rhwfun yn mynd efo'r het o gwmpas i hel pres i'r ffidlar ne'r telynwr ddwywaith neu dair yn ystod y noswaith. Ac yfed a dawnsio y bydden nhw hyd un a dau o'r gloch y bore, os bydden nhw heb feddwi cyn hynny. Ac nid yn anamal y bydde'r gŵr oedd newydd briodi yn mynd adref efo'r wraig am y tro cyntaf yn feddw gorn, a'r wraig heb fod yn llawer gwell. A chymaint oedd yr anwybodaeth yn y wlad fel nad oedd neb yn meddwl fawr llai ohonyn nhw. Ac weithiau, mi fyddai'r Person yn rhoi ei drwyn i mewn yn y sbleddach, a'r pâr ieuanc priodasol yn cymryd yn garedig iawn arno am ddod yno. Diolch am bregethiad yr Efengyl a'r Ysgol Sul! A sôn neiff pobl fod hi'n anodd byw y dyddiau yma. Wyddost di faint oedd 'y nghyflog i pan briodas i? Chwe swllt yr wythnos a 'mwyd, a byw adre' ar fy mwyd fy hun y Sul!"

"Wel sut yn y byd mawr yr oeddach chi'n gallu byw a chadw gwraig?" ebe fi.

" 'Roeddan ni yn byw yn rhyfedd arw, wel di. Mi fydden yn cael dau borchell gan y ffarmwr y byddwn i yn gweithio iddo, a thalu amdanyn nhw bob yn dipyn, a mi fydden yn cael digon o wellt i roi tanyn nhw am ddim ac ambell dynied o laeth enwyn. A mi fydden yn cael lle i blannu tatws, ond bod ni'n morol am y tail. Wedyn mi fydden yn pesgi'r ddau fochyn ac yn gwerthu un i dalu rhent, a lladd y llall at ein hiws. Wedi talu am y moch fydde arnom ni byth ddime i neb, a mi ddarum fyw yn rhyfedd, ond ddarum ni, Beti?"

"Do, ond y fi fydde'n gorfod sgamio," ebe Beti.

"Taw sôn am sgamio," ebe Robert, "meddylia am y dynion oedd heb gael dim mwy o gyflog na finne, a magu llond tŷ o blant."

" '*Roedd* yno fagu braf!" ebe Beti.

"Waeth i ti befo," ebe Robert, "mi gafodd y plant fwyd, a 'roedd 'u boche nhw fel tymplins un afal, er nad oeddan nhw'n gweled tamed o gig ffres trwy'r blynyddoedd. Ie, felly yr oeddan ni yn byw, wel di, a mi ddaethon ymlaen yn ods."

"Ond yr ydach chi'n anghofio, Robet," ebe Beti, "yn bod ni ymhen blynyddoedd wedi cael eiddo mam."

"'Does dim peryg i mi anghofio hynny tra byddi di byw, Beti, achos yr wyt ti'n f'atgofio i yn ddigon amal am eiddo dy fam. Ond be' oedd pedwar ugen punt a'r dodrefn wrth feddwl fel mae Duw wedi'n llwyddo?"

"Mi ŵyr pawb, Robet," ebe Beti, "na fasech chi ddim y peth ydach chi 'blaw eiddo mam."

"Hwyrach hynny," ebe Robert, "a mi wyddost dithe am rywfun fase wedi'u rifflo nhw'n o handi 'blaw fod rhwfun arall yn edrach ar 'u hole nhw. Ond mi adawn hynny 'rŵan. Meddwl yr oeddwn gymin ymgenach cychwyn y mae Elin a Lewis Jones yn gael, a mi ddyle fod tipyn o gig ar 'u senne nhw a hynny yn o fuan, os na adawan nhw i bethe redeg trwy'u dwylo nhw."

Ac felly y gadawsom Robert wedi dyfod i siarad yn rhwydd a siriol y diwrnod y priododd ei ferch Elin.

XLVI

Y Gyfaredd

FAINT bynnag o golled oedd ym Mhant-y-buarth ar ôl Elin Wynn, yr oedd llawn gymaint o ennill yn y Gelli. Buan iawn y dygodd hi drefn a dosbarth ar bopeth yno. A dywedid yn gyffredinol yn y wlad fod Lewis Jones yn pregethu yn well o lawer ar ôl priodi nag y gwnâi cynt, a chredai ambell un fod Elin yn ei gynorthwyo i wneud ei bregethau. Ni wn a oedd gwir yn hyn, ond mi wn fod Elin wedi bod yn achos iddo ddinistrio llawer o'i bregethau—yn wir, bob pregeth oedd ganddo cyn priodi. Yr oedd Elin wedi eu gwrando oll, a rhai ohonynt fwy nag unwaith, a mynnodd gan Lewis eu llosgi i gyd a gwneud ystoc newydd. Mi wn hefyd, er hynny, y byddai Lewis, pan fyddai ymhell oddi cartref, yn pregethu ambell un o'r hen ystoc oedd wedi glynu yn ei gof, ond nid gwiw a fyddai iddo gydnabod hynny wrth Elin, a phan ofynnai hi iddo ar fore Llun beth a bregethasai y Saboth, "Yr Efengyl, yr Efengyl, fy ngeneth," fyddai unig ateb Lewis.

Gellid yn hawdd gerdded o'r Gelli i Bant-y-buarth mewn chwarter awr, ac eto, er mor agos oedd y ddwy ffarm, rhyw wywo a ddarfu Robert Wynn wedi colli Elin. Ni chlywodd neb erioed mo Robert yn ei chanmol, nac yn wir, yn canmol neb arall—ystyriai Robert ganmoliaeth yn beth peryglus, fod pawb yn meddwl hen ddigon ohono ei hun eisoes. Er hynny, gwyddai'r cymdogion yn burion ei fod yn meddwl yn uchel o Elin, a bod ei serch ati yn ddifesur. Ni ddywedai efe hynny wrth neb, ac ni soniai am ei chwithdod hyd yn oed wrth Beti, ac eto yr oedd yn amlwg fod bywyd wedi gostwng yn y farchnad yn fawr yn ei olwg ar ôl iddo golli Elin, ac ni allai fynd i'w wely noswaith heb ei fod wedi cael cip ar Elin ryw ran o'r diwrnod. Byddai yn gwneud ryw esgus beunyddiol i fynd i'r Gelli, ac yn meddwl na wyddai neb mai *gwneud* esgusion y byddai. Dywedodd gwas y Gelli wrthyf iddo weld yr hen ŵr fwy nag unwaith pan na fyddai'r olaf wedi bod yn y Gelli yn ystod y diwrnod nac Elin wedi bod yn Mhant-y-buarth, iddo weld Robert yn dyfod yn ddistaw i'r buarth wedi iddi dywyllu, ac wedi edrych o'i gwmpas yn mynd at ffenestr y gegin, ac wedi iddo weld Elin, yn troi yn ôl tua chartref yr un mor ddistaw. Ac ychwanegodd iddo unwaith—i edrych beth a ddywedai yr hen ŵr—fynd i'w gyfarfod pan oedd yn dyfod oddi wrth y ffenestr, ac ebe Robert,—"Paid â deud wrthyn nhw 'y mod i wedi bod yma heno. 'Roeddwn i wedi meddwl mynd i mewn, ond y mae'n mynd yn hwyr. Ydi pawb yn iach?"

Fel y dywedais, yr oedd yr hen ŵr yn gwywo yn gyflym er nad oedd dim afiechyd pendant arno. Awgrymodd Gwen wrtho un diwrnod mai gwell fuasai i Lewis Jones roi'r Gelli i fyny a dyfod i fyw atynt i Bant-y-buarth. Gloywodd ei wyneb, ac ebe fe,—"Mae pawb am ei aelwyd ei hun, Gwen, ac eto y nhw fydd pia'r lle yma toc, a waeth iddyn nhw ddod yma yn fuan nac yn hwyr, petaen nhw yn meddwl am hynny." Ni fu Gwen fawr o dro yn hysbysu Lewis ac Elin am ddymuniad yr hen Robert, a chafodd ei ddymuniad mewn byr amser. Ac am dymor ymddangosai Robert Wynn wedi adfywio yn rhyfeddol—yr oedd pawb yn sylwi ar hynny. Ond am dymor yn unig y bu hyn. Toc wedi i Lewis Jones ddod i fyw i Bant-y-buarth, gollyngodd yr hen ŵr ei afael megis o bopeth daearol. Treuliai ymron ei holl amser yn darllen y Beibl, *Y Cristion mewn cyflawn Arfogaeth*, a *Gorphwysfa'r Saint*. A phan ddeuai i'r Seiat byddai fel llong marsiandïwr yn dychwelyd o'r gwledydd pell—yn llwythog o drysorau. Dychmygwn—ac nid dychmygu y byddwn, ran hynny—fod ei wyneb yn disgleirio fel un wedi bod ym mynydd Duw. Aeth i orwedd, ond yr oedd yn siriol iawn, a dywedai nad oedd ganddo boen yn unman. Un noswaith, yr oedd Gwen ac Elin yn ei wylio, a rhywbryd yng nghanol y nos, ebe fe,—"Elin, lle mae dy fam?" "Mae hi'n cysgu, nhad, ydach chi isio'i gweld hi?" ebe Elin. "Na, paid â'i deffro, cofia fi ati," ebe fe. Caeodd ei lygaid—taenodd gwên hyfryd dros ei wyneb, anadlodd yn gryf unwaith neu ddwy, ac ehedodd ei ysbryd duwiolfrydig fry. Mae llawer o flynyddoedd er hynny, ond ni byddaf byth yn meddwl am Robert Wynn, Pant-y-buarth, na chwyd yn fy mynwes—marw a wnelwyf o farwolaeth yr union.

Ond y mae yn bryd i mi fynd ymlaen efo hanes Gwen a minnau, ac, yn wir, yn bryd i mi roi pen ar fwdwl fy stori, yr hyn a wnaf ar fyrder bellach. Yr oedd Gwen a minnau yn dyfod ymlaen yn dda yn y Wernddu, a chawsom Mr. Thomson yn feistr tir rhagorol. Ni thalodd efe ymweliad â'r ffarm unwaith ar ôl iddo ei phrynu, ac nid oedd eisiau i mi ond awgrymu yn gynnil welliannau ac atgyweiriadau na chawn lythyr oddi wrtho ymhen ychydig ddyddiau yn gorchymyn imi eu cario allan. Er bod Mr. Thomson wedi ein gwahodd lawer gwaith i ddyfod i ymweld ag ef, nid oeddem hyd yn hyn wedi derbyn ei wahodd-iad. Ac yn awr rhaid imi gyfaddef camgymeriad mawr fy mywyd, a chamgymeriad, fel camgymeriadau eraill, na allwn ei ddad-wneud, ac a barodd i mi a Gwen ofid di-ben-draw. Yn y Wernddu, nid oedd gennyf le i gwyno,—yr oedd y rhent yn rhesymol o isel, yr oedd gennyf feistr tir caredig, ac yr oedd fy amgylchiadau bydol yn dyfod yn fwy disglair yn barhaus. Heblaw hynny, a pheth oedd fwy, yr oedd Gwen a minnau yn byw mewn tangnefedd ymhlith ein cymdogion, ac yr oedd ein cyfeillion yn lluosog. Heblaw hynny eto, yr oeddem yn hapus iawn yn y capel, ac yn teimlo ein bod o ryw gymaint o wasan-aeth i grefydd, ac yr oeddem yn derbyn bendith gan Dduw. Ond, a gwae i mi y diwrnod, daeth rhyw anesmwythder i'm meddwl. O ba le y daeth ni wn, ond fe ddaeth. Rhyw deimlad ydoedd am ymehangu ac ymgyfoethogi yn fwy prysur. Bûm ddegau o weithiau, ymhen blynyddoedd ar ôl hynny, yn ceisio dyfalu beth barodd yr anesmwythder. Yr oeddem yn byw yn ymyl Elin a Lewis Jones, Pant-y-buarth, ac yn gyfeillion mawr â hwy. Yr oeddynt hwy yn byw yn eu ffarm eu hunain, ac wedi eu gadael mewn sefyllfa dda gan Robert Wynn, ac yn dyfod yn eu blaenau yn gyflym. A dweud y lleiaf, ystyriwn fy hun cystal ffarmwr â Lewis Jones, a chan nad pa rinweddau oedd yn perthyn i Elin, ni allwn ganiatáu am funud ei bod yn rhagori ar

Gwen. Ond teimlwn eu bod yn mynd heibio i ni, er, fel y dywedais, nad oedd gennyf le i gwyno. Hwyrach mai hynny a ddechreuodd ynof yn anymwybodol fy anesmwythder.

Y pryd hwnnw yr oedd cryn sôn am ymfudo, a llawer o ffermwyr a allai fforddio yn mynd i'r Amerig, a'r rhagolygon, fel y dywedid, yn hynod o ddisglair. Daeth y gyfaredd arnaf, llosgai yn fy nghalon ddydd a nos, ond cedwais fy meddyliau i mi fy hun am y rhawg, a phan soniais wrth Gwen, nid anghofiaf byth y cynnwrf a achosais yn ei mynwes. Cyhuddai fi o fod yn anniolchgar am wenau Rhagluniaeth—o fod yn fydol ac yn ddibris o'n sefyllfa gysurus, a wn i ddim faint o bethau eraill; ac O! gan Dduw na wrandawswn arni! Ond yr oedd y gyfaredd wedi cymryd gafael rhy gryf ynof iddi fy ngollwng ar frys. Darllenwn bob papur y gallwn gael gafael arno a oedd yn sôn am y wlad a'r ymfudiaeth. Heb i mi fanylu, wedi llawer o siarad, dadlau, ac ymresymu, llwyddais o'r diwedd i gael gan Gwen fodloni, yn erbyn ei hewyllys, mi wyddwn, i fynd gyda mi i'r Amerig, cyn i mi sibrwd gair am fy mwriadau wrth un cyfaill. Nid wyf yn gweneithio i mi fy hun wrth ddweud, pan wneuthum fy mwriadau yn hysbys i'r cymdogion, amlygent gryn alar, a gwnaethant bob ysgil i newid fy meddwl, ond gwyddwn fod eu hamharodrwydd i ymadael â Gwen yn fwy nag i ymadael â mi, oblegid yr oedd iddi ffrindiau lawer, a gwaredai Elin, Pant-y-buarth, at ein hynfydrwydd. Ond erbyn hyn, yr oeddem wedi gwneud ein meddyliau i fyny i ymfudo. Pan grybwyllais am y peth wrth Dr. Huws synnodd yn fawr. Gyda'i onestrwydd arferol, siaradodd yn finiog a chyrhaeddgar, a rhaid i mi gyfaddef mai efe yn unig a fu bron â siglo fy mhenderfyniad, a phe buasai wedi siarad tipyn ychwaneg yn yr un dull, buaswn wedi taflu ymaith am byth y syniad am ymadael â Chymru. Pan welodd y Doctor fy mod yn lled benderfynol am gario allan fy mwriad, rhoddodd i mi gynghorion gwerthfawr. Erfyniaf hynawsedd y darllenydd i dalu fy ngwarogaeth i'r gŵr digymar hwnnw—Doctor Huws, mewn un frawddeg, i'r hwn y dylaswn fod wedi rhoi llawer mwy o le yn yr hanes hwn, oblegid yr oedd ei fedrusrwydd, yn haeddu amryw benodau, ac ni fydd fy nghydwybod yn dawel oni cheisiaf, os caf fyw, dalu fy nheyrnged iddo mewn hanes arall. Y *wrench* fwyaf i Gwen a minnau oedd meddwl am fynd i wlad na allem alw am Doctor Huws pan fyddem mewn cyfyngder.

Wrth gwrs, anfonais at Mr. Thomson, ein meistr tir, i fynegi iddo fy mwriad. Gyda throad y post cefais lythyr maith a charedig ganddo. Synnai a gofidiai fy mod wedi penderfynu gadael y Wernddu a gwlad fy ngenedigaeth.

"Wrth gwrs," ebe fe, "yr ydych eich dau yn gymharol ieuanc, ac os ydych yn bwriadu ymfudo, yn awr ydyw'r amser i chwi wneud hynny, er y bydd yn ofid mawr i mi feddwl y bydd yn y man Iwerydd mawr rhyngom a chwi. Pan ddarllenwn eich llythyr yn fy hysbysu am eich bwriad i ymfudo, effeithiodd mor ddwys arnaf, fel y gŵyr Nansi, fel y teimlwn yn barod i gynnig unrhyw delerau a ddymunech ynglŷn â'r ffarm yn hytrach nag i chwi adael eich gwlad. Ond nid fy lle i ydyw ceisio newid eich pwrpas, a diau gennyf eich bod wedi ystyried y mater yn ddifrifol cyn penderfynu arno. Ond goddefwch i mi, fy annwyl gyfaill, ddweud fy mhrofiad wrthych. Yr wyf yn ddigon hen i fod yn dad i chwi. Yr wyf yn lled gyfoethog, ac yn byw mewn tŷ ardderchog, fel y cewch weld mi obeithiaf, cyn i chwi ymfudo. Ond fy mhrofiad i ydyw hyn—na all dyn fwynhau a gwneud defnydd ond o hyn a hyn. Os bydd gan ddyn ddigon o fwyd a diod a dillad a chysuron teuluaidd, nid wyf yn gweld y gall gael mwy—pa beth bynnag ychwaneg sydd ganddo *margin* ydyw na all ei fwynhau, oddigerth fod ganddo lawer o gyfeillion, a'i fod yn ymwybodol ei fod yn ddefnyddiol yn y byd. Ond y mae'r ddau beth olaf o fewn cyrraedd y tlawd fel y cyfoethog. Yr hwn sydd uwchlaw angen, yn byw yng nghanol ei gyfeillion ac yn teimlo ei fod o ryw ddefnydd yn y byd—nid wyf yn gwybod y gall Duw roddi ychwaneg iddo. Ond ni fynnwn ar un cyfrif newid eich bwriadau. Wrth gwrs, ni fydd raid i chwi roddi'r rhybudd arferol—cewch roi'r Wernddu i fyny y dydd y mynnoch ar un telerau—sef eich bod yn ymrwymo i ddyfod yma i dreulio ychydig ddyddiau cyn gadael eich gwlad."

Anfonais ato i ddiolch iddo, ac addewais y deuwn i ymweld ag ef wedi inni werthu ein pethau a gwneud y paratoadau angenrheidiol. Yr oedd ymlyniad Gwen wrth Ann, y forwyn, ac Ann wrthi hithau mor fawr fel y darfu inni gynnig ei chymryd gyda ni, a derbyniodd hithau'r cynigiad yn llawen, oblegid yr oedd yn eneth hollol amddifad a heb le i fynd iddo pe gadawsem hi ar ôl. Heblaw hynny yr oedd Ann wedi clywed fod ewyrth iddi yn yr Amerig, er na wyddai ymhle yno, a chredai'r eneth ddiniwed y byddem yn siŵr o daro arno unwaith y byddem yn yr Amerig. Ymhen ychydig wythnosau yr oeddem wedi gwerthu ein pethau ac wedi gwneud yr holl baratoadau i'n taith hirfaith. Yn awr mi adroddaf hanes ein hymweliad â Mr. Thomson a'r syndod oedd mewn ystôr inni yno.

XLVII

Hen Gyfeillion

WEDI i'n holl eiddo fynd o dan y morthwyl yr oedd gennym yn ein hymyl swm lled dda o arian—gymaint bedair gwaith, mi wyddwn, ag a feddai ambell un o'r amaethwyr a aethai eisoes i'r Amerig. Ac yn y wedd ariannol teimlem yn bur galonnog. Yna cychwynnodd Gwen a minnau i dalu ein hymweliad hir-addawedig i Mr. Thomson. Yr oedd y siwrnai yn bell; ac ar y ffordd, mae'n rhaid i mi gyfaddef, nad oeddem yn hoyw iawn ein hysbryd, oblegid, erbyn hyn, yr oedd agosrwydd yr amser pryd yr oeddem i adael Cymru, hwyrach am byth, yn dechrau pwyso yn drwm ar ei calonnau. Deallwn ar wedd Gwen, a'r ocheneidiau distaw a chwyddai ei mynwes yn fynych, ei bod yn teimlo yn ddwys, ac ofnwn yn fy nghalon iddi ddarganfod fy mod innau yn sobreiddio ac yn pruddhau fel yr oedd yr amser yn nesu, canys nid chwarae bach oedd mynd i'r Amerig y dyddiau hynny. Ceisiwn ymddangos yn siriol, a fy mod yn cymryd diddordeb yn y golygfeydd ar ein ffordd i swydd Warwick, ond yr oeddwn yn ymwybodol o hyd y gwyddai Gwen mai ffuantu yr oeddwn. Yr oedd Mr. Thomson wedi trefnu gyda ni i anfon ei was a'i gerbyd i'n cyfarfod i fan neilltuol, am yr ofnai y byddai yn nos arnom cyn i ni gyrraedd yno. Ac felly yr oedd, ac yn noson lled dywyll. A phan gyraeddasom y fan, daeth y gwas, a oedd mewn lifrai, yn syth atom, fel pe buasai yn ein hadnabod yn dda, a'n cymryd at gerbyd Mr. Thomson, a oedd yn sefyll gerllaw, a gŵr cryf, cryno, yn dal pen y ceffyl. Yr oedd yn rhy dywyll i mi weld ei wyneb. Wedi i'r gwas ein rhoi yn ddiogel, yn y cerbyd, neidiodd ef a'r gŵr cryno ar y bocs, ac ymaith â ni yn gyflym. Ar ôl mynd bellter o ffordd, ar hyd y tyrpeg fel y tybiwn, safodd y cerbyd wrth borth, a neidiodd y gŵr corffol i'w agor, ac ar y bocs yn ôl mewn eiliad, a thybiem ein bod yn mynd wedyn ar hyd *carriage drive* am ryw dri chant o lathenni, ac yna daethom at y tŷ, a oedd wedi ei oleuo yn braf, ac yn y drws yr oedd Mr. Thomson a

Nansi a'r bachgen bach i'n derbyn yn groesawgar iawn. Gwelwn ar drawiad llygad ein bod mewn plasty hynafol. Nid oedd yno ddim gorwychder fel a welsem pan fuom unwaith yng nghartref Mr. Vaughan, Plas Uchaf, ond yr oedd yr holl ddodrefn yn dda a sylweddol, ac o'r gwneuthuriad gorau. Ymddangosai Mr. Thomson a'i ferch yn dra gwahanol i'r hyn oeddynt pan welsem hwy ddiwethaf. Yr oeddynt yn hynod o siriol ac yn siarad mewn llais uchel. Prin y buasem yn adnabod Mr. Thomson oddi wrth y bonheddwr distaw a letyai amser yn ôl yn y Wernddu. Ac yr oedd yr hogyn bach erbyn hyn yn rhedeg i bobman, a Gwen yn darn wirioni ynddo ac yn taflu cilolwg awgrymiadol arnaf yrŵan ac yn y man wrth ganfod y tebygolrwydd oedd yn ei wyneb i'w dad a theulu'r Plas Onn. Teimlem yn gartrefol yno ar unwaith, a llaciodd tannau ein calonnau ar ôl eu tyndra ar hyd y ffordd. Ni cheisiaf ddisgrifio caredigrwydd y teulu hynaws hwn. Wedi inni ymborthi a gofyn ac ateb cant o gwestiynau o boptu, heblaw holi ac ateb yr hogyn bach rhwng cromfachau, a hwnnw'n bwt siaradus dros ben, ebe Mr. Thomson:

"Mr. Tomos, mae gennyf ddyn yn fy ngwasanaeth ers tro byd bellach sydd yn dweud ei fod yn eich adnabod chwi eich dau, ac wedi deall eich bod yn dod yma, gofynnodd a gâi eich gweld ac ysgwyd llaw â chwi. Y mae ar frys am eich cyfarfod, a dywedais wrtho am ddod yma erbyn naw o'r gloch, a mi fydd yma i chwi ymhen ychydig o funudau."

Cyn i mi gael amser i ofyn ei enw curodd y forwyn y drws, a gwaeddodd Mr. Thomson:

"Dowch â fo i mewn, Mary." Agorodd y drws, a bu agos imi lesmeirio pan safodd Twm Nansi o'm blaen yn wenau i gyd. Cyn dweud gair ysgydwodd Twm ddwylo at y penelin efo Gwen a minnau. Pe codasai un oddi wrth y meirw ni fuasai yn fwy o syndod i Gwen. Nid oedd mor rhyfedd i mi, oblegid fe gofia y darllenydd i mi awgrymu na chredwn i Twm gyflawni hunanladdiad, ac na buasai yn ymostwng i fynd i'r byd arall yr un adeg â Dafydd Ifans, y cipar. Bu cryn firi yn ein plith am hanner awr, ac wedi hynny aeth Twm ymaith, ar ôl i mi addo ymgom hir drannoeth. Gwyddwn nad oedd ymddangosiad Twm lawn mor dderbyniol gan Gwen â chennyf fi, oblegid credai mai Twm yn hytrach nag Wmffre druan a ddylasai gael ei gysylltu â llofruddiaeth Dafydd Ifans, er y gwyddai erbyn hyn fod Twm yn ddigon diniwed. Gwelwn ar wedd Gwen fod y daith a chynhyrfiad y noswaith wedi bod yn ormod iddi—dechreuai wynnu o gwmpas ei safn, ac anogais hi fynd i orffwyso, a chymerodd Nansi hi ymaith. Wedi ein gadael i ni ein hunain, ebe Mr. Thomson:

"Yr oeddwn yn cadw Rogers wrth gefn fel syndod i chwi pan ddeuech yma, ac efe oedd yr 'un arall' y soniais amdano mewn llythyr atoch dro yn ôl. Ond nid fel Rogers y cyflogais y rôg ar y dechrau. Williams y galwai efe ei hun y pryd hwnnw. Nid yw fy ystad yn fawr, Mr. Tomos, ond y mae yn gompact—y mae gennyf dipyn o *game* a thipyn o bopeth arni. Yr oeddwn mewn angen am ddyn i actio fel cipar ac i'w wneud ei hun yn ddefnyddiol mewn amryw ffyrdd, pryd y daeth Williams, neu Rogers, i'w gynnig ei hun. Dywedai y gallai droi ei law at y peth a fynnwn, a dywedodd ychwaneg, sef nad oedd ganddo garitor oddi wrth neb—nad oedd yn werth ei gario, ac na fuasai yr un cymhelliad imi ei gyflogi. Hoffais onestrwydd y dyn, a phenderfynais wneud prawf arno. Yr oeddwn yn fwy parod i'w gyflogi pan ddeellais mai Cymro ydoedd, a'i fod, fel y dywedai, yn weddol gydnabyddus â Gogledd Cymru, am reswm sydd yn eithaf hysbys i chwi. Canfûm yn union fod Williams, fel y galwai ei hun, yn ddyn medrus, yn saethwr di-ail, na welais ei debyg, ac yn alluog a pharod i wneud unrhyw beth a ofynnwn ganddo. Ni bu yn hir cyn cribo i fyny fy llawes, oblegid, fel y gwyddoch, y mae ganddo dafod llyfn a pharod, a synnwyr craff. Yr oeddwn yn ymwybodol o'r dechrau fod a wnelwyf â dyn, er ei fod yn ddi-ddysg, oedd cyn graffed â minnau, a cheisiwn fod ar fy ngwyliadwriaeth gydag ef. Ond oherwydd ei bertrwydd, na fyddai byth yn ymylu ar hyfdra, a'i barodrwydd i'n boddio, teimlai Nansi a minnau yn fuan fod ganddo ryw ddylanwad rhyfedd arnom, ac oherwydd na byddai gennyf un amser gwmni na'i eisiau, ymgomiwn lawer â Williams am Gymru a hynny gydag amcan neilltuol, fel y gwyddoch. Yr wyf yn meddwl y byddai Nansi yn ei edmygu yn fwy nag y byddwn i, ac ni byddai byth yn dyfod i'r tŷ heb iddi yn union ymorol am fara a chaws a chorniad o gwrw iddo. Ofnwn y byddai Williams yn gwneud esgus i ddyfod i'r tŷ weithiau pan na fyddai gwir angen am hynny, ond winciwn ar y peth. Byddai'n gwneud yn fawr o'r plentyn bach, a phan fyddai yn flin cymerai ef yn ei freichiau a chanai Gymraeg iddo, ac anaml y methai ei dawelu. Yr oedd Williams wedi gwneud hyn gynifer o weithiau cyn iddo wybod pwy oedd tad y plentyn, fel y credai Nansi fod y baban yn hoffach o'r Gymraeg na'r Saesneg am mai Cymro oedd ei dad. Ni wyddai na gwas na morwyn ein helynt, yr hwn a adroddais wrthych yn y Wernddu, ac ni ddarfu i Williams mewn modd yn y byd geisio cael allan ein cyfrinach. Ond un diwrnod wedi i Williams lonyddu'r baban, a oedd wedi bod yn anniddig dros ben nes iddo ei gymryd yn ei freichiau, slipiodd Nansi y wybodaeth mai Cymro oedd ei dad, ac ebe Williams, 'Nid rhyfedd felly ei fod yn mynd i gysgu wrth i mi ganu Cymraeg iddo,' ac ni ofynnodd un cwestiwn. Edmygwn y dyn am nad oedd yn ceisio chwilenna i'n hanes, a pharodd hyn i mi agor fy mynwes iddo pan oeddem un diwrnod yn saethu cwningod. Yr oeddwn yn ysu eisiau cael dial ar yr hwn oedd wedi twyllo fy merch Nansi, ac yr oedd yn ollyngdod i mi gael dweud hanes na wyddai neb o'r cymdogion mohono. Dywedais wrth Nansi fy mod wedi amlygu i Williams ei chyfrinach. Toc wedi hyn rhoddodd hithau ddisgrifiad o'r gŵr a alwai ei hun yn Bifan, ac yn ôl cyfarwyddyd Williams y deuthum i'ch cymdogaeth chwi acw. Yr oedd Mr. Ernest Griffith yn ateb i'r disgrifiad i'r dim, ond nid oeddwn yn ddigon sicr ai efe oedd wedi twyllo fy merch. Tra oeddwn yn lletya yn y Wernddu gyrrais am Nansi i lawr a chyfarwyddais hi i aros yn y *Bedol*. Cymerais yr ystafell uwchben y gegin iddi, a gorchmynnais iddi wylio yn y ffenestr, oblegid yr oedd Ernest Griffith, fel y gwyddoch, yn mynd heibio yn fynych. Yr ail ddydd canfu ac adnabu ef. Ond erbyn hyn yr oedd cryn sôn am ei briodas gyda Miss Vaughan. Gwyddoch sut y diweddodd pethau. Ond yr oeddwn wedi cael pob gwybodaeth yn ei gylch cyn hyn. Deellais ei fod cyn dloted â llygoden eglwys, a chyn ddyhired â'r cythraul, a chefais fy *revenge*. Wedi dod yn ôl ac adrodd wrth Williams hanes cwymp Ernest Griffith, llawenhâi yn fawr, a deellais ar ei siarad fod ganddo yntau ddant iddo. Fel y digwyddodd, ni feddyliais sôn wrtho am Nansi'r Nant am gryn amser, a phan oeddwn yn adrodd ambell stori ryfedd a digrif a gawswn gan yr hen wraig, chwarddai Williams yn galonnog a gofynnais iddo a oedd efe yn ei hadnabod? ac ebe fe, 'Mr. Thomson, wnewch chwi faddau am i mi arfer tipyn o dwyllo efo chwi? Yr oedd gennyf amcan wrth wneud hynny fel y cewch weld rhyw ddiwrnod. Yr hen wraig yr ydych yn sôn amdani ydyw fy mam, ac andros o ddynes ydyw hi hefyd.' Yr oeddwn wedi fy fferru pan ddywedodd efe hyn, ac ebe fi, 'Wel, Williams, neu yn hytrach Rogers, yr ydych yn llofrudd, ac y mae'r heddgeidwad yn chwilio amdanoch ers amser maith.' 'Dim peryg,' ebe fe, 'pe buaswn yn llofrudd ni buaswn mor ffôl â dweud i chwi pwy oeddwn. Gyda golwg ar yr helynt hwnnw yr wyf mor ddiniwed â chwithau,' ac adroddodd i mi yr holl hanes fel y bu. Erbyn hyn ni wyddwn yn y byd mawr pa beth i'w wneud. A oedd efe yn dweud y gwir wrthyf ni wyddwn. Yr oeddwn mewn penbleth mawr. Nid oedd dim byd tebyg i lofrudd o'i gwmpas—yr oedd yn hapus a llawen. Gwelodd fy mod wedi anesmwytho, ac ebe fe, 'Os ydych yn fy amau, syr, rhowch fi yn llaw'r awdurdodau ar unwaith—wna' i ddim rhedeg i ffwrdd. Ond pe gwnelech hynny fe fyddech yn foddion i grogi Wmffre, un o'r bechgyn diniweitiaf yn y byd, ond bachgen, druan, a anghofiodd ei hun am hanner munud. Ac os ydyw Wmffre wedi marw mi fyddwch yn foddion i nghrogi i—bachgen na laddodd greadur gwerthfawrocach na ffesant yn ei fywyd. Duw a ŵyr! y mae gennyf gyfrif mawr am rheiny!' a chwarddodd yn uchel. Ni wyddwn beth i'w wneud, fel y dywedais. Ond meddyliais y cymerwn amser i ystyried, a gorchmynnais iddo beidio sôn gair wrth fy merch Nansi, neu y byddai wedi ei dychrynu i ffitiau. Bûm yn pondro am ddyddiau uwchben y peth, ac yn amau a oeddwn yn gwneud fy nyletswydd wrth beidio rhoi Rogers mewn dalfa. Gwelodd wahaniaeth yn fy ymddygiad tuag ato, ac yn wir yr oeddwn wedi dechrau ei gasáu, pryd y dywedodd—'Mr. Thomson, mi welaf fod fy nghyfaddefiad yn blino eich meddwl, a'ch bod yn amau fy ngeirwiredd, ac y mae hynny yn ddigon naturiol. A wnewch chwi un peth? Mae Rheinallt Tomos, y Wernddu, gyda'r hwn y buoch yn aros, yn fy adnabod yn dda er yn blentyn, a wnewch chwi anfon ato i ofyn iddo ei syniad am yr helynt, ac a ydyw ef yn credu mai Twm Nansi a laddodd Dafydd Ifans?' Addewais wneud hynny, ond oedais am rai dyddiau, pryd y gwelais yn y papur gyfaddefiad Wmffre. Teimlwn yn hapus wedi darllen y cyfaddefiad, ac euthum ag ef i Rogers. Darllenodd ef, a pha beth bynnag ydyw Rogers wedi bod—y chwi ŵyr orau—nid ydyw wedi colli ei galon. Gosododd ei ben rhwng ei ddwylo ar wal y buarth ac wylodd yn hidl, ac nid edliwiodd fy niffyg ffydd ynddo."

Adroddais, ymysg pethau eraill, wrth Mr. Thomson, hanes dyddiau olaf Nansi'r Nant a'r anesmwythder a barodd yr hyn a ddywedodd wrth Gwen, ac yn gymaint â fy mod yn gwybod ei fod wedi treulio llawer o amser gyda'r hen wraig, gofynnais a oedd hi wedi awgrymu rhyw bethau o'r un natur wrtho ef, ac atebodd yntau—

"Fy annwyl gyfaill, rhaid i ni gymryd bywyd fel y mae, ac y mae llawer o bethau y mae yn well i ni fod heb eu gwybod. Nid yw fawr o bwys beth a ddigwyddodd flynyddoedd yn ôl—gwneud ein gorau o'n hamgylchiadau presennol ydyw ein dyletswydd, a chwi wyddoch—'*when ignorance is bliss 'tis folly to be wise*'."

Ni chyffyrddais â'r pwnc wedi hyn. Cefais lawer o ymgomio gyda Thwm y dyddiau canlynol. Aethom dros yr holl hen bethau—y triciau yr oedd efe wedi eu gwneud efo mi pan oedd yn hogyn, etc. Ond llithrai Twm o hyd i sôn am Harri Tomos ac Wmffre. Canmolai ei le a'i feistr yn fawr, ac ebe fe unwaith:

"Wyst ti be, Rhein, mi fu'r helynt efo Dafydd Ifans o fendith fawr i mi, achos yr ydw i *just* â chredu 'y mod i wedi cael hanner y 'tro' y bydde dy fam eisiau i ti a finne gael pan oeddan ni'n hogie drwg erstalwm."

Yr oeddwn bron â'i goelio, oblegid yr oedd Twm wedi cyfnewid yn fawr. Deellais ar ei siarad ei fod wedi dal rhyw fath o gymundeb â'i fam tra bu hi byw—pa fodd yr oedd yn gwneud hynny ni ddywedodd wrthyf.

Dyddiau hapus oedd y rheini a dreuliodd Gwen a minnau gyda Mr. Thomson, ond daethant i ben, ac yr oedd yn rhaid ymadael. Yr oedd arnaf hanner blwyddyn o rent iddo, a thelais yr arian. Wedi iddo roi derbyneb i mi cyflwynodd yr arian yn ôl i Gwen. Yr oedd Gwen a Nansi wedi mynd yn gyfeillion mawr, a meddyliwn, wrth weld yr anhawster yr oeddynt ynddo i ffarwelio, a oeddynt, tybed, pe buasai popeth yn glir ac yn olau, yn rhywbeth mwy na chyfeillion. Erbyn hyn yr oedd yr unig un a allasai daflu goleuni ar hyn wedi mynd i'w hateb, a'r ateb hwnnw yn un mawr y mae arnaf ofn.

XLVIII

Diweddglo

NID ydyw mynd i'r Amerig y dyddiau hyn ond chwarae bach, ond yr oedd yn rhywbeth tra gwahanol yr amser yr wyf yn ysgrifennu yn ei gylch. Weithiau cymerai chwe wythnos a rhagor na hynny i fynd i Efrog Newydd, ac nid oedd y darpariaethau a wneid ar gyfer cysuron y teithwyr i'w cymharu â'r hyn a geir yn yr adeg bresennol. Nid oedd y llong yr aethom gyda hi na'r ymborth o'r rhai gorau, a buom yn hir iawn yn cyrraedd pen ein siwrnai. Oherwydd yr enbydrwydd tost y buom ynddo nes ofni fwy nag unwaith am ein hoedl, y salwch mawr a gawsom, y cwmni afreolus, budr, rheglyd—gan mwyaf yn Wyddelod—yr oeddem wedi laru yn lân ar ein siwrnai ac yn dyheu am gyrraedd ein cyrchfan. Er ein syndod, daliodd Ann, y forwyn, a fyddai bob amser yn wannaidd, y fordaith yn rhagorach o lawer na Gwen a minnau, a diolchasom lawer yn ein mynwesau ddarfod inni benderfynu ei chymryd gyda ni, oblegid bu o help mawr i gadw ysbryd Gwen rhag suddo, yr hon, mi wyddwn, yn ein henbydrwydd a edifarhaodd gannoedd o weithiau gychwyn oddi cartref. Pan gawsom ein traed ar dir sych teimlem yn dra diolchgar.

Fel yr oeddem wedi llunio a chael ein cyfarwyddo cyn inni gychwyn ar ein taith, aethom ymhell i galon y wlad fawr eang, lle y prynasom am swm cymharol fychan o arian ddarn o dir, a hwnnw, wrth gwrs, yn hollol wyllt a diamaethiad, a heb na thŷ na thwlc arno nac yn agos ato. Ein gorchwyl cyntaf oedd adeiladu rhyw fath o gaban coed i aros rhywbeth gwell, ac oherwydd prinder gweithwyr, er cynnig crocbris o gyflog iddynt, cymerodd inni flynyddoedd i ddwyn ein preswylfod i ffurf y gellid ei alw yn gartref. Ond nid oes flas gennyf fanylu ar y cyfnod hwnnw—cyfnod na welais prin wên siriol ar wyneb Gwen, er na byddai hi byth yn cwyno nac yn grwgnach. Yr oedd yr anghysuron yn fawr a'r anghyfleusterau yn ddirifedi, ond yn gymaint ag mai fi, a myfi yn unig, a ddug yr holl anfanteision hyn arnom, arbedodd Gwen fy nheimladau drwy beidio ag yngan sill na murmur, dim anfodlonrwydd, ond darllenwn bob dydd yn ei hwyneb sad, ei gwedd ddifrifddwys—er ei hymroad di-ildio i gyflawni ei dyletswyddau—ynfydrwydd fy ngwaith yn gadael Cymru.

Yr oedd bychander ein teulu yn treblu ein hannedwyddwch. Yr oedd y teuluoedd a gynhwysai amryw feibion a merched wedi tyfu i oedran, ac wedi gadael hen gartrefi gwael yng Nghymru, yn gallu ymladd â'r anawsterau yn galonnog. Ond nid felly ni. Am rai blynyddoedd yr oedd ein cymdogion nesaf bellter mawr o ffordd oddi wrthym, a'r rhai hynny heb fod o'r un gwaed ac anian â ni—pobl wedi dyfod yno gyda'r unig bwrpas o wneud arian—heb eiliw o grefydd arnynt na pharch i Saboth na Duw na dyn. Am gyfnod maith yr oedd ein teulu bach yn addoli fel y patriarchiaid gynt, dan ein cronglwyd ein hunain. Ar y Saboth cynhaliem dri o ryw fath o addoliad, a minnau yn gweinyddu fel offeiriad y teulu. Ar brynhawn Sul ffurfiem yn ddosbarth i ddarllen y Beibl yn union yr un fath ag yr oeddwn wedi arfer darllen yn yr Ysgol Sul yng Nghymru, ac ar yr adegau hynny yr oeddwn yn gallu darllen yn eglur hiraeth Gwen, a gwyddwn fod ei meddyliau yng nghapel Tan-y-fron.

Er bod pump ohonom, teimlem i'r byw yn fynych bangfeydd unigrwydd, a phan fyddem ar ein gliniau yn ceisio addoli, cofiwn o hyd fod gwn Harri Tomos yn llwythog yn nhop y gegin. Gwyddwn nad oedd Gwen ac Ann, y forwyn, yn rhydd oddi wrth ofnau, yn enwedig pan fyddai raid i mi ar adegau fynd oddi cartref am ddiwrnod, er na fyddent yn sôn llawer am hynny.

Un tro, yr oedd yn rhaid i mi fynd i daith a gymerai i mi y dydd ar ei hyd i fynd a dychwelyd. Brynhawn y diwrnod hwnnw, a'r ddau was gyda'u gorchwyl ymhell oddi wrth y tŷ, daeth dau Ellmynwr at ein hannedd a heb eu gofyn cerddasant yn hyfion i'r gegin. Siaradent yn gyflym a thrystfawr, ond ni ddeallai Gwen nac Ann air o'r hyn a ddywedent, a dychrynwyd hwy yn fawr. Gwnaeth Gwen arwydd ar iddynt adael y tŷ, ond ni wnaent osgo at hynny, ac ymddangosent fel yn mwynhau'r braw yr oeddynt wedi ei achosi, pryd—a synnais lawer gwaith sut y cafodd nerth—pryd y neidiodd Gwen i ben cadair ac y cipiodd y gwn i lawr gan osod y stoc ar ei hysgwydd fel pe buasai am daro tân, ac y dihangodd yr ymwelwyr mewn dychryn. Dichon nad oedd gan yr Ellmyniaid hynny un bwriad drwg, ond parasant ddychryn mawr i'r ddwy, a chafodd Gwen y fath ysgytiad i'w gïau fel na bu yr un un o hynny allan. Wedi hyn, ni chawn adael cartref heb fod gweithiwr neu ddau o fewn clyw i wylio'r tŷ, a bu raid i mi gadw dau gi cryf. Ond ni ddigwyddodd dim anghysurus drachefn gwerth sôn amdano.

Daeth amser gwell. Yr oedd fy ffarm wedi dyfod i dalu yn ardderchog, gweithwyr yn haws i'w cael, y rhan honno o'r wlad yn cael ei phoblogi yn fwy o hyd, ac yn y man amryw Gymry tebyg i ni ein hunain wedi dyfod i drigo yn agos atom, achos crefyddol bach wedi ei gychwyn gennym, pobl o'r Hen Wlad a ninnau wedi dyfod yn gyfeillion—hwy yn treulio Saboth gyda ni, a ninnau gyda hwythau, pawb yn ei dro, a phopeth yn fwy cysurus, a llythyrau yn dyfod yn fwy diogel ac yn amlach o Gymru. Yr oedd pawb o'r Cymry yn gwneud yn dda, ac yr oeddem oll yn byw yn gymdogol gyda'n gilydd heb genfigennu wrth ein gilydd. Yn gymaint â bod Gwen a minnau yn y rhanbarth hwnnw o'r wlad o flaen pawb o'n cydgenedl annwyl, yr oedd ein profiad yn helaethach, ac yr oedd Gwen yn gallu cyfarwyddo'r gwragedd a'r merched, a minnau y gwŷr, ac yr oeddem yn cael tâl yn ein mynwesau am fod o ryw gynhorthwy iddynt. Yr oedd fy nghyfoeth yn cynyddu yn gyflym.

Ond pa faint gwell oeddwn tra oeddwn yn canfod un, yn wir ddwy, yn fy nhŷ â'u hiechyd yn gwywo yn amlwg? Bu Ann, y forwyn, farw cyn gweld ei hewyrth na chlywed sôn amdano. Nid oedd Gwen eto fawr dros ddeugain oed, ond yr oedd ei gwallt wedi britho a'i chnawd wedi curio. Pan dderbyniem lythyr oddi wrth Elin a Lewis Jones, Pant-y-buarth, yr hwn a gynhwysai bob amser yr holl newyddion am yr hen gartref, darllenai Gwen ef gydag awch, a chanfyddwn yn fynych nad oedd ei hiraeth am Gymru ar ôl yr holl flynyddoedd, ronyn yn llai. Yr oeddem yn dda arnom, ac nid oedd angen arni i wneud dim yn y ffordd o waith, ac eto gweithio a fynnai er maint yr hyn a ddywedwn wrthi. Gwelwn, ac yr oedd hynny yn bwyta fy nghalon, os na ddeuai rhyw gyfnewidiad buan na allai Gwen fyw yn hir yn yr Amerig, a beth a fuasai yr holl gyfandir i mi hebddi hi? Ac ebe fi wrthi un noson:

"Gwen, os cawn ni fyw dan ddechrau'r flwyddyn, mi werthwn y cwbl, ac awn yn ôl i Gymru ac i fyw i'r hen gartre', os gallwn ni sut yn y byd. Be ddyliet ti?"

Edrychodd yn hynod o siriol, a thybiais fy mod wedi ei boddhau yn fawr. Ond faint oedd fy siomedigaeth pan ddywedodd:

"Mae hi yn rhy hwyr meddwl am hynny 'rŵan, machgen i. Yr ydw i'n wannach o lawer nag wyt ti'n meddwl. Mae gen i boen reit o dan 'y nghalon, a cha'i ddim 'madel â hwnnw."

"Dydi'r boen ene," ebe fi, "dim ond peth diweddar, ac er na feder doctoriaid y wlad yma ei symud iti, mi ddaw awyr yr hen gartre' â thi atat dy hun yn union."

"Na, nid peth diweddar ydi o," ebe hi, "mae'r boen yma yn awr ac yn y man byth er pan ddychrynwyd fi gan yr Ellmyniaid hynny, ac yn ddiweddar, nid ydyw yn fy ngadel."

"Pam na faset ti yn sôn yn gynt, Gwen?" ebe fi.

"I beth?" ebe hi, "faswn i ddim ond yn rhoi poen meddwl i ti. Yr oeddwn wedi meddwl am sôn wrthot ti am fynd yn ôl i Gymru erstalwm, ond pan ddaeth y newydd am farwolaeth Dr. Huws mi rois y meddwl heibio. A 'does gen i ddim ofn marw. Er y noswaith y daru i Elin Wynn 'y nghymryd i wrando Mr. John Phillips, yr ydw i wedi ceisio byw fel ag i fod yn barod i farw pan ddôi'r alwad. Mi wyddost di a ydw i wedi twyllo fy hun ai peidio—mi wyddost bopeth amdanaf. A ydyw nod y plant arna i? Mi gredaf yn ostyngedig a diolchgar fod fy meddwl wedi cartrefu cymaint gyda marw'r Groes fel ag i robio hynny o ddychryn a all fod yn fy marw i. Beth sydd yna i'w ofni ond y tipyn poen fydd yn yr ysgariad? A hwyrach na cha' i fawr o hwnnw."

Gwaith ofer bellach oedd sôn am ddychwelyd i Gymru, ac am ei chysuro nid oedd arni angen am hynny—yr oedd yn berffaith gysurus. Ond i enaid mor lân â'r eiddo hi ni fedrais byth ddeall pa angen oedd am yr hir a'r dygn nychdod a gafodd ar ôl yr ymgom uchod. Cafodd gystudd blin a maith, ond ar ei hyd yr oedd ei meddwl yn dawel a'i chalon yn hapus. Y dydd y bu farw gofynnodd gwestiwn rhyfedd i mi:

"Rheinallt," ebe hi, "paid â meddwl mod i yn hunangar, ond wnei di ddim priodi eto, wnei di?"

"Byth," ebe fi.

"Na wnei, mi wn," ebe hi, "achos y mae gen i dy eisio i gyd i mi fy hun eto. Darllen y bennod i mi lle mae text John Phillips ynddi."

Gwneuthum hynny orau y gallwn, a'm calon yn fy ngwddf. Wedi i mi orffen, ebe hi:

"Os ei di byth i Gymru, dywed wrth Elin 'y mod i am chwilio yn galed am Mr. Phillips."

Deffrois un bore—neu, yn hytrach, dadfreuddwydiais, oblegid nid oeddwn wedi cysgu ers nosweithiau—a'r byd yn wag i mi, yn wag hollol. Yr oedd yr unig beth daearol a gyfrifwn i yn werthfawr wedi ei guddio dan ychydig droedfeddi o bridd oer. Ceisiais am rai blynyddoedd lenwi'r gwagle drwy ymroddi i ychwanegu fy eiddo, ond i ddim diben. Yr oeddwn erbyn hyn wedi hel tipyn o gyfoeth, ond collais flas ar bopeth, ac ymhen y rhawg gwerthais y cwbwl a feddwn, a dychwelais i Gymru. Euthum i'r hen gartref, a chefais bopeth bron wedi cyfnewid—y nifer mwyaf o'm hen gydnabyddion wedi marw. Yr oedd y Penty lle y'm ganwyd wedi ei dynnu i lawr, a'r ardd lle y bu Harri Tomos a minnau yn ymladd ceiliogod wedi ei gwneud yn rhan o'r cae cyfagos. Yr oedd y Wernddu wedi newid dwylo, ac wedi mynd dan y fath gyfnewidiadau fel mai prin y buaswn yn adnabod y lle oni bai am yr hen bwmp, a oedd yn aros yng nghanol y buarth, y pwmp yr yfais pan oeddwn ieuanc lawer galwyn ohono.

O gywreinrwydd, gelwais yn y *Bedol.* Nid oedd Mrs. Anwyl yno—yr oedd yn gorwedd yn y fynwent gerllaw, ac wedi peidio â chwyno bod y byd yn mynd yn waeth o hyd. Wrth edrych ar y Sais sychlyd a gadwai'r tŷ, cododd hiraeth ynof am yr hen wreigan ddiniwed, hen ffasiwn, Gymreig—Mrs. Anwyl. Er ei bod yn ddiwrnod marchnad, nid oedd un wyneb o'r hen begoriaid a arferai amser maith yn ôl chwedleua yn y gegin fawr i'w weld. Ond rhoed ar ddeall i mi fod Pitar Preis, y teiliwr, eto yn fyw, yn y gornel gartref. Pant-y-buarth oedd yr unig le a ymddangosai i mi heb gyfnewid dim. Yr oedd Elin a Lewis Jones, erbyn hyn, yn dechrau mynd i oed, a thwr o blant ganddynt, ac yr oeddynt yn barchus yn y gymdogaeth ac yn ddedwydd. Cefais groeso mawr ganddynt, ond ni wnâi hwnnw ond aradru pob congl o faes fy hiraeth. Er nad oedd ond pum mlynedd ar hugain er pan adawswn y gymdogaeth, yr oeddwn yn gorfod dweud—

> Cyfaill neu ddau a'm cofiant—
> Prin ddau lle'r oedd gynnau gant.

A'r hyn a'm blinai fwyaf oedd fod y plant yn fy ngalw "Y dyn o'r Merice", a hynny yn fy hen gartref!

Mae hanes Gwen Tomos yn diweddu yn brudd, medd rhywun. Ydyw; ond y mae iddo ei wers. Meddyliais ganwaith am eiriau Mr. Thomson: "Os bydd dyn yn gallu byw uwchlaw pryder am ymborth a dillad—yn byw yng nghanol ei gyfeillion—yn derbyn bendith gan Dduw, ac yn ymwybodol ei fod o fendith i'w gymdogion, ni all Duw roddi ychwaneg iddo yn y byd hwn—mae popeth dros ben hyn yn *margin* na all ei fwynhau."

Mae gorthrwm yn ddigon o reswm dros i ddyn fynd i ben pellaf y byd, ond os ydyw yn gallu byw yn gyfforddus yng nghanol ei gyfeillion, a'i gyfleusterau crefyddol a chymdeithasol yn weddol ddymunol, ynfydrwydd ydyw iddo ymfudo i wlad ddieithr a phell.

Yr wyf yn awr yn hen ŵr penllwyd a siomedig, a phe cawn ailddechrau byw, ni feddyliwn am adael "hen wlad y menig gwynion".

DIWEDD